KU-379-496

Cl. et G. Duttweiler

Les 20 000 phrases

et expressions de la correspondance commerciale et privée

Cl. et G. Duttweiler

Les 20000 phrases

et expressions de la correspondance
commerciale et privée

suggérées par les mots-clés
classés alphabétiquement
avec références aux
«20000 Sätze» et «20000 sentences»

EDITIONS COSMOS MURI/BERNE • OTT VERLAG THUN

 ISBN 2-8296-0023-1
Ott Verlag Thun ISBN 3-7225-6191-4

Imprimé en Suisse

Note de l'éditeur

«Les 20000 phrases ...»
«Die 20000 Sätze ...»
«The 20000 sentences ...»

trois ouvrages qui peuvent être consultés séparément mais, avant tout,

trois ouvrages liés entre eux par leurs références

permettant de passer aisément d'une langue à l'autre pour trouver la bonne traduction, la nuance précise, le mot propre à utiliser.

En rééditant aujourd'hui «Les 20000 phrases ...», nous pensons rendre service

à l'homme d'affaires
au correspondancier dans sa langue maternelle
au correspondancier dans une langue étrangère
à l'étudiant en correspondance

Georges Duttweiler publia ces livres en 1960. Il imagina le principe de base, rassembla et sélectionna 20000 phrases et expressions, tâche immense et remarquable.

Nous avons confié le soin de la mise à jour à son fils, Claude Duttweiler, doyen de l'Ecole professionnelle commerciale à Lausanne. Les phrases ont été revues, complétées, modifiées. La présentation a été rendue plus lisible. Des mots-clés nouveaux sont apparus, certains ont disparu.

Par le système des références qu'il a imaginé, il permit d'améliorer et d'affiner la traduction, afin de lui donner plus de pertinence. Mais surtout vous constaterez combien la consultation simultanée des ouvrages est dès lors facilitée.

La traduction, confiée pour l'allemand à M. Huber, Dr jur., et pour l'anglais à Mme Délèze-Black et M. Cole, traducteurs professionnels, a été entièrement refaite.

Dans leur présentation actuelle,

«Les 20000 phrases ...»
«Die 20000 Sätze ...»
«The 20000 sentences ...»

représentent une **œuvre nouvelle,** un instrument de travail pratique pour tous ceux qui doivent écrire des lettres d'affaires ou des messages privés.

Mars, 1987

Editions Cosmos Muri/Berne
Ott Verlag Thun

Mode d'emploi

Comment passer d'une langue, d'un livre à l'autre

Le **mot-clé** en caractère gras, introduit l'article.
Le **mot d'entrée,** dans la marge de gauche, cerne l'idée exprimée dans la phrase qui le suit.
Les **lettres de référence** renvoient au mot-clé étranger concerné, la première lettre concerne l'allemand et la deuxième l'anglais.

1er cas: un seul mot-clé pour chaque langue

Créancier (m)	Gläubiger (m) – creditor
s'acquitter	Il s'est acquitté de toutes ses dettes envers ses créanciers
s'adresser	Nous sommes obligés de nous adresser à nos créanciers et de leur demander ...
s'arranger	Il cherche à s'arranger avec ses créanciers
désintéresser	Je peux désintéresser mes créanciers en leur cédant ...
être	Je suis créancier d'une somme de ...
masse	La décision intéresse la masse des créanciers
rembourser	Je rembourserai tous mes créanciers, s'ils m'en donnent le temps

Gläubiger (m)	créancier (m) – creditor
abfinden	Ich kann meine Gläubiger durch Überlassung (Abtretung) von ... abfinden.
befriedigen	Ich werde alle meine Gläubiger befriedigen, wenn man mir Zeit lässt.
bezahlen	Er hat seinen Gläubigern alles bezahlt, was er ihnen schuldig war.
Konkurs (m)	Der Entscheid betrifft die Konkursgläubiger.
sein	Ich bin Gläubiger für eine Summe von ...
verständigen	Er suchte sich mit seinen Gläubigern zu verständigen.
wenden	Wir sind genötigt, uns an unsere Gläubiger zu wenden und sie zu bitten ...

Creditor	créancier (m) – Gläubiger (m)
arrangement	He is trying to come to an arrangement/agreement with his creditors.
be (to)	I am the creditor of a total of ...
body	This decision concerns the body of creditors.
contact	We are obliged to contact our creditors and to ask them ...
pay	I can pay off my creditors by assigning them ...
repay	I will repay all my creditors it they just give me the time.
settle	He settled all his debts with his creditors. →

Vous avez à traduire (ou adapter) la phrase **s'adresser.** Après repérage du mot-clé, le mot d'entrée vous vient en aide, tant en allemand qu'en anglais. Il vous oriente vers **wenden** ou **contact** (s'il n'y pas de mot d'entrée, il faut alors parcourir ou lire les diverses phrases).

2ème cas: 1 seul mot-clés dans la langue de base (ici le français), plusieurs mots-clés dans la 2ème langue (ici l'anglais)

	Acceptable	annehmbar – acceptable Votre offre est acceptable – n'est pas acceptable
	Acceptable	a. acceptable – b. convenable – c. recevable a. angemessen – b. annehmbar
a/b		Your offer/bid is acceptable – unacceptable.

a/. renvoie à «acceptable» en français
./b renvoie à «annehmbar» en allemand

Les lettres de références, ici a/b, sont **l'innovation essentielle de cette nouvelle édition.** Elles vous viennent en aide quand il y a plusieurs mots-clés dans les autres langues.

3ème cas: Dans la langue de base, plusieurs mots-clés sont donnés pour chacune des autres langues (lesquelles auront à leur tour plusieurs mots-clés, probablement)

	Abandonner **Abandon** (m)	a. aufgeben – b. Überlassung (f) – c. verzichten a. to abandon – b. to give up – c. to relinquish – d. surrender
b/d	d'actif	C'est à la suite d'un abandon d'actif que cette entreprise a dû fermer ses portes
ac/c	créance	Nous avons abandonné notre créance sur ce débiteur

b/d: b/. renvoie à «b. Überlassung», et ./d à «d. to surrender»
ac/c: a./. renvoie à «a. aufgeben», .c/. à «c. verzichten», et ./c à «c. to relinquish»
Cet exemple montre d'autre part les nuances propres à chaque langue.

Pour traduire la première phrase en allemand, consultez «Die 20000 Sätze ...» au mot-clé «Überlassung», ici lié à «überlassen».

	Überlassen **Überlassung** (f)	a. abandon (m) – b. juge (m) – c. laisser a. judge – b. to leave – c. to let – d. surrender
c/b		Wir überlassen es Ihnen, je nach den Umständen das Beste zu unternehmen.
a/d	Aktiven	Nach Überlassung der Aktiven an die Gläubiger musste dieses Unternehmen seine Tore schliessen.

→

La phrase cherchée devra avoir pour première lettre de référence «a. abandon», et accessoirement pour l'anglais «d. surrender». C'est la 2ème phrase.
Pour traduire cette phrase en anglais, consultez «The 20000 sentences ...» au mot-clé «surrender».

	Surrender	a. abandon (m) – b. rachat (m) a. Rückkauf (m) – b. Überlassung (f)
b/a		Surrender value.
a/b	assets	Following a surrender of assets, this company had to close/go out of business/shut down.

La phrase cherchée devra avoir pour première lettre de référence «a. abandon», et accessoirement pour l'allemand «b. Überlassung». C'est la 2ème phrase.

Ainsi, «Les 20000 phrases ...» représentent bien une vraie nouvelle édition par
- sa présentation plus aérée
- ses lettres de références
- sa traduction plus pertinente

mais ces trois livres ne seraient pas s'ils n'avaient été, il y a plus de 25 ans, imaginés et conçus par mon père, Georges Duttweiler, auquel il me plaît de rendre ici le plus sincère hommage.

Claude Duttweiler

A

	Abaisser	a. Herabsetzung (f) – b. senken
	Abaissement (m)	a. lowerring – b. to reduce
b/b	prix	Nous avons le plaisir de vous informer que nos prix sont abaissés de 10% à partir du ...
a/a	retraite	L'abaissement de l'âge de la retraite de notre personnel a eu pour conséquence de ...
	Abandonner	a. aufgeben – b. Überlassung (f) – c. verzichten
	Abandon (m)	a. to abandon – b. to give up – c. to relinquish – d. surrender
b/d	d'actif	C'est à la suite d'un abandon d'actif que cette entreprise a dû fermer ses portes
ac/c	créance	Nous avons abandonné notre créance sur ce débiteur
ac/c	droit	Nous acceptons à la condition que vous abandonniez tous vos droits sur ce brevet
c/c	prétention	Il ne veut pas abandonner ses prétentions excessives
a/b	de prime	Les circonstances que vous invoquez ne justifient pas un abandon de prime
a/a	projet	La situation actuelle m'oblige à abandonner ce projet
	Abattement (m)	a. Ermässigung (f) – b. Senkung (f) a. cut – b. reduction
a/a	fiscal	Dans ces conditions, nous devrions pouvoir bénéficier d'un abattement fiscal
b/ab	prix	Seul un abattement de vos prix d'au moins 10% pourrait rendre votre offre concurrentielle
	Abîmer	a. beschädigen – b. verderben a. to damage
a/a		Les marchandises abîmées étaient assurées
b/a		Elles ont été abîmées par suite d'un emballage défectueux
	Abonder	a. teilen (restlos) – b. Überfluss (m)
	Abondance (f)	a. to abound – b. abundance – c. (to be in) agreement
b/b		L'abondance de fruits n'a pas entraîné une baisse sensible des cours
b/a		Les articles de mauvaise qualité abondent sur le marché
a/c		Nous abondons dans le sens de l'opinion que vous avez exprimée lors de notre dernière réunion
	Abonner	a. Abonnement (n) – b. abonnieren
	Abonnement (m)	a. contract – b. to subscribe – c. subscription
b/b	à	Voulez-vous m'abonner à votre revue à partir du ...
a/a	entretien	Nous vous proposons un abonnement d'entretien de votre machine aux conditions suivantes: ...

a/c	expirer	Votre abonnement expire le . . . Votre abonnement arrive à expiration le . . .
a/c	renouveler	Je ne renouvellerai pas mon abonnement à . . .
	Abord (m)	a. zuerst – b. zugänglich a. to approach – b. beginning – c. first
a/b-c-c-c		Dès l'abord – au premier abord – de prime abord – tout d'abord – votre proposition m'a semblé intéressante
b/a		Je vous préviens que ce client est d'un abord délicat
	Abordable	a. annehmbar – b. erschwinglich a. affordable
ab/a		Les prix actuels ne sont pas abordables
	Aborder	a. anlaufen – b. aufgreifen a. to arrive – b. to take up
a/a		Le bateau a abordé à Anvers
b/b		Cette question sera abordée lors de notre prochaine conférence
	Aboutir **Aboutissement** (m)	a. Abschluss (m) – b. Ergebnis (n) – c. führen – d. gelangen a. to come of – b. outcome – c. to reach – d. to succeed
c/d		Nos échanges de vues n'ont pas abouti à un succès
d/a-c		Ils n'ont abouti à rien – ils ont abouti à une impasse
a/d		Je suis certain de pouvoir faire aboutir ce projet
b/b		Ce succès est l'aboutissement de tous vos efforts
	Abréger **Abrégé** (m)	a. kurz fassen – b. Kurzfassung (f) a. (to be) brief – b. to summarize
b/b		Veuillez me faire un abrégé de la situation
a/a		Pour abréger, je laisse de côté les détails et . . .
	Abroger **Abrogation** (f)	a. aufheben – b. Ausserkraftsetzung (f) a. to repeal – b. repeal
a/a		Ce règlement a été abrogé récemment
b/b		Depuis l'abrogation de cette loi, nous . . .
	Absence (f) **Absentéisme** (m)	a. Abwesenheit (f) – b. Arbeitsversäumnis (n) – c. Fernbleiben (n) a. absence – b. absenteeism
c/a		L'absence du président de séance a été fort regrettée
a/a		En l'absence du responsable, nous devons reporter notre décision
a/a	excuse	Je vous prie d'excuser l'absence de mon fils, élève de . . ., due à la maladie
c/a		Vous voudrez bien excuser mon absence à la réunion . . .
b/b		L'absentéisme du personnel a fortement diminué
	Absorber **Absorption** (f)	a. Anspruch (m) – b. aufgehen – c. einverleiben a. to bog down – b. to take over – c. takeover
a/a		Vous vous laissez absorber par des détails futils

c/b — La société X a été absorbée par la société Y
bc/c — Contrairement à ce que vous pensez, il n'y a pas eu absorption de notre entreprise par Z, mais accord de collaboration

Abstenir (s')
Abstention (f)
a. enthalten – b. Enthaltung (f) – c. unterlassen – d. verzichten
a. to abstain – b. abstention – c. to refrain

c/c — Je m'abstiendrai d'acheter pendant cette période
a/c — Il s'est abstenu de tout commentaire
d/a — Nous préférons nous abstenir
c/c — Il vaut mieux s'abstenir de traiter avec cette maison
b/b — Le budget a été approuvé par 22 voix contre 5, et 3 abstentions

Abstraction (f)
unberücksichtigt bleiben – except

Abstraction de ce point qui reste à préciser, . . .

Abuser
Abus (m)
Abusif
a. ausnützen – b. Missbrauch (m) – c. missbrauchen d. übermässig
a. to abuse – b. abuse – c. breach of trust

c-b/a-c — Il a abusé de ma confiance – il a commis un abus de confiance
b/b — Cette pratique a donné naissance à des abus multiples
b/b — Il est difficile de réprimer – de tolérer ces abus
b/b — Je vous prie de remédier au plus vite à ces abus
a/a — Si je ne craignais pas d'abuser de votre complaisance, . . .
d/a — Cette maison fait un emploi abusif de . . .

Accabler
a. überhäufen
a. to overwhelm – b. to swamp

a/a — dettes — Notre fournisseur, accablé de dettes, a fait faillite
a/b — réclamation — Nous sommes accablés de réclamations au sujet du produit que vous nous avez livré

Accaparer
Accaparement (m)
a. aufkaufen (wucherisch) – b. Warenwucher (m)
a. to monopolize – b. monopoly

a/a — Tout le stock a été accaparé par . . .
b/b — Il est difficile de lutter contre l'accaparement par . . .

Accéder
a. gelangen – b. nachkommen
a. to accede – b. eligible (to be)

b/a — Nous accédons à votre demande
a/b — Pour accéder à cette place, il faut un diplôme de . . .

Accélérer
beschleunigen – to speed up

Nous vous prions d'accélérer vos livraisons

Acceptable
annehmbar – acceptable

Votre offre est acceptable – n'est pas acceptable

Acceptation (f)
a. Annahme (f)
a. to accept – b. acceptance

a/b		La traite a été munie – revêtue – de mon acceptation
a/b		Nous vous avons présenté notre lettre de change de Fr. . . . à l'acceptation. Votre refus nous oblige à faire dresser protêt faute d'acceptation
a/a		Votre refus d'acceptation nous étonne
	Accepter	a. anerkennen – b. annehmen a. to accept
b/a	condition	J'accepte vos conditons, sous réserve du point 3
b/a	proposition	Je ne peux pas accepter votre proposition, parce que . . .
a/a	réclamation	Votre réclamation est bien fondée et nous l'acceptons
b/a	salaire	Je ne peux accepter vos prétentions excessives de salaire
b/a	traite	Nous vous prions de bien vouloir accepter notre traite
	Acception (f)	Bedeutung (f) – sense Dans toute l'acception du terme
	Accès (m) **Accessible**	a. stattgeben – b. Zugang (m) – c. zugänglich a. to accede – b. access – c. accessible – d. convinced
b/b	avoir	Je ne peux avoir accès à de tels documents
a/a	donner	Nous refusons de donner accès à votre demande
c/c	être	Je ne suis pas accessible à vos arguments
c/d	marché	Ce marché ne nous est pas accessible actuellement
	Accessoire (m) **Accessoire**	a. Neben – b. Zubehör (n) a. accessories – b. additional – c. incidental – d. second (ary)
a/c	frais	Les frais accessoires seront à votre charge
b/a	machine	La machine sera livrée avec tous ses accessoires
a/d	occupation	Cette occupation accessoire vous permettra de . . .
a/bd	problème	C'est là un problème accessoire à régler par la suite
a/b	revenu	Vous bénéficierez d'un revenu accessoire de Fr. . . .
	Accident (m)	Unfall (m) – accident
		Notre représentant, victime d'un accident, ne pourra venir vous voir comme convenu le . . . Veuillez remplir complètement la déclaration d'accident ci-jointe
	Accommoder (s') **Accommodement** (m)	a. Ausgleich (m) – b. zufriedengeben a. arrangement – b. to make do
b/b		Nous devrons nous accommoder de cette solution
a/a		Il nous faudra bien en venir à un accommodement
	Accompagner **Accompagnement** (m)	a. Begleit – b. beiliegen a. to accompany – b. accompanying
b/a		Votre envoi sera accompagné des documents suivants: . . .

a/b		La lettre d'accompagnement ci-jointe vous permettra . . .
	Accomplir	a. erfüllen – b. vollenden a. to complete – b. fait accompli
a/a		Vous avez la charge d'accomplir toutes les formalités
b/b		Il nous a mis devant un fait accompli
	Accord (m)	a. Abkommen (n) – b. Einigung (f) – c. Einvernehmen (n) – d. Übereinstimmung (f) – e. Zustimmung (f) a. agreement
b/a	arriver à	Nous sommes arrivés à un accord sur les points litigieux
a/a	commercial	L'accord commercial que nous avons signé avec X . . .
c/a	commun	D'un commun accord, notre association a été dissoute
d/a	d'	D'accord avec votre représentant, nous avons . . .
e/a	donner	Veuillez nous donner votre accord sur ce point
d/a	en	En accord avec les conditions en usage, nous . . .
a/a	financier	Vous nous proposez un accord financier qui va bien au-delà de nos discussions préliminaires
b/a	mettre	Nous nous mettrons facilement d'accord sur ce point
a/a	monétaire	L'accord monétaire européen nous oblige à . . .
d/a	plein	En plein accord avec votre décision du . . ., nous . . .
	Accorder	a. gewähren – b. übereinstimmen a. to agree – b. to give – c. to grant
a/c	avantage	Les avantages que nous vous accordons . . .
a/b	escompte	Nous accordons un escompte de 3% pour paiement dans les 10 jours
a/c	exclusivité	Je souhaite que vous m'accordiez l'exclusivité de . . .
b/a	faits	Votre déclaration ne s'accorde guère avec les faits
a/b	rabais	Vous avez omis de nous accorder le rabais usuel de . . .
	Accoutumé	a. gewöhnlich – b. gewöhnt a. accustomed – b. used – c. usual
b/ab		Nous ne sommes pas accoutumés à de tels procédés
a/c		Comme à l'accoutumée, nous vous payerons à réception
	Accréditer	akkreditieren – to credit
		La Banque . . . vous a accrédité chez nous pour le compte de . . ., à . . ., jusqu'à concurrence de Fr. . . . Nous accréditons auprès de vous, par notre lettre de crédit . . . M . . .
	Accréditif (m)	a. Akkreditiv (n) – b. Kredit (m) a. letter of credit
a/a		Nous avons reçu votre accréditif irrévocable de . . ., confirmé par notre banque

b/a		Vous voudrez bien ouvrir l'accréditif ci-après par lettre, auprès de . . . à . . ., en faveur de . . ., à . . .
a/a		L'accréditif est payable contre les documents suivants: . . .
b/a		L'ouverture d'accréditifs et la transmission des sommes qui en font l'objet ont lieu exclusivement à vos risques
	Accroître **Accroissement** (m)	a. auflaufen – b. erhöhen – c. Erhöhung (f) – d. Zunahme (f) a. accrued – b. to increase – c. increase – d. rise
d/c	dépenses	L'acroissement de vos dépenses nous inquiète
c-a/d-a	intérêt	L'accroissement du taux d'intérêt, les intérêts accrus
b/b	marché	Nous devrons accroître notre part du marché de . . . %
d/c	vente	Nous vous félicitons de l'accroissement très encourageant de votre chiffre de vente
	Accueillir **Accueil** (m)	a. Aufnahme (f) – b. aufnehmen – c. Einführung (f) a. to receive – b. welcome
b/a	articles	Ces articles ont été favorablement accueillis par la clientèle
c/b	brochure	Notre brochure d'accueil vous donnera tous renseignements sur les avantages que notre entreprise vous offre, sur le plan social notamment
b/a	demande	Je souhaite que ma demande soit bien accueillie
b/b	faire	J'espère que vous ferez bon accueil à mon représentant
a/b	recommander	Nous recommandons M. . . à votre bon accueil
a/b	remercier	Nous vous remercions du bon accueil que vous avez réservé à notre conseiller technique
	Acculer	treiben (in) – to drive
		Ce commerçant a été acculé à la faillite par sa négligence
	Accumuler	ansammeln – to accumulate
		Ils accumulent les bénéfices sans répartir de dividendes
	Accuser **Accusation** (f)	a. beschuldigen – b. Beschuldigung (f) a. accusation – b. to accuse
b/a		Je reconnais que ces accusations n'étaient pas fondées
a/b		Vous nous accusez à tort de négliger vos intérêts
	Accuser réception **Accusé de réception**	a. Empfang (m) bestätigen – b. Empfangsbestätigung (f) a. to acknowledge receipt – b. receipt
a/a	envoi	Vous voudrez bien accuser réception de notre envoi Vous nous obligeriez en nous accusant réception de notre envoi du . . .

		Pour la bonne règle, nous vous prions de nous en accuser réception
		Nous accusons réception du ... qui nous est parvenu en parfait état – qui nous est malheureusement parvenu légèrement endommagé – dont la qualité est inférieure à celle que vous nous livrez d'habitude
b/b		Nous sommes surpris de n'avoir pas encore reçu l'accusé de réception des marchandises envoyées le ...
a/a	lettre	Nous accusons réception de votre lettre du ... et avons pris bonne note de votre nouveau délai de livraison
a/a	ordre	Nous accusons réception de votre ordre du ..., dont nous vous remercions, et pouvons vous assurer que nous vouerons tous nos soins à son exécution – qu'il sera exécuté dans le plus bref délai et avec le plus grand soin
		Nous accusons réception de votre ordre du ... et vous en remercions très vivement. Nous devons malheureusement vous aviser qu'il ne nous est pas possible de l'exécuter avant un mois
a/a	paiement	Nous accusons réception de votre paiement du ... de Fr. ..., représentant le solde de notre facture no.
a/a	réclamation	Nous accusons réception de votre réclamation du ... et vous prions de nous excuser de notre erreur de ...
	Acheter	a. Einkauf (m) – b. Kauf (m) – c. kaufen
	Achat (m)	a. to acquire – b. to purchase – c. purchase – d. purchasing
c/a	actions	Veuillez acheter pour notre compte 50 actions X au mieux – à Fr. ... sauf mieux
a/c	dans	Notre entreprise est spécialisée dans l'achat de ...
c/b	échantillon	Nous vous avons acheté sur échantillon des ... et sommes surpris de constater que votre livraison ne correspond nullement à votre offre du ...
c/a	faire	Nous avons fait l'achat d'un brevet fort intéressant
b/c	grâce à	Grâce à des achats faits en temps opportun, nous ...
b/c	ordre	Votre ordre d'achat ne précise pas s'il s'agit d'un achat au comptant – à crédit – à tempérament – à terme
b/c	prix	Un achat à bas prix – à vil prix – à moitié prix – au prix de gros – de détail – de solde
b/d	puissance	Nos concurrents ont une puissance d'achat qui devient inquiétante
	Acheteur (m)	a. Abnehmer (m) – b. Einkauf (m) – c. Käufer (m) a. buyer – b. buying
b/a	chef	Notre chef acheteur discutera directement avec vous, lors de son passage, de vos conditons de ...

c/b	connaître	Connaissez-vous un acheteur éventuel pour ces articles?
a/b	être	Je suis toujours acheteur de toute quantité de ...
c/a	trouver	Vous ne trouverez pas aisément acheteur à ce prix
	Acompte (m)	a. Abschlagszahlung (f) – b. Anzahlung (f) a. down payment – b. instal(l)ment
b/a	demander	Il est normal que nous demandions un acompte de ...
a/b	payer par	Le paiement peut être effectué par acomptes mensuels
b/a	recevoir	J'espère recevoir un acompte avant le ...
b/a	verser	Nous vous demandons de verser un acompte de Fr. ...
	Acquérir **Acquéreur** (m)	a. erwerben – b. Käufer (m) – c. sammeln a. to acquire
b/a		Nous nous portons acquéreurs de ... pour une quantité maximale de ...
a/a		J'ai acquis la majorité des actions de la Société
c/a		Il a acquis une longue expérience dans ce domaine
a/a		La réputation qu'il s'est acquise est méritée
a/a		Les solides connaissances qu'il a acquises dans les postes qu'il a occupés précédemment
	Acquisition (f)	Anschaffung (f) – acquisition
		Nous avons fait une excellente acquisition
		L'acquisition de machines perfectionnées nous permet ...
	Acquit (m)	a. Betrag (m) erhalten – b. Zollquittung (f) – c. Zollvormerkschein (m) a. bond note – b. receipt – c. received
c/a	douane	La douane a délivré l'acquit-à-caution
b/b		L'acquit de douane ne nous est pas encore parvenu
a/c	pour	Pour acquit, reçu Fr. ..., avec nos remerciements
	Acquitter (s')	a. bezahlen – b. entrichten – c. nachkommen a. to pay – b. to settle
a/b	dette	Nous acceptons que vous vous acquittiez de votre dette en trois versements de Fr. ... chacun
b/a	douane	Vous aurez à acquitter les droits de douane
a/a	facture	Notre facture du ... n'a pas encore été acquittée
c/b	obligation	Je m'acquitterai de mes obligations dans le délai prévu
	Acte (m)	a. Kenntnis (f) – b. Urkunde (f) – c. Verlustschein (m) a. bill – b. certificate – c. deed – d. instrument – e. note
b/c-ac		Acte de cession – acte de vente
b/d		Acte authentique – acte notarié
c/b		Acte de défaut de biens
b/b		Acte de naissance – d'origine – de décès

b/d	dresser	Le notaire a dressé l'acte, en voici le double
b/c	enregistrer	Il faut faire enregistrer cet acte de cession
b/d	nullité	Nous admettons la nullité de cet acte
a/e	prendre	Je prends acte de votre renonciation à vos droits – de votre décision – de votre démission
b/d	validité	Je ne conteste pas la validité de cet acte
	Actif (m)	a. Aktiven – b. rege – c. rührig – d. Vermögen (n)
	Actif	a. active – b. assets – c. good
a/b	abandon	L'affaire s'est liquidée par abandon d'actif
b/c	affaires	Les affaires sont particulièrement actives cette saison
d-a/b	bilan	L'examen de votre bilan fait apparaître un montant excessif des actifs immobilisés par rapport aux actifs mobilisés – que vos actifs disponibles et réalisables à court terme garantissent largement vos engagements
ad/b	insuffisance	Il a dû renoncer à ses activités pour insuffisance d'actifs
ad/b	liquidation	Cette maison a cessé toute exploitation après liquidation de ses actifs
a/b	réalisation	Il est difficile de déterminer la valeur de réalisation de l'actif en cas de liquidation
c/a	représentant	C'est un représentant très actif
	Action (f)	a. Aktie (f) – b. Aktion (f) – c. Auswirkung (f) – d. Klage (f)
		a. action – b. bearing – c. promotion (al) – d. share – e. suit
a/d		Action au porteur – action nominative Action ordinaire – action privilégiée Action partiellement libérée, entièrement libérée
a/d	émettre	Nous émettrons des actions au porteur, d'un nominal de Fr. 500.–
d/ae	intenter	Nous nous réservons la possibilité d'intenter une action en justice – en dommages-intérêts – si ...
d/a	révocatoire	Notre avocat ouvrira action révocatoire si ...
c/b	sans	Cette décision est sans action sur nos affaires
a/d	souscrire	Nous vous prions de souscrire ferme, pour notre compte, 100 actions ...
a/d	transférer	J'ai transféré toutes mes actions à M. ...
b/c	vente	Nous avons le plaisir de vous informer que nous organisons une grande vente-action de ... dès le ...
	Actionnaire (m)	Aktionär (m) – shareholder
		L'assemblée générale des actionnaires aura lieu le ... Les actionnaires minoritaires se sont opposés aux propositions des actionnaires majoritaires, en vain
	Activer	vorantreiben – to speed up
		Nous vous demandons d'activer la fabrication
	Activité (f)	a. Tätigkeit (f)
		a. active – b. business

a/b	cesser	Cette maison a cessé son activité
a/b	concentrer	Notre activité est concentrée dans la région de ...
a/b	étendre	Un de nos clients désire étendre son activité dans ...
a/a	montrer	Il montre une très grande activité dans son domaine
	Adapter	a. anpassen – b. ausrichten a. to adapt
a/a	conditions	Nos conditions sont avantageuses et adaptées aux besoins de nos différentes catégories de clients
a/a	employé	Cet employé s'adapte – est incapable de s'adapter
ab/a	produit	Nos produits sont adaptés au goût de notre clientèle
	Adhésion (f)	Zustimmung (f) – consent
		Nous serions heureux que vous nous donniez votre adhésion de principe au projet que nous vous soumettons
	Adjoindre (s')	beiziehen – to take on
		Nous nous sommes adjoint, comme associé, M. ..., jusqu'ici ...
	Adjuger **Adjudication** (f)	a. ausschreiben – b. vergeben a. to ask for bids – b. to award – c. contract
a/a		L'Etat a mis ces travaux en adjudication
b/c		Il a obtenu l'adjudication des fournitures de ...
b/b		Ce travail a été adjugé au plus offrant
	Admettre	a. anerkennen – b. zulassen a. to accept – b. to allow
b/b	examen	Il a été admis à l'examen de ...
a/a	explication	J'admets vos explications et prolonge le délai de ...
a/a	usage	Selon l'usage admis, nous avons déduit ...
	Administrateur (m)	a. Verwaltungsratsmitglied (n) – b. Verwaltungsrats (m) ... a. director
a-b/a		M. ... a été nommé administrateur – administrateur-délégué – de notre Société
	Administration (f)	a. Führung (f) – b. Geschäftsführung (f) – c. Verwaltung (f) a. administration – b. board of directors – c. handling – d. management
a/c	affaire	Je m'occuperai de l'administration de cette affaire
c/b	conseil	Le conseil d'administration a désigné – a décidé ...
c/a	frais	Vos frais d'administration sont trop élevés – faibles
b/d	mauvaise	Une mauvaise administration est la cause des difficultés actuelles de cette entreprise
c/a	publique	Cette décision dépend de l'administration publique – communale – cantonale – fédérale – des contributions
	Admission (f)	a. Aufnahme (f) – b. Beitritt (m) a. membership
a/a	droits	Les droits d'admission se montent à Fr. ...

a/a	société	Je demande – sollicite – mon admission dans votre société
b/a		L'activité de votre société m'intéresse vivement. Auriez-vous l'amabilité de m'envoyer un bulletin d'admission
a/a		Je souhaite mon admission dans votre société et vous prie de m'indiquer les démarches à entreprendre
a/a		Dans sa séance du . . ., notre société a accepté votre admission en qualité de membre actif
	Adresse (f)	Adresse (f) – address
	changement	Voulez-vous prendre note de mon changement d'adresse
		Il a changé d'adresse sans me prévenir
	communiquer	Nous vous saurions gré de nous communiquer l'adresse de . . .
	fausse	L'adresse du destinataire était fausse
	indiquer	Pourriez-vous m'indiquer l'adresse d'un bon fabricant de . . .
	mettre	Vous n'aviez pas mis l'adresse exacte sur le colis
	particulière	Mon adresse particulière est Rue du . . .5, 1018 Pully
	prendre note	J'ai pris note de votre nouvelle adresse
	redevable	Nous sommes redevables de votre adresse à M. . . .
	sans	Il est parti sans laisser d'adresse
	Adresses commerciales	a. Adressen (f) – b. Anreden (f) a. business addresses

a/a		a) nom de famille connu Monsieur Paul Bral Ingénieur Rue . . . 1006 Lausanne Monsieur,	b) nom de famille inconnu Monsieur le Directeur Brilon S.A. Rue . . . 1006 Lausanne Monsieur le Directeur,
a/a		c) société Grands Magasins S.A. Rue du Centre 5 1004 Lausanne Messieurs,	d) officielle Administration cantonale des impôts Rue de la Paix 6 1003 Lausanne Messieurs,
b/a		e) privée Cher Monsieur Cher Monsieur et ami Chère Madame et amie Ma chère amie Mes chers parents Chers cousin et cousine	 faux: Mon cher Monsieur Cher Monsieur Plon

		f) titres
b/a		Monsieur le Directeur, Monsieur le Président
b/a		Monsieur le Préfet, Monsieur le Consul
b/a		Son Excellence, Monsieur l'Ambassadeur de ...
	Adresser	a. adressieren – b. richten – c. senden – d. wenden a. to contact – b. to look – c. to send
a/c	à	Vous voudrez bien noter que les marchandises doivent être adressées à notre magasin principal, rue ...
d/b	ailleurs	Si vous ne pouvez pas me livrer la marchandise dans les délais convenus, je serai obligé de m'adresser ailleurs
d/a	conseil	Nous vous conseillons de vous adresser directement à ...
a/c	lettre	Toutes vos lettres devront être adressées à ...
c/c	pli	Je vous adresse, sous ce pli, les documents demandés
b/c	réclamation	Les réclamations concernant les ... doivent être adressées à ...
d/a	renseignement	Si vous désirez obtenir de plus amples renseignements, adressez-vous directement à M. ...
	Affaire (f)	a. Angelegenheit (f) – b. Geschäft (n) – c. nützen – d. Sache (f) – e. tun – f. Umsatz (m) a. business – b. deal – c. (to be) enough – d. matter – e. turnover
b/a	aller	Les affaires vont bien – Comment vont les affaires?
b/a	arrêt des	Nous constatons depuis quelque temps un arrêt presque complet des affaires
e/b	avoir	Il a eu affaire à un commerçant peu scrupuleux – à forte partie Nous ne voulons pas avoir affaire à ces gens-là
b/a	calme	Nous ne pouvons pas lancer ce produit pendant la période actuelle de calme des affaires
d/b	c'est	Pouvez-vous vous en charger, ce n'est pas une affaire? Si vous vous décidez rapidement, c'est une affaire faite
f/e	chiffre d'	Notre chiffre d'affaires a augmenté – diminué – de ...
b/b	comptant	Cette affaire doit être traitée au comptant
b/b	conclure	Cette affaire a été conclue par l'intermédiaire de ...
d/a	connaître	C'est un spécialiste, il connaît son affaire
b/a	courante	Durant la maladie de M. ..., les affaires courantes seront traitées par M. ...
d/a		Ce n'est pas une affaire très courante de ...
b/a	en	Nous sommes en affaires avec l'entreprise X
a/d	engager dans	Vous nous avez engagés dans une affaire bien délicate

a/d		Je ne peux pas m'engager dans une telle affaire
b/a	être dans	Il est dans les affaires
b/b	faire	Nous ferons cette affaire si vous pouvez nous assurer que les risques sont limités
b/b		Faites cette affaire à n'importe quel prix
c/c		Votre livraison partielle ne saurait faire mon affaire
b/a	genre d'	Nous ne faisons pas ce genre d'affaires Ma grande expérience de ce genre d'affaire Ce genre d'affaires ne nous intéresse pas
b/a	homme d'	Cet homme d'affaires est habile et honnête
ab/d	intéresser	Nous nous intéresserions volontiers à cette affaire
ab/d	intérêt	Nous n'avons aucun intérêt dans cette affaire
a/a	litigieuse	Nous vous proposons de soumettre cette affaire litigieuse à un arbitre
b/a	marche	Vous voudrez bien me documenter sur la marche des affaires
b/a	mouvement	Le mouvement des affaires s'est fortement ralenti
ab/d	négliger	Il ne vous faut pas négliger cette affaire car . . .
b/a	parler d'	Nous avons parlé d'affaires avec . . .
b/b	première	Cette première affaire peut nous amener des ordres très intéressants
ab/d	pressante	C'est une affaire très pressante et nous vous demandons de hâter la livraison
a/d	privée	C'est une affaire privée qui ne vous concerne pas
b/a	ralentissement	Le ralentissement des affaires est notable, surtout dans le commerce de détail
a/d	régler	Je vous prie de régler cette affaire dès que possible
b/a	relations	Nos relations d'affaires sont très étendues Grâce à nos relations d'affaires, nous pouvons . . .
b/a	rendez-vous	Notre prochain rendez-vous d'affaires est fixé au . . .
b/a	reprise	Nous constatons une reprise sensible des affaires
b/a	se retirer des	Notre associé, M. . . ., s'est retiré des affaires – de notre affaire
b/a	stagnation	La stagnation des affaires nous oblige à modérer nos investissements
b/ab	suite	Je lui ai confié la suite de mes affaires
a/d	tirer d'	Grâce à votre obligeance, nous avons pu nous tirer honorablement de cette affaire
a/d	urgente	J'espère que vous vouerez à cette affaire urgente vos soins les plus diligents
	Affecter **Affectation** (f)	a. Stellung (f) – b. verwenden – c. Verwendung (f) – d. zuwenden a. to allocate – b. allocation – c. appointment – d. to assign – e. assignment
a/c	démission	A la suite de ma nouvelle affectation professionnelle, je me vois obligé de vous donner ma démission
c/b	fonds	Cette affectation de fonds nous paraît peu rentable
d/a		Nous affecterons 20% du bénéfice au fonds de prévoyance sociale – au fonds de réserve

b/d	logement	Les logements à disposition seront affectés en priorité aux ouvriers mariés
c/e	personne	L'affectation de cette personne au service des ... est judicieuse
	Affecté	betrübt – saddened
		Nous avons été vivement affectés de la nouvelle de la mort de votre cher ...
		Très vivement affectés par ..., nous vous prions de croire à notre profonde sympathie
	Affection (f)	Ergebenheit (f) – regards
		Je vous prie de croire à ma très grande affection
	Afférent	a. verbunden
		a. corresponding – b. relating
a/a		Le salaire afférent à cet emploi
a/b		Les frais afférents à cet échange sont à ma charge
	Afficher **Affiche** (f)	a. Anschlag (m) – b. bekanntmachen – c. bekunden a. to air – b. to post – c. poster
c/a	opinion	Les opinions que vous avez affichées lors de notre dernière assemblée sont de nature à ...
a/c	poser	Le lancement de notre nouveau produit sera annoncé par la pose de grandes affiches dans toute la région
b/b	prix	Nos prix doivent être clairement affichés
a/c	voie d'	Notre dernière campagne publicitaire par voie d'affiches a atteint les objectifs fixés
	Affirmer **Affirmation** (f) **Affirmatif**	a. Behauptung (f) – b. positiv – c. versichern a. affirmative – b. to guarantee – c. statement
a/c	fait	Vos affirmations sont démenties par les faits
b/a	réponse	Je pense pouvoir vous donner une réponse affirmative
c/b	rien	Je puis vous affirmer que je ne suis pour rien dans ...
	Affliger **Affliction** (f)	a. Beileid (n) – b. betrüben a. to sadden – b. sympathy
b/a		J'ai été profondément affligé de (par) la mort de ...
a/b		Veuillez croire à nos sentiments de très vive affliction
	Affranchir **Affranchissement** (m)	a. befreien – b. frankieren – c. Postgebühr (f) a. to free – b. mailing – c. postage
b/c		Votre lettre n'était pas suffisamment affranchie
a/a		Vous pouvez vous affranchir de cette obligation en ...
c/b		Bien entendu, les frais d'affranchissement sont à votre charge

	Affréter	a. Charter (f) – b. chartern
	Affrètement (m)	a. to charter – b. charter
b/a		Ce navire peut être affrété au voyage, au mois ou à l'année
a/b		Le contrat d'affrètement prévoit que ...
	Affût (m)	Jagd (f) – lookout Il est toujours à l'affût d'affaires nouvelles
	Agence (f)	a. Agentur (f) – b. Geschäftsstelle (f) a. agency
ab/a	confier	Nous avons le plaisir de vous informer que nous avons confié la direction de notre agence de ... à M. ...
a/a	ouvrir	Nous avons ouvert une agence maritime – en douane – de publicité – de renseignements – de transports – de voyage – immobilière
	Agent (m)	a. Agent (m) – b. Sachwalter (m) – c. Transportunternehmer (m) – d. Vertreter (m) a. agent – b. representative
b/a	d'affaires	Si votre paiement n'intervient pas dans les 10 jours, nous serons obligés de nous adresser à notre agent d'affaires
a/a	d'assurance	Notre agent d'assurance, M. ..., prendra contact avec vous pour discuter de vive voix de vos problèmes
a/a	en douane	Veuillez transmettre directement à notre agent en douane, M. ..., les documents nécessaires
d/b	exclusif	Nous vous nommons agent exclusif pour nos spécialités
a/ab	général	Notre agent général pourra vous donner tous renseignements utiles
a/a	publicité	Votre agent de publicité a fort mal compris nos désirs
c/a	transport	D'entente avec vous, notre agent de transport fixera la date de livraison de notre machine
	Agio (m)	Agio (m) – agio Nous acceptons votre mode de paiement et tirerons sur vous, à trois mois, une lettre de change de Fr. ..., dont l'agio sera à votre charge
	Agir	a. einwirken – b. handeln – c. Handlungsweise (f) – d. verhalten – e. vorgehen a. to act – b. behaviour – c. to concern – d. to put pressure – e. question (to be a ... of) – f. to take action
d/a	à l'égard de	Nous avons agi à votre égard avec une grande patience
b/a	avoir	Nous avons agi au mieux de vos intérêts, en l'absence de directives plus précises de votre part
b/a		Nous avons dû agir en conséquence
b/a	conformément	Notre représentant a agi conformément à vos instructions

e/f	contre	Nous serons obligés d'agir contre vous si vous ne payez pas dans le délai convenu
b/a	dans votre intérêt	Nous croyons agir dans votre intérêt en vous adressant ces quelques remarques
b/a	de bonne foi	Croyez bien que nous avons agi de bonne foi
c/b	façon	Je ne peux admettre votre façon d'agir envers moi
c/b	manière	Votre manière d'agir nous étonne
b/c	s'agir	La maison dont il s'agit jouit d'une réputation parfaite sur notre place
b/e		Il s'agit de savoir si vous pouvez livrer avant le . . .
a/d	sur	Il faut que vous agissiez directement sur M. . . . pour que vous obteniez satisfaction
	Agissements (m.pl.)	a. Machenschaften (f) a. actions – b. dealings
a/ab		Les agissements de cette entreprise sont certainement peu conformes aux usages
	Agrandir	a. vergrössern a. to expand – b. to grow
a/ab		Notre affaire s'est considérablement agrandie depuis . . .
	Agrandissement (m)	a. Erweiterung (f) – b. Vergrösserung (f) a. to enlarge
ab/a		Nous avons décidé l'agrandissement de nos locaux de fabrication
	Agréable	a. angenehm – b. dienlich – c. gefällig a. grateful – b. (of) service
b/b		Si cela peut vous être agréable, nous vous enverrons . . .
bc/b		Afin de vous être agréable – pour vous être agréable – nous acceptons de proroger de 30 jours l'échéance
ab/a		Il nous serait agréable d'avoir une réponse par retour du courrier
bc/b		Nous sommes heureux d'avoir pu vous être agréables
	Agréer	a. bevollmächtigen – b. gutheissen a. to accept – b. authorized
b/a	contrat	Ce contrat a été agréé par les deux parties
a/b	représentant	M. . . . est notre seul représentant agréé dans votre région
-/-	salutations	Veuillez agréer, Monsieur, nos salutations distinguées Dans l'attente de votre réponse, nous vous prions d'agréer, Monsieur, nos salutations distinguées
	Agrément (m)	a. Vergnügen (n) – b. Zustimmung (f) a. agreement – b. pleasure
b/a		Nous sommes certains que vous donnerez votre agrément à cette solution de conciliation

a/b		Je me réjouis d'avoir l'agrément de faire votre connaissance lors de notre prochaine réunion
	Aide (m. ou f.)	a. Gehilfe (m) – b. Hilfe (f) a. assistant – b. help
b/b	avec	Avec votre aide, nous viendrons à bout de ces difficultés
a/a	comptable	Nous désirons engager un aide-comptable; pouvez-vous nous recommander M. . . . qui nous a fait ses offres
b/b	prêter	Je vous remercie de l'aide que vous m'avez prêtée
b/b	sans	Je pourrai probablement réaliser ce projet sans l'aide de . . .
	Aider	a. behilflich sein – b. helfen a. to help
b/a		Si nous pouvons vous aider, nous le ferons volontiers
a/a		Pourriez-vous nous aider à trouver des débouchés pour . . .
	Aimer **Aimable**	a. freundlich – b. gern a. kind – b. to like
a/a		Je vous remercie très vivement de vos aimables propos
a/a		C'est très aimable de votre part de consentir à . . .
b/b		Nous aurions aimé pouvoir vous donner toute satisfaction sur ce point
	Aise (f)	a. beruhigen – b. freuen – c. leicht machen a. ease – b. lax – c. pleased
c/b	à	Nous constatons que vous en prenez un peu trop à votre aise avec les délais de livraison convenus
a/a	a l'	Pour vous mettre à l'aise, nous vous dirons que . . .
b/c	bien	Nous sommes bien aises (fort aises) que vous ayez obtenu cette autorisation
	Aisé	a. gutsituiert – b. leicht a. easy – b. well
b/a		Il vous est aisé de prétendre le contraire
a/b		Cette personne jouit d'une situation aisée, c'est pourquoi nous pensons que vous pouvez lui faire confiance
	Ajourner	a. hinausschieben – b. verschieben a. to adjourn – b. to defer
a/b		Je suis d'accord que vous ajourniez votre paiement
b/a		La réunion a été ajournée sine die
	Ajouter	a. beifügen – b. dazuschlagen a. to add
b/a		Il faut ajouter à ce montant nos frais se montant à Fr. . . . – notre commission de . . . %
a/a		Nous pourrions ajouter que votre réclamation nous parvient trop tard

	Alignement (m)	a. Angleichung (f) a. to align – b. alignment
a/b	monétaire	Le récent alignement monétaire va stimuler nos ventes
a/b	politique	Un alignement de nos politiques commerciales ne serait-il pas souhaitable?
a/a	prix	Nous avons dû procéder à un alignement de nos prix sur ceux de la concurrence
	Allégation (f)	Behauptung (f) – allegations
		Vos allégations ne sont pas conformes à la réalité Vos allégations ne sont appuyées d'aucune preuve Vous avez colporté des allégations désobligeantes sur mon compte
	Allégement (m)	a. Erleichterung (f) – b. Verringerung (f) a. reduction – b. relief
b/a	charges	Nos envois groupés permettent un allégement sensible de vos charges
a/b	fiscal	Nous estimons remplir les conditions requises pour bénéficier de l'allégement fiscal prévu à l'article ...
	Aller	a. gehen – b. Hin ... – c. Hinweg (m) – d. Retourbillet (m) a. to be – b. to go – c. on the way – d. return
c/c	à l'aller	Nos camions sont toujours très chargés à l'aller, mais au retour nous pourrions vous offrir des conditions très favorables
bd/d	billet	Le billet d'aller et retour est plus favorable
a/a	mieux	Les affaires vont mieux – ma santé va mieux – tout irait mieux si ...
a/b	pouvoir	Nous ne pouvons pas aller jusqu'aux prix que vous désiriez
	Allouer **Allocation** (f)	a. Entschädigung (f) – b. gewähren – c. Unterstützung (f) – d. Zulage (f) a. to allocate – b. allowance – c. benefits – d. grant
b/a	débours	Nous vous allouerons Fr. ... par jour pour vos débours
d/b	frais	Vous recevrez une allocation de Fr. ... pour frais de voyage
d-d/c-d d-c-a/b-c-c	sociale	Allocation pour enfant – enfant aux études – de ménage – de chômage – pour perte de gain
	Allusion (f)	a. Andeutung (f) – b. Anspielung (f) a. allusion
a/a		Vous avez fait allusion dernièrement à la possibilité de ...
ab/a		Nous estimons que vos allusions sont déplacées
	Amabilité (f)	Liebenswürdigkeit (f) – kindness
		Grâce à votre grande amabilité, j'ai pu obtenir ... J'ai recours à votre amabilité pour vous demander ...

	Améliorer **Amélioration** (f)	a. verbessern – b. Verbesserung (f) a. to improve – b. improvement
b/b		Nous avons le plaisir de constater une amélioration constante de vos produits – de vos prestations
ab/b		Nous avons apporté différentes améliorations à la fabrication de . . .
a/a		Afin d'éviter à l'avenir de tels dommages, il faudrait absolument améliorer la qualité de vos emballages
	Amende (f)	a. bestraft werden – b. Busse (f) a. to fine – b. fine
b/b	condamner à	La marchandise n'ayant pas été déclarée correctement, nous avons été condamnés à une forte amende
b/b	s'exposer à	Si nous ne nous conformons pas strictement aux règlements en vigueur, nous nous exposons à une amende
b/b	infliger	Je risque qu'on m'inflige une amende élevée
a/a	mettre à	Il a été mis à l'amende parce qu'il avait omis de . . .
b/b	passible	Une telle contravention est passible d'une amende de Fr. . . .
b/b	sous peine	Il est interdit de . . . sous peine d'amende
	Amendement (m)	Abänderung (f) – amendment L'amendement au contrat, que vous nous proposez, nous semble parfaitement justifié
	Amiable (à l')	a. gütlich a. amicable – b. out of court – c. private
a/c		L'affaire a été liquidée par une vente à l'amiable
a/ab		Il vaut mieux régler ce litige à l'amiable
	Amitié (f)	a. Freude (f) – b. Freundschaft (f) – c. Grüsse (m) a. friendship – b. kind(ness) – c. regards
c/c	croire	Veuillez croire à nos sincères amitiés – à mon amitié très sincère
a/b	faire	Faites-moi l'amitié de venir dîner chez nous demain
c/c		Voulez-vous faire mes amitiés à votre cher frère
b/a	lié	Je me suis lié d'amitié avec . . .
b/a	par	Je vous demande, par amitié pour moi, de bien vouloir . . .
b/b	remercier	Je vous remercie de l'amitié que vous m'avez témoignée
	Amortir **Amortissement** (m)	a. abschreiben – b. Abzahlung (f) . . . – c. Amortisation (f) – d. Tilgung (f) a. to amortize – b. repayment – c. settlement
d/b	emprunt	L'amortissement de notre emprunt se fera en trois ans
c/b	hypothèque	Je souhaite un taux d'amortissement constant – progressif – dégressif – de mon hypothèque
a/ab	machine	Nous comptons amortir nos machines en huit ans, ce qui nous oblige à calculer un amortissement au taux de 12½ % l'an

bd/bc	plan	Vous voudrez bien nous soumettre un plan d'amortissement précis de votre dette, auquel vous puissiez vous engager ferme
	Analyse (f) **Analyste** (m)	a. Analyse (f) – b. Analytiker (m) – c. Untersuchung (f) a. analysis – b. analyst
a/a	bilan	L'analyse des principaux postes de ce bilan permet les constations suivantes: ...
c/a	certificat	Vous trouverez ci-joint le certificat d'analyse – le certificat médical
b/b	financier	Notre analyste financier nous conseille la prudence
a/a	marché	Je vous demande une analyse détaillée du marché
b/b		Nous vous recommandons M. ..., excellent analyste financier – analyste du marché – auquel nous avons souvent recours
	Ancienneté (f)	a. Dauer (f) – b. Dienstalter (n) a. longstanding – b. seniority
a/a	raison	En raison de l'ancienneté de nos relations, nous acceptons le report d'échéance que vous nous demandez
b/b	rang	Par rang d'ancienneté, ...
	Animer	a. belebt – b. gesinnt – c. lebhaft a. active – b. busy – c. motivated
c/a	marché	En cette période de l'année, le marché des ... est particulièrement animé
a/b	rue	Nous souhaitons ouvrir une succursale dans une rue animée de votre ville et sollicitons vos conseils
b/c	sentiment	Il est animé des meilleurs sentiments à votre égard
	Année (f)	Jahr (n) – year
	bissextile	Vous oubliez que 19.. est une année bissextile
	bonne	Je vous souhaite une bonne et heureuse année
	commerciale	La différence que vous nous signalez résulte du fait que nous calculons les intérêts selon le principe de l'année commerciale
	comptable	Ne coïncidant pas avec l'année civile, notre année comptable va du 1er avril au 31 mars
	ouvert	Notre établissement est ouvert toute l'année
	vœux	Nous vous présentons nos meilleurs vœux de bonne année et vous prions d'agréer l'expression de nos sentiments dévoués M. et Mme J.-P. Lardin vous présentent leurs meilleurs vœux pour 198.
	Annexe (f)	a. Anhang (m) – b. Beilage (f) a. annex – b. enclosed
a/a	l'annexe à	Vous trouverez sous ce pli l'annexe à l'acte de vente
a/a	dans	Les prix sont indiqués dans l'annexe à cette lettre
b/b	en	En annexe, nous vous remettons notre offre détaillée

	Annoncer **Annonce** (f)	a. Anzeige (f) – b. Mahnung (f) – c. mitteilen a. advertisement – b. advertising – c. to inform
a/b	campagne	Dans 15 jours débutera notre grande campagne d'annonces pour nos articles de saison
a/a	insérer	Nous vous prions de faire insérer notre annonce dans le journal ... deux fois par semaine
b/a	rappel	Nos annonces de rappel ont atteint leur but
c/c	regret	Je regrette d'avoir à vous annoncer que je ne pourrai pas vous livrer la marchandise à la date convenue
a/a	réponse	En réponse à l'annonce que vous avez fait paraître dans le journal ..., le ..., nous vous offrons ...
	Annuité (f)	a. Annuität (f) – b. Jahresrate (f) a. annual repayment
ab/a	constante	Je souhaite rembourser ma dette hypothécaire par une annuité constante égale à 8% du montant initial de votre prêt, les intérêts représentant 6% et l'amortissement 2%, cela la première année
ab/a	dégressive	En fixant à 2% du montant initial de notre prêt le taux d'amortissement constant, nous vous faisons ainsi bénéficier d'une annuité dégressive conforme à vos souhaits
	Annuler **Annulation** (f)	a. annulieren – b. Annulierung (f) – c. ungültig erklären a. to cancel – b. cancellation – c. to void
ac/c	chèque	Je vous prie d'annuler mon chèque no ..., du ...
a/a	commande	Nous serons obligés d'annuler notre commande si ...
a/a		Dans ces conditions, vous voudrez bien considérer notre commande du ... comme annulée
b/b		Il ne nous est malheureusement pas possible d'accepter l'annulation trop tardive de votre commande
a/a	contrat	Nous regrettons de devoir annuler notre contrat car vous n'en respectez pas les clauses, malgré nos observations répétées
	Antécédents (m.pl.)	Vorgeschichte (f) – past history
		Nous aimerions avoir quelques renseignements sur les antécédents de cette personne
	Anticiper	a. Verrechnung (f) – b. vorgreifen – c. vorzeitig a. advance – b. to get ahead – c. withholding
b/b	événements	Il me semble que vous anticipez par trop sur les événements
a/c	impôt	Je désire demander le remboursement de l'impôt anticipé prélevé sur le revenu de mes titres durant l'année 19.. et vous prie de m'indiquer les formalités à remplir
c/a	paiement	Il ne m'est pas possible d'anticiper ce paiement
c/a	remboursement	Je désire procéder à un remboursement anticipé de mon emprunt

	Apercevoir (s')	a. bemerken – b. erkennen a. to realize
a/a		Nous nous sommes aperçus de l'erreur trop tard
b/a		Je suis très étonné que vous ne vous soyez pas aper-çus des difficultés plus tôt
	Aperçu (m)	a. Überblick (m) a. outline – b. sample
a/a		Vous trouverez, ci-joint, un aperçu de la campagne publicitaire que nous comptons entreprendre
a/b		Voici un aperçu de nos prix pour la vente au comptant
	Aplanir	beheben – to iron out
		J'ai cherché à aplanir les difficultés Afin d'essayer d'aplanir nos difficultés, nous vous proposons de nous rencontrer à une date à votre convenance
	Appareil (m)	a. Apparat (m) – b. Gerät (n) a. apparatus – b. machine
ab/b	machine	Nos appareils sont garantis deux ans contre tout vice de fabrication
a/a	production	La réorganisation de notre appareil de production nous permet désormais une livraison plus rapide
	Apparence (f)	a. Anschein (m) – b. aussehen – c. erscheinen – d. Schein (m) a. appearance – b. probability – c. to show
b/c	avoir	Cette marchandise a vraiment belle apparence
c/a	en	C'est plus difficile en apparence qu'en réalité
a/a		Cette affaire est bonne, en apparence tout au moins
d/a	sauver	Il cherche, sans aucun doute, à sauver les appa-rences
a/b	selon	Selon toute apparence, la vente de cet article sera . . .
	Apparent	offensichtlich – apparent
		Nous avons constaté quelques défauts apparents
	Appartenir	a. obliegen – b. zustehen a. up (to be . . . to)
ab/a		Il nous appartient de prendre maintenant les mesu-res qui s'imposent
b/a		Il ne nous appartient pas de mettre en doute vos affirmations, mais nous souhaiterions quelques preuves
	Appeler **Appel** (m)	a. Anruf (m) – b. appellieren – c. Aufruf (m) – d. Ausschreibung (f) – e. Berufung (f) – f. endgültig a. to appeal – b. appeal – c. to ask (for bids) – d. to call – e. call – f. irrevocable
b/d	attention	J'appelle particulièrement votre attention sur . . .
c/d	faire	Nous avons fait un appel de fonds

b/d		Il a fait appel aux connaissances – aux services – d'un spécialiste en la matière
b/d		Nous avons fait appel à M. ..., pour remplacer M. ..., qui a pris sa retraite dès le ...
e/ab	interjeter	J'interjetterai appel du jugement qui a été prononcé
d/c	offrir	Nous allons lancer un appel d'offres pour la fourniture de ...
f/f	sans	Notre jugement est malheureusement sans appel
a/e	téléphonique	En réponse à votre appel téléphonique du ..., nous ...
	Appellation (f)	a. Bezeichnung (f) a. guaranteed vintage – b. quality and origin – c. registered trademark
a/c	contrôlée	Notre produit d'appellation contrôlée offre les meilleures garanties de sécurité
a/ab	d'origine	Tous nos crus – vins – sont d'appellation d'origine
	Applicable	anwendbar – applicable Cette loi est applicable dans un tel cas
	Application (f)	a. Anwendung (f) – b. Fleiss (m) a. accordance – b. hardworking
a/a	en	En application de l'article 7 de nos statuts – de notre contrat – nous avons le regret de ...
b/b	travail	M. ... montre beaucoup d'application dans son travail
	Appliquer	a. anwenden – b. Anwendung (f) – c. bemühen a. to apply – b. to do one's best
a/a		Nous sommes obligés d'appliquer les tarifs en vigueur
c/b		Nous nous sommes appliqués à faire de notre mieux
b/a		Ce règlement ne s'applique pas au cas qui nous occupe
	Appointements (m.pl.)	a. Gehalt (n) – b. Vergütung (f) a. salary
a/a	augmenter	Nous avons le plaisir de vous annoncer que vos appointements seront augmentés de Fr. ..., à partir du ...
a/a		Etant donné les nouvelles tâches que vous m'avez confiées, je me permets de solliciter une augmentation de mes appointements
ab/a	fixe	Vos appointements fixes seront de Fr. ...
a/a	saisie	Je serai contraint de demander la saisie de vos appointements si ...
	Apport (m)	a. Einlage (f) a. contribution – b. influx – c. participation
a/ac	capital	Le capital d'apport nécessaire peut être évalué à ...
a/b	capitaux	Grâce à un apport de capitaux frais, nous sommes en mesure de ...
a/a	espèces	Je peux vous fournir un apport en espèces de Fr. ...

a/a	nature	Notre apport en nature nous semble sous-évalué
	Apposer	a. anbringen – b. beifügen a. to place – b. to put
a/a	scellés	Nous demanderons que soient apposés les scellés afin de ...
b/b	signature	Vous voudrez bien apposer votre signature au bas du document ci-joint
	Appréciation (f)	a. Beurteilung (f) – b. Einschätzung (f) – c. Schätzung (f) a. assessment – b. interpretation – c. opinion
b/c	affaire	En définitive, ce n'est qu'une affaire d'apprécation
c/a	dommages	Notre assureur procédera à l'appréciation des dommages subis
a/b	faits	Votre appréciation des faits ne serait-elle pas un peu excessive
	Apprécier	a. bestimmen – b. schätzen a. to appreciate – b. to estimate
b/a	articles	Ces articles sont fort appréciés des connaisseurs
b/a	dévouement	Dans ces moments pénibles que je viens de traverser, j'ai pu apprécier pleinement votre dévouement et je vous en remercie chaleureusement
b/a	fort	Votre prompte réponse serait fort appréciée
a/b	part	Il sera difficile d'apprécier la part de chacun
	Apprendre	a. erfahren – b. mitteilen a. to learn – b. to tell
a/a	à l'instant	Nous apprenons à l'instant que ...
a/a	heureux	Nous sommes heureux d'apprendre que vous avez repris votre activité
a/a	journaux	Les journaux vous ont certainement appris la mort de ...
b/b	rien	Je pense que je ne vous apprends rien en vous disant ...
a/a	satisfaction	J'ai appris avec satisfaction que vous pourriez ...
	Apprenti (m) **Apprentissage** (m)	a. Lehre (f) – b. Lehrling (m) a. apprentice – b. apprenticeship
a/b	certificat	Vous voudrez bien nous remettre votre certificat de fin d'apprentissage
a/b	contrat	Vu les circonstances, nous sommes disposés à prolonger votre contrat d'apprentissage d'une année
b/a	engager	L'apprenti que j'ai engagé me donne toute satisfaction
a/b	faire	J'aimerais faire un apprentissage dans une maison de ...
a/b	finir	Après avoir fini – terminé – mon apprentissage, j'ai fait un stage de ... chez ... durant 6 mois
a/b	mettre en	Afin qu'il perfectionne ses connaissances scolaires de français, je désire mettre mon fils en apprentissage dans une entreprise de ...

	Apprêter (s')	Begriff (m) (im . . . sein) – to prepare Cette maison s'apprête à lancer un article qui pourra rivaliser avec les meilleurs actuellement disponibles Nous nous apprêtons à lancer un modèle plus perfectionné
	Approbation (f)	a. Genehmigung (f) – b. Zustimmung (f) a. approval
a/a	avant	Il faut avant tout avoir l'approbation des autorités
a/a	comptes	N'oubliez pas de nous retourner les pièces de comptes en annexe, munies de votre approbation
b/a	donner	Nous avons donné notre approbation à ce projet
b/a	obtenir	J'obtiendrai certainement son approbation
a/a	soumettre à	Ce texte doit être soumis à l'approbation de tous les intéressés avant de pouvoir être publié
	Approcher **Approche** (f)	a. Betrachtung (f) – b. herankommen – c. Herannahen (n) – d. näherrücken a. to approach – b. approach
c/b	à l'approche	A l'approche de l'hiver, nous avons pensé bien faire en vous envoyant . . .
d/a	fêtes	Les fêtes de fin d'année approchent, et vous aurez certainement besoin de . . .
b/a	personne	Si vous pouvez approcher la personne en question, . . .
a/b	problème	Une approche sérieuse de ce problème demandera du temps
	Approfondir	a. eingehend – b. gründlich a. detailed – b. fluent – c. thorough
b/bc	langue	J'ai une connaissance approfondie du français
ab/a	problème	Après une étude approfondie du problème, nous avons décidé que . . .
	Approuver	a. bestätigen – b. billigen – c. genehmigen – d. richtig finden a. to approve
c/a	compte	Les comptes ont été approuvés pas les vérificateurs désignés, MM. . . . et . . .
d/a	d'avoir	Nous vous approuvons d'avoir liquidé cet article à . . .
b/a	façon	J'approuve pleinement votre façon d'agir
ac/a	lu et	Le procès-verbal a été lu et approuvé
ac/a	vu et	N'omettez pas la mention «vu et approuvé» sur les documents que nous vous communiquons en annexe
	Approvisionnement (m)	a. auffüllen – b. Bezug (m) – c. Versorgung (f) a. deposit – b. supply
a/a	compte	Nous regrettons de devoir vous mettre en garde contre un approvisionnement irrégulier de votre compte
c/b	matières	Notre approvisionnement en matières premières rencontre de grandes difficultés

b/b	source	Désireux de mieux diversifier nos sources d'approvisionnement, nous vous prions de nous faire une offre ...
	Approximatif	ungefähr – approximate
		Pourriez-vous préciser votre estimation quelque peu approximative?
		J'amerais connaître le prix approximatif de ...
	Appui (m)	Unterstützung (f) – support
	à l'	Si vous pouviez présenter des preuves à l'appui de votre requête, ...
	accorder	Il mérite que nous lui accordions notre appui
	avec	Il réussira avec l'appui de ses amis
	grâce à	Grâce à votre bienveillant appui, j'ai finalement pu obtenir pleine satisfaction
	offrir	Si nous pouvons vous être utiles, nous vous offrons volontiers notre appui
	pièces à	Vous trouverez, ci-joint, ma version des faits avec pièces à l'appui de mes arguments
	remercier	Nous vous remercions de l'appui que vous avez bien voulu nous prêter
	solliciter	Je me permets de solliciter votre bienveillant appui
	Appuyer	a. stützen – b. unterstützen
		a. to base – b. to support
a/a		Vous vous appuyez sur des raisons que nous ne pouvons pas admettre
b/b		Nous vous saurions gré d'appuyer notre demande
	Après	a. nach
		a. according to – b. after
a/b		Après avoir pris connaissance de ...
a/a		D'après les renseignement que vous m'avez communiqués, ...
	Aptitude (f)	a. Eignung (f) – b. fähig – c. Fähigkeit (f)
	Apte	a. ability – b. capable – c. qualification
a/a	doute	Vous semblez mettre en doute notre aptitude à ...
b/b	faire	Il est certainement apte à faire ce travail
a/c	nécessaire	Nous devons malheureusement constater que vous n'avez pas les aptitudes nécessaires à l'emploi proposé
ac/ac	professionnelle	Je vous saurai gré de me dire ce que vous pensez des aptitudes professionnelles de ...
	Apurer	prüfen – to audit
		Votre décompte ayant été apuré, nous vous versons ce jour la somme de Fr. ...
	Arbitrage (m)	a. Arbitrage (f) – b. Schiedsspruch (m)
		a. arbitrage – b. arbitration
a/a	change	J'ai pu procéder à un arbitrage de change favorable
b/b	différend	Il nous faudra dès lors soumettre notre différend à l'arbitrage d'un tiers

a/a	titres	Les cours actuels sont favorables à un arbitrage de vos titres en portefeuille
	Arbitraire	willkürlich – arbitrary
		Votre décision est absolument arbitraire
	Arbitre (m)	Schiedsrichter (m) – arbitrator
	choisir	Chacune des parties choisira son arbitre, et les deux désigneront un tiers-arbitre
	récuser	Vous avez le droit de récuser l'un des arbitres
	servir	Nous vous demandons de bien vouloir servir d'arbitre dans le conflit qui nous oppose à . . .
	soumettre à	La meilleure des solutions est de soumettre la question à un arbitre qualifié
	Argent (m)	a. Geld (n)
		a. cash – b. currency – c. money
a/a	en caisse	Je n'ai malheureusement pas assez d'argent en caisse
a/a	comptant	Il a payé ce rachat argent comptant
a/b	cours	Le cours actuel de l'argent français nous permet de . . .
a/a	à court d'	En cette période de l'année, nous sommes quelque peu à court d'argent et ne pouvons pas nous permettre . . .
a/c	en dépôt	J'ai de l'argent en dépôt à la Banque . . .
a/ac	faute d'	Je ne peux acheter en ce moment, faute d'argent
a/c	gagner	Vous pourriez aisément gagner de l'argent en . . .
a/a	liquide	Je dispose d'un peu d'argent liquide et souhaite placer Fr. . . . à court terme. Que me conseillez-vous?
a/ac	manque	Nous manquons présentement d'argent pour entreprendre des affaires intéressantes
a/c	mettre	Je ne veux pas mettre de l'argent dans une affaire qui me semble peu sûre
a/c	placer	Nous cherchons à placer notre argent dans des affaires rentables
a/c	rentrer	J'ai pu rentrer dans mon argent grâce à vos démarches
		Il a des difficultés à faire rentrer son argent
a/c	retirer	Il a retiré à temps tout son argent de cette affaire
a/c	toucher	Vous n'avez pas encore touché l'argent qui vous est dû selon notre décompte du . . .
a/c	verser	L'argent sera versé à mon compte de chèques postaux
	Argument (m)	a. Argument (n)
		a. argument – b. pitch
a/a		Vos arguments sont irréfutables – sans valeur
a/a		L'argument que vous avancez n'est pas convaincant
a/b		Nous avons analysé avec soin vos arguments de vente: il nous semble cependant que . . .
	Arrangement (m)	a. Regelung (f) – b. Übereinkunft (f) – c. Vereinbarung (f)
		a. agreement – b. arrangement – c. settlement

a/ac	amiable	Il a fait un arrangement à l'amiable avec ses créanciers
ab/c	avantageux	Je peux vous proposer un arrangement avantageux
b/a	contraire	Votre proposition est contraire à notre arrangement écrit que vous aviez dûment accepté
a/c	proposition	Malgré les propositions d'arrangement que nous vous avions faites, vous ne nous avez pas encore répondu
bc/b	spécial	Les arrangements spéciaux que nous avons pris . .
ac/ac	suite	A la suite d'un arrangement de dernière minute, . . .
	Arranger	a. Ordnung (f) – b. regeln – c. zusehen a. to arrange – b. to make arrangements – c. to settle – d. to work out
b/c	affaire	L'affaire semble en bonne voie de s'arranger
b/ac	d'avance	Nous n'avons pas pu intervenir car tout était arrangé d'avance
b/c	demander	Je vous demande d'arranger cette affaire au mieux
c/b	s'arranger	Il faut absolument que vous vous arrangiez pour livrer à la date convenue
a/d	tout	Si tout s'arrange, nous pourrons peut-être . . .
	Arrêter	a. abschliessen – b. aufhalten – c. einstellen – d. vereinbaren a. to draw up – b. to halt – c. to set – d. to stop
b/b	affaires	Avec cette crise, toutes les affaires sont arrêtées
a/a	compte	Nous avons arrêté votre compte au 30 juin; toutes les opérations effectuées après la date de la dernière écriture figureront en compte nouveau
d/c	conditions	Les conditions que nous avons arrêtées sont les suivantes: . . .
c/bd	fabrication	La fabrication de ce modèle sera arrêtée dès le . . . A la suite de la grève d'une partie de notre personnel, notre fabrication est totalement arrêtée
d/c	prix	Les prix que nous avons arrêtés sont très avantageux
c/bd	travaux	Les travaux de transformation sont arrêtés
	Arrhes (f.pl.)	Anzahlung (f) – down payment
	commande	L'usage est de verser 20% d'arrhes à la commande, en avance de paiement
	location	Pour confirmer votre location de mon chalet, je vous prie de me verser Fr. 300.– à titre d'arrhes avec clause de dédit
	Arriéré (m)	a. Rückstand (m) – b. rückständig a. overdue
a/a	acquitter	Avant toute nouvelle livraison, nous vous prions de vous acquitter de votre arriéré de Fr. . . .
a/a	compte	Votre arriéré de compte s'élève à Fr. . . .
b/a	intérêt	Avec les intérêts arriérés, votre dette est maintenant de Fr. . . ., c'est pourquoi nous . . .

a/a	laisser	Je ne peux laisser cet arriéré plus longtemps en suspens
a/a	payer	Nous regrettons de vous informer que nous ne pourrons vous livrer votre commande que lorsque vous aurez payé votre arriéré de Fr. . . . du . . .
a/a	réclamer	Je suis obligé de vous réclamer l'arriéré afin de . . .
	Arrivage (m)	Eingang (m) – shipment
		Nous vous signalons l'arrivage prochain de . . . et vous conseillons de profiter de cette occasion Nous attendons un nouvel arrivage sous peu
	Arrivée (f)	Eintreffen (n) – delivery
	payer	Nous vous prions de payer notre envoi à l'arrivée
	vérifier	Les marchandises doivent être vérifiées à l'arrivée, en présence de notre camionneur
	Arriver	a. eintreffen – b. gelangen – c. gelingen – d. geschehen – e. passieren a. to arrive – b. to happen – c. to manage – d. to reach
b/d	accord	J'espère que nous pourrons arriver à un accord
b/d	compromis	Le compromis auquel nous sommes arrivés nous paraît satisfaisant
c/c	convaincre	Nous souhaitons arriver à vous convaincre de la justesse de nos arguments
a/a	envoi	Cet envoi est arrivé à temps – trop tard – n'est pas arrivé
e/b	il vous	Il vous arrive trop souvent de . . .
d/b	quoi que	Quoi qu'il vous arrive, notre assistance ne vous fera pas défaut
	Arroger (s')	anmassen – to assume
	droit	Vous vous arrogez des droits que nous ne pouvons pas admettre
	prérogatives	Vous vous arrogez là des prérogatives qui excèdent nos conventions
	Arrondir	a. abrunden – b. aufrunden – c. rund a. to round off
b-a/a	franc	Nous avons l'habitude d'arrondir nos frais au franc supérieur – inférieur
c/a	nombre	Nos ventes, en nombres arrondis, s'élèvent à . . .
	Article (m)	a. Artikel (m) – b. Bestimmung (f) a. article – b. item
a/b		Articles de bazar – de série – courants Articles de luxe – de mode – saisonniers Articles de ménage – de toilette – de bureau Articles demandés – similaires – en tous genres Articles d'exportation – d'importation Article de qualité inférieure – supérieure – identique Article de vente facile – difficile
a/b	apprécier	Ces articles sont très appréciés de la clientèle

a/a	d'après	D'après l'article ... de votre contrat, vous êtes tenu de ...
b/a	en vertu de	En vertu de l'article de la loi, la vente est autorisée ...
a/b	offrir	Nous vous offrons un article de très bonne qualité
a/b	vendre	Ces articles conviennent à notre marché, et nous les avons vendus à des prix très avantageux
	Aspect (m)	a. Aussehen (n) – b. Blick (m) – c. Gesichtspunkt (m) a. angle – b. appearance – c. glance
b/c	au	Au premier aspect, l'affaire nous intéresse
a/b	meilleur	Le meilleur aspect de notre nouvel emballage doit être de nature à stimuler les ventes de notre article
c/a	problème	Le problème doit être étudié sous un autre aspect – sous plusieurs aspects – sous tous ses aspects
	Assainir **Assainissement** (m)	a. bessern – b. sanieren – c. Sanierung (f) a. to clear up – b. to refinance – c. to reorganize – d. to restructure
b/c	finance	Nous avons assaini nos finances
c/bd	plan	Nous sommes disposés à vous accorder un crédit exceptionnel si vous pouvez nous présenter un plan sérieux d'assainissement de vos dettes
a/a	situation	Maintenant que la situation est assainie ...
	Assemblée (f)	Versammlung (f) – meeting
	actionnaire	L'assemblée générale des actionnaires aura lieu le ...
	convoquer	Nous avons le plaisir de vous convoquer à notre assemblée du ... qui se tiendra à ...
	créancier	L'assemblée des créanciers de la Société X établira ...
	extraordinaire	Votre présence à l'assemblée extraordinaire du ... est indispensable
	tenir	Lors de l'assemblée ordinaire – plénière – que nous tiendrons le ..., nous discuterons de ...
	Assentiment (m)	a. Billigung (f) – b. Zustimmung (f) a. assent
b/a	obtenir	Nous avons obtenu l'assentiment de tous les ...
ab/a	se passer	Je me passerai de votre assentiment si ...
	Assigner	a. Grenze (f) – b. zuweisen a. to assign – b. to set
a/b	limite	Je suis obligé d'assigner une limite à vos initiatives
b/a	tâche	Je vous ai assigné une tâche précise et m'étonne ...
	Assistance (f)	a. Beistand (m) – b. Fürsorge (f) – c. Unterstützung (f) a. aid – b. assistance – c. help
a/bc	prêter	Nous avons demandé à un avocat de nous prêter assistance dans cette cause
c/bc	recours	J'ai recours à votre bienveillante assistance pour ...
c/bc	remercier	Je vous remercie de votre précieuse assistance
b/a	sociale	Le service d'assistance sociale s'occupera de votre cas

	Assister	a. beistehen – b. beiwohnen a. to assist – b. to attend
a/a	conseils	Vous avez bien voulu nous assister de vos conseils judicieux, dont nous vous remercions vivement
b/b	séance	Je regrette de ne pouvoir assister à la séance du . . .
	Association (f)	a. Assoziation (f) – b. Gesellschaft (f) – c. Verband (m) a. association – b. partnership
c/a	créer	Ces commerçants ont crée une association pour défendre leurs intérêts
c/ab	dissoudre	Notre association a été dissoute d'un commun accord
a/a	échange	L'association européenne de libre-échange
c/ab	faire partie	Dès ce jour, M. . . . ne fait plus partie de notre association
b/b	former	Après la mort de notre associé, nous avons formé une nouvelle association avec M. . . .
b/a	lucratif	Notre association, sans but lucratif, désire promouvoir . . .
c/a	professionnelle	Notre association professionnelle défendra notre position
bc/b	se retirer	Notre fidèle collaborateur se retire de notre association
	Associé (m)	a. Gesellschafter (m) – b. Kommanditär (m) – c. Teilhaber (m) a. partner
ab/a	commandite	Précisons que M. X et M. Y sont associés commanditaires et que seul M. Z. est associé commandité
c/a	entrer	M. . . . est entré comme associé dans notre entreprise
c/a	prendre	Nous avons pris comme associé M. . . ., jusqu'ici fondé de pouvoir
ac/a	responsable	Les associés sont personnellement et solidairement responsables des actes de la société
a/a	société	Nous avons le plaisir de porter à votre connaissance que M. . . . devient associé-gérant de notre société en nom collectif
	Associer (s')	a. assoziieren – b. zusammenschliessen a. to become partners – b. to form a partnership
b/b		Nous nous sommes associés pour exploiter un commerce de . . .
a/a		Notre voyageur, M. . . ., s'est associé avec nous
	Assortir **Assortiment** (m)	a. enthalten – b. Sortiment (n) a. to accompany – b. merchandise line/mix – c. product line
b/bc	avantageux	Nous avons un assortiment des plus avantageux
b/bc	compléter	Grâce à des achats faits à temps, nous avons pu compléter – renouveler – notre assortiment

a/a	condition	Vos propositions sont assorties de quelques conditions qui demandent à être discutées
b/bc	présenter	Notre représentant, M. . . ., vous présentera un assortiment complet – ample, grand, original, riche, unique, varié – de . . .
	Assurance (f)	a. Gewähr (f) – b. Versicherug (f) – c. Zusicherung (f) a. to assure – b. benefits – c. to guarantee – d. insurance
b/d		La société – la mutuelle – l'agent d'assurances L'assureur – l'assuré – le preneur d'assurance Le contrat – la police d'assurance – l'avenant La prime – l'indemnité d'assurance – la ristourne L'assurance avec participation aux bénéfices L'assurance incendie – dégâts d'eau – vol – bagages L'assurance bris de glaces – grêle – responsabilité civile L'assurance du fret – risques et périls de mer L'assurance du matériel d'exploitation L'assurance contre les risques à l'exportation L'assurance sur la vie – décès – mixte – dotale
b/b		L'assurance invalidité – vieillesse et survivants (AVS)
b/b		Les assurances sociales – l'assurance chômage
b/d	cas	Ce cas n'est pas couvert par votre assurance
b/d	couvert	Tous les risques sont couverts par l'assurance que nous avons contractée
c/a	donner	Je peux vous donner l'assurance que notre envoi vous parviendra par le plus prochain bateau
b/d	effectuer	Vous auriez tout intérêt à effectuer une assurance contre . . . L'assurance a été effectuée selon vos indications
b/d	établir	Nous vous proposons d'établir un avenant à votre police d'assurance, couvrant également les risques de . . ., ceci pour un modique supplément de prime
a/c	faire	Voulez-vous faire l'assurance de ce chargement?
c/ac	renouveler	Je renouvelle l'assurance que je vous ai déjà donnée et suis certain que vous serez satisfaits de la livraison
b/d		Je me propose de renouveler ma police d'assurance en augmentant l'indemnité journalière à Fr. . . .
b/d	résilier	Nous nous voyons obligés de résilier notre assurance
	Assurer	a. sicher – b. sichern – c. überzeugen – d. versichern – e. zusichern a. to assure – b. to ensure – c. to insure – d. to make sure – e. to obtain
d/c	avoir	J'ai assuré la marchandise contre tous risques de transport
de/a	discrétion	Nous vous assurons de notre plus complète discrétion
a/b	être	Nous sommes assurés du succès de ce nouveau produit

a/a		Vous pouvez être assurés que le nécessaire a été fait
e/b	livraison	Nous vous assurons une livraison prompte et soignée
c/d	s'	J'aimerais que vous vous assuriez de ce fait
b/e		Nous nous assurerons le concours d'un spécialiste
	Atelier (m)	Werkstatt (f) – workshop
		Un chef – un surveillant – un responsable d'atelier Un atelier d'usinage – de montage – de finition Un atelier de construction – de réparations Ce modèle a été entièrement confectionné dans nos ateliers
	Attache (f)	Heimathafen (m) – home
		Le port d'attache de ce bateau est . . .
	Attacher **Attaché** (m)	a. anheften – b. Attaché (m) – c. gewinnen – d. hängen an – e. widmen a. to attach – b. attaché – c. to secure – d. to work hard
b/b	commercial	Notre attaché commercial se fera un plaisir de . . .
a/a	coupon	Une action – une obligation avec coupons attachés
c/c	employé	Nous avons vivement regretté de n'avoir pas pu nous attacher cet employé
e/a	importance	Vous n'attachez pas assez d'importance à l'emballage
e/d	perfectionner	Ils se sont attachés à perfectionner leur machine
e/d	tâche	Nous nous sommes attachés à cette tâche et croyons avoir fait du bon travail
d/a	tradition	Nous restons très attachés aux bonnes traditions
	Atteindre **Atteinte** (f)	a. erreichen – b. erzielen – c. schädigen a. to harm – b. to reach – c. to taint
c/.-c-a-a	à	Vous avez porté atteinte à mon crédit – à mon honneur – à mes intérêts – à ma réputation
a/b	but	Grâce à votre précieuse collaboration, nous avons pu atteindre le but que nous nous étions donné
a/b	limite	Nous avons atteint la limite de nos possibilités
b/b	prix	Ces . . . ont atteint des prix beaucoup trop élevés
a/b	somme	Les dépenses atteignent déjà la somme de Fr. . . .
	Attendre	a. bis – b. erwarten – c. rechnen – d. warten a. to await – b. to expect – c. until – d. to wait
b/d	de	Nous attendons de voir le résultat de nos démarches
a/c	en	En attendant le paiement du solde, nous devons . . . En attendant que vous soyez installé, nous . . .
d/d	faire	Nous regrettons de vous avoir fait attendre
bd/a	instruction	J'attends vos instructions avant de conclure ce marché
b/a	livraison	J'attends avec impatience la livraison que vous m'aviez promise pour le . . ., sans faute
d/d	mieux	Il vaut mieux attendre une baisse des prix – du cours

d/d	paiement	Nous regrettons de ne pouvoir attendre plus longuement votre paiement
d/d	que	Il faut attendre que la situation se soit améliorée
b/a	réponse	Nous attendons impatiemment votre réponse
bc/b	s'	On peut s'attendre à une baisse prochaine des prix Nous ne nous attendons pas qu'il nous paie avant le . . .
d/d	volontiers	J'attendrais volontiers si vous pouviez m'assurer que . . .
	Attendu que	Anbetracht – since Attendu que vous ne montrez aucune bonne volonté, nous nous voyons obligés de . . .
	Attente (f)	a. Erwartung (f) – b. Warte . . . a. await(ing) – b. expectations – c. looking forward – d. wait(ing)
a/b	contrairement	Contrairement à mon attente, votre envoi laisse beaucoup à désirer
a/b	contre	Si, contre toute attente, notre débiteur paie à la fin du mois, . . .
a/a	dans	Dans l'attente de votre décision, que nous souhaitons favorable, . . .
b/d	liste	Je vous prie de m'inscrire sur votre liste d'attente
a/b	répondre	Cet article ne répond pas du tout à mon attente
a/c	réponse	Dans l'attente de votre réponse, nous vous prions . . .
	Attentif	a. aufmerksam a. attention – b. careful – c. close
a/a		Nous vous rendons attentif au fait que . . .
a/bc		Après un examen attentif de vos échantillons, nous . . .
	Attention (f)	a. aufmerksam – b. Aufmerksamkeit (f) – c. Beachtung (f) a. attention – b. careful(ly) – c. to introduce
b/a	appeler	Nous appelons votre attention sur ce point
b/b	apporter	La plus grande attention a été apportée dans le choix des . . .
b/a	attirer	Nous attirons votre attention sur la durée limitée de notre offre particulièrement avantageuse
b/b	avoir	Votre lettre du . . . ct a eu toute notre attention
b/a	échapper	Je regrette que cette erreur ait échappé à mon attention
b/b	faire	Nous vous prions de faire attention à . . .
b/a	manquer	Par manque d'attention, je n'ai pas remarqué que . . .
b/b	mériter	Ce problème mérite la plus grande attention
b/a	porter	Vous devriez porter plus d'attention à la surveillance de . . .
b/c	recommander	Nous recommandons le porteur de cette lettre, M. . . ., à votre bienveillante attention
b/b	redoubler	Nous redoublerons d'attention dans l'exécution de vos prochains ordres

b/a	remercier	Je vous remercie de l'attention que vous avez portée à la requête que je vous ai soumise
bc/b	retenir	Votre proposition a retenu toute notre attention
a/a	signaler	Je signale à votre attention que . . .
	Attester **Attestation** (f)	a. bescheinigen – b. Bescheinigung (f) – c. Zeugnis (n) a. to attest – b. certificate
bc/b		Vous trouverez, ci-jointe, l'attestation demandée
a/a		Nous attestons que ce certificat est conforme à l'original
bc/b		L'envoi doit être accompagné de l'attestation d'origine
	Attirer	a. anziehen – b. lenken (auf) a. to attract – b. to draw
b/b	attention	Nous attirons votre attention sur le fait que . . .
a/a	par	Nous avons été attirés par la bienfacture et la présentation du modèle
	Attitré	ständig – regular
		Nous avons déjà un fournisseur attitré pour . . .
	Attitude (f)	a. Haltung (f) a. attitude – b. point of view
a/a		Votre attitude dans cette affaire nous paraît étrange
a/b		Je conformerai mon attitude à la vôtre
a/a		Son attitude conciliante a facilité le règlement du litige
	Attribuer **Attribution** (f)	a. Aufgabenbereich (m) – b. zuschreiben – c. Zuteilung (f) a. allotment – b. to attribute – c. responsability
a/c		Cela fait partie de mes attributions – rentre dans mes attributions
b/b		Nous attribuons cette erreur à la négligence de . . .
b/b		A quoi ou à qui faut-il attribuer ces difficultés?
c/a		Une attribution d'actions gratuites est prévue
	Augmentation (f)	a. Erhöhung (f) – b. Zunahme (f) a. increase – b. rise
a/a	accorder	J'espère que vous pourrez m'accorder l'augmentation de salaire que je vous ai demandée
a/a	capital	L'augmentation de capital à laquelle nous avons procédé va nous permettre de . . .
b/b	être en	La production est en augmentation constante
a/a	subir	Tous les prix ont subi une sensible – forte – augmentation depuis la parution de notre dernier catalogue
ab/a	tenir compte de	Pour le calcul de nos prix, nous avons dû tenir compte de l'augmentation de nos frais généraux
	Augmenter	a. steigen – b. zunehem a. to increase
b/a	bénéfice	Les bénéfices n'ont pas augmenté depuis l'an passé

b/a	chiffre	Notre chiffre d'affaires a fortement augmenté et dépasse maintenant celui de l'année précédente
b/a	difficulté	Les difficultés de se procurer une main-d'œuvre qualifiée ne cessent d'augmenter
a/a	prix	Le prix a augmenté de . . .%, de Fr. . . .
b/a	production	La production de nos usines a augmenté de 30%, ce qui nous permet de réduire nos délais de livraisons
ab/a	valeur	Cette propriété a augmenté de valeur
	Auspices (m.pl.)	a. Auspizien (n) – b. Umstände (m) a. auspices
a/a		Cette manifestation est placée sous les auspices de M. . . .
b/a		Notre entreprise commence sous les meilleurs auspices
	Austérité (f)	Sparsamkeit (f), (Spar . . .) – austerity
		La situation actuelle de l'économie nous oblige à pratiquer une politique d'austérité très stricte
	Autant	a. sofern – b. soviel a. as far as – b. provided
b/a	pour	Pour autant que je sache – que je m'en souvienne . . .
a/b		Pour autant que nous puissions les recevoir avant le . . .
	Authenticité (f)	a. Authentizität (f) – b. Echtheit (f) – c. Verbürgtheit (f) a. actual – b. authentic – c. genuine
b/c ac-b-b/a-b-b		Pouvez-vous me garantir l'authenticité de ce produit – de ces paroles – de ces documents – de la signature?
c/a		Je peux vous prouver l'authenticité du fait
	Authentique	rechtsgültig – to notarize
		Ce contrat doit être rédigé en la forme authentique
	Autofinancement (m)	Selbstfinanzierung (f) – self-financing
		Notre politique d'autofinancement est une garantie supplémentaire
	Autoriser **Autorisation** (f)	a. befugt – b. Erlaubnis (f) – c. Ermächtigung (f) a. to authorize – b. authorization – c. permission
c/a	avoir	Nous avons l'autorisation de vendre ce produit
c/c	donner	Je vous donne l'autorisation d'utiliser mon nom
c/b	obtenir	J'espère obtenir les autorisations nécessaires
b/c	recevoir	Nous avons reçu une autorisation spéciale pour . . .
bc/c	sans	Nous regrettons que vous ayez agi sans notre autorisation expresse
a/b	seul	Notre entreprise est seule autorisée à fabriquer et mettre en vente l'objet breveté
	Autorité (f)	a. Amt (n) – b. Behörde (f) – c. massgebend a. to abide – b. authority

a/b	abus	Il a commis là un regrettable abus d'autorité
b/b	compétente	Nous nous adresserons aux autorités compétentes
c/b	faire	Il fait autorité en la matière
b/b	locales	J'adresserai une demande aux autorités locales
c/a	soumettre	Nous devons nous soumettre à l'autorité de son jugement
	Auxiliaire	a. Hilfskraft (f) – b. Hilfs . . . a. extra – b. to help out
a/b		J'ai travaillé comme auxiliaire dans un grand magasin
b/a		Cette activité – ce travail auxiliaire m'intéresse
	Avaliser **Aval** (m)	a. aval – b. avalieren a. to endorse – b. endorsement
a/b		Le paiement est garanti par un aval
b/a		Nous vous prions d'avaliser la traite
	Avance (f)	a. Darlehen (n) – b. voraus – c. Vorschuss (m) – d. Vorsprung (m) a. advance – b. ahead – c. lead – d. loan
d/b	avoir	Nous avons un peu d'avance dans notre travail
a/a	couvrir	Nos avances ne sont pas couvertes Vous nous couvrirez de nos avances dans les trois mois
b/a	d'	D'avance, nous vous en remercions Le loyer doit être payé d'avance Il faut absolument nous aviser d'avance
a/a	en blanc	Nous vous accordons l'avance en blanc demandée
c/a	faire	Pourriez-vous me faire une avance de Fr. . . .?
d/c	garder	Nous gardons une sérieuse avance sur nos concurrents
a/d	nantissement	Nous sollicitons une avance contre nantissement des titres suivants . . .
c/a	obtenir	Il est nécessaire que nous obtenions une avance de fonds
b/a	payer d'	Toute commande doit être payée d'avance
a/a	rembourser	Je rembourserai votre avance avant la fin du mois
a/d	sur titres	Nos conditions d'avances sur titres sont: . . . Nous accordons des avances sur titres en nantissement
	Avancer	a. einbringen – b. vorankommen – c. vorbringen – d. vorschiessen – e. vorwagen – f. zugehen a. to advance – b. to get – c. to (make) progress
a/b	à	Votre démarche n'avance à rien
b/a		La réalisation de notre projet avance à grand pas
b/c	de	Cette affaire n'a pas avancé d'un pas depuis . . .
d/c	fonds	Nous pouvons vous avancer les fonds nécessaires jusqu'à concurrence de Fr. . . .
d/a	frais	Il faut que vous m'avanciez les frais de déplacement
c/a	opinion	L'opinion que vous avancez est très discutable
b/c	peu	Nous sommes peu avancés dans nos travaux

d/a	prêt à	Je suis prêt à vous avancer la somme demandée
e/c	s'	Vous vous êtes beaucoup avancés dans cette affaire
f/a		Il s'est avancé vers nous
	Avantage (m) **Avantageux**	a. Bezüge (m) – b. Vorteil (m) – c. vorteilhaft a. advantage – b. advantageous – c. benefit
b/a	à	Cette proposition est tout à fait à notre avantage
c/b	achat	Cet achat me paraît très avantageux
c/b	affaire	C'est une affaire tout à fait avantageuse
b/a	avoir	Nous aurions avantage à vous laisser la marchandise
c/a		Il y a avantage à procéder de la sorte, ne le croyez-vous pas?
b/a	garder	Nous gardons l'avantage de la situation acquise
b/a	jouir	Les avantages dont vous jouissez ne seront pas remis en cause
b/a	mutuel	L'affaire sera traitée à notre mutuel avantage
a/c	nature	Veuillez tenir compte des avantages en nature qui vous sont accordés
b/a	offrir	Nous vous offrons les avantages suivants: . . .
b/a	présenter	Cette modification présente de sérieux avantages
b/a	rapporter	Cette expérience nous a rapporté divers avantages
b/a	tirer	Il faut absolument tirer avantage de la situation présente
b/a	tourner à	Je souhaite que cela tourne à notre avantage
c/b	trouver	Si vous trouvez un meilleur avantage à procéder ainsi
	Avarier **Avarie** (f)	a. beschädigen – b. Havarie (f) – c. verderben a. average – b. to damage – c. damage – d. to spoil
b/a	franc	Votre envoi est arrivé franc d'avarie
b/c	indemniser	A la suite de vos explications, nous sommes disposés à vous indemniser de l'avarie subie par un versement de Fr. . . .
c/d	livraison	Votre livraison de fruits avariés est impropre à la vente
a/bd	marchandise	La marchandise a été avariée parce que vous avez utilisé un emballage trop léger
b/c	remplir	Nous vous prions de remplir la déclaration – le rapport – le certificat d'avarie en annexe
b/c	responsabilité	L'avarie constatée engage la responsabilité de . . .
	Avenant (m)	Zusatz (m) – additional (clause)
		Un avenant à une police d'assurance – à un contrat
	Avenir (m)	a. Aussicht (f) – b. Zukunft (f) – c. zukunftsreich a. future
b/a	à	A l'avenir, nous prendrons nos précautions
b/a	avoir	Ce jeune homme a un bel avenir
a/a		Il n'y a aucun avenir dans ce secteur – dans ce domaine – à moyen terme
c/a	situation	Nous vous offrons une situation d'avenir

	Aventurer	einlassen – to venture
		Nous n'avons pas les moyens de nous aventurer dans une telle entreprise
	Avenu (non)	nichtig – void
		Cette autorisation est nulle et non avenue
		Veuillez considérer notre avis du ... comme non avenu
	Avertir **Avertissement** (m)	a. benachrichtigen – b. Nachricht (f) – c. warnen – d. Warnung (f)
		a. notice – b. to notify – c. to warn – d. warning
a/b		Nous estimons que notre devoir est de vous avertir
a/b		Je vous remercie de m'avoir averti à temps
c/c		Nous vous avertissons des conséquences de vos actes
d/d		Vous n'avez pas tenu compte de nos avertissements
b/a		Sans autre avertissement de votre part, nous ...
	Avis (m)	a. Ansicht (f) – b. Anzeige (f) – c. Mitteilung (f) – d. Weiteres (n)
		a. advice – b. to instruct – c. mind – d. notice – e. notification – f. opinion
a/f	à	A mon avis, il est préférable de s'abstenir
a/c	changer	Si vous n'avez pas changé d'avis ...
a/f	connaître	J'amerais connaître l'avis d'une personne compétente
a/f	de, d'	De l'avis des spécialistes, la qualité est remarquable
b/a	débit	Nous accusons réception de votre avis de débit – de crédit
a/f	demander	Nous vous engageons à demander l'avis de ...
a/f	donner	Je vous donne mon avis sans chercher à vous influencer
b/e		Vous voudrez bien me donner avis d'exécution de cet ordre
a/a	émettre	Vous avez émis un avis qui nous semble fort judicieux
a/f	être	Je suis d'avis qu'il faut prendre des mesures rigoureuses
b/a	expédition	Je n'ai pas encore reçu votre avis d'expédition
a/f	exprimer	Permettez-moi d'exprimer un autre avis sur ce problème
d/d	jusqu'à	Nous n'engageons plus de personnel jusqu'à nouvel avis
		Nos prix sont valables jusqu'à nouvel avis
b/e	passage	Vous recevrez bientôt l'avis de passage de notre voyageur
b/d	préalable	Vous recevrez un remboursement, sans autre avis préalable
b/d	recevoir	Nous avons reçu l'avis du prochain arrivage de ...
c/b	sauf	Sauf avis contraire de votre part, nous ...
a/f	selon	Selon mon avis, il serait préférable de ...
b/e	sous	Vous porterez cette somme à mon crédit, sous avis
b/e	suivant	Nous paierons suivant avis

	Aviser	a. benachrichtigen – b. Kenntnis (f) – c. klug – d. mitteilen
		a. to inform – b. to notify – c. smart
d/a		Nous vous avisons que, dès le . . ., nous . . .
a/b		Je vous aviserai en temps utile – opportun
b/b		Je m'empresse de vous en aviser afin que vous puissiez . . .
c/c		Il est beaucoup trop avisé pour se risquer dans . . .
b/b		Nous avons été avisés de cette traite
d/a		Je regrette d'être obligé de vous aviser que . . .
b/a		Sans que nous en ayons été avisés, vous avez . . .
	Avocat (m)	a. Rechtsanwalt (m) – b. Rechtsberater (m)
		a. attorney – b. legal counsel
a/a	appel	Nous devrons faire appel à un avocat si vous . . .
b/b	conseil	Notre avocat-conseil estime que . . .
a/a	remettre	Votre attitude dilatoire nous obligera à remettre notre litige entre les mains de notre avocat si . . .
	Avoir (m)	a. Guthaben (n) – b. gutschreiben
		a. account – b. credit
a/b	disposer	Vous pouvez disposer de notre avoir de cette façon
b/a	porter	Veuillez porter cette somme à mon avoir
a/b	s'élever	Votre avoir chez nous s'élève à Fr. . . .
	Ayant cause (m)	Rechtsnachfolger (m) – assignee
		Je m'oblige à imposer à mes ayants cause toutes les obligations que j'assume par . . .
	Ayant droit (m)	Berechtigter (m) – eligible
		Cette indemnité sera versée à tous les ayants droit

B

	Bagage (m)	a. Gepäck (n)
		a. baggage – b. travel
a/b	assurance	Nous vous engageons vivement à conclure une assurance-bagages
a/a	franchise	Vous avez droit à une franchise de 20 kg pour vos bagages
	Bail (m) **Bailleur** (m)	a. Geldgeber (m) – b. Mieter (m) – c. Mietvertrag (m) d. Pächter (m) – e. Vermieter (m)
		a. lease – b. lessee – c. lessor – d. partner

c/a	cession	La cession de votre bail ne vous dégage pas de vos responsabilités financières
c/a	expiration	A l'expiration de votre bail, nous . . .
a/d	fonds	Grâce à M. . . ., notre nouveau bailleur de fonds, nous sommes à même d'ouvrir une succursale dans votre région
e/c	obligation	Les obligations du bailleur n'ayant pas été remplies . . .
bd/b	preneur	En votre qualité de preneur de bail, vous êtes seul responsable des dégâts qui pourraient être causés à . . .
c/a	résiliation	La résiliation de votre bail n'ayant pas été faite dans les délais légaux, nous . . .
	Baisse (f)	a. Baisse (f) – b. Rückgang (m) – c. Sinken (n) a. bear – b. downward – c. to drop
c/b	accentuer	La baisse des prix ayant tendance à s'accentuer, nous vous conseillons de différer vos achats
c/c	en	Les actions sont en baisse passagère, sensible, subite
c/c	spéculation	Des spéculations récentes sur le marché de . . . ont entraîné une baisse sensible des cours
a/a		Une spéculation à la baisse (à la hausse)
b/c	subir	Nos ventes ont subi une forte baisse ce mois
b/b	tendance	La tendance à la baisse des prix ne va pas durer, c'est pourquoi nous vous recommandons de songer à de nouvelles commandes sous peu
	Baisser	a. drücken – b. herabsetzen – c. senken – d. sinken a. to fall – b. to lower
ac/a	cours	L'évolution du dollar va faire baisser le cours des actions américaines
d/a	estime	Il a baissé dans mon estime depuis que . . .
b/b	prix	Nous avons baissé nos prix de . . . %, afin de . . .
d/a		Les prix baisseront avant la fin de l'année
	Balancer **Balance** (f)	a. abschliessen – b. Ausschlag (m) – c. Bilanz (f) – d. Saldo (m) – e. Waage (f) a. to balance – b. balance – c. to offset
e/c	avantage	Les avantages et les inconvénients de cette solution se balancent quasiment
c/b	commerciale	La balance commerciale (du commerce extérieur) de ce pays présente un solde actif – passif
d/b	compte	Le solde pour balance de votre compte atteint un niveau qui nous inquiète
a/b		Les comptes se balancent par un solde de Fr. . . . en votre – notre faveur
a/a	écriture	Afin de pouvoir balancer nos écritures, nous vous prions de bien vouloir nous verser Fr. . . .
c/b	paiement	La balance des paiements de ce pays est loin d'être en équilibre, il nous semble donc prudent de . . .
b/b	pencher	Son avis a fait pencher la balance en notre faveur

	Bancaire	Bank (f) – bank
	commission	La commission bancaire sera à votre charge
	établissement	Veuillez nous indiquer avec quel établissement bancaire vous avez l'habitude de travailler
	Bande (f)	a. Band (n) – b. Lochstreifen (m) a. seal – b. tape
ab/b		Bande magnétique – bande perforée
a/a	garantie	La bande de garantie ayant été déchirée, nous vous retournons votre envoi pour échange
	Banque (f)	Bank (f) – bank
		Banque d'émission – de dépôts et de prêts Banque commerciale – hypothécaire – de crédit Obtenir un crédit – avoir un compte en banque Faire un dépôt en banque – consigner en banque Tirer un chèque sur une banque Déposer des titres en nantissement à la banque
	charger	Nous chargerons notre banque ... de virer sur votre compte la somme de Fr. ...
	renseignement	Pour de plus amples renseignements financiers, nous vous prions de vous adresser à notre banque
	Banqueroute (f)	a. Bankrott (m) – b. Konkurs (m) a. bankruptcy
ab/a		S'agit-il d'une banqueroute simple ou a-t-il fait une banqueroute frauduleuse?
	Banquet (m)	Bankett (n) – banquet
		Notre société sera dans votre ville le ... Nous aimerions que vous nous fassiez des propositions pour un banquet de ... personnes, prix des menus avec vins compris
	Barème (m)	Tarif (m) – scale
	appliquer	Nous appliquons toujours notre barème no ..., en vigueur depuis plus d'un an, et nous nous étonnons de votre réclamation
	établir	En consultant le barème que nous avons établi, vous pourrez ...
	reviser	Nous avons le plaisir – le regret – de vous informer que nous avons revisé les barèmes de nos services d'entretien
	Barrer **Barré**	kreuzen – to cross
		Barrer un chèque, un chèque barré
	Barrière (f)	Schranke (f) – barrier
		Nous nous attendons à un abaissement – une réduction – des barrières douanières dans ce pays
	Bas	unten – bottom
		Vous trouverez ce détail au bas de la page ...

	Baser	a. Basis (f) – b. Grund (m) – c. stützen
	Base (f)	a. base – b. basis – c. bottom – d. foundation
a/a		Année – période de base
b/a		Salaire – rémunération de base
b/c	à	Il faudra reprendre cette affaire à la base
b/d	jeter	Nous pourrions jeter les bases d'un accord futur
b/b	par	Cet arrangement pèche par la base
b/b	pour	Si nous prenons pour base de nos discussions le règlement de . . .
b/a	prix	Le prix de base ne comprend aucun accessoire
b/b	servir	Ce premier contact pourrait servir de base à des relations plus étroites
b/b	sur	Sur la base de renseignements que nous croyons sûrs . . .
c/b		Nous nous basons (mieux: fondons) sur des renseignements confidentiels et vous prions de ne pas en faire publiquement état
	Bateau (m)	Schiff (n) – boat
		La marchandise sera expédiée par bateau
	Bâtir	a. Bau (m) . . . – b. Gebäude (n) – c. Haus (n)
	Bâtiment (m)	a. building
c-b-c/a		Un bâtiment commercial – industriel – locatif
a/a		Un terrain à bâtir, libre de servitudes
b/a		Notre usine est formée de trois corps de bâtiment
	Battre	a. ausgetreten – b. führen – c. Höhepunkt (m) – d. schlagen
		a. to beat – b. different – c. to fly (flag) – d. peak
b/c		Ce bateau battait pavillon françis
c/d		C'est en juillet que la saison bat son plein
d/a		Nous devrions arriver à battre la concurrence
a/b		Nous cherchons une solution hors des chemins battus
	Beaucoup	a. viel – b. weitaus
		a. far – b. many
b/a		C'est de beaucoup le meilleur tissu que nous puissions vous offrir pour ce prix
a/a		Je ne suis pas satisfait, il s'en faut de beaucoup
a/b		Il reste encore beaucoup de problèmes en suspens
	Bénéfice (m)	Gewinn (m) – profit
	accessoire	Ce bénéfice accessoire doit entrer en ligne de compte
	apparaître	Le décompte final laisse apparaître un bénéfice de . . .
	brut	Le bénéfice brut de l'exercice se monte à Fr. . . .
	espérer	Le bénéfice espéré sur cette opération est estimé à un minimum de Fr. . . .
	exploitation	Le bénéfice d'exploitation ne tient pas compte du revenu de nos immeubles locatifs

	marge	Votre marge de bénéfice brut sera de 50% du prix d'achat ou de 33 ⅓ % du prix de vente conseillé Vous devriez prendre en considération que nous nous sommes contentés, dans cette affaire, d'une marge de bénéfice très faible – très raisonnable
	net	Compte tenu des charges, notre bénéfice net n'est que de . . . %
	part	Votre part aux bénéfices est fixée à . . . %
	participation	Le montant de votre prime d'assurance doit être apprécié compte tenu de votre participation aux bénéfices possibles
	réaliser	Nous avons réalisé un bénéfice de Fr. . . .
	retirer	Je ne pense pas qu'il soit possible d'en retirer un bénéfice satisfaisant
	vendre	Cet article est vendu sans bénéfice – avec un bénéfice de . . .
	Bénéficier **Bénéficiaire** (m)	a. Begünstigte (m) – b. Empfänger (m) – c. Gewinn (m) – d. gewinnbringend – e. zugute a. beneficiary – b. to benefit from – c. profit – d. profit-making
a/a	billet à ordre	Selon votre demande du . . ., le bénéficiaire de notre billet à ordre de Fr. . . . est M. . . .
b/a	crédit	Le bénéficaire de ce crédit offre de bonnes garanties
d/d	entreprise	A la suite d'une profonde réorganisation, notre entreprise est redevenue bénéficiaire
c/c	marge	La marge bénéficiaire me semble trop faible, compte tenu de . . .
e/b	prix	Je peux vous faire bénéficier d'une réduction de prix
	Besoin (m)	a. Bedarf (m) – b. Bedürfnis (n) – c. nötigenfalls – d. notwendig a. necessary – b. to need – c. need
c/a	au	Nous pourrions y consentir au besoin
b/c	convenir	Cet article convient mieux à nos besoins
a/c	couvrir	Je vous conseille de couvrir vos besoins en . . . avant . . . Nos besoins sont actuellement couverts
c/ac	en cas de	Vous pourrez vous adresser à nous en cas de besoin
d/a	être	Est-il besoin de préciser que nous désirons . . .
a/b	pressant	Ces articles, dont nous avons un pressant besoin . . .
b/c	répondre	Cette nouveauté répond aux besoins de notre clientèle
b/ac	sentir	Nous ne sentons pas le besoin de modifier notre point de vue – notre politique
a/c	sous-estimer	Nous avons sous-estimé nos besoins et vous prions de nous livrer au plus vite . . .
a/c	suivant	Nous achèterons, suivant les besoins
a/b	urgent	Nous avons un urgent besoin des marchandises que nous avons commandées le . . .
	Bien (m)	a. Gut (n) – b. Vermögen (n) – c. Vermögensstücke (n. pl.) a. goods – b. possession – c. property

a/a	consommation	Les biens de consommation courante que nous produisons sont d'une vente facile et régulière
b/c	immobilier	Nos biens immobiliers sont évalués à leur valeur d'assurance incendie
c/b	insaisissable	Il est inutile d'entamer une poursuite contre M. . . . qui n'a pour toute fortune que quelques maigres biens insaisissables
b/c	mobilier	Nos biens mobiliers sont portés au bilan pour une valeur inférieure à leur valeur réelle
a/a	production	La gamme des biens de production que nous vous proposons bénéficie d'une technologie avancée
b/c	saisir	Nous serons contraints de faire saisir ses biens
	Bienfacture (f)	Ausführung (f) – workmanship
		Je vous garantis la bienfacture des travaux que j'effectuerai pour vous
	Bien-fondé (m)	a. Richtigkeit (f) – b. Wohlbegründetheit (f) a. validity
b/a	admettre	Nous espérons que vous admettrez le bien-fondé de notre réclamation
a/a	reconnaître	Je reconnais le bien-fondé de votre observation
	Bien-fonds (m)	Liegenschaft (f) – land
		Un bien-fonds, sis sur la commune de . . ., d'une superficie de . . . Les bien-fonds qu'il possède ne sont pas hypothéqués
	Bienveillance (f)	a. Wohlwollen (n) a. favourably – b. kindness
a/a	avec	Je vous prie d'examiner ma proposition – d'étudier ma demande – avec bienveillance
a/b	montrer	Vous m'avez montré beaucoup de bienveillance dans ces moments pénibles
a/b	recours	J'ai recours à votre bienveillance et vous demande de proroger l'échéance de votre facture de 30 jours
	Bilan (m)	a. Bilanz (f) – b. Konkurs (m) a. balance sheet – b. evaluation – c. petition – d. report – e. statement
a/e		Un bilan annuel – de fin d'année
a/e		Un bilan semestriel – trimestriel – mensuel
a/e-a-a-d		Un bilan financier – fiscal – consolidé – social
a/a	approuver	Le bilan a été approuvé par l'assemblée des . . .
b/c	déposer	Il a été obligé de déposer son bilan
a/b	dresser	Nous avons dressé le bilan de nos opérations
a/b	établir	Le bilan que vous avez établi semble conforme à la réalité
a/a	porter	Nos débiteurs sont portés au bilan avec un ducroire de 5%

	Billet (m)	a. Banknote (f) – b. Fahrkarte (f) – c. Wechsel (m) a. bill – b. note – c. ticket
b/c		Billet simple course – aller et retour – circulaire
a-c-c/b-b-a		Billet de banque – à ordre – au porteur
c/b	escompter	Nous avons le regret de vous informer que notre banque n'a pas voulu escompter votre billet à ordre du . . .
c/b	payer	A 60 jours, je paierai contre ce billet à ordre, à l'ordre de M. . . ., à Genève, la somme de Fr. . . .
c/b	souscrire	En règlement de votre facture du . . ., je souscrirai en votre faveur un billet à ordre de Fr. . . .
b/c	validité	La validité de ce billet est de . . . jours
	Bimensuel **Bimestriel**	a. monatlich zweimal – b. zweimonatlich a. bimonthly – b. semimonthly
a/b		Un journal bimensuel paraît 2 fois par mois
b/a		Un journal bimestriel paraît 1 fois tout les 2 mois
	Blâmer **Blâme** (m)	a. Schuld (f) – b. tadeln – c. Verweis (m) – d. Vorwurf (m) a. blame – b. fault – c. to reprimand
c/c	attirer	Nous nous sommes attirés un blâme de nos dirigeants
d/b	exempt	Dans ce cas, il est exempt de blâme
b/a	plaindre	Il est plus à plaindre qu'à blâmer
a/a	rejeter	Il ne faut pas toujours rejeter le blâme sur autrui
	Blanc	a. blanko – b. leer – c. Weisswaren (f.pl.) a. blank – b. blanket – c. unsecured – d. white
a/a-b-a		Signature – acceptation – endossement en blanc
a/c	crédit	Nous vous prions de nous accorder un crédit en blanc de Fr. . . . pour une durée maximale de 15 jours
b/a	laisser	Vous avez malheureusement laissé en blanc la rubrique . . . du formulaire que vous nous avez retourné. Nous vous prions de bien vouloir la compléter
c/d	vente	La vente de blanc (d'articles de blanc) aura lieu cette année du . . . au . . .
	Bloc (m)	a. Bausch und Bogen (in) – b. rundweg a. all – b. entire
a/b		Nous avons acheté en bloc un lot de . . .
b/a		Nous rejetons en bloc vos accusations
	Bloquer	a. blockieren – b. einfrieren – c. sperren a. to freeze – b. to stop
c-b/b-a		Bloquer un chèque – bloquer les salaires
ac-c/a-b		Des fonds bloqués – un crédit bloqué
	Bon (m)	a. Bürge (m) (als . . .) – b. Schein (m) a. form – b. guaranteed by – c. slip
b-b-a/a-c-b		Bon de commande – de livraison – pour aval
	Bon	a. billig – b. gut a. good – b. inexpensive – c. safe

b/a	être	Il est bon que vous soyez renseignés sur ...
a/b	marché	Notre article est particulièrement bon marché
b/c	réception	Nous accusons bonne réception de votre livraison
	Bonheur (m)	a. Glück a. fortunately – b. happiness
a/b		Nous vous souhaitons beaucoup de bonheur dans ...
a/a		Par bonheur, nous étions assurés
	Bonifier **Bonification** (f)	a. Bonifikation (f) – b. Rabatt (m) – c. vergüten a. to pay – b. payments – c. rebate
b/c		Nous accordons – demandons – une bonification de ...
a/b		Veuillez effectuer par le débit de mon compte les bonifications suivantes, d'ensemble Fr. ...
c/a		Dès le ..., nous vous bonifierons ...% d'intérêt – de commission
	Bonus (m)	Bonus (m) – bonus
		Si vos achats dépassent Fr. ..., nous vous accorderons un bonus de fin d'année de ...%
	Bord (m)	a. Bord (m) – b. Schiff (n) a. board
b/a		La marchandise sera rendue franco bord
a/a		La marchandise a été chargée à bord du ...
	Bordereau (m)	a. Liste (f) – b. Note (f) – c. Schein (m) a. note – b. slip
b/a		Bordereau d'achat – de vente
c/a-b		Bordereau d'expédition – de livraison
a/b		Bordereau de paie – de salaire
	Boucler	a. abschliessen – b. erledigen a. to close – b. to settle
b/b		Nous bouclerons cette affaire dès que nous le pourrons
a/a		Comme nous bouclons nos comptes à la fin de ...
a/a		Nos comptes bouclent par un bénéfice – une perte
	Bourse (f)	Börse (f) – stock exchange
	cote	Selon la cote de la bourse, ces actions valent environ ...
	cours	Les derniers cours de bourse laissent prévoir une reprise à brève échéance
	tendance	La tendance de la bourse est à la hausse – à la baisse –, en conséquence nous vous conseillons de ...
	Boursier	Börsenmakler (m) – stock market
		Les milieux boursiers prévoient une mauvaise tenue des actions industrielles au cours du prochain semestre

	Bout (m)	a. auskommen – b. Äusserste (n) – c. Ende (n) – d. überwinden a. end – b. limit – c. to overcome
c/a	à	Vous devriez savoir que nous sommes à bout de patience
b/a	aller	S'il le faut, nous irons jusqu'au bout
a/a	joindre	Il a beaucoup de peine à joindre les deux bouts
b/b	pousser	Il ne faudrait pas nous pousser à bout
d/c	venir	Je pense bien venir à bout de cette difficulté
	Boutique (f)	Laden (n) – shop
		Une boutique de mode – une arrière-boutique Ouvrir – tenir – fermer une boutique
	Branche (f)	a. Branche (f) a. division – b. field
a/b		Nous avons une longue expérience de la branche
a/a		J'ai travaillé dans les différentes branches de ce commerce
	Brasser **Brasseur** (m)	a. betreiben – b. Geschäftemacher (m) a. to handle – b. wheelerdealer
a/a		Il brasse des affaires considérables
b/b		C'est un brasseur d'affaires peu scrupuleux
	Bref	a. kurz a. brief – b. in short
a/a		Vous trouverez, ci-joint, un bref rapport de mon activité
a/b		Bref, nous n'en savons pas plus qu'avant
	Breveter **Brevet** (m)	a. Patent (n) – b. patentieren a. patent
a/a	contester	Le brevet que j'ai acquis n'a pas été contesté jusqu'à présent
a/a	déposer	Nous avons déposé un brevet pour protéger notre invention
a/a	exploiter	Nous désirons créer une fabrique pour exploiter notre brevet et recherchons des participations financières
b/a	faire	Nous avons fait breveter notre invention
a/a	tomber	Ce brevet étant tombé dans le domaine public, . . .
a/a	validité	Nous procédons aux démarches nécessaires pour étendre la validité de notre brevet dans d'autres pays
	Brièveté (f)	Kürze (f) – brevity
		Vous voudrez bien excuser la brièveté de cette lettre
	Bris (m)	Bruch (m) – plate glass
		Je pense que mon assurance bris de glaces devrait couvrir les frais de remplacement de ma vitrine
	Brochure (f)	a. Broschüre (f) – b. Gebrauchsanweisung (f) a. booklet – b. brochure

a/b		Notre brochure d'accueil vous donnera divers renseignements sur les services sociaux de notre entreprise
b/a		La brochure d'instructions ci-jointe vous permettra un montage aisé de ...
	Brouiller	a. stören – b. überwerfen a. falling – b. to interfere
b/a		Nous sommes brouillés avec cette personne depuis ...
a/b		Nous préférerions que vous vous absteniez d'intervenir afin de ne pas brouiller nos efforts
	Brouillon (m)	Entwurf (m) – draft
		Je précise que ce n'est qu'un brouillon de contrat
	Bruit (m)	a. Aufsehen (n) – b. Gerücht (n) – c. Lärm (m) a. ado – b. rumour
b/b	ajouter foi	Comment pouvez-vous ajouter foi à de tels bruits?
c/a	beaucoup	Résumons en disant: beaucoup de bruit pour rien
b/b	courir	Le bruit court que sa situation financière est ébranlée
b/b	fondé	Les bruits fâcheux qui circulent sont fondés – sans fondement – totalement infondés
b/b	inquiétant	Des bruits inquiétants nous sont parvenus sur ...
b/b	répandre	Vous répandez des bruits qui ne sont pas encore confirmés
b/b	reposer sur	Vos assertions ne reposent que sur des bruits
a/a	sans	Petit à petit, sans bruit, il s'est crée une excellente réputation
	Brut	a. brutto a. gross – b. uncorrected
a/a-b-a		Le bénéfice – le résultat – le montant brut
a/a		La recette brute – la jauge brute
a/a		Le poids brut – le poids brut pour net
	Budget (m)	a. Budget (n) – b. Plan (m) a. budget
a/a		Le budget des recettes – des dépenses
a-b/a		Le budget de trésorerie – de financement
a-a-b/a		Le budget des ventes – des achats – des investissements
a/a	approuver	Nous espérons que vous approuverez le budget que nous vous soumettons
a/a	compression	L'évolution des affaires nous oblige à une sérieuse compression de notre budget de publicité
a/a	discussion	Une nouvelle discussion du budget est fixée au ...
a/a	équilibrer	Nous avons réussi à équilibrer notre budget
a/a	établir	Le budget que vous avez établi nous semble optimiste
a/a	porter	Vous avez porté au budget une somme de Fr. ... pour ...; ne serait-il pas prudent de ...

	Bulletin (m)	a. Bericht (m) – b. Schein (m) a. bill – b. bulletin – c. form – d. letter – e. note – f. ticket
b/f		Bulletin de bagages – de consigne – de dépôt
b/c-a-e		Bulletin de commande – d'expédition – de livraison
b-a/c		Bulletin de versement postal – avec numéro de référence
b-a/d-b		Bulletin de souscription – d'information
	Bureau (m)	a. Agentur (f) – b. Büro (n) a. office
b/a	ouvrir	Nos bureaux sont ouverts de . . . à . . .
b/a	passer	Nous vous prions de passer à notre bureau prochainement
a/a	tourisme	Vous obtiendrez des renseignements plus précis en vous adressant directement au bureau de tourisme de . . .
	But (m)	a. Ziel (n) – b. Zweck (m) a. goal – b. point
a/b	aller	Nous irons droit au but et vous proposerons . . .
a/a	atteindre	Comment pensez-vous atteindre ce but?
b/a	manquer	Votre manœuvre a manqué son but
a/a	sans	Il agit sans but bien défini
a/a	viser	Vous visez un but qu'il est difficile d'atteindre

C

	Câbler **Câble** (m)	a. telegrafisch – b. Telegramm (n) a. to cable – b. cable
b/b		Vous nous aviserez immédiatement par câble de . . .
a/a		Les offres fermes que vous avez câblées le . . . seront . . .
	Cacher	a. verbergen a. hidden – b. to hide
a/b		Nous n'avons rien à vous cacher
a/b		Je ne vous cache pas que je suis mécontent du résultat
a/a		Il s'agit d'un défaut caché que je ne pouvais découvrir plus tôt
	Cacheter **Cachet** (m)	a. Charakter (m) – b. Stempel (m) – c. verschliessen a. class – b. postmark – c. to seal

c/c		La lettre cachetée
b/b		Avez-vous relevé la date du cachet de la poste
a/a		Cette présentation a beaucoup de cachet
	Cadastre (m)	Kataster (m) – cadastre
		Demander un extrait – un plan – un relevé du cadastre
	Cadeau (m)	Geschenk (n) – gift
		Un chèque-cadeau – un bon-cadeau
	Cadence (f)	a. Rhythmus (m) a. faster – b. rate
a/a		Je ne peux pas vous livrer à une cadence plus rapide
a/b		La cadence de rotation du stock devrait être améliorée
	Cadre (m)	a. Führungskraft (f) – b. Rahmen (m) a. executive – a. framework
b/b		Dans le cadre de notre accord, il va de soi que ...
a/a		C'est un jeune cadre, un cadre d'entreprise brillant
	Caduc	ungültig – null and void
		Cet article du règlement est désormais caduc
	Cahier (m)	Heft (n) – articles and conditions
		Il est indispensable que vous observiez le cahier des charges
	Caisse (f)	a. bar – b. Kasse (f) – c. Kiste (f) a. bank – b. case (d) – c. cash – d. fund – e. insurance – f. office – g. teller
c/b		La caisse d'emballage – la caisse d'origine
c/b		Les marchandises en caisse – le contenu d'une caisse
c/b		Une caisse abîmée – défoncée – forcée
a/c		Une entrée – une sortie de caisse
b/c		Un compte de caisse – le solde en caisse
b/c		Les espèces en caisse – une avance de caisse
b/g-c		Une erreur de caisse – un relevé de caisse
b/d-f		La caisse de compensation – la caisse de consignation
b/a-d		La caisse d'épargne – la caisse de retraite
b/d-e		La caisse de prévoyance – la caisse maladie
	Calculer **Calcul** (m)	a. berechnen – b. Berechnung (f) – c. Rechen ... – d. Umstand (m) a. (mis) calculation – b. to consider – c. to take
b/a	d'après	D'après nos calculs, vous devriez pouvoir vendre cet article plus cher – moins cher
b/a	entrer	Un tel calcul ne peut pas entrer en ligne de compte
c/a	erreur	Vous voudrez bien excuser cette erreur de calcul
b/a	faire	Ne pensez-vous pas que vous faites un mauvais calcul
a/a	intérêts	Les intérêts sont calculés au taux de ...%

b/a	renverser	Cet événement a renversé tous mes calculs
d/b	tout	Tout calcul fait, je renonce à votre proposition
a/c		Tout bien calculé, l'affaire n'est pas rentable
	Cale (f)	a. Dock (n) – b. Laderaum (m) a. dock – b. hold
b-a/b-a		La cale d'un navire – la cale sèche
a/a		Mettre un navire en cale sèche
	Calendrier (m)	Zeitplan (m) – calendar
		Le calendrier des opérations est le suivant: . . .
	Calme	a. flau – b. ruhig a. quiet
a-b/a		Le marché est calme – les affaires sont calmes
	Camion (m) **Camionnage** (m)	a. Lieferwagen (m) – b. Strassentransport (m) a. freight – b. truck
b/a		Les frais de camionnage sont à la charge du destinataire
a/b		La marchandise vous sera livrée par camion le . . .
	Campagne (f)	Feldzug (m) – campaign
	faire	Nous ferons une campagne de publicité avec des moyens financiers considérables
	mener	Il mène une campagne de vente dynamique
	mettre	Nous nous mettrons en campagne dès que . . .
	prochaine	Nous aimerions recevoir des échantillons en vue de notre prochaine campagne d'hiver
	Candidat (m) **Candidature** (f)	a. Bewerber (m) – b. Bewerbung (f) a. application – b. candidate
b/a	admettre	Nous avons le plaisir de vous informer que votre candidature au poste de . . . a été admise par notre conseil d'administration
a/b	être	Je suis candidat au poste de . . .
b/a	poser	Je pose ma candidature au poste de . . .
b/a	prendre note	Je vous prie de prendre note de ma candidature au . . .
b/a	retirer	Dans ces conditions, je préfère retirer ma candidature
	Capacité (f) **Capable**	a. Autorität (f) – b. fähig – c. Produktionskapazität (f) a. capability – b. capable – c. capacity
b/b	être	C'est un employé tout à fait capable
b/b		Nous sommes capables de surmonter ces difficultés
a/a	faire appel	Nous avons fait appel aux capacités d'un spécialiste en la matière
c/c	production	Notre capacité de production devient insuffisante
	Capital (m)	a. Kapital (n) – b. Summe (f) a. assets – b. capital – c. principal – d. (lump) sum
a/b		Les capitaux propres – les capitaux étrangers Le capital social – souscrit – versé – libéré Le capital non entièrement libéré – libéré de . . .%

		Le capital-actions – le capital-obligations
a/b-a(b)-a(b)		Les capitaux circulants – mobilisés – immobilisés
a/b	au	Cette société, nouvellement fondée, est au capital de . . .
a/b	augmentation	L'augmentation de notre capital nous permettra une modernisation de nos installations
a/b	avec	Il a débuté avec un très petit capital
b/d	au décès	Je peux vous remettre en nantissement ma police d'assurance dont le capital au décès est de Fr. . . .
a/b	disposer	Le capital dont il dispose est suffisant pour qu'il puisse faire face à ses obligations
a/ab	emploi	Dans l'emploi de nos capitaux, nous avons toujours agi avec une grande prudence
a/c	et intérêts	Les primes versées constitueront, au terme du contrat, un montant de Fr. . . ., capital et intérêts compris
a/ab	placer	Je désire placer une partie de mes capitaux dans . . .
a/b	rapporter	Dans l'investissement que nous vous conseillons, votre capital devrait vous rapporter un minimum de . . .
a/b	réduction	La réduction de capital à laquelle cette société a procédé il y a peu de temps est de nature à lui permettre de repartir sur des bases financières saines
a/b	marché	La tension actuelle sur le marché des capitaux et la hausse constante des taux d'intérêts nous contraignent à . . .
	Capricieux	wechselnd – unpredictable
		La mode est si capricieuse que nous ne pouvons prévoir maintenant ce qui se portera cet hiver
	Caractère (m)	a. Art (f) – b. Buchstabe (m) – c. Charakter (m) a. character – b. nature (d) – c. type
c/b-a	avoir	Cet employé a bon – mauvais – caractère. Il a du caractère
c/a	éprouvé	C'est un homme au caractère éprouvé
b/c	imprimer	Ce texte est imprimé en petits – gros – caractères
c/a	manquer	Il manque complètement de caractère
c/a	montrer	Vous n'avez pas montré assez de caractère dans . . .
c/b	prendre	L'affaire a pris un caractère très grave
a/b	secret	Nos premières démarches doivent garder un caractère secret
	Caractériser **Caractéristique** (f)	a. kennzeichnen – b. Merkmal (n) a. characteristic – b. to characterize
a/b		La situation actuelle est caractérisée par . . .
b/a		La caractéristique principale de ce procédé est . . .
	Carence (f)	a. Mangel (m) – b. Mittellosigkeit (f) a. insolvency – b. shortcomings
b/a		La carence de ce débiteur nous cause de graves soucis
a/b		On a constaté de multiples carences dans sa gestion
	Cargaison (f)	Ladung (f) – cargo

		La cargaison sera embarquée – débarquée – dans le port de . . .
		La cargaison a été quelque peu avariée à la suite de . . .
	Carnet (m)	a. Heft (n)
		a. book – b. card
a/a		Carnet d'adresses – carnet de commandes
a/b-a		Carnet de notes – carnet à souches
a/a		Carnet de chèques – carnet d'épargne
	Carrière (f)	Laufbahn (f) – career
	cours	Dans le cours de sa longue carrière, il a pu . . .
	embrasser	Pourquoi voulez-vous embrasser cette carrière, déjà si encombrée?
	ouvrir	Une magnifique carrière s'ouvre devant lui
	Carte (f)	a. Hintergrund (m) – b. Karte (f) – c. Vollmacht (f)
		a. card – b. carte – c. information
b/a	abonnement	Grâce à notre carte d'abonnement, vous bénéficiez d'un rabais de . . . % sur toutes nos prestations
c/b	blanche	Je vous donne carte blanche pour agir au mieux de nos intérêts
b/a	crédit	Nous acceptons en paiement les cartes de crédit . . .
a/c	dessous	Pour bien agir, il faudrait connaître le dessous des cartes
b/a	jouer	Nous jouons cartes sur table et vous proposons . . .
b/a	membre	Votre carte de membre de notre société vous permet de profiter des avantages suivants: . . .
b/a	utiliser	Utilisez la carte ci-jointe et vous recevrez
b/a	visite	Je lui ai laissé ma carte de visite
	Cartothèque (f)	Kartei (f) – card file
		Afin de mettre à jour la cartothèque de nos clients, nous vous prions de bien vouloir nous retourner le formulaire en annexe, après l'avoir complété
	Cas (m)	a. Aufheben (n) – b. Fall (m) – c. Umstand (m) – d. wohl sagen
		a. case – b. event – c. if – d. importance – e. mistake – f. something
b/ab	dans	Dans le cas où vous ne pourriez pas . . .
b/a	douteux	C'est un cas douteux qui mérite notre attention
b/c	échéant	Le cas échéant, nous ne manquerons pas de vous aviser
b/a	en	En aucun cas, nous sommes acheteurs à ce prix
b/ac		En cas de besoin, nous nous adresserons à vous
b/a		En tout cas, je ne suis pas responsable de . . .
d/e	être	C'est bien le cas de dire que . . .
b/a	exposer	Nous lui avons exposé notre cas
a/d	faire	Il fait grand cas de ses relations
b/a	majeur	Il nous semble que c'est un cas de force majeure

b/a	pareil	En pareil cas, ne serait-il pas préférable de . . .
b/a	prévu	C'est un cas prévu par notre contrat
c/f	sauf	Nous le ferons, sauf cas imprévu
	Cash flow (m)	Cash-flow (m) – cash flow
		Le cash flow de cette entreprise s'améliore d'année en année et démontre une forte capacité d'auto-financement
	Casier (m)	a. Fach (n) – b. Register (n)
		a. box – b. locker – c. record
a/a-b		Le casier postal – le casier de la consigne
b/c		Un extrait du casier judiciaire
	Cassation (f)	a. Aufhebung (f) – b. Kassation (f)
		a. Court of Appeals – b. to quash
a/b		J'ai fait recours et obtenu la cassation du jugement
b/a		Nous ne pouvons considérer que cette affaire est liquidée et notre avocat va porter la cause auprès de la Cour de cassation
	Casser	a. aufheben – b. Bruchschaden (m) – c. zerbrechen
	Casse (f)	a. to break – b. damage – c. to quash
b/b		Vous êtes responsables de la casse
c/a		Plusieurs bouteilles ont été cassées durant le voyage
a/c		Le premier jugement a été cassé par la cour
	Catalogue (m)	Katalog (m) – catalogue
	adresser	Nous vous adressons notre dernier catalogue et espérons que vous y trouverez quelques articles à votre convenance
	annuler	Ce catalogue annule le précédent
	consulter	En consultant votre catalogue, nous avons noté . . .
	envoyer	Veuillez m'envoyer votre catalogue et votre prix-courant
	figurer	Tous les renseignements concernant les prix et les conditions figurent dans le catalogue ci-joint
	paraître	Notre catalogue pour la saison prochaine paraîtra sous peu et vous sera immédiatement envoyé
	publier	Nous publions chaque année un catalogue très complet
	trouver	Les articles qui vous intéressent se trouvent à la page . . . de notre catalogue
	Catégorique	a. kategorisch
		a. categorical(ly) – b. flat
a/ab		Il nous a opposé un refus catégorique
a/a		Il me semble que vous êtes beaucoup trop catégorique dans vos affirmations
	Cause (f)	a. Grund (m) – b. hineinziehen – c. Sache (f) – d. Verdacht (m) – e. wegen
		a. because of – b. case – c. cause – d. to clear – e. facts – f. to question – g. reason

c/b		Une cause civile – une cause pénale
c/b		Une cause gagnée – perdue – pendante – remise
e/a	à	Nous n'avons pu l'expédier à cause de la grève
c/e	connaissance	Vous avez signé en parfaite connaissance de cause
a/g	être	Vous êtes cause que nous n'avons pas pu ...
c/c	faire	Nous sommes prêts à faire cause commune avec vous
d/d	hors de	Il est tout à fait hors de cause dans cette affaire
b/f	mettre en	Je ne comprends pas pourquoi vous me mettez en cause
e/a	pour	La maison est fermée pour cause de décès
a/g		Il a été licencié pour cause grave
a/g		J'ignore pour quelle cause il a été renvoyé
a/g	sans	Il est parti sans cause valable
	Caution (f) **Cautionnement** (m)	a. Bürge (m) – b. Bürgschaft (f) – c. Kaution (f) – d. unverbürgt a. bail – b. guarantee – c. surety – d. unconfirmed
b/b		Une caution simple – conjointe – solidaire
c/bc	demander	On lui a demandé un cautionnement en espèces de Fr. ...
c/bc	exiger	Nous ne pouvons nous lancer dans cette entreprise sans exiger une caution
a/ac	se porter	Je me porte caution pour lui, pour une somme de ...
a/c	servir	J'accepte de vous servir de caution, parce que j'ai confiance en vous
c/a	sous	Il a été mis en liberté sous caution
d/d	sujet à	Ce qu'il a dit est sujet à caution, soyez prudents
	Céder	a. abgeben – b. abtreten – c. aufgeben – d. nachgeben a. to assign – b. to give away – c. to give in – d. to sell – e. to yield
d/ce	à	Cédant à de pressantes sollicitations, il a accepté
a/b	article	Nous cédons cet article à un prix très avantageux
c/a	commerce	Des raisons d'âge l'ont amené à céder son commerce
b/a	créance	Je pourrais vous céder ma créance sur ...
b/a	droit	Il nous a cédé tous ses droits sur son brevet
b/d	fonds	Il a cédé son fonds à un prix de Fr. ...
d/c	menace	Ne cédez pas à ses menaces
	Censé	erwarten – supposed (to be ... to)
		Toute personne est censée connaître la loi Je ne suis pas censé savoir que vous n'achetez ...
	Cent (m)	a. Hundert – b. Prozent (n) a. hundred – b. per cent – c. percentage
b/c		Je vous accorderai un certain pour cent sur les bénéfices
b/b		Ces affaires rapportent ...% l'an
b/b		La hausse est de ...% sur tous les articles de ...
b/b		Ces articles laissent une marge brute de ...%

a/a		Quel prix me faites-vous pour le cent?
	Centre (m)	a. Zentrum (n) a. centre – b. downtown – c. resort
a/c		C'est un centre de villégiature réputé
a/b		Notre commerce est situé au centre des affaires
a/a		Nous avons ouvert une succursale dans le centre commercial de . . .
a/a		Nous achetons directement dans les centres de production
a/a		C'est un centre industriel en plein développement
	Cercle (m)	a. Bereich (m) – b. Reifen (m) a. band – b. range
a/b		Il a élargi le cercle de ses activités
b/a		Les caisses doivent être serrées par des cercles de fer
	Cérémonie (f)	Feier (f) – ceremony
	assister	Nous serions heureux d'assister à la cérémonie Nous vous prions de bien vouloir assister à la cérémonie
	prendre part	Il ne m'est malheureusement pas possible de prendre part à la cérémonie en l'honneur de . . .
	Certain	a. feststehend – b. gewiss – c. sicher a. certain – b. sure
c/ab	être	Nous sommes certains que vous réussirez
a/b	fait	Il ne paiera pas, c'est un fait certain
b/a	mesure	J'admets votre opinion dans une certaine mesure
b/a	point	Nous pouvons nous engager jusqu'à un certain point
c/ab	tenir	Nous tenons pour certain que la faillite sera prononcée sous peu
	Certificat (m)	a. Bericht (m) – b. Bescheinigung (f) – c. Nachweis (m) – d. Schein (m) – e. Urkunde (f) – f. Zeugnis (n) – a. certificate – b. statement
f-c-f/a		Certificat d'apprentissage – d'aptitudes – de services
e-e-f/a		Certificat de mariage – de décès – de bonnes mœurs
d-f-a/a		Certificat de douane – d'analyse – d'expertise
f-d-b/a-a-ab		Certificat d'origine – d'assurance – d'avarie
d/a		Certificat de dépôt – d'embarquement – de débarquement
f/a	copie	Vous trouverez, ci-jointe, une copie de mon certificat que vous voudrez bien me renvoyer
a/a	dommage	Selon le certificat de dommages, ces marchandises ont été avariées
a/a	envoyer	Vous avez omis de nous envoyer le certificat de l'agent attestant le mauvais état des marchandises
f/a	établir	Il faut établir ce certificat en . . . exemplaires
f/a	faire	Je vous prie de me faire un certificat attestant que j'ai travaillé chez vous du . . . au . . .
f/a	produire	Vous devez produire un certificat légalisé

f/a	prouver	Mon certificat prouve que mon patron actuel est très satisfait de mon travail
f/a	travail (formule)	«M. . . . a été employé dans notre entreprise, du . . . au . . ., en qualité de . . ., chargé de . . . Nous avons été (très) satisfaits de son travail. Il nous quitte libre de tout engagement. Nous le recommandons chaleureusement à toute personne à laquelle il offrira ses services
f/a	valable	Ce certificat n'est malheureusement plus valable
	Certifier	a. beglaubigen – b. bescheinigen – c. bestätigen a. to assure – b. to certify
b/b		Nous certifions que cette copie est conforme à l'original
b/b		Je soussigné certifie que . . .
a/b		En annexe, vous trouverez la copie certifiée conforme
c/a		Je peux vous certifier que l'envoi a été fait le . . .
	Certitude (f)	a. Gewissheit (f) – b. sicher a. certain
b/a		Il n'y a aucune certitude qu'il puisse venir
a/a		J'ai acquis la certitude que . . .
	Cessation (f)	a. Aufgabe (f) – b. Einstellung (f) a. going out (of business) – b. stoppage – c. suspension
b/b		La cessation du travail a entraîné de grandes pertes
a/a		Magasin à remettre pour cause de cessation de commerce
b/c		Je ne peux admettre la cessation de vos paiements
	Cesser	a. abbrechen – b. aufhören – c. einstellen – d. nicht mehr a. to be (not) – b. to break off – c. to go out of business – d. to stop – e. to suspend
b/d		Nous n'avons jamais cessé de fabriquer . . .
d/a		A compter de ce jour, M. . . cesse de faire partie de notre personnel (de notre entreprise)
a/b		J'ai cessé toutes relations avec . . .
c/e		Il a été contraint de cesser ses paiements
b/c		Notre maison cesse d'exister à partir de . . .
	Cession (f)	a. abtreten – b. Abtretung (f) a. to assign – b. assignment
a/a		Il nous a fait cession de tous ses droits sur . . .
b/b		Par cet acte de cession, nous sommes devenus propriétaire de . . .
b/b		Nous avons obtenu la cession du bail
	Chagrin (m)	a. schmerzlich a. to be saddened – b. sorrow
a/b		Cette nouvelle nous a causé beaucoup de chagrin
a/a		J'ai le grand chagrin de vous informer que . . .

a/a		Nous avons le très vif chagrin de vous faire part du décès de notre fidèle collaborateur, M. . . .
	Chaîne (f)	a. Fliessband (n) – b. Kette (f) – c. Montageband (n) a. chain – b. conveyor – c. line
a-b/c-a		Le travail à la chaîne – une chaîne de magasins
c/bc		La mise en route d'une nouvelle chaîne de montage
	Chaleureux	herzlich – warm
		Je vous remercie de votre accueil si chaleureux Veuillez croire à nos sentiments les plus chaleureux
	Chambre (f)	a. Kammer (f) – b. Verband (m) – c. Zimmer (n) a. chamber – b. room – c. union
a-b/a-c		Chambre de Commerce – Chambre professionnelle
c/b	réserver	Je vous prie de me réserver une chambre – à un lit, avec eau courante – à deux lits, avec douche et wc – avec lits jumeaux, bain et wc petit déjeuner compris – non compris – pour la nuit du . . . au . . .
	Chance (f)	a. Aussicht (f) – b. Glück (n) a. chance – b. luck
a/a	avoir	Nous avons peu de chance de réussir
b/b	bonne	Cela vous portera bonne chance
b/b	pas	Il n'a vraiment pas de chance
a/a	réussite	Nos chances de réussite sont grandes
b/b	souhaiter	Nous vous souhaitons bonne chance
b/b	sourire	Jusqu'à maintenant, la chance nous a toujours souri
b/b	tourner	Il faut croire que la chance a tourné
	Change (m)	a. Börse (f) . . . – b. Devisen (f) – c. Kurs (m) – d. Wechsel (m) a. exchange
d/a		La lettre de change – le droit de change
d-c/a		Le change des billets – des devises
c-d-d/a		Le change du jour – à terme – le taux de change
d-b/a		L'agent de change – la cote des changes
a-bd/a		Le cours du change – la spéculation sur les changes
c/a		Le change avantageux – désavantageux – bas – élevé
b/a	réglementation	Selon la réglementation de change en vigueur . . ,
b/a	restriction	Les récentes restrictions de change ne nous permettent pas de . . .
	Changement (m)	a. Änderung (f) – b. unverändert – c. Veränderung (f) – d. Wechsel (m) a. change – b. new
a-ad-d/a-a-b		Le changement d'adresse – de domicile – de local
d/a-b		Le changement d'occupation – de propriétaire
a/a	apporter	J'aimerais apporter un changement à mon ordre du . . .
a/a	aucun	Aucun changement ne sera apporté à l'organisation

a/a	avoir	Il n'y a pas de changement dans la situation
a/a	faire	Voulez-vous faire un changement dans l'inscription?
a-d/a	note	Nous vous prions de prendre note de notre changement d'adresse – de domicile – à partir du . . .
a/a	prix	Nos prix n'ont subi aucun changement depuis . . .
c/a	produire	Un grand changement s'est produit depuis notre dernière rencontre
b/a	sans	La situation reste sans changement notable
	Changer	a. ändern – b. austauschen a. to change – b. to exchange
b/b	avoir	Nous avons changé des . . . contre des . . .
a/a	être	Il ne sera rien changé aux dispositions contractuelles Il est temps de changer votre manière d'agir
a/a	idée	Nous avons changé d'idée (de méthode, de système)
a/a	plan	Nous avons changé le plan de cet immeuble
a/a	prix	Vos prix ont-ils changés depuis votre dernier catalogue du . . .?
a/a	raison sociale	La raison sociale de cette entreprise a changé à la suite de sa transformation en société anonyme
	Chantage (m)	Erpressung (f) – blackmail
		Votre tentative de chantage nous laisse indifférents
	Chantier (m)	a. Angriff (m) – b. Bauarbeiten (f) a. construction
a/–	fabrication	Nous avons pu mettre la fabrication en chantier plus rapidement que prévu
b/a	immeuble	Le chantier de construction de notre nouvel immeuble avance conformément au planning prévu
	Charge (f)	a. Aufgabe (f) – b. Bedingung (f) – c. Belastung (f) – d. Kosten – e. Last (f) – f. Pflicht (f) – g. Verantwortung (f) a. to bear – b. charge – c. contribution – d. dependent – e. expense – f. prosecution – g. responsability – h. specifications – i. tax
d/b		Les charges fixes – les charges proportionnelles
d-e/e		Les charges d'exploitation – les charges financières
c-e/b-i		Les charges d'immeuble – les charges fiscales
e-f/c-d		Les charges sociales – les charges de famille
a/a	à	A charge pour vous de payer les frais
e/e		Ces frais sont à votre – notre – charge
b/–		Nous acceptons, mais à charge de revanche
e/e	augmentation	L'augmentation incessante des charges qui pèsent sur . . .
a/g	avoir	Nous avons la charge de distribuer . . .
a/g	assumer	Je suis prêt à assumer cette charge si . . .
f/h	cahier	J'ai pris connaissance du cahier des charges
e/d	être	Nous ne voulons pas être à votre charge
d/b	libre de	Cet envoi est libre de toute charge
g/a	prendre	Vous prenez les risques à votre charge
c/f	témoin à	Le juge a convoqué plusieurs témoins à charge

	Chargement (m)	a. Fracht (f) – b. Verladen (n) a. cargo – b. load – c. loading – d. shipping
a/b		Le chargement d'aller et retour, complet, partiel
a-b/d		Les frais, la prime de chargement
a/ab		Ce bateau prendra un chargement de . . . à . . .
a/b		Il serait plus économique de compléter le chargement
b/c		Vous voudrez bien surveiller le chargement
	Charger	a. betraut sein – b. einschreiben – c. laden – d. übernehmen a. to handle – b. in charge – c. to load – d. registered
c/c	être	Les marchandises ont été chargées sur . . .
a/b		Cet employé est chargé de la comptabilité
b/d	lettre	Vous recevrez sous peu une lettre chargée
d/a	recouvrement	Vous voudrez bien vous charger du recouvrement de notre créance contre M. . . .
d/a	se	Nous nous chargerons de toutes les formalités
d/b		Je ne peux plus me charger de ce travail
d/a		Pourriez-vous vous charger de cette opération?
	Chef (m)	a. Chef (m) – b. Initiative (f) – c. Punkt (m) – d. vor – e. Ziel (n) a. charges – b. head – c. initiative – d. manager – e. to realize – f. utmost
a/b-bd		Chef d'entreprise – chef du personnel
a/b		Chef acheteur (des achats) – chef vendeur (des ventes)
a/b-d-d		Chef comptable – chef de bureau – sous-chef
c/a	d'accusation	J'ai pris connaissance du chef d'accusation
d/f	premier	Il importe au premier chef que vous soyez sur place
b/c	propre	Notre employé a agi de son propre chef
e/e	venir à	Nous viendrons bien à chef de nos projets
	Chemin (m)	a. Bahn (f) – b. vorankommen – c. Weg (m) a. path – b. rail – c. way
c/a	être dans	Je crois que nous sommes maintenant dans le bon chemin
b/c	faire du	Il a fait du chemin depuis son arrivée chez nous
a/b	fer	La marchandise vous parviendra par chemin de fer
	Chèque (m)	Scheck (m) – cheque (GB) – check (US)
		Chèque nominatif – au porteur – en blanc Chèque bancaire – postal – de voyage Chèque à barrement général – à barrement spécial Encaisser – payer un chèque – un chèque impayé Emettre – tirer – endosser un chèque Veuillez trouver, ci-inclus, en un chèque barré no . . ., sur la Banque . . ., la somme de Fr. . . ., pour solde de . . . La Banque . . ., à . . ., paiera contre ce chèque, à l'ordre de Monsieur . . ., la somme de Fr. . . .

	Cher	teuer – expensive
		L'article est cher – peu cher – trop cher
		Cette affaire nous coûte – revient – cher
	Chercher	a. suchen – b. versuchen
		a. to look for – b. to seek – c. to try
a/ac		Il cherche un emploi depuis fort longtemps
b/bc		Croyez bien que je cherche à faire de mon mieux
a/a		Nous cherchons de nouveaux débouchés
	Cherté (f)	a. Kostspieligkeit (f) – b. Teuerung (f)
		a. cost
a/a		La cherté de cet article en freine la vente
b/a		En raison de la cherté du coût de la vie dans ce pays, nous devrons renoncer à ce marché
	Chicane (f)	Streit (m) – quarrel
		Nous ne pouvons nous empêcher de penser que vous nous cherchez chicane pour des détails
	Chiffre (m)	a. Umsatz (m) – b. Zahl (f) – c. Ziffer (f)
		a. figure – b. reference – c. turnover
a/ac	affaires	Nous pensons que vous devez pouvoir atteindre un chiffre d'affaires annuel de ...
c/b	annonce	En réponse à votre annonce sous chiffre du ...
b/a	justifier	Comment pouvez-vous justifier les chiffres que vous nous avez donnés?
b/a	lettre	Le montant doit être indiqué en chiffres et en toutes lettres
b/a	rond	Le total, en chiffre rond, est de Fr. ...
	Chiffrer	a. beziffern
		a. to estimate – b. estimate
a/a	coût	Pouvez-vous me chiffrer approximativement le coût de cette réparation?
a/b	dépenses	A combien chiffrez-vous les dépenses de cette opération?
	Choisir	a. auswählen – b. wählen
		a. choice – b. to choose
b/b	entre	Vous pouvez choisir entre deux qualités d'exécution
a/b	être	Ces articles ont été choisis avec le plus grand soin
b/b		Il m'est très difficile de choisir la forme convenable
b/b	libre	Vous êtes libre de choisir la couleur qui vous convient
a/a	marchandise	Nous ne vendons qu'une marchandise choisie
b/b	parmi	Vous pouvez choisir parmi plusieurs modèles
	Choix (m)	a. Auswahl (f) – b. Qualität (f) – c. Wahl (f)
		a. choice – b. to choose – c. selection
c/a	acheteur	Le mode de paiement est, au choix de l'acheteur, ...
a/a	au	Envoyez-nous au choix les articles suivants: ...
c/a	avoir	Vous avez le choix entre ces deux solutions
		Vous n'avez plus d'autres choix

a/a	convenir	Si ce premier choix ne vous convient pas, nous vous en enverrons un autre
b/a	de	Nous vous proposons des articles de choix
c/c	embarras	Vous n'avez pas l'embarras du choix
a/ac	envoyer	Pouvez-vous m'envoyer un choix de . . .
c/b	faire	Nous avons fait choix d'un modèle pratique
c/a		Vous ne pouviez faire un meilleur choix
c/a	hésiter	J'hésite encore dans le choix à faire
c/a	laisser	Peu nous importe, nous vous laissons le choix
b/a	marchandise	C'est une marchandise – un morceau – de choix
b/a	premier	Nous ne vendons que du premier choix
b/a	qualité	Nous ne voulons acheter que de la qualité de choix
a/c	renvoyer	Si le choix ne vous convient pas, vous voudrez bien nous le renvoyer le plus tôt possible
b/a	second	Ce n'est que du second choix
a/ac	soumettre	Nous vous soumettons un choix très varié de . . .
	Chômage (m)	a. arbeitslos – b. Arbeitslosigkeit (f) – c. Kurzarbeit (f) a. part-time work – b. unemployment
a/b	allocation	De nombreux ouvriers sont en chômage, ils reçoivent des allocations de chômage
b/b	conjoncturel	Nous sommes victimes du chômage conjoncturel et sollicitons un report d'échéance
c/a	partiel	Nous avons dû mettre nos ouvriers en chômage partiel et notre usine est provisoirement fermée le vendredi
b/b	saisonnier	Le chômage saisonnier ne devrait pas avoir grande influence sur nos ventes
	Chose (f)	a. Ding (n) – b. einzige – c. notgedrungen – d. Sache (f) a. matter – b. necessarily – c. thing
d/a	aisée	Ce n'est pas chose aisée que de lui faire comprendre . . .
a/c	avant	Avant toute chose, il nous faut mettre au point le . . .
a/–	de deux	De deux choses l'une, ou bien . . ., ou bien . . .
c/b	force	Vous arriverez à cette formule par la force des choses
b/c	seule	La seule chose qu'il nous reste à faire est de payer
d/a	voir	C'est ainsi que nous voyons la chose
	Ci-après	nachstehen – below Vous pourrez certainement faire un choix avantageux parmi les articles énumérés – mentionnés – ci-après
	Ci-dessous	unten – below La maison indiquée ci-dessous est de toute confiance Voir, ci-dessous, les conditions de livraison
	Ci-dessus	oben – above

		. . . comme indiqué ci-dessus En vertu des clauses ci-dessus mentionnées, . . .
	Ci-inclus **Ci-joint**	beiliegend – enclosed
		Ci-inclus – ci-joint – la copie de notre lettre à . . . La copie ci-incluse – ci-jointe – vous prouvera que . . . Ci-joint – ci-inclus – les documents demandés Vous trouverez ci-joint – ci-inclus – copie de . . . Vous trouverez ci-jointe – ci-incluse – la copie Nous vous remettons, ci-joints – ci-inclus – des textes publicitaires que nous vous prions de traduire
	Circonspection (f) **Circonspect**	a. Umsicht (f) – b. vorsichtig a. caution – b. cautious
b/b		Vous vous êtes montré circonspect et vous avez eu raison
a/a		Je vous félicite d'avoir agi avec tant de circonspection
	Circonstance (f)	a. angebracht – b. Umstand (m) a. circumstances – b. occasion –c. timely
b/a	agir	Nous agirons d'après les circonstances
b/a	aggravante	Le jugement a pris en considération les circonstances aggravantes – atténuantes
b/a	concours	Par un concours de circonstances assez curieux, nous avons découvert que . . .
b/a	dans	Dans ces circonstances, il ne me reste qu'à renoncer
a/c	de	Cette mise au point était tout à fait de circonstance
b/a	dépendre	Tout dépendra des circonstances
b/b	hauteur	Vous vous êtes montré à la hauteur des circonstances
b/a	indépendante	Des circonstances indépendantes de notre volonté nous ont empêchés de . . .
b/a	obliger	Les circonstances nous obligent à interrompre . . .
b/a	pareille	Que feriez-vous en pareille circonstance?
b/a	permettre	Si les circonstances le permettent, nous . . . Dès que les circonstances me le permettront, je . . .
b/a	prévoir	Des circonstances que je ne pouvais prévoir m'obligent à . . .
b/a	se plier	J'ai dû me plier aux circonstances
b/a	tenir compte	Nous vous demandons de tenir compte de ces circonstances totalement indépendantes de notre volonté
	Circulaire (f)	Rundschreiben (n) – circular
		Selon – par – notre circulaire du . . ., nous . . . Vous recevrez notre circulaire d'information en temps voulu – au début du mois prochain Vous serez convoqués par une circulaire
	Circulation (f)	a. Umlauf (m) – b. Verkehr (m) a. circulation

a/a	mettre en	Ce document confidentiel ne peut être mis en circulation avant le . . .
b/a	retirer de	Le formulaire «Déclaration d'accident no 47» sera retiré de la circulation à la fin de ce mois
	Citer	a. angeben – b. nennen – c. vorladen a. to cite – b. to quote
a/b		Nous vous demandons de nous citer quelques références
c/a		Il sera cité à comparaître devant le tribunal
b/a		Pour vous citer un exemple précis, nous . . .
	Clair	a. hell – b. klar a. clear – b. clearly – c. light
a/c		La couleur, la teinte est claire – trop claire
b/ab		Il est clair que nous sommes d'accord
b/c		Il faut que la chose soit tirée au clair rapidement
b/b		Je ne vois pas très clair dans cette affaire
b/a		Ce texte n'est pas clair car il permet une trop large interprétation de ses termes
	Clairvoyance (f)	Weitblick (m) – foresight
		Vous avez su faire preuve de clairvoyance en la matière et nous tenons à vous en remercier – féliciter
		Votre manque de clairvoyance est guère explicable
	Clarté (f)	Klarheit (f) – clarity
		Ce texte manque de clarté, il faut le préciser
	Classer	a. ablegen – b. abschliessen a. to close – b. to file
b/a		Faute de preuves, nous classons cette affaire
a/b		Votre facture a été classée par erreur dans le dossier «Fournisseurs payés», ce qui explique notre oubli que nous vous prions de bien vouloir excuser
	Classification (f)	a. Gehaltseinstufung (f) – b. Klassierung (f) – c. Klassifizierung (f) a. classification – b. filing – c. grade
b/b		Notre système de classification est très simple
a/c		Compte tenu des arguments ci-dessus, j'espère qu'il vous sera possible de revoir ma classification (salaire)
c/a		Suivant la classification que nous avons adoptée, cet article doit être mentionné dans la rubrique . . . – sous rubrique – . . .
	Clause (f)	Bestimmung (f) – clause
	d'après	D'après les clauses de notre contrat, vous ne pouvez . . .
	contenir	Ce contrat contient une clause dangereuse
	figurer	Cette clause ne figure pas dans notre convention
	indemnisation	Nous vous prions d'examiner attentivement notre avenant à votre police d'assurance; il contient de

		nouvelles clauses d'indemnisation particulièrement favorables
	insérer	La nouvelle clause que vous avez fait insérer devrait permettre d'éviter tout litige
	lier	Vous êtes liés par les clauses que vous connaissez
	nul	Cette clause est nulle – a été annulée
	Clearing (m)	Verrechnung (f) – clearing
		Notre paiement interviendra par voie de clearing
	Cliché (m)	Negativ (n) – negative
		Vous trouverez, ci-joint, un cliché que nous vous demandons de reproduire dans le format . . . – d'agrandir au format . . .
	Clé (f)	a. Schlüssel (m) a. breakdown – b. key
a/b	position	M. . . . occupant une position clé au sein de cette association, c'est à lui que vous devriez vous adresser
a/a	répartition	Selon la clé de répartition prévue pour les frais de chauffage, il me semble que ma charge devrait être de Fr. . . . et non de Fr. . . .
	Client (m) **Clientèle** (f)	a. Kunde (m) – b. Kundschaft (f) a. client – b. clientele – c. customer
a/ac		Le client fidèle – habituel – de passage
a/ac		Le client difficile – douteux – sérieux
a/ac		Nous sommes heureux de vous compter au nombre de nos clients
b/b		Je remercie ma fidèle clientèle de la confiance qu'elle m'a toujours accordée
b/b		L'ouverture d'un centre commercial nous a enlevé une partie de notre clientèle
b/b		Par un service personnalisé, nous désirons satisfaire au mieux notre aimable clientèle
b/b		Notre service technique fonctionne 24 heures sur 24 afin de satisfaire en permanence notre clientèle
	Clore **Clôturer** **Clôture** (f)	a. abschliessen – b. Abschluss (m) – c. Schluss (m) a. to close – b. closing
a/a		Nous avons clos – clôturé – nos comptes au 31 mars
a/a		Pour clore notre discussion d'hier, nous acceptons . . .
b/a		La clôture de vos comptes ne nous est pas encore parvenue
c/b		La séance de clôture de notre session sera honorée de la présence de M. . . .
a/a		Les débats ont été clos par un discours de M. . . .
c/b		Les cours – les prix – de clôture
	Coalition (f)	Koalition (f) – lobby

		Il est presque impossible de lutter contre cette coalition d'intérêts
	Coassocié (m)	Mitteilhaber (m) – co-partner
		Notre coassocié, M. ..., vous rendra visite sous peu
	Code (m)	a. Code (m) (Kode) – b. Gesetzbuch (n) – c. gesetzlich – d. Ordnung (f) – e. Recht (n)
		a. code – b. law
b/a		Le code civil (C.C.) – le code pénal (C.P.)
e/a-b		Le code des obligations (C.O.) – le code de commerce
a-e-a/a		Le code télégraphique – maritime – international
d/a		Le code de procédure civile – pénale
c/b	en marge	Nous refusons de nous prêter à cette opération qui nous paraît très en marge du code
e/a	en vertu	En vertu de l'art ... du C.O., nous exigeons que – nous vous mettons en demeure de – ...
	Coefficient (m)	a. Erhöhung (f) – b. Koeffizient (m)
		a. coefficient – b. factor – c. surcharge
b/a-b-b		Coefficient d'exploitation – de sécurité – de sûreté
a/c		Nous avons le regret de vous informer qu'à partir du ..., nous devrons appliquer à tous nos prix un coefficient de majoration de 5% environ
b/b		Grâce à ..., notre appareil offre un coefficient de sécurité exceptionnel
	Cœur (m)	a. auswendig – b. bestrebt sein – c. freimütig – d. ganz – e. gern – f. Herz (n) – g. Miene (f) – h. mitten – i. widerwillig
		a. conscience – b. dead – c. face – d. heart – e. to insist – f. mind – g. openly – h. wholeheartedly – i. unwillingly – j. will – k. willingly
f/d	au	Notre commerce est situé au cœur de la ville
h/b		Comme nous sommes déjà au cœur de l'hiver, ...
b/e	avoir à	Nous avons à cœur de ne livrer que la première qualité
f/d		Nous n'avons pas eu le cœur de le renvoyer
g/c	bon	Il faut faire contre mauvaise fortune bon cœur
f/j	de grand	Nous le ferions de grand cœur si nous le pouvions
d/h	de tout	Nous sommes de tout cœur avec vous
f-i-i/j-i-k	faire	Je le fais de bon – de mauvais – cœur, à contrecœur
f/j	gaieté	Ne croyez pas que nous le fassions de gaieté de cœur
d/af	net	Nous voulons en avoir le cœur net
c/g	ouvert	Nous vous parlerons à cœur ouvert
f/d	prendre à	Il a pris cette tâche très à cœur
f/dh	remercier	Je vous remercie de tout cœur de l'intérêt que vous avez pris à ma demande
a/d	savoir	Il sait son règlement par cœur
e/i	travailler	Il travaille de bon cœur à la réalisation de ce projet

	Colis (m)	a. Paket (n) a. package – b. parcel
a/ab		Envoyer – expédier – recevoir un colis
a/b		Nous vous adressons ce jour par colis postal – inscrit – non inscrit – avec valeur déclarée – . . .
a/ab		Vous voudrez bien nous accuser réception de notre colis expédié ce jour par chemin de fer
	Collaborer **Collaborateur** (m) **Collaboration** (f)	a. Mitarbeit (f) – b. Mitarbeiter (m) – c. Zusammenarbeit (f) – d. zusammenarbeiten a. collaboration – b. collaborator – c. colleague – d. to work with – e. work
d/e		Il a collaboré avec son père pendant vingt ans
b/bc		Notre collaborateur, M. . . ., se tiendra à votre disposition
a/a		Vous pouvez compter sur ma collaboration
a/a		Grâce à votre intelligente collaboration, nous avons pu . . .
ac/d		Nous ne croyons par qu'il puisse continuer de nous prêter sa collaboration
b/b		Il a été mon principal collaborateur pendant . . .
b/c		Vous aurez en lui un collaborateur actif, soucieux de défendre vos intérêts
c/e		Une collaboration à temps partiel est envisageable
	Collationner	vergleichen – to collate
		En collationnant ces textes, nous avons constaté de nombreuses erreurs et différences
	Collectif	a. Gesamt- – b. Kollektiv . . . a. collective – b. group
b/b	billet	La prochaine sortie de notre amicale aura lieu à . . . Un billet collectif est prévu au départ de . . . Inscrivez-vous au plus vite si vous désirez en profiter
a/a	contrat	Le contrat collectif en vigueur dans notre branche s'applique à tous nos employés et ouvriers Selon le contrat collectif qui règle nos rapports de travail, il vous est possible de – il ne vous est pas possible – de . . .
	Collection (f)	a. Kollektion (f) a. collection – b. line
a/a		Nous vous faisons parvenir, par le même courrier, une collection d'échantillons que vous voudrez bien nous retourner, dès que vous aurez fait votre choix
a/ab		Nous vous soumettons notre collection d'hiver et pensons qu'elle vous intéressera
a/a		Je serais heureux de vous soumettre ma collection
	Collègue (m)	Kollege (m) – colleague
		Monsieur et cher collègue, . . . Mon collègue, M. . . ., pourra mieux vous répondre

	Collision (f)	a. Zusammenstoss (m) a. accident – d. to collide
a/a		A la suite d'une collision de notre camion, la machine que nous vous livrions a subi d'importants dégâts auxquels nous allons nous empresser de remédier
a/b		Ma voiture est entrée en collision avec celle de M. . . .; le constat à l'amiable ci-joint vous permettra d'apprécier les responsabilités
	Colonial	Kolonial . . . (f) – imported
		Pour vous servir toujours mieux, j'ouvre dès le . . . un important rayon de denrées coloniales
	Colorer **Colorant** (m)	a. Farbe (f) – b. färben – c. Farbstoff (m) a. colo(u)ring – b. to paint
b/b		Il faudrait colorer ce cadre en vert foncé
c/a		Nos produits alimentaires ne contiennent aucun colorant artificiel – synthétique
a/a		Nous garantissons le colorant naturel de nos boissons
	Colorier	bemalen – to paint
		Tous ces articles d'artisanat local sont coloriés à la main
	Colporter	verbreiten – to spread
		Nous pouvons vous assurer que les bruits de faillite colportés sur la maison . . . sont dénués de tout fondement
	Combien	a. wie – b. wie oft – c. wie sehr – d. wieviel a. how – b. how many – c. how much
d/c	d'argent	Combien d'argent vous faudrait-il pour le lancement de ce nouveau produit?
b/b	de fois	Combien de fois avons-nous constaté que . . .
d/c	de peine	Combien de peine cela vous a-t-il coûté?
d/c	de temps	Combien de temps vous faudra-t-il pour mener à bien cette transformation?
a/a	peu	Combien peu ont apprécié son activité
c/c	savoir	Nous savons combien vous l'estimez
d/c	valoir	Combien vaut le mètre de . . .?
d/c	vouloir	Combien en voulez-vous?
	Combiner **Combinaison** (f)	a. arrangieren – b. Gruppe (f) – c. Kombination (f) – d. kombinieren a. combination – b. to combine – c. plan
a/b		Nous pourrions peut-être combiner une entrevue avec M. . . .
d/b		En combinant les deux projets présentés, . . .
c/ac		Vous m'avez suggéré une excellente combinaison dont je tiens à vous remercier très vivement

b/c		Si vous examinez attentivement la combinaison financière qui vous est proposée, vous constaterez que . . .
	Comble (m)	a. äusserst – b. grundlegend – c. Überfluss (m) – d. voll a. full – b. peak – c. top
b/c	de fond	Nous l'avons transformé de fond en comble
d/a	être	Nos entrepôts sont combles
a/b	porter à	Notre indignation a été portée à son comble par . . .
c/c	pour	Pour comble de malheur, notre représentant est tombé malade
d/a	salle	Ce spectacle fait salle comble tous les soirs
	Combler	a. decken – b. erfüllen – c. füllen a. to fill (in) – b. to fulfil(l) – c. to make up
b/b		Vous avez comblé mes vœux en . . .
a/c		Il vous appartient de combler le déficit de cette opération
c/a		Afin de combler diverses lacunes, nous allons réviser notre règlement – nos statuts – et nous attendons vos suggestions
	Comité (m)	Ausschuss (m) – committee
		La réunion du comité est fixée au . . . La dernière séance du comité a permis de . . . Après de longues délibérations, votre comité vous propose . . . Monsieur le Président, je vous prie d'excuser mon absence à la prochaine réunion du comité, en raison de mes obligations professionnelles Je propose que notre comité étudie ce problème et nous présente son rapport à la prochaine séance
	Commande (f)	a. Bestellung (f) – b. Bestellzettel (m) a. order
b/a		Le bon – le bulletin de commande
a/a	annuler	Je vous confirme mon téléphone de ce jour, par lequel j'ai annulé ma commande du . . . Nous regrettons de vous informer que votre annulation de commande nous est parvenue trop tardivement pour que nous puissions la prendre en considération
a/a	exécution	Nous vouerons tous nos soins à l'exécution de votre commande
a/a	passer	Je vous passe commande ferme de . . .
a/a	payable	Tous ces articles sont payables à la commande
a/a	prendre note	Veuillez prendre note de ma commande de . . .
a/a	réception	Nous accusons réception de votre commande de . . .
a/a	suite	Vous n'avez pas encore donné suite à notre commande
a/a	sur	Nous pouvons fabriquer sur commande

Commandement (m) Zahlungsbefehl (m) – order

J'ai reçu votre commandement de payer et ne comprends pas pourquoi vous . . .
Si vous ne donnez pas suite à ce dernier rappel, nous serons obligés de vous adresser un commandement de payer

Commander bestellen – to order

Les articles que nous vous avons commandés le . . . nous sont parvenus en excellent état – dans un état tel qu'ils sont impropres à la vente
Nous pensons vous commander prochainement . . . et vous prions de nous adresser votre dernière liste de prix

Commanditaire (m) a. Kommandit . . . – b. Kommanditär (m)
Commandite (f) a. (limited/sleeping/silent) partner – b. (limited/sleeping/silent) partnership

b/a Il est intéressé dans cette maison en qualité de commanditaire – de commandité
a/b C'est une société en commandite simple – par actions
b/a Pouvez-vous nous dire quels sont les vrais commanditaires de cette entreprise?

Comme da – since
Comme vous êtes un de nos anciens clients, nous acceptons de prolonger (proroger) notre traite de 60 jours

Commencer a. Anfang (m) – b. anfangen
Commencement (m) a. to begin – b. beginning

a/b Au commencement – dès le commencement
a/b Depuis le commencement jusqu'à la fin
a/b Du commencement de mars à la fin avril
a/b Le commencement du mois est interprété comme allant du 1er au 10 inclus
a/a Pour commencer, nous ne vendrons que des . . .
b/a La fabrication a commencé avec un peu de retard, c'est pourquoi nous . . .
b/a J'espère pouvoir commencer prochainement à . . .

Commentaire (m) a. Kommentar (m)
a. comments – b. remarks – c. to say

a/ab Examinez attentivement le commentaire de notre rapport
a/ab Vous nous donnerez un bref commentaire de la situation
a/c Tout cela se passe de commentaires

Commerçant (m) a. Geschäftsmann (m)
a. businessman – b. merchant (US)

a/ab Un petit – un important – commerçant de la place

	Commerce (m)	a. Geschäft (n) – b. Handel (m) – c. Kaufmann (m)
	Commercial	a. business – b. commercial – c. trade – d. traffic
b/a-ac-ac		Le petit commerce – le commerce de détail – de gros
b/ac		Le commerce d'exportation ou d'importation
b/c		Le commerce intérieur ou extérieur
b/ac-c-c		Le commerce local – national – international
b/d-a		Le commerce de transit – la maison de commerce
a/a	céder	J'ai cédé mon commerce à M. . . ., depuis le . . .
a/a	continuer	Nous continuerons l'exploitation de ce commerce sous la nouvelle raison sociale . . .
b/a	créer	Il a créé un commerce de . . .
c/a	débuter	J'ai débuté dans le commerce en 19. .
b/a	être	Nous sommes dans le commerce des . . . depuis . . . ans
b/a	faire	Cette maison fait un commerce très étendu avec . . .
a/a	favoriser	L'ouverture d'un centre d'achat à . . . devrait favoriser l'activité de notre propre commerce
b/ac	gêner	Le change défavorable gêne le commerce
a/a	ouvrir	Il a ouvert un commerce de gros à . . .
a/ac	politique	Grâce à une politique commerciale dynamique – avisée – nous avons pu maintenir notre chiffre d'affaires
b/bc	registre	Cette entreprise est inscrite au Registre du Commerce
a/a	relation	J'entretiens d'excellentes relations commerciales avec M. . . ., auprès de qui vous pouvez vous recommander de ma part
a/a	se retirer	Notre associé s'est retiré de notre commerce
a/a	tenir	Il tient un petit commerce de détail à . . .
a/a	usage	Nous tenons à maintenir les usages commerciaux de notre prédécesseur
	Commettant (m)	Auftraggeber (m) – principal
		Tous les frais sont à la charge du commettant
	Commettre	begehen – to make
		Vous avez commis une petite erreur dans votre facture no . . . en omettant de déduire le rabais spécial convenu de 5%
		Il va sans dire que nous prenons entièrement à notre charge les dépenses résultant de l'erreur que nous avons commise
	Commis (m)	a. Angestellter (m) – b. Handlungsreisende (m)
		a. assistant – b. clerk – c. salesman
a/b-a		Le commis de bureau – le commis de magasin
a-b/c		Le premier commis – le commis voyageur
	Commissaire (m)	a. Kommissar (m) – b. Revisionsbericht (m) – c. Revisor (m) – d. Schätzer (m) – e. Zahlmeister (m)
		a. auctioneer – b. auditor – c. commissioner – d. commission member – e. purser – f. superintendant

e/e		Le commissaire de bord – de navire
c-a-d/b-cf-a		Le commissaire aux comptes – de police – priseur
b/d		Le rapport des commissaires vous parviendra prochainement
	Commission (f)	a. Auftrag (m) – b. Kommission (f) – c. Provision (f) a. assignment – b. brocker(age) – c. to commission – d. commission
b/d	acheter à	Nous achetons cette marchandise à la commission
b/d	affaires	Je m'occupe uniquement d'affaires à la commission
c/d	allouer	Si vous êtes d'accord de m'allouer une commission ...
a/c	avoir	Nous avons commission d'acheter pour le compte de ...
c/d	diminuer	Je ne puis admettre les arguments que vous avancez pour essayer de diminuer ma commission
b/d	enquête	La commission d'enquête a commencé ses interrogations
b/b	maison	Notre maison de commission est très ancienne
c/d	moyennant	C'est possible moyennant une commission de ...%
b/d	nommer	Une commission a été nommée pour étudier ce projet
c/d	partager	Comme convenu, nous partagerons la commission
c/d	payer	Je pourrai vous payer une commission de ...%
c/d	prélever	Vous ne pouvez pas prélever une commission dans ce cas
c/d	prendre	Nous prendrons la commission d'usage, soit ...%
a/a	s'acquitter	Il s'est fort bien acquitté de cette commission
c/d	toucher	L'intermédiaire a dû toucher une forte commission
c/d	travailler	Je préfère travailler à la commission
	Commissionnaire (m)	a. Agent (m) – b. Kommissionär (m) – c. Makler (m) – d. Spediteur (m) a. agent – b. broker – c. factor
b-a/ab		Le commissionnaire autorisé – en douane
d/a		Le commissionnaire expéditeur – de transport
c/c-b		Le commissionnaire en gros – en marchandises
a/ab		Nous adressons ce jour à notre commissionnaire en douane, M. ..., tous les documents nécessaires
	Commode	a. praktisch – b. unwirsch a. convenient – b. easy – c. handy
a/ac		Si cela est plus commode pour vous, nous ...
a/a		C'est vraiment peu commode à faire
b/b		C'est un personnage fort peu commode
	Commun	a. gemeinsam a. common – b. mutual
a/ab	accord	D'un accord commun, nous avons décidé de ...
a/b	ami	Un ami commun, M. ..., nous a recommandé votre maison
a/ab	bien	Vous avez fort bien agi pour notre bien commun
a/a	facteur	Ces deux affaires présentent un facteur commun

a/a	faire cause	Nous aurions intérêt à faire cause commune
a/ab	intérêts	En agissant ainsi, je défends nos intérêts communs
a/a	rien de	Notre produit n'a rien de commun avec les produits qui sont en ce moment sur le marché
	Communauté (f)	Gemeinschaft (f) – community
		La communauté d'intérêts – de biens La Communauté européenne du charbon et de l'acier (CECA) La Communauté économique européenne (CEE)
	Communication (f)	a. Kenntnis (f) – b. Nachricht (f) – c. Verbindung (f) a. communication(s) – b. contact – c. to inform – d. message – e. number – f. to receive – g. travel connections
a/f	avoir	D'après des renseignements confidentiels dont j'ai eu communication, je ne peux que vous mettre en garde
a/c	donner	Nous vous donnerons communication du résultat
c/b	entrer	Essayez d'entrer en communication avec ce fournisseur
a/d	faire	Il ne nous avait pas fait la communication
b/e	fausse	Vous avez dû être victime d'une fausse communication
c/a	interrompre	Les communications sont momentanément interrompues
c/g	manque	Il est difficile de se rendre à . . ., à cause du manque de communications régulières
c/b	mettre	Je me mettrai immédiatement en communication avec . . .
c/a	voie	Les voies de communications sont en mauvais état
	Communiquer **Communiqué** (m)	a. Bericht (m) – b. mitteilen a. communiqué – b. to send
b/b		Dès que nous le pourrons, nous vous communiquerons les renseignements demandés
b/b		Nous vous saurions gré de nous communiquer dès que possible le résultat de vos démarches
a/a		J'ai appris, par un communiqué de presse, que . . .
	Compagnie (f)	Gesellschaft (f) – company
		La compagnie d'assurances – de transports Nous vous remercions chaleureusement de l'aimable soirée que nous avons eu le plaisir de passer en votre compagnie
	Comparaison (f)	a. Vergleich (m) – b. Vergleichung (f) a. to compare – b. comparison
a/b	avoir	Il n'y a pas de comparaison possible entre ces deux qualités
a/ab	en	C'est fort peu de chose en comparaison de ce qui aurait pu arriver Il est trop cher en comparaison de ceux de la concurrence

a/a	entrer en	Cet article ne peut entrer en comparaison avec ...
a/b	établir	Vous établissez une comparaison très discutable entre ces deux procédés si différents
a/b	faire	Nous vous laissons le soin de faire la comparaison
b/b	prix	La comparaison de prix à laquelle nous avons procédé ...
	Comparaître	a. erscheinen – b. Escheinen (n)
	Comparution (f)	a. to appear – b. appearance
a/a		Il comparaîtra prochainement en justice
b/b		Après sa comparution devant le tribunal
	Comparer	vergleichen – to compare
	à	On ne peut les comparer à ceux de provenance étrangère
	avec	Après avoir comparé vos prix avec ceux de notre fournisseur habituel, nous vous passons commande de ...
	Compatible	a. vereinbar – b. vereinbaren a. compatible
a/a		Votre manière de faire n'est pas compatible avec la situation que vous occupez
b/b		Les accessoires du modèle de luxe ne sont pas compatibles avec les modèles de bas de gamme
	Compenser	a. ausgleichen – b. Entschädigung (f)
	Compensation (f)	a. to compensate – b. compensation
b/b		Vous recevrez la compensation demandée, pour la perte que vous avez subie
b/ab		En compensation de mes frais, je demande ...
a/a		Cette perte est compensée par un gain sur ...
	Compétence (f)	a. Sachkenntnis (f) – b. sachkundig – c. zuständig
	Compétent	a. authoritatively – b. capable – c. competence – d. jurisdiction – e. skilfully
a/d		Ce problème entre dans – sort de – ma compétence
a/c		Je reconnais la grande compétence de ce spécialiste
a/e		Il a traité le cas avec une grande – haute – compétence
a/a		Il parle de ce sujet avec compétence
b/b		Nous nous adresserons à une personne compétente
b/b		Je ne suis pas compétent pour en juger
c/d		Sans réponse dans les 10 jours, nous déposerons plainte auprès du tribunal compétent
	Compétition (f)	a. Konkurrenz (f) – b. konkurrenzfähig
	Compétitif	a. competition – b. competitive
b/b		Un examen attentif de notre catalogue vous démontrera que, à qualité égale, nos prix sont très compétitifs
a/a		Ce marché est l'enjeu d'une compétition acharnée
	Complaisance (f)	a. Gefälligkeit (f) – b. liebenswürdig
	Complaisant	a. kind – b. kindness

b/b	agir avec	Il a toujours agi avec la plus grande complaisance à l'égard de mes amis
b/a	avoir	Auriez-vous la complaisance de nous prévenir à temps?
b/b		Si vous aviez eu la complaisance de nous en faire part, nous aurions pu envisager une autre solution
a/b	manque	Ce manque de complaisance nous étonne
a/b	par	Nous nous sommes permis de penser que vous le feriez par complaisance pour nous
a/b	remercier	Nous vous remercions de votre grande complaisance
b/a		Comme il est très complaisant, il vous rendra ce service
	Complément (m) **Complémentaire**	a. ergänzend – b. Ergänzung (f) – c. zusätzlich a. addition – b. additional
c/b	article	Comme vous pourrez le constater en consultant notre nouveau catalogue, nous avons adjoint quelques articles complémentaires à notre rayon de ...
b/b	attendre	Nous attendons un complément d'enquête – d'information
b/a	en	En complément de ce que je vous écrivais hier, j'ai ...
a/b	renseignement	Veuillez nous envoyer quelques renseignements complémentaires au sujet de ...
	Compléter **Complet**	a. ergänzen – b. komplett – c. umfassend a. to complete – b. complete – c. full
c/b		Je vous remercie du rapport très complet que vous m'avez adressé
a/a		Dans le but de compléter notre assortiment – notre stock – nous vous prions de nous adresser vos offres ...
a/a		Nous vous prions de compléter le formulaire ci-joint et de nous le retourner au plus vite
b/c		Notre carnet de commande étant complet, il ne nous est pas possible d'accepter de nouveaux ordres avant ...
	Complication (f)	a. Schwierigkeit (f) – b. Verwicklung (f) a. complication
a/a	entraîner	Ce retard entraîne de sérieuses complications
b/a	éviter	Si vous voulez éviter des complications inutiles, ...
a/a	surgir	J'espère qu'il ne surgira pas de nouvelles complications
	Complice (m) **Complicité** (f)	a. Einverständnis (n) – b. Helfershelfer (m) a. complicity – b. party
a/a		Il a agi de complicité avec nos concurrents
b/b		Nous refusons d'être complices de vos étranges manoeuvres
	Compliment (m)	a. Empfehlung (f) – b. Glückwunsch (m) – c. Gruss (m) – d. Kompliment (n) a. compliment – b. regards

c/ab	adresser	Veuillez adresser mes compliments très sincères à . . .
b/a	faire	Nous lui avons fait des compliments pour . . .
a/ab	présenter	Nous vous présentons nos respectueux compliments à l'occasion de . . .
d/a	recevoir	Ne vous attendez pas à recevoir des compliments
	Compliquer	a. erschweren – b. schwierig a. to complicate
a/a		Afin de ne pas compliquer la situation, j'accepte
b/a		Compte tenu de l'attitude dilatoire de M. . . ., l'affaire ne peut que se compliquer
	Comporter **Comportement** (m)	a. bringen – b. verhalten – c. Verhalten (n) a. to behave – b. behavio(u)r – c. to entail
a/c		Cette solution comporte de nombreux inconvénients
a/c		Les avantages que cela comporte sont limités
b/ab		Il a une façon de se comporter qui nous déçoit
b/a		Dans cette circonstance délicate, il s'est fort bien comporté
c/b		Son comportement est à l'abri de toute critique
	Compréhensible **Compréhensif**	a. verständlich – b. verständnisvoll a. to understand – b. understandable – c. understanding
b/c		Je vous remercie de vous être montré si compréhensif
a/b		Votre attitude est certes compréhensible, mais il nous semble cependant que . . .
a/a		Votre mode d'emploi est peu compréhensible
	Compréhension (f)	Verständnis (n) – understanding
		Il montre une grande compréhension de ce genre d'affaires
		Nous espérons que vous ferez preuve de compréhension et que vous voudrez bien nous accorder le délai demandé
		Votre absence de compréhension est très regrettable
		Je fais appel à votre compréhension et vous prie . . .
		Si vous vouliez bien montrer un peu plus de compréhension, peut-être pourrions-nous arriver à un accord
	Comprendre	a. annehmen – b. einschliessen – c. verständlich – d. verstehen a. to include – b. to interpret – c. to understand – d. understanding
d/c	à	Je ne comprends rien à ce retard
d/c	arriver à	Nous sommes enfin arrivés à comprendre la raison de . . .

a/d	avoir	Nous avions compris que les prix s'entendaient franco gare
d/b	comment	Comment comprenez-vous son étrange attitude?
d/c	donner	On m'a donné à comprendre que c'était impossible
b/a	emballage	Emballage et tous frais compris
b/a	être	Votre commission est-elle comprise dans ce prix?
c/c	faire	Nous avons en vain essayé de lui faire comprendre notre point de vue
		Nous aimerions nous faire bien comprendre
b/a	non	Les droits de douane non compris
d/d	peine à	Nous avons peine à comprendre votre position
b/a	y	Fr. . . ., y compris vos frais de voyage
	Compromettre	a. gefährden – b. verwickeln a. to commit – b. to implicate – c. to involve
b/bc		Cette personne est compromise dans une vilaine affaire
a/a		Nous réservons notre décision, car nous ne voulons pas nous compromettre en agissant trop rapidement
	Compromis (m)	Vergleich (m) – compromise
		Nous avons accepté le compromis qu'il nous offrait Vous devriez essayer d'obtenir un compromis
	Comptabiliser **Comptabilité** (f)	a. Buchhaltung (f) – b. verbuchen a. accounting – b. accounts – c. to calculate – d. to post
b/d		L'introduction d'un nouvel ordinateur nous permettra de comptabiliser plus rapidement nos opérations
a/b		Nous espérons pouvoir boucler notre comptabilité d'ici quelques jours
a/a		Nous avisons notre service de la comptabilité de vos difficultés momentanées et vous prions d'annuler notre rappel du . . .
b/c		Nous comptabiliserons vos intérêts tous les 3 mois
	Comptable (m)	a. Bucheintrag (m) – b. Bücherrevisor (m) – c. Buchhalter (m) – d. Buchwert (m) a. accounts – b. accountant – c. accounting
c-c-b/b		Notre comptable – chef comptable – expert comptable – nous signale que . . .
a/a		Les écritures comptables ont été arrêtées au . . .
d/c		La valeur comptable des immobilisations est de . . .
	Comptant	bar – cash
		Achat – vente au comptant – net au comptant Au comptant avec 2% d'escompte ou net à 30 jours Toutes nos livraisons sont faites contre paiement comptant Les prix indiqués dans notre catalogue s'entendent pour paiement (au) comptant
	Compte (m)	a. berücksichtigen – b. Bücher (n.pl.) – c. Hälfte (f) – d. Konto (n) – e. Rechenschaft (f) – f. Rechen-

		schaftsbericht (m) – g. Rechnung (f) – h. rund – i. über – j. verbuchen
		a. account – b. to calculate – c. concerning – d. considering – e. figure – f. for – g. half and half – h. to realize – i. something
d/a		Compte de caisse – de banque – de chèques postaux
		Compte débiteur – compte créancier
		Balancer – boucler – solder un compte
d/a	arrêté	Nous vous remettons, ci-joint, l'extrait de votre compte courant, arrêté au . . .
d/a	avoir	J'ai un compte auprès de la banque . . .
		Veuillez me communiquer le solde de mon avoir en compte
d/a	créditer	Veuillez créditer mon compte de cette somme
d/a	débiter	Je débite votre compte de Fr. . . .
f/a	demander	Je lui ai demandé un compte précis de ses démarches – de ses frais
c/g	demi	Nous sommes de compte à demi dans cette affaire
g/a	s'établir	Ce commerçant s'est établi à son compte il y a peu
b/a	examiner	En examinant vos comptes, nous constatons que . . .
d/a	extrait	L'extrait de compte ci-joint vous est adressé à titre d'information
g/b	faire	Nous avons fait le compte des dépenses
d/a	ouvrir	Je désire ouvrir un compte auprès de votre établissement
j/a	porter	Vous porterez directement ces frais en compte
g/f	pour	Nous travaillons pour le compte de . . .
		D'ordre et pour compte de . . .
g/a	régler	Nous lui avons réglé son compte avant son départ
d/a	relevé	Nous vous adressons, sous ce pli, le relevé de votre compte au 30 . . ., dont le montant s'élève à Fr. . . .
e/h	rendre	Nous nous rendons compte qu'il sera difficile de . . .
b/a		Vous voudrez bien nous rendre vos comptes avant le . . .
g/a	reprendre	Je reprends cette affaire à mon compte dès le . . .
h/e	rond	En compte rond Fr. . . .
i/c	sur	J'ai appris des choses curieuses sur le compte de . . .
a/a	tenir	Pourquoi ne tenez-vous aucun compte de nos observations?
a/d	tenu	Compte tenu des difficultés, . . .
g/i	trouver	J'espère que vous y trouverez votre compte
d/a	valeur	Valeur en compte de . . .
b/a	vérification	Après vérification de nos comptes, . . .
d/a	verser	En paiement de . . ., j'ai versé à votre compte Fr. . . .
d/a	virer	En paiement de votre facture du . . ., j'ai fait virer sur votre compte à la Banque . . . Fr. . . .; veuillez créditer mon compte de ce montant
	Compte de chèques postaux (m)	Postscheckkonto (m) – postal checking account
		En règlement de votre facture du . . ., j'ai versé

		aujourd'hui à votre compte de chèques postaux, Fr. . . .
		J'ai fait virer à votre compte de chèques postaux . . .
	Compte courant (m)	Kontokorrent (n) – current account
		Veuillez me faire connaître vos conditions d'ouverture d'un compte courant?
		J'ai besoin d'une avance en compte courant de Fr. . . .
		Tous vos paiements peuvent être faits sur notre compte courant auprès de la Banque . . .
	Compte rendu (m)	Bericht (m) – account
		M. . . . a été chargé du compte rendu de la séance
		Nous avons besoin d'un compte rendu détaillé de vos démarches
	Compter	a. abgesehen – b. beabsichtigen – c. rechnen – d. zählen
		a. to consider – b. to count – c. to intend – d. to number – e. to reckon – f. to start
c/f	à	A compter de ce jour, les envois d'une valeur inférieure à Fr. . . . seront expédiés contre remboursement
c/e	avec	Il faut compter avec la concurrence étrangère
b/c	ce que	Veuillez nous dire ce que vous comptez faire
d/ad	être	Cette maison peut être comptée au nombre des plus prospères parmi . . .
b/c	faire	Que comptez-vous faire maintenant?
d/d	plus	La ville compte plus de . . . habitants
c/e		Il faut compter plus de deux mois pour . . .
c/b	quand	Quand comptez-vous terminer?
c/b	que	Nous comptons bien qu'il paiera à l'échéance
a/b	sans	Sans compter les frais imprévus
d/b	sur	Vous pouvez compter sur une prompte livraison
		Nous comptons sur votre amabilité – diligence – obligeance – perspicacité
		C'est un homme sur qui l'on peut compter
d/b	y	Nous le ferons, vous pouvez y compter
	Comptoir (m)	a. Diskontbank (f) – b. Einkauf (m) – c. Verkaufstelle (f)
		a. bank – b. counter
b-c-a/b-b-a		Le comptoir d'achat – de vente – d'escompte
	Concéder	a. einräumen
		a. to admit – b. to grant
a/a		Nous concédons volontiers que nous avons eu tort
a/b		Nous sommes disposés à vous concéder l'exclusivité de vente de nos articles dans votre secteur
	Concentrer **Concentration** (f)	a. befassen (mit) – b. Konzentration (f) – c. konzentrieren
		a. to concentrate – b. concentration

c/a Il faudrait concentrer vos achats, vos efforts, vos moyens, vos ventes, etc.
a/a Je désire me concentrer plus longuement sur ce problème avant de vous donner une réponse définitive
b/b La concentration horizontale – verticale – à laquelle semble procéder notre principal concurrent est de nature à nous inquiéter

Conception (f) a. Gestaltung (f) – b. konzipiert – c. Vorstellung (f)
a. conception – b. design – c. idea

a/ac Votre conception du travail ne nous satisfait pas
c/c Je n'ai pas les mêmes conceptions que vous
b/b Cet article, si moderne de conception, ...

Concerner a. betreffen – b. betreffend
Concernant a. to concern – b. concerning

b/b Le rapport concernant ces différentes opérations ne nous est pas encore parvenu
b/b Concernant votre demande du ... ct., nous nous empressons de vous faire savoir que ...
a/a cela Cela vous concerne et nous ne nous en occupons pas
a/a ce qui Tout ce qui concerne la vente est traité par ...
a/a pour Pour ce qui me concerne, je suis prêt à vous ...

Concession (f) a. Konzession (f) – b. konzessioniert
Concessionnaire (m) a. concession – b. concessionary

a/a Je désire obtenir – prolonger – annuler – la concession de ...
a/a Vous serez obligés de (nous) faire une concession sur les prix et les conditions de vente
a/a Il exploite une concession
a/a Cela constitue l'extrême limite de nos concessions
a/a Nous espérons que cette concession vous engagera à entretenir des relations suivies avec notre maison
b/b L'entreprise concessionnaire de ces travaux

Concevoir a. denkbar – b. entwerfen – c. lauten
Concevable a. conceivable – b. to design – c. to word

a/a Il n'est pas concevable d'agir comme vous le proposez
c/c La phrase était ainsi conçue: ...
b/b Nous avons conçu ce modèle en tenant compte de ...

Concilier Einklang (m) – to reconcile

Nous espérons vivement arriver à concilier nos points de vue – nos intérêts

Concision (f) a. Gedrängtheit (f) – b. kurzgefasst
Concis a. concise – b. concision

b/a		Présentez-moi un texte concis, clair et net
a/b		La concision d'un texte, d'un rapport
	Conclure	a. abschliessen – b. schliessen – c. schlüssig – d. treffen a. to close – b. to conclude – c. conclusive – d. to strike
a/a	affaire	Si vous acceptez cette réduction, c'est une affaire conclue
d/b	arrangement	Un arrangement a été conclu entre les deux parties
a/b	en	En concluant cet accord, vous n'avez pas pensé que . . .
c/c	être	Le rapport de l'expert est tout à fait concluant
a/d-b	marché	Nous avons conclu un marché – un contrat – avec . . .
b/b	que	Nous en concluons que vous vous refusez à payer
	Conclusion (f)	a. folglich – b. Schlussfolgerung (f) a. conclusion
a/a		En conclusion, nous avons décidé que . . .
b/a		Nous vous laissons le soin d'en tirer la conclusion
b/a		Nous sommes arrivés à la conclusion que . . .
	Concordat (m)	Vergleich (m) – composition
		Demander – proposer – obtenir – signer un concordat Accorder – accepter – homologuer un concordat
	Concorder	übereinstimmen – to agree
		Vos chiffres concordent avec les nôtres Vos promesses ne concordent pas avec les faits
	Concours (m)	a. Konkurrenz (f) – b. Mitwirkung (f) – c. Zusammentreffen (n) a. assistance – b. combination – c. competition
b/a	assurer	Je désire m'assurer le concours d'un spécialiste
b/a	avec	Avec votre concours, nous réussirons à . . .
c/b	circonstances	Par un curieux concours de circonstances, j'ai appris que . . .
b/a	être	Votre concours nous sera très précieux
a/c	hors	Cet appareil sera présenté hors concours à la prochaine exposition de . . .
b/a	offrir	Je vous remercie de bien vouloir m'offrir votre concours
b/a	prêter	Nous lui avons volontiers prêté notre concours
b/a	priver	Nous avons été privés du concours de plusieurs . . .
b/a	refuser	Vous ne pouvez pas nous refuser votre concours Je regrette d'être obligé de refuser mon concours
	Concurrence (f)	a. bis zu – b. Konkurrenz (f) – c. Wettbewerb (m) a. amount – b. competition – c. competitors
b/b	craindre	Nous ne craignons pas la concurrence que ces produits pourraient faire aux nôtres

b/b	défier	Nos prix défient toute concurrence
c/b	déloyale	Si vous continuez vos pratiques, nous devrons déposer une plainte en concurrence déloyale
b/b	en dépit	Nous avons pu maintenir notre chiffre d'affaires en dépit de la concurrence
b/b	être	Une concurrence serrée est intervenue sur ce marché
b/b	faire	Il est indéniable qu'il nous fait de la concurrence
a/a	jusqu'à	Nous ferons des avances jusqu'à concurrence de Fr. . . .
b/b	malgré	Malgré la concurrence, ses affaires prospèrent
b/bc	obliger	La concurrence nous oblige à fabriquer des articles moins solides, mais d'un prix plus bas
b/bc	offrir	La concurrence m'offre le même article à un prix sensiblement inférieur
b/c	s'adresser	Si vous ne pouvez améliorer vos conditions, je devrai m'adresser à une maison concurrente
b/bc	souffrir	Nos ventes ont beaucoup souffert de la concurrence
b/bc	soutenir	Pour que nous puissions soutenir la concurrence, il faut absolument que vous nous accordiez un rabais de . . . %
c/b	tolérer	Nous ne pouvons pas tolérer cette concurrence déloyale
b/bc	vaincre	Pour vaincre la concurrence, il nous faut utiliser d'autres méthodes, plus dynamiques
a/a	valeur	Jusqu'à concurrence d'une valeur de Fr. . . .
	Concurrent (m)	Konkurrent (m) – competitor
	emporter	Nous espérons emporter ce marché sur nos concurrents
	livrer	Vous avez livré à nos concurrents un article semblable à des conditions plus avantageuses
	valoir	A prix égaux, nos articles valent ceux de nos concurrents
	vendre	Nous pouvons vendre moins cher que nos concurrents
	Condamner	verurteilen – to sentence
		Il a été condamné aux dépens – aux frais
		Condamné à payer des dommages-intérêts – une indemnité
	Condition (f)	a. Bedingung (f) – b. Zustand (m) a. condition – b. terms
a/a	à	Nous acceptons, à condition que vous preniez l'engagement de les livrer avant le . . .
a/a		Ce n'est qu'à cette condition que nous sommes acheteurs
a/b		A quelles conditions pouvez-vous nous livrer . . .?
a/b	accepter	Nous ne pouvons pas accepter vos conditions
		Si vos conditions sont acceptables, nous pourrons . . .

a/b	arrêter	Voici les conditions que nous avons arrêtées: ...
b/a	bonne	Nous espérons que ces articles vous parviendront en bonne condition
a/b	comparer	Comparez nos conditions à celles de nos concurrents
a/b	connaître	Nous aimerions connaître vos conditions pour ...
a/b	consentir	Quelles sont les conditions que vous nous consentiriez?
a/b	convenir	Les conditions convenues ne peuvent pas être modifiées
		Nous espérons que nos conditions vous conviendront et attendons vos ordres
a/a	dans	Dans ces conditions, nous refusons de livrer ...
a/b	en vigueur	Nos nouvelles conditions entreront en vigueur le ...
a/b	faire	Faites-nous des conditions un peu plus acceptables
a/b	favorable	Nous pourrions vous faire des conditions plus favorables si vous nous garantissiez des ...
		Nous vous offrons ces articles de qualité supérieure aux conditions les plus favorables
a/b	financier	Vos conditions financières sont trop draconiennes
a/b	habituel	Veuillez nous livrer ..., aux conditions habituelles
a/b	inacceptable	Vos conditions sont malheureusement inacceptables
a/b	maintenir	Il nous sera difficile de maintenir longtemps encore nos conditions actuelles, face à ...
a/b	meilleur	Ces conditions sont les meilleures que nous puissions faire en ce moment
a/b	offrir	Si vous nous offriez des conditions plus raisonnables, nous pourrions revoir notre décision
		Qelles sont les conditions que vous pourriez nous offrir?
b/a	parfaite	La marchandise était en parfaite condition
b/a	parvenir	Nous espérons que les marchandises vous parviendront en excellente condition
a/b	poser	J'ai posé mes conditions, à vous de décider
a/b	profiter	Nous espérons que vous profiterez de ces conditions très avantageuses et attendons vos ordres
a/b	quant	Quant aux conditions de vente, elles sont acceptables
a/a	que	Nous acceptons à la condition que – à condition que – vous réussissiez à vendre le tout
a/b	refuser	J'ai dû refuser ses conditions trop rigoureuses
a/ab	régir	Voici les conditions qui régissent nos opérations: ...
a/a	remplir	Vous ne remplissez pas les conditions et nous ne pouvons vous engager
a/b	reporter	Nous vous prions de vous reporter aux conditions que vous avez acceptées
a/b	soumettre	Veuillez me soumettre vos conditions pour ...
a/b	usage	Selon les conditions en usage dans la branche, ...
a/a	usuelle	Dans des conditions usuelles d'emploi, notre machine offre une sécurité totale

a/b	valable	Mes conditions sont valables jusqu'au . . .
	Conditionner	a. abfüllen – b. abhängen – c. Verpackung (f)
	Conditionnement (m)	a. conditional – b. to pack – c. packaging – d. subject
a/b		Nous pouvons vous livrer notre . . ., conditionné en flacons – bouteilles – de . . . dl, . . .
c/c		Le conditionnement soigné de nos produits évite toute détérioration lors du transport – permet de les conserver sans problème durant . . . mois
b/ad		Mon accord est conditionné à l'acceptation de notre Conseil
	Condoléance (f)	a. Beileid (n) a. condolences – b. sympathy
a/ab	accepter	Veuillez accepter mes très sincères condoléances
a/–	agréer	Veuillez agréer l'expression de nos condoléances très sincères
a/ab		Paul Tourmal vous prie d'agréer ses très sincères condoléances
a/–	croire	Veuillez croire à nos très sincères condoléances . . . . . . vous prie de croire à ses très sincères condoléances
	Conduire	a. führen – b. verhalten a. to conclude – b. to conduct – c. to drive – d. to lead – e. to show around – f. to supervise
a/b		Les pourparlers ont été mal conduits
b/b		Il s'est fort mal conduit dans cette affaire
b/b		Il s'est conduit en honnête homme
a/a		Il a conduit à bien une entreprise délicate
a/ce-f		Vous aurez la responsabilité de conduire ces personnes – ces travaux
a/d		Vous voudrez bien conduire les débats de notre prochaine réunion
	Conduite (f)	a. Führung (f) – b. Leitung (f) – c. Verhalten (n) a. to behave – b. behavio(u)r – c. handling – d. main – e. supervision
a/c	affaire	Pour la conduite de cette affaire, je vous suggère de faire appel à M. . . .
c/a	avoir	Il a toujours eu une bonne – mauvaise – conduite
c/b	changer	Il faut espérer qu'il changera de conduite
c/b	critiquer	Je ne me permettrai pas de critiquer votre conduite
c/b	déloyale	Sa conduite déloyale nous a beaucoup nui
b/d	eau	La conduite d'eau – de gaz – d'électricité
c/b	égard	Sa conduite à mon égard est sans reproche
a/e	être sous	Nous étions sous la conduite de l'ingénieur en chef
c/b	justifier	Comment pouvez-vous justifier une telle conduite?
c/b	laisser à désirer	Depuis quelque temps, sa conduite laisse à désirer
c/b	satisfait	Nous avons toujours été très satisfaits de sa conduite et nous vous le recommandons chaleureusement

	Confection (f)	a. Herstellung (f) – b. Konfektion (f) a. clothing – b. preparation
b/a		Un rayon de confection – un article de confection
b/a		Un magasin de confection – une maison de confection
a/b		La confection d'un prospectus – d'un catalogue
	Conférence (f)	a. Konferenz (f) a. conference – b. debate
a/b	durer	La conférence contradictoire a duré plus d'une heure
a/a	faire	Je vous propose de faire une conférence de presse
a/ab	présider	Vous voudrez bien présider notre prochaine conférence
a/a	tenir	La conférence qui s'est tenue à . . . le . . . a permis de . . . Nous avons tenu conférence hier
	Confiance (f)	a. Vertrauen (n) – b. zuverlässig a. confidence – b. trust
a/b	abus	Il s'est rendu coupable d'un abus de confiance
a/b	abuser	Vous avez abusé de notre confiance
a/a	acheter	Je l'avais acheté de confiance
a/a	accorder	Nous espérons que vous voudrez bien nous accorder votre confiance – la même confiance que par le passé
a/a	s'attirer	Il a su s'attirer la confiance d'une clientèle étendue
a/a	avoir	Notre représentant a toute notre confiance
a/a	degré de	Quel est le degré de confiance que mérite ce . . .
a/b	digne de	Cette personne est tout à fait digne de confiance
a/a	ébranler	Cet incident a ébranlé notre confiance en . . .
a/a	gagner	J'espère que je saurai gagner votre confiance en . . .
a/b	honorer	Il nous a toujours honoré de sa confiance
a/a	inspirer	Comment peut-il vous inspirer confiance?
a/a	justifier	J'espère que vous justifierez la confiance que je vous témoigne
b/b	maison	C'est une maison de confiance
a/a	manquer	Je manque de confiance en cette personne
a/a	mériter	Tous mes efforts tendront à mériter votre confiance Je m'efforcerai de mériter votre confiance
a/ab	mettre	Je ne sais si j'ai eu raison de mettre ma confiance en lui
b/b	personne	C'est une personne de confiance, je vous l'assure
a/a	placer	Ma confiance a été mal placée, je le reconnais
a/a	pleinement	Nous avons pleinement confiance en . . .
a/b	preuve	Vous nous avez donné là une belle preuve de confiance
a/a	remercier	Je vous remercie de la confiance que vous m'avez témoignée
a/a	répondre	Répond-il à la confiance que vous avez placée en lui?
a/a	reporter	Nous espérons que vous voudrez bien reporter sur M. . . . la confiance que vous nous avez toujours témoignée

a/a	retirer	Il serait prématuré de lui retirer notre confiance
a/a	toute	Je peux vous recommander cette maison en toute confiance
a/b	trahir	Nous sommes navrés qu'il ait trahi votre confiance
	Confidence (f)	a. Mitteilung (f) – b. vertraulich
	Confidentiel	a. to confide – b. confidential – c. confidentially
	Confidentiellement	
b/c	à titre	Ce document vous est remis à titre confidentiel
b/b	considérer	Nous vous demandons de considérer cette opinion comme strictement confidentielle
a/a	faire	Il nous a fait une confidence importante
b/c		Je vous serais obligé de me faire connaître confidentiellement si vous pensez que ...
	Confier	a. anvertrauen – b. übertragen a. to confide – b. to entrust
b/b		Les lourdes responsabilités que vous m'avez confiées
a/a		Il a eu tort de ne pas se confier à nous
b/b		Pouvons-nous lui confier le poste qu'il sollicite?
a/b		L'envoi vous est confié aux conditions de notre contrat du ...
	Confirmer	a. bestätigen – b. Bestätigung (f)
	Confirmation (f)	a. to confirm – b. confirmation
b/ab		Cette nouvelle demande confirmation
b/b		Nous attendons votre confirmation de commande avant ...
b/b		Dans l'attente de votre confirmation, nous vous prions d'agréer ...
a/a		Nous confirmons notre lettre – notre ordre – du ...
a/a		Je confirme ce que je vous ai dit par téléphone hier
a/a		Nous vous saurions gré de confirmer votre ordre
a/a		L'examen a confirmé l'exactitude de votre évaluation
a/a		Nous confirmons notre télégramme du ..., selon lequel nous ...
a/a		Je confirme les réserves que j'ai faites au moment de la réception de la marchandise
	Confisquer	a. Beschlagnahme (f) – b. beschlagnahmen
	Confiscation (f)	a. to confiscate – b. confiscation
b/a		Les marchandises ont été confisquées par la douane
a/b		La confiscation a pu être heureusement évitée
	Conflit (m)	Streit (m) – dispute
		Le conflit qui nous sépare pourrait être facilement aplani
		Nous sommes en conflit avec eux pour une question de paiement – de qualité livrée
		Ce conflit ne pourrait-il être liquidé par un arbitrage?
		Notre retard est dû à un conflit de salaire – de travail – survenu chez l'un de nos fournisseurs
	Confondre	verwechseln – to confuse

		Je pense que vous confondez notre entreprise avec . . .
		Il ne faut pas confondre ces deux opérations
	Conforme **Conformément**	a. entsprechen – b. gleichlautend – c. übereinstimmen
		a. accordance (in . . . with) – b. to certify – c. to correspond
c/b	certifié	La copie est certifiée conforme
a/ac	circonstances	Les mesures prises sont conformes aux circonstances
b-c/b-c	copie	Pour copie conforme – copie conforme à l'original
c/c	échantillon	La marchandise n'est pas conforme à l'échantillon
a/ac	instruction	Votre manière d'agir doit être conforme à nos instructions
a/a	principe	C'est tout à fait conforme à nos principes
a/a	usages	Ce n'est pas conforme aux usages de . . .
a/a		Conformément à ce que nous avons décidé, nous . . .
a/a		Conformément à vos ordres – à vos instructions
	Conformer (se)	a. halten – b. richten
		a. to conform to
b/a		Nous nous conformons au désir, au goût, aux instructions, aux ordres
a/a		Vous voudrez bien vous conformer strictement à notre convention du . . . qui ne vous autorise pas à . . .
	Confus	a. beschämen – b. verwirrt
		a. confusing – b. overwhelmed
a/b		Je suis vraiment confus de votre amabilité
b/a		La situation devient de plus en plus confuse
b/a		Ses explications sont très confuses
	Confusion (f)	a. Verwechslung (f) – b. Verwirrung (f)
		a. to confuse – b. confusion
b/b		Il nous semble que vous cherchez à créer une confusion qui vous serait profitable
a/a		Je crois que vous faites une confusion de date
a/b		Il doit y avoir confusion, car . . .
	Congé (m)	a. Abschied (m) – b. kündigen – c. Urlaub (m)
		a. leave – b. notice – c. resignation – d. vacation
c/a	accorder	Je vous prie de bien vouloir accorder congé à mon fils – à ma fille – le . . ., en raison de . . .
c/a	demander	Je me permets de vous demander un congé exceptionnel de . . . jours, du . . . au . . ., afin d'assister à . . .
		Votre demande de congé du . . . est acceptée – refusée
b/bc	donner	L'état de ma santé ne s'étant pas amélioré, je suis obligé de vous donner mon congé pour le . . .
b/b		Nous regrettons de ne pouvoir vous garder à notre service et vous donnons votre congé pour le . . .

b/b		Nous vous donnons congé pour le . . ., date d'échéance de votre bail
c/d	en	Le caissier est en congé depuis hier et jusqu'au . . .
c/a	maladie	Je sollicite un congé de maladie de . . . semaines, motivé par la déclaration médicale ci-jointe
a/a	prendre	Nous avons pris congé de notre vieil employé
	Conjoncture (f)	a. Konjunktur (f)
	Conjoncturel	a. economic (situation) – b. economy
a/a		La conjoncture actuelle nous oblige à prendre des mesures de restriction de crédit
a/a		L'évolution de la conjoncture ne nous semble pas favorable
a/a		Nous nous attendons à une période de haute – basse – conjoncture d'ici peu
a/b		Le renversement de la conjoncture nous a contraint à – nous permet de . . .
a/a		Le chômage partiel dans cette entreprise est purement conjoncturel
a/a		Les prévisions conjoncturelles pour l'année prochaine sont favorables pour notre secteur d'activité
	Connaissance (f)	a. Bekanntschaft (f) – b. Bewusstsein (n) – c. Kenntnis (f) a. abilities – b. acquaintance – c. conscious – d. consciousness – e. experience – f. to inform – g. to know – h. knowledge – i. known – j. to meet – k. to read
c/e	acquérir	J'ai acquis des connaissances approfondies – étendues – variées – pendant mon stage chez . . ., tout particulièrement dans les domaines suivants: . . . Les connaissances que j'ai acquises durant mon activité de . . . me permettent de vous assurer que je suis à même de remplir les tâches de . . .
c/g	avoir	Avez-vous connaissance du dernier rapport de . . .
c/b		Il a de nombreuses connaissances dans ce domaine
c/f	donner	Nous lui avons donné connaissance du contrat
c/ch	en	J'agis en parfaite connaissance de cause
c/h	exiger	Ce poste exige des connaissances juridiques
a/b	faire	Je vous ferai faire connaissance avec le directeur Nous avons eu le plaisir de faire sa connaissance – de faire la connaisance de . . .
a/bj	lier	Il a lié connaissance avec un commerçant en . . .
b/d	perdre	Il est tombé et a perdu connaissance
c/h	perfectionner	J'ai eu l'occasion de perfectionner mes connaissances en . . .
c/f	porter	Nous sommes heureux de porter à votre connaissance que nous avons ouvert une succursale
c/ah	posséder	Il possède les connaissances nécessaires au poste que vous souhaitez lui confier
c/k	prendre	Avez-vous pu prendre connaissance de ce rapport?

b/d	reprendre	Une heure après l'accident, il n'avait pas encore repris connaissance
b/c	sans	Il est resté . . . heures sans connaissance
a/b	une de	J'irai voir M. . . ., une de mes vieilles connaissances
c/i	venir à	Si cela venait à la connaissance de la concurrence, . . .
	Connaissement (m)	Konnossement (n) – bill of lading
		Le connaissement direct, à ordre, au porteur Le jeu complet des connaissements Expédier sur connaissement direct Payer contre remise du connaissement – sur le vu du connaissement Veuillez établir les connaissements en 4 exemplaires au nom de . . . et les faire remettre à ce dernier, par une banque, contre paiement de . . .
	Connaître **Connaisseur** (m)	a. auskennen – b. bekannt – c. kennen – d. Kenner (m) a. connoisseur – b. to know – c. to meet
c/bc	avoir	Nous l'avons connu en France
b/b	bien	C'est un produit bien connu des spécialistes
b/b	de	Il est connu de longue date
c/b	depuis	Nous le connaissons depuis de nombreuses années
d/a	en	Il est bon connaisseur en ce domaine
b/b	être	Il est très connu sur notre place
b/b	faire	Nous avons cherché à faire connaître cette invention
b/b	gagner	Cet homme gagne certainement à être mieux connu
c/b	personnellement	Je ne connais pas M. . . . personnellement
a/b	s'y	Il s'y connaît en . . .
	Consacrer	widmen – to devote
		Il a consacré toutes ses forces au succès de . . . Nous devrons consacrer toute notre énergie à . . . Notre prochaine réunion sera consacrée à l'étude de . . . Vous voudrez bien m'indiquer combien de temps vous avez consacré à . . ., en vue de votre indemnisation
	Conscience (f) **Consciencieux**	a. Gewissen (n) – b. gewissenhaft – c. offengestanden a. conscience – d. conscientious – c. honesty – d. mind – e. scruples
a/d	acquit	Par acquit de conscience, j'ai tout vérifié
a/a	nette	Vous ne pouvez nous faire aucun reproche, nous avons la conscience nette
a/e	sans	C'est un individu sans conscience professionnelle
c/c	tout	En toute conscience, nous estimons que . . .
b/b	très	C'est un employé très consciencieux Je vous remercie des démarches très consciencieuses que vous avez faites
	Conseil (m)	a. Rat (m) – b. Rechtsberater (m) a. advice – b. advisor – c. board of Directors

a/a	aider	Nous lui avons demandé de nous aider de ses conseils
b/b	avocat	Nous avons consulté notre avocat-conseil qui pense que . . .
a/a	besoin	J'aurai prochainement besoin de vos judicieux conseils
a/a	bon	Voyez M. . . ., c'est un homme de bon conseil
a/a	demander	Je me permets de vous demander conseil, sachant votre grande expérience en la matière – dans ce domaine
a/a	donner	Vous m'avez donné un excellent conseil et je vous en remercie très vivement
a/a	écouter	C'est dommage que vous n'ayez pas écouté ses conseils
a/a	prendre	Nous désirons prendre conseil d'un spécialiste avant de vous donner une réponse définitive
a/a	suivre	Nous vous engageons vivement à suivre nos conseils
a/a	sur	C'est sur le conseil de M. . . . que nous nous adressons à vous
a/c	tenir	Le conseil d'administration tiendra séance à 14 heures
	Conseiller	a. beraten – b. Berater (m) – c. raten
	Conseiller (m)	a. to advise – b. advisor
b/b		Un conseiller fiscal – juridique
c/a		Il nous est difficile de vous bien conseiller
a/a		Notre voyageur sera heureux de vous conseiller
c/a		Nous vous conseillons de vendre – de ne pas acheter
c/a		Je ne vous conseille pas de vous mettre en rapport avec lui
b/b		C'est un bon conseiller, vous devriez lui faire confiance
	Consentement (m)	a. Einverständnis (n) – b. Zustimmung (f) a. consent
b/a	besoin	J'ai besoin du consentement de mon bailleur de fonds
b/a	demander	Vous n'êtes pas obligés de demander le consentement de l'autre partie
b/a	donner	Il vous donnera sans autre son consentement
b/a	exprès	Je n'agirai que sur votre consentement exprès
b/a	obtenir	Nous avons obtenu le consentement de tous les intéressés
a/a	par	Par consentement mutuel, nous . . .
b/a	refuser	Il ne peut pas vous refuser son consentement
b/a	sans	Vous avez agi sans notre consentement
b/a	tacite	Sans réponse de votre part dans les 10 jours, nous admettrons que vous nous accordez votre consentement tacite
	Consentir	a. einräumen – b. einwilligen – c. zustimmen a. to agree – b. to grant

c/a		A quelles conditions consentiriez-vous à ...
b/a		Consentiriez-vous à vendre votre part?
a/b		Puisque vous ne voulez pas nous consentir cette faveur – ce prêt – cette réduction – nous nous adresserons à ...
bc/a		A la condition que vous consentiez à vendre ...
	Conséquence (f)	a. dementsprechend – b. Folge (f) a. consequence – b. consequently – c. effect
a/b		En conséquence de quoi, nous renonçons à ...
b/c		Les conséquences bénéfiques – néfastes – de cette décision ne se sont pas faites attendre
b/a		Nous serons obligés de vous faire supporter les conséquences de votre retard, si celui-ci devait se prolonger
	Conservation (f)	a. Aufbewahrung (f) – b. Wahrung (f) a. keeping – b. preservation – c. upholding
a-b/a-c		La conservation des documents – des droits
a/b		La conservation des fruits – de la viande – etc.
	Conserver **Conserve** (f)	a. aufbewahren – b. bewahren – c. Konserve (f) a. to keep – b. preserve – c. to retain
c/b		Des conserves de légumes – de viande – etc.
b/a		Je vous félicite d'avoir su conserver votre calme – votre sang-froid – dans cette situation délicate
b/c		Je lui conserve toute mon estime – ma sympathie
a/a		Notre produit peut être conservé au sec – au froid – pendant ... mois, sans danger – sans problème
a/a		Avez-vous conservé le double du procès-verbal?
	Considération (f)	a. Achtung (f) – b. Erwägung (f) – c. Überlegung (f) a. consideration – b. considering – c. esteem – d. respect
c/a	agir	Il a agi avec (sans) considération
–/–	agréer	Veuillez agréer, M. ..., l'assurance de ma haute considération – de ma considération (très) distinguée
a/cd	avoir	Nous avons infiniment de considération pour lui
b/b	en	En considération des circonstances – des événements – de nos bonnes relations –, nous acceptons de ...
b/a	entrer en	Une modification de notre position ne saurait entrer en considération tant que ...
a/c	jouir	Il jouit d'une grande considération dans notre ville
a/a	par	Je le ferai, par considération pour vous
b/a	prendre	J'ai le plaisir de vous informer que votre demande a été prise en considération Nous avons pris en considération le fait que vous êtes un ancien client
	Considérer	a. bedenken – b. betrachten – c. gelten a. to consider
b/a	comme	Je considère ce modèle comme périmé

c/a		Il est considéré comme le plus grand importateur de . . .
a/a	que	Il faut considérer que les difficultés ne manqueront pas
		Considérant que vous n'avez fait aucun effort pour payer votre dette, je suis obligé de . . .
a/a	tout	Tout bien considéré, je préfère attendre une meilleure occasion
	Consignataire (m)	a. Kommission (f) – b. Verkaufskommissionär (m)
	Consignation (f)	a. consignee – b. consignment
b/a		Veuillez vous adresser directement à . . ., consignataire de notre marque – produit – pour votre région
a/b		Tout au plus pouvons-nous prendre vos articles en consignation pour une période d'essai d'un an
a/b		Comme convenu, nos marchandises vous seront remises en consignation
a/b		Nous sommes prêts à vous adresser un premier chargement en consignation
	Consigner	a. festhalten – b. zurückbehalten
	Consigne (f)	a. to record – b. to stop – c. to write down
b/b		Les marchandises sont en consigne à la douane
b/b		Les marchandises sont consignées par la douane
a/c		Voulez-vous me consigner ces renseignements par écrit?
a/a		J'ai cru bon de ne pas consigner les remarques intempestives de M. . . . dans le procès-verbal
	Consister	a. bestehen
		a. to consist (of) – b. to include
a/a		Ce rapport consiste en quelques pages
a/b		Notre rôle ne consiste pas seulement à vous fournir un bon produit mais à vous garantir un service après-vente toujours à votre disposition
	Consolider	a. festigen – b. konsolidieren
		a. to consolidate
b/a		La dette consolidée – les fonds consolidés
a/a		Nous avons réussi à consolider notre position sur ce marché
	Consommer	a. Verbrauch (m) – b. verbrauchen – c. verwenden
	Consommation (f)	a. to consume – b. consumer – c. consumption
a/c		La consommation à l'heure – au kilomètre – mesurée selon les normes . . ., est de . . .
a/c		La consommation annuelle – générale – moyenne
a/c		La consommation locale – intérieure – internationale
b/a		Grâce à des améliorations de . . ., notre nouveau modèle ne consomme que . . .
a/b		Notre société de consommation exige des produits toujours mieux adaptés aux goûts de la clientèle
c/a		Ce produit doit être consommé frais – immédiatement

c/a		Gardé au congélateur, notre produit doit être consommé dans les ... jours après la date d'achat
a/c		Les ... que vous nous avez livrés sont malheureusement impropres à la consommation
a/b		Notre production de biens de consommation courante va être développée
	Consommateur (m)	Verbraucher (m) – consumer
		Pour tenir compte du goût des consommateurs, nous offrons ...
		L'ouverture de notre nouveau centre de fabrication nous permettra de mieux satisfaire la demande des consommateurs
	Constater	a. feststellen – b. Feststellung (f)
	Constatation (f)	a. to examine – b. observation – c. to observe – d. report – e. to see – f. statement
b/bf		Des constations faites en présence de ..., il ressort que ...
b/c-d		J'ai fait la constation suivante – les constations d'usage
b/c		Nous avons constaté une erreur dans votre dernière facture
a/e		Comme vous pouvez le constater, nous n'avons pas ...
a/a		Nous avons fait constater les dégâts par un expert
a/c		Je constate que vous refusez systématiquement de ...
a/c		Nous constatons, de manière générale, que ...
	Constituer	a. Bildung (f) – b. Gründung (f) – c. konstituiren
	Constitution (f)	a. accumulation – b. to form – c. incorporation
c/b		Nous nous sommes constitués en société anonyme
b/c		Les frais de constitution de notre société s'élèvent à Fr. ...
a/a		La constitution de réserves de ... répond à un besoin évident – est vivement recommandée
	Construire	a. Bau (m) – b. bauen – c. Erbauer (m) – d. Herstellung (f) – e. Konstruktion (f)
	Constructeur (m)	
	Construction (f)	a. to build – b. building – c. construction – d. factory – e. manufacturer – f. manufacturing – g. production
a/dg-b-b		L'atelier – le chantier – les matériaux de construction
b/a		Nous allons construire une nouvelle usine
c/e		Nous avons transmis votre plainte au constructeur de la machine
e/d		Nous acceptons pleinement votre réclamation car l'appareil avait un vice de construction difficile à découvrir
a/bc		Je vous garantis que le coût de la construction ne dépassera pas Fr. ...
d/b-b-g-g		Les avantages d'une construction en bois – en métal en série – à la chaîne – sont ...

d/f		Nous abandonnerons prochainement la construction de . . ., mais le service des pièces de rechange est garanti pendant 10 ans
	Consulter **Consultation** (f)	a. nachsehen – b. Rat (m) – c. Sprechstunde (f) a. to consult – b. consulting
c/b		Le cabinet – les heures – les frais de consultation
b/a		Consulter un ami – un avocat – un médecin – un livre
b/a		Le médecin que j'ai consulté me recommande . . .
c/b		En raison des heures de consultation de mon médecin, je vous prie de m'accorder congé le . . ., de . . . h. à . . . h.
b/a		Je désire consulter mon associé avant de vous donner mon accord
a/a		Nous avons consulté nos archives en vain et ne trouvons aucune trace d'un tel document
	Contacter **Contact** (m)	a. Verbindung (f) a. to contact – b. contact – c. touch
a/a	devoir	Vous devriez contacter M. . . . pour obtenir des renseignements de première main – de source sûre
a/a	entrer	Nous sommes entrés en contact avec leur représentant
a/b	établir	Il faudra établir des contacts plus fréquents avec . . .
a/b	être	Nous sommes en contact étroit avec la clientèle
a/b	garder	Il vous faut garder le contact avec ces intermédiaires
a/b	mettre	Je vous saurai gré de me mettre en contact avec . . .
a/b	perdre	J'ai perdu tout contact avec lui depuis longtemps
a/a	pouvoir	Nous espérons pouvoir contacter cette personne prochainement
a/b	rester	Il est de toute importance de rester en contact avec . . .
a/c	rompre	Ce serait une erreur de rompre le contact avec eux
	Contenance (f)	a. Fassungsvermögen (n) – b. Haltung (f) a. capacity – b. composure – c. face
a/a		La contenance de ce récipient est de 100 litres
b/c	faire	Malgré les difficultés, il a fait bonne contenance
b/b	perdre	Il a perdu contenance lorsque je lui ai prouvé le délit
	Contenter (se) **Content**	a. zufrieden a. happy – b. to please – c. to satisfy
a/ab		Nous sommes très contents de la livraison – de la marchandise – du résultat
a/ab		Je suis d'autant plus content que je ne m'y attendais pas
a/ac		Nous nous contenterons d'une faible marge de bénéfice
a/c		Nous ne pouvons nous contenter d'un tel pourcentage
a/bc		J'ai fait de mon mieux pour vous contenter

	Contentieux (m)	a. Rechtsabteilung (f) – b. Spannung (f) a. dispute – b. legal
a/b		Sans nouvelle de votre part, nous remettrons cette affaire à notre service du contentieux
b/a		Il subsiste un certain contentieux dans nos relations avec ce fournisseur peu ponctuel
	Contenu (m)	Inhalt (m) – contents
	colis	Le contenu de chaque colis est indiqué sur le bon de livraison Vous voudrez bien joindre la déclaration du contenu à . . . Une étiquette indique le contenu de chaque colis
	lettre	Nous avons bien reçu votre lettre du . . . et avons pris note de son contenu Le contenu de votre lettre nous a surpris
	Contester **Contestation** (f) **Contestable**	a. anfechtbar – b. bestreiten – c. Streit (m) – d. strittig – e. unbestreitbar a. debatable – b. dispute – c. doubt
c/b	cas	En cas de contestation, le tribunal . . . est seul compétent
d/b	en	Les matières en contestation sont de peu d'importance
a/a	être	Votre affirmation est très contestable
c/b	lieu	Cela ne saurait donner lieu à contestation
e/c	sans	Vous avez raison, sans contestation possible
c/b	sujet	Il faut éviter tout sujet de contestation
c/b	toute	Toute contestation relative au présent contrat sera . . .
b/b	valeur	Il a contesté la valeur du dommage subi
	Contingenter **Contingent** (m) **Contingentement** (m)	a. Kontingent (n) – b. kontingentieren – c. Kontingentierung (f) a. quota – b. to restrict
a/a		Notre contingent d'importation
b-a/b-a		Les marchandises contingentées – le contingent autorisé
c/a		Le contingentement de . . . a été introduit récemment
b/b		Nous serons sans doute obligés de contingenter nos livraisons de . . . si . . .
	Continuer	a. weiterführen – b. weiterhin a. to continue
a/a	affaire	Je continuerai l'affaire sous mon nom
b/a		Les affaires continuent à être actives – favorables
b/a	faire	Je continuerai à faire de mon mieux pour vous aider
b/a	honorer	J'espère que vous continuerez à m'honorer de votre confiance
b/a	traditions	Nous continuerons à maintenir nos traditions

	Contracter	a. abschliessen – b. aufnehmen – c. eingehen
		a. to incur – b. to make – c. to take out
a-b/c		Je désire contracter une assurance – un emprunt
c/a		Il a remboursé la dette qu'il avait contractée
c/b		Avant de contracter un tel engagement, je désire réfléchir quelques jour
	Contractuel	vertraglich – contractual
		Nos obligations contractuelles nous obligent à . . .
		Je dois vous rappeler que vos obligations contractuelles ne vous permettent pas de . . .
	Contradiction (f)	a. Widerspruch (m)
		a. contradiction – b. violation
a/b		Nous n'avons pas l'intention de nous mettre en contradiction avec la loi
a/a		Je relève diverses contradictions dans sa version des faits
	Contraindre	a. Beschränkung (f) – b. zwingen
	Contrainte (f)	a. to force – b. restraint
b/a		Je serai contraint de prendre des mesures de rigueur
b/a		Ne me contraignez pas à . . .
b/a		Nous serons contraints de vous mettre en demeure de . . .
a/b		Vous nous imposez des contraintes excessives
	Contraire (m)	a. gegen – b. Gegenteil (m) – c. gegenteilig
	Contrairement	a. contrary – b. opposite – c. otherwise
a/a	à	Ce que vous proposez est contraire à nos intérêts
		Si, contrairement à mon attente, je ne peux pas . . .
c/c	à moins	A moins d'avis contraire, j'envoie contre remboursement
b/a	au	Au contraire, je pense qu'il serait préférable de . . .
b/a	preuve	Jusqu'à preuve du contraire, nous considérons que . . .
b/b	se produire	Si le contraire se produit, vous voudrez bien nous en aviser
c/c	sauf	Sauf avis contraire de votre part, nous . . .
b/a	soutenir	Vous ne pouvez soutenir le contraire
	Contrarier	a. behindern – b. verstimmen
	Contrariété (f)	a. to annoy
a/a		Ce retard (ce délai) nous contrarie beaucoup
b/a		Nous avons éprouvé une vive contrariété en apprenant . . .
	Contraster	a. Gegensatz (m) – b. Kontrast (m)
	Contraste (m)	a. contrast – b. Keeping
b/a		Cette couleur doit être changée, elle est en contraste violent avec . . . – elle présente un contraste avec . . .
a/b		Vos actes contrastent avec vos promesses
	Contrat (m)	a. Vertrag (m) – b. vertraglich
		a. agreement – b. contract – c. lease

a/b-b-a		Le contrat d'achat – de vente – de licence
a/b-b-c		Le contrat d'apprentissage – de travail – de bail
a/b		Le contrat en la forme authentique – par devant notaire
a/b	annuler	Nous vous informons que nous annulons notre contrat pour la fin de l'année
a/b	condition	Les conditions du contrat sont encore valables
a/b	défini dans	Ce point n'est pas défini clairement dans le contrat
a/ab	dénoncer	Je dénonce mon contrat d'entretien dès le . . .
ab/b	engager	Vous vous êtes engagé par contrat à ne pas . . .
a/b	expiration	Votre contrat arrive à expiration le . .,
a/b	nul	Ce contrat est nul et sans effet
a/b	observation	La maison . . . est responsable de l'observation du présent contrat par les preneurs de sous-licences
a/b	ratification	La ratification du contrat par notre conseil d'administration ne saurait tarder
a/b	rédiger	Cet article du contrat est mal rédigé
a/b	renouveler	Notre contrat arrive à son terme, il ne sera pas renouvelé
a/b	résilier	Vous n'avez pas la possibilité – le droit – de résilier le contrat sans préavis de . . . mois
		La résiliation du contrat doit être annoncée . . . mois à l'avance pour la fin d'un mois
a/b	rupture	La rupture de notre contrat vous est seule imputable
a/b	stipulation	Les stipulations du contrat sont claires, vous devez . . .
a/b	aux termes	Aux termes du contrat, vous devez . . .
a/b	valable	Ce contrat est valable trois ans
a/b	validité	La validité du contrat n'est pas mise en doute
	Contravention (f)	a. Verstoss (m) – b. Verwarnung (f) a. fine – b. violation
a/b		Cette contravention au règlement est punissable d'une amende de . . .
b/a		Il s'est vu infliger une contravention pour n'avoir pas . . .
	Contre	a. gegen a. against – b. contrary – c. on
a/a	assurer	L'envoi sera assuré par nos soins contre le vol auprès de la société d'assurances . . .
a/b	attente	Contre toute attente, nous pourrons vous livrer dès . . .
a/c	livrer	Nos commandes sont généralement livrées contre remboursement
	Contredire	widersprechen – to contradict
		Nous regrettons de devoir vous contredire, mais . . .
	Contrefaçon (f)	a. Nachahmung (f) – b. Verletzung (f) a. copy – b. imitation
a/ab		C'est une vulgaire contrefaçon de notre marque

b/ab		Nous le poursuivrons en contrefaçon de notre marque
	Contrefaire	fälschen – to forge
		Je recherche qui a pu contrefaire ma signature
	Contrepartie (f)	Gegenleistung (f) – exchange
		En contrepartie, nous vous proposons – vous offrons . . .
	Contreproposition (f)	Gegenvorschlag (m) – counterproposal
		Nous vous prions d'étudier attentivement nos contrepropositions qui nous paraissent raisonnables
	Contresens (m)	Sinn (m) – against
		Patientez encore, n'agissez pas à contresens de nos efforts
	Contre-valeur (f)	Gegenwert (m) – countervalue
		La contre-valeur de notre versement de DM . . . représente Fr.s. . . .
	Contrevenir	zuwiderhandeln – to disobey
		Vous avez contrevenu à nos ordres – nos directives
	Contribuer **Contribution** (f)	a. Abgabe (f) – b. Beitrag (m) – c. beiziehen – d. beteiligen a. to call upon – b. to contribute – c. contribution – d. to participate – e. tax
a/e		Lever, percevoir une contribution sur . . .
d/b		Je vous remercie vivement d'avoir contribué à éclaircir cette affaire
d/d		Nous sommes prêts à contribuer à cette étude – ce projet – cette opération – ce financement
b/c		Grâce à votre généreuse contribution à . . ., nous avons pu . . .
c/a		Puisque vous le voulez bien, nous vous mettrons prochainement à contribution
	Contrôler **Contrôle** (m)	a. Kontrolle (f) – b. Kontrollband (n) – c. prüfen a. to check – b. check – c. control – d. inspection – e. safety – f. to verify
a/d	améliorer	Vous pouvez être assurés que nous améliorerons notre contrôle
b/e	bande	Pour toute réclamation, il est nécessaire que vous nous remettiez la bande de contrôle
a/c	change	Nous ne pouvons accepter votre mode de paiement qui nous mettrait en conflit avec le contrôle des changes de votre pays
c/f-f-a	compte	Nous avons contrôlé les comptes – la facture – la marchandise
a/c	échapper	Toutes ces opérations échappent à notre contrôle
c/b	effectuer	Nous avons effectué un contrôle à la réception de la marchandise et avons constaté que . . .

a/b	livraison	Le contrôle de la livraison a été fait par . . .
a/c	moyen	Nos moyens de contrôle sont malheureusement limités
a/d	rigoureux	Des contrôles rigoureux sont effectués à chaque étape de la fabrication
	Contrôleur (m)	a. Prüfer (m) – b. überprüfbar
	Contrôlable	a. auditor – b. verifiable
a/a		Acceptez-vous la tâche de contrôleur des comptes?
b/b		Vos affirmations ne sont pas contrôlables
	Contrordre (m)	Widerruf (m) – counterorder
		Sauf contrordre de votre part, nous vous livrerons . . .
		Nous acceptons, à titre exceptionnel, votre contrordre
	Convaincre	überzeugen – to convince
		Nous sommes convaincus de la réussite de . . .
		Je suis convaincu que vous comprendrez nos explications
		J'espère vous avoir ainsi convaincu de ma bonne foi
		J'ai essayé de le convaincre, mais sans succès
	Convenable	a. angemessen
		a. acceptable – b. appropriate – c. fitting – d. proper
a/a		Les conditions – les prix sont convenables
a/d		Il serait convenable que vous l'en préveniez
a/bc		Nous avons jugé convenable de ne pas vous en parler
	Convenance (f)	a. passen – b. Zustimmung (f) – c. Zweckmässigkeit (f)
		a. convenience – b. liking – c. personal – d. preference
b/b	être	Si ces articles sont à votre convenance, nous . . .
a/a	faire	Vous pouvez faire l'échange à votre convenance
a/d	gré	Il n'agit qu'au gré de ses convenances
a/b	modèle	J'espère que vous trouverez un modèle à votre convenance
a/a	payer	Vous pouvez payer à votre convenance par . . . ou par . . .
c/c	raison	Pour des raisons de convenance, je désire quitter la place que j'occupe en ce moment
	Convenir	a. empfehlen – b. passen – c. vereinbaren – d. zugeben
		a. to agree – b. should – c. to suit – d. suitable
b/c	à	Cette teinte ne convient pas à notre cliente
d/a	avec	Vous conviendrez avec nous que nous avions raison de . . .
a/b	ce qu'il	Voici, je pense, ce qu'il convient de faire: . . .
b/c	cela	Cela me convient parfaitement
c/a	comme	Comme convenu, je vous remettrai . . .

c/a	être	Je croyais que nous étions convenus d'un prix de . . .
c/a	expressément	Nous avions expressément convenu que . . . nous ne pouvons donc admettre votre procédé
b/d	pour	Il ne convient pas pour cet emploi
	Convention (f)	a. Abmachung (f) – b. Übereinkunft (f) a. agreement
b/a		Une convention écrite – verbale – orale – tacite
b/a		Une convention conclue – signée – ratifiée
a/a	conforme	Ce que vous faites n'est pas conforme à nos conventions
b/a	d'après	D'après notre convention du . . ., vous devez . . .
b/a	faire	Nous avons fait une nouvelle convention qui tient compte de vos remarques
b/a	interpréter	Vous interprétez notre convention de manière discutable
b/a	prévoir	Notre convention ne prévoit pas que je puisse être tenu pour responsable de . . .
a/a	sauf	Sauf convention contraire, nos livraisons sont faites aux risques et périls du destinataire
b/a	se tenir	Nous nous en tiendrons strictement à notre convention
	Conversation (f)	Gespräch (n) – conversation
		Je me réfère à la conversation que j'ai eue avec M. . . .
		Notre conversation a principalement porté sur . . .
	Convertir	a. umrechnen – b. umtauschen a. to convert
b/a		Je vous prie de convertir mes titres en . . .
a/a		Convertie au cours du jour de . . ., la somme que vous me devez représente Fr. . . .
	Conviction (f)	a. überzeugt sein – b. Überzeugung (f) a. conviction – b. convinced
b/b		Nous avons la conviction que cette affaire est saine
b/a		Je regrette de devoir refuser votre proposition qui heurte par trop mes convictions politiques – religieuses
a/b		J'accepte de vous appuyer, bien que je sois sans grande conviction sur vos chances de succès
	Convoquer **Convocation** (f)	a. einberufen – b. Einladung (f) a. invitation – b. to invite
a/b		Les actionnaires sont convoqués en assemblée ordinaire – extraordinaire – pour le . . .
b/a		Vous voudrez bien présenter votre convocation au contrôle d'entrée
	Coopération (f)	a. Zusammenarbeit (f) – b. zusammenarbeiten a. cooperation
b/a		Nous travaillons en étroite coopération avec M. . . .

a/a		Je me permets de faire appel à votre coopération
	Coopérative (f)	Genossenschaft (f) – cooperative
		Notre coopérative d'achat – de vente – vous fait bénéficier de conditions de prix très favorables Une société coopérative de consommation – de production – va prochainement s'installer dans votre région
	Copie (f)	Kopie (f) – copy
		Une copie de notre lettre est adressée à M. . . . Je vous donnerai copie de l'original Pour copie conforme, signé: . . .
	Copropriétaire (m) **Copropriété** (f)	a. Miteigentum (m) – b. Miteigentümer (m) a. tenancy in common – b. tenant in common
a/a		L'appartement que je désire vendre est en copropriété par étage
b/b		En tant que copropriétaire, j'estime – je demande que . . .
a/a		Les charges de la copropriété se montent à Fr. . . . par mois
b/b		Le tableau de répartition des charges entre les copropriétaires
	Corps (m)	a. Ganzes (n) – b. Gebäudeteil (m) – c. Gestalt (f) – d. Handwerkerinnung (f) – e. Trennung (f) – f. ungern a. to adjoin – b. annex – c. group – d. judgment – e. person – f. shape
b/b	bâtiment	Nous prévoyons la construction d'un nouveau corps de bâtiment
f/d	défendant	Je l'ai fait vraiment à mon corps défendant
a/a	faire	L'annexe fait corps avec le bâtiment principal
d/c	métier	Des problèmes de salaires risquent de perturber l'activité de divers corps de métier
c/f	prendre	Enfin, l'affaire commence à prendre corps
e/e	séparation	Le tribunal a prononcé la séparation de corps et de biens
	Correction (f)	a. Berichtigung (f) – b. Korrektheit (f) a. correct(ion) – b. proper
a/a		Veuillez apporter une correction au texte – à la page . . .
b/ab		M. . . . est d'une parfaite correction en affaires
	Correspondance (f)	a. Briefwechsel (m) – b. Korrespondenz (f) a. correspondence – b. mail – c. touch
b/a	au courant	Je suis au courant de la correspondance anglaise
b/a	communiquer	Votre correspondance ne m'a pas été communiquée
a/a	échanger	De la correspondance échangée, il apparaît bien que . . .
a/a	en	Je suis depuis très longtemps en correspondance avec lui

a/c	entrer en	Nous avons pu entrer en correspondance avec ...
a/ac	être	Nous sommes en correspondance à ce sujet avec M. ...
b/a	faire	Je suis capable de faire la correspondance en allemand
b/a	parcourir	En parcourant notre correspondance, je constate que ...
b/a	relire	Relisez la correspondance, vous trouverez des précisions
a/a	reprendre	J'ai repris ma correspondance avec M. ...
b/b	vente	Notre service de vente par correspondance vous offre ...
	Correspondancier (m) **Correspondant** (m)	a. Geschäftspartner (m) – b. Korrespondent (m) a. correspondent – b. secretary
b/b		Je cherche une place de correspondancier français – allemand
a/a		Notre correspondant à New York nous apprend que ...
	Correspondre	a. entsprechen – b. korrespondieren a. to correspond – b. to meet
b/a	avec	Nous correspondons régulièrement avec ...
a/a	quantité	Les quantités livrées ne correspondent pas avec vos bulletins de livraison
a/ab	résultat	Ce résultat correspond bien à notre attente
	Cotation (f) **Cote** (f)	a. Börsenkurs (m) – b. Devisenkurs (m) – c. Notierung (f) – d. Preistarif (m) a. index – b. to list – c. price – d. rate
a/ac		La cote de la bourse est ferme – faible – en hausse – à la baisse
b/d		La cote des changes marque un affaiblissement – un raffermissement du $
c/b		Dès le ..., nos titres seront admis à la cotation des bourses de ...
d/c		Selon la cote des prix des voitures d'occasion ...
	Côté (m)	a. meinerseits – b. neben – c. Seite (f) a. aside – b. next – c. part – d. side
b/b	à	Son magasin est situé à côté de ...
c/d	bon	Cette affaire a un bon et un mauvais côté
c/d	de	De côté et d'autre, nous apprenons que ...
a/c	de mon	De mon côté, je ferai en sorte qu'il n'aille pas ...
c/d	de tous	De tous côtés, on entend dire que ...
c/a	laisser	Je laisse momentanément de côté ce point
c/a	mettre	Il a dû mettre beaucoup – fort peu – d'argent de côté
c/d	voir	Il ne faut pas voir que le côté favorable – négatif – de la situation actuelle
	Coter	a. notieren – b. schätzen a. to list – b. reputation

a/a		L'action est cotée Fr. 1300.– environ
b/b		Cette entreprise est très mal cotée sur la place
	Coulage (m)	a. Verlust (m) – b. Verschwendung (f) a. leakage – b. waste
b/b		Il y a beaucoup trop de coulage dans cette maison
a/a		Le poids constaté à l'arrivée de votre dernière livraison montre un coulage excessif de plus de ...%
	Couleur (f)	Farbe (f) – colour (GB), color (US)
		Cette étoffe ne change pas de couleur – a perdu de sa couleur au lavage La couleur de ... n'est pas conforme à votre échantillon
	Coup (m)	a. Anfang (m) (von ... an) – b. Schlag (m) – c. Wirkung (f) – d. zu spät a. blow – b. event – c. to influence – d. to kill – e. succession – f. time
d/b	après	Nous ne l'avons appris qu'après coup
a/f	essai	Il a réussi à son coup d'essai
b/d	faire	Ainsi, nous faisons d'une pierre deux coups
b/a	porter	Cela porte un coup sensible à notre réputation
a/f	premier	Je ne sais si nous réussirons du premier coup
c/c	sous	Il l'a fait sous le coup de la colère – de la peur
b/e	sur	Coup sur coup, il a perdu son père et son frère
	Couper	a. Ende (n) – b. unterbrechen a. to cut
b/a		Les communications sont coupées
a/a		Il faut couper court à ces rumeurs
	Coupon (m)	a. Coupon (m) – b. Rest (m) a. coupon – b. remnant
a/a		Le coupon de dividende – d'intérêts – est payable dès ...
a/a		Ces coupons sont échus – périmés
a/a		Nous avons détaché, des titres de votre dossier chez nous, les coupons suivants: ...
b/b		Nous soldons quelques coupons de tissus – de moquettes
	Coupure (f)	a. Ausschnitt (m) – b. Geldschein (m) – c. Unterbruch (m) a. clipping – b. cut – c. note (GB), bill (US)
a/a		J'ai pensé que la coupure de journal ci-jointe pourrait vous intéresser
b/c		Vous voudrez bien me payer en coupures de Fr. 500.–
c/b		Des coupures de courant ont perturbé notre production
	Courant (m)	a. Gang (m) – b. Lauf (m) – c. laufend – d. Strom (m) a. aware – b. current – c. pattern – d. power – e. this month – f. (to) update

a/c	commercial	La politique de ce pays risque de modifier ses courants commerciaux traditionnels
d/d	consommation	La consommation de courant électrique de notre dernier modèle a pu être réduite de . . . %
b/e	dans le	Notre livraison vous parviendra dans le courant du mois
c/b	du	Votre lettre du 12 ct (courant)
d/d	économie	Grâce à notre . . ., vous pourrez faire d'importantes économies de courant
c/a	être au	Etes-vous au courant des activités de M. . . .?
c/b	fin	Notre offre est valable jusqu'à fin courant
c/f	mettre	Ce stage de . . . m'a permis de me mettre bien au courant des opérations de . . .
c/f	tenir	Je me tiendrai au courant de l'évolution de la situation
		Veuillez nous tenir au courant des démarches que vous entreprendrez
	Courant	a. laufend – b. Preisliste (f) – c. üblich
		a. current – b. to date – c. day-to-day
a/c	affaires	En l'absence de M. . . ., vous voudrez bien vous occuper des affaires courantes
a/c	frais	Nous vous accordons Fr. . . . pour vos frais courants
a/b	intérêts	Les intérêts courants représentent déjà Fr. . . .
c/a	pratique	J'ai agi selon la pratique courante et ne comprends pas vos remarques – vos reproches
b/a	prix	Notre prix courant vous sera adressé dès sa parution
	Courbe (f)	Kurve (f) – curve
		La courbe de l'offre et de la demande
		La courbe des recettes – des dépenses
	Courir	a. gegenwärtig – b. gehen – c. hinterher sein – d. laufen – e. nehmen
		a. to accrue – b. to go around – c. to pursue – d. to run – e. to take
c/c	après	Nous ne courons pas après les affaires de ce genre
d/d	bail	Le bail court encore une année
b/b	bruit	Le bruit court qu'il suspendra ses paiements
d/a	intérêts	Les intérêts courent dès le . . .
		Les intérêts courus s'élèvent à Fr. . . .
e/de	risque	C'est un risque à courir
a/d	temps	Par le temps qui court, il vaudrait mieux . . .
	Courrier (m)	a. Post (f) – b. postwendend
		a. post (GB), mail (US)
a/a	adresser	Je vous prie de donner les instructions nécessaires pour que tout le courrier soit adressé à . . .
a/a	attendre	Nous attendons votre réponse par un prochain courrier
a/a	dépouiller	En dépouillant notre courrier, nous . . .
a/a	envoyer	Je vous l'ai envoyé par le dernier courrier
a/a	partir	Elle est partie par le même courrier

b/a	parvenir	Elle vous parviendra par retour du courrier
b/a	répondre	Veuillez nous répondre par retour du courrier
	Cours (m)	a. befinden – b. Gang (m) – c. Kurs (m) – d. laufend – e. während a. during – b. current – c. pending – d. price – e. process – f. rate
b/c-e	affaire	Cette affaire est en cours – en cours de solution
d/c		Les affaires en cours ne nous font pas oublier que ...
d/b	année	Durant l'année en cours, nous avons déjà réalisé un chiffre de vente de ...
e/a	au	Au cours de mon déplacement, je ...
c/df		Nos factures sont établies au cours du jour de l'expédition
c/d	bourse	Les cours de la bourse sont en hausse – en baisse
c/f	change	Le cours du change appliqué est de ...
a/e	en	Votre commande est en cours de fabrication
c/f	fluctuation	En raison des fluctuations de cours, les prix sont donnés sans engagement
c/f	instabilité	En raison de l'instabilité des cours, nos prix ne sont valables que jusqu'au ...
c/d	marché	Votre offre n'a pu être prise en considération, vos prix étant par trop supérieurs aux cours du marché
	Court	a. knapp – b. kurz a. short
b/a		A court terme, je pense que ...
b/a		Vos délais sont trop courts pour que ...
b/a		Ce fut une expérience de courte durée
a/a		Nous nous trouvons momentanément à court de ...
	Courtage (m) **Courtier** (m)	a. Makler (m) – b. Maklergebühr (f) a. broker – b. brokerage
a/a		Un courtier d'assurances – en immeubles
a/a		Un courtier en marchandises – maritime
b/b		Les frais de courtage se montent à Fr. ...
b/b		Le tarif officiel de courtage a été appliqué
	Coût (m)	a. Kosten (m.pl.) a. cost – b. price
a/b	achat	Le coût d'achat de la matière première
a/a	assurance	Le coût de l'assurance est à votre charge
a/a	production	Nos coûts de production devraient rester stables durant ces prochains mois
a/a	vie	La hausse constante du coût de la vie nous oblige à majorer nos prix de ...%
	Coûter **Coûtant**	a. kosten – b. Selbstkostenpreis (m) – c. teuer a. to cost
c/a	cher	Il aurait pu vous en coûter cher
a/a	en	Il ne vous en coûtera pas beaucoup de ...
a/a	produit	Ce produit nous coûte trop cher
b/a	vendre	Cet article est vendu au prix coûtant

	Coutume (f)	a. einmal (ist keinmal) – b. Gebräuche (m) – c. Gewohnheit (f) – d. gewöhnlich a. accustomed – b. custom(ary) – c. usual
c/a	avoir	Nous avons coutume de payer comptant
c/b		Cette coutume a force de loi
d/c	comme	Comme de coutume, nous tirerons sur vous ...
a/–	être	Une fois n'étant pas coutume, j'accepte de ...
d/c	que	Votre qualité est moins bonne que de coutume Notre envoi vous parviendra plus tard que de coutume
c/b	suivant	Suivant notre coutume, nous paierons .. .
b/b	us et	Je ne connais pas les us et coutumes de ce pays
	Couverture (f)	a. Deckung (f) – b. Sicherheit (f) a. coverage – b. down payment – c. security
a/a	achat	Nous vous conseillons de profiter des prix actuels pour procéder à quelques achats de couverture
b/a	banque	La couverture en banque est insuffisante
b/bc	dépôt	Nous vous prions d'effectuer un dépôt de couverture de ...% du montant de votre achat
b/c	sans	Cette réservation ne peut pas être acceptée sans couverture
	Couvrir	a. bezahlen – b. decken – c. versichern a. to cover
b/a	avance	La vente n'a pas couvert nos avances
b/a	déficit	Comment ferez-vous pour couvrir le déficit éventuel?
a/a	demander	Nous vous demandons de nous couvrir par chèque sur ...
c/a	être	Nous ne sommes pas couverts contre ce risque
b/a	frais	Nous n'avons pas réussi à couvrir nos frais
a/a	montant	Pour me couvrir du montant de ma facture, je ...
c/a	risque	Accepteriez-vous de couvrir ce risque?
	Craindre **Crainte** (f)	a. befürchten – b. Befürchtung (f) – c. empfindlich – d. Furcht (f) a. afraid – b. to fear – c. fear – d. to keep – e. to store
b/a	avoir	Nous avons quelque crainte au sujet de son paiement
c/de	chaleur	Cette marchandise craint la chaleur (l'humidité)
a/a	de	Je crains, en raison des difficultés présentes, de ne pouvoir ...
d/c		Nous ne l'avons pas fait, de crainte de le perdre
b/c	dissiper	Cette lettre ne dissipe pas toutes mes craintes
a/b	être à	Il est à craindre que la situation devienne plus difficile
a/a	que	Je crains que vous ne receviez pas à temps ... Je crains qu'il ne puisse payer à l'échéance
b/c	sans	Vous pouvez lui livrer sans crainte
	Créance (f)	a. Forderung (f) – b. Vertrauen (n) a. claim – b. credence – c. debt

a/c		Une créance douteuse – litigieuse – irrécouvrable
b/b	accorder	Je n'accorde aucune créance à de tels propos
a/a	contester	Je conteste formellement votre créance contre moi et attends vos justifications
a/a	encaisser	Nous vous prions d'encaisser directement notre créance contre . . .
a/a	exigible	Notre créance contre vous est exigible dès le . . .
	Créancier (m)	Gläubiger (m) – creditor
	s'acquitter	Il s'est acquitté de toutes ses dettes envers ses créanciers
	s'adresser	Nous sommes obligés de nous adresser à nos créanciers et de leur demander . . .
	s'arranger	Il cherche à s'arranger avec ses créanciers
	désintéresser	Je peux désintéresser mes créanciers en leur cédant . . .
	être	Je suis créancier d'une somme de . . .
	masse	La décision intéresse la masse des créanciers
	rembourser	Je rembourserai tous mes créanciers, s'ils m'en donnent le temps
	Création (f)	a. Schaffung (f) – b. Schöpfung (f) a. to create – b. creation – c. to establish – d. product
b/bd		C'est la plus récente création de notre maison
a/ac		Nous avons décidé la création d'un nouveau département – rayon – service
	Crédit (m)	a. Ansehen (n) – b. gutschreiben – c. Kredit (m) a. account – b. to credit – c. credit – d. creditworthiness – e. loan
c/e		Le crédit en blanc – contre nantissement
c/ce		Le crédit à court terme – à long terme
c/c		Une banque de crédit – un établissement de crédit
c/e	accorder	Je vous prie de m'accorder un crédit de . . ., garanti par . . .
c/e		Seriez-vous disposés à lui accorder un crédit de . . .
c/ce		Nous lui avons accordé le crédit qu'il a sollicité
c/ce		Nous serions disposés à lui accorder le crédit demandé
c/c	acheter	Nous n'achetons jamais à crédit
a/d	avoir	Cet homme n'a plus aucun crédit sur notre place
c/a	dépassement	Le dépassement de crédit est de Fr. . . ., somme que nous vous demandons de nous verser avant le . . .
c/e	disposer	Nous aimerions disposer de ce crédit en traites à . . .
c/ce	faire	Pensez-vous que nous puissions lui faire crédit?
c/e	irrévocable	Nous vous demandons d'ouvrir un crédit irrévocable, du montant de Fr. . . ., en notre faveur, auprès de la Banque . . .
a/d	jouir	Il jouit d'un grand crédit dans les milieux bancaires
c/e	justifier	Les opérations qu'il traite ne justifient pas l'octroi d'un crédit aussi élevé
c/e	limiter	Nous nous voyons contraints de limiter nos crédits

c/e	ouvrir	A quelles conditions pourriez-vous m'ouvrir ce crédit?
		L'ouverture d'un crédit de ce montant ne présente aucun risque pour votre établissement
		Voulez-vous me faire connaître les conditions d'ouverture d'un crédit en compte courant contre remise en nantissement des titres suivants: ...
		J'aimerais savoir si et à quelles conditions vous seriez disposé à m'ouvrir un crédit
b/a	porter	Veuillez porter ce montant au crédit de mon compte
c/b	prendre	Les marchandises prises à crédit sont payables ...
a/d	tort	Cette opération a fait grand tort à son crédit
c/e	à valoir	Somme à valoir sur le crédit que vous avez ouvert à ...
c/b	vendre	Nous avons renoncé à vendre à crédit
	Créditer	a. Guthaben (n) – b. gutschreiben
	Créditeur	a. to credit – b. credit
b/a		Veuillez créditer notre compte de cette remise – de ce montant – sous déduction des frais de ...
b/a		Je crédite votre compte de Fr. ..., montant de votre retour
a/b		Le compte, le solde créditeur
a/b		Votre compte est créditeur chez nous de Fr. ...
	Créer	a. herstellen – b. schaffen
		a. to build up – b. to create
a/b		Nous sommes arrivés à créer un article bien supérieur à celui que nous vendions précédemment
b/a		Grâce à sa compétence, M. ... a su se créer une fidèle clientèle
	Crise (f)	a. Krise (f)
		a. crisis – b. recession
a/b	économique	La crise économique qui sévit dans ce pays ...
a/a	financière	La crise financière qui a affecté cette société est maintenant terminée
a/a	traverser	Notre entreprise vient de traverser une crise grave
	Critiquer	a. Kritik (f) – b. kritisch – c. kritisieren
	Critique (f)	a. critical – b. criticism – c. to criticize
a/b		Nous vous remercions de vos critiques positives, dont nous allons tenir compte pour améliorer ...
c/c		Je ne critique pas votre manière d'agir, cependant ...
b/a		Votre excès de confiance m'a mis dans une situation critique
	Croire	a. annehmen – b. glauben – c. halten – d. hoffen
		a. to accept – b. to believe – c. to know – d. to think
b/c	à	A ce que je crois, la situation est de plus en plus mauvaise
d/d	aimer à	J'aime à croire que vous admettrez mes arguments

b/b	avoir peine	J'ai peine à croire à ce changement d'attitude
b/d	bien	J'ai cru bien faire et vous ai envoyé ...
c/d	bon	J'ai cru bon de vous avertir
c/bd	convenable	Nous croyons convenable de ne pas assister à ...
a/bd	porter à	Nous sommes portés à croire que ce n'est pas vrai
b/d	que	Je crois qu'il serait préférable de ne pas ...
d/bd	se plaire à	Nous nous plaisons à croire que vous serez satisfaits
b/b	sur parole	Pouvons-nous le croire sur parole?
a/b	tout lieu	J'ai tout lieu de croire que cet avertissement sera salutaire
–/a	vouloir	Veuillez croire à mes sentiments les meilleurs

Croiser kreuzen – to cross

Votre lettre de ce matin a croisé la mienne
Nos lettres s'étant croisées, je vous prie de ne pas tenir compte de mes remarques devenues sans objet

Culpabilité (f) Schuld (f) – fault

Si vous ne voulez pas reconnaître votre culpabilité, nous devrons confier ce litige à notre avocat

Curriculum vitae (m) Lebenslauf (m) – curriculum vitae (c.v.)

Nom	Romert
Prénom	*Jean,* Alexis
Date et lieu de naissance	9 septembre 1941, à Genève
Nationalité	Suisse
Adresse	Nyon, rue ...
Téléphone	....
Etat civil	marié, 1 enfant
Religion (évent.)	....
Service militaire (évent.)	....

Etudes	1949–52 Ecole ... de ...
	1952–58 Collège ... de ...
	1958–61 Apprentissage de ... chez ... à ...
Certificats	1958 ....
	1961 ....
Pratique des affaires	1961–1963 Secrétaire, Bauma S.A, Genève
	1963–1975 Secrétaire comptable, Liroc S.A., Hambourg
	1975–19.. Comptable, Saremog S.A., Anvers
Aptitudes	Connaissances approfondies de la comptabilité et de l'analyse comptable
	Rédaction de lettres en français, allemand, anglais
	Parle couramment l'allemand et l'anglais
Références	M. ..., rue ..., Genève
	M. ..., rue ..., Hambourg
	M. ..., rue ..., Anvers
Libre	Dès le 1er avril 19..
Salaire désiré	(éventuellement)

D

	Danger (m)	a. Gefahr (f) – b. gefahrlos a. danger – b. risk
a/b	abri	Nous sommes à l'abri du danger de baisse
a/b	courir	Nous ne voulons par courir un tel danger
a/b	exister	Je ne peux pas vous garantir qu'il n'existe aucun danger
a/b	exposer	Vous vous exposez au danger de voir vos fonds bloqués
a/a	mettre	Vous mettez votre vie en danger
a/a	mort	Danger de mort, ne pas toucher
a/b	présenter	Cette façon de procéder présente un certain danger
b/b	sans	L'utilisation de notre machine est sans danger si vous respectez les directives d'emploi
	Date (f)	a. dato – b. Datum (n) – c. Zeit (f) a. date – b. time
b/a	à	Nous vous livrerons à la date convenue
a/a		Veuillez payer à un mois de date
a/a		Vous pourrez tirer sur moi à trente jours de date
b/a	avant	Vous recevrez avant – après – la date prévue, notre . . .
c/b	de	Je connais cette personne de fraîche – longue – date
b/a	échéance	Vous avez oublié la date d'échéance, . . ., de notre facture no . . .
b/a	en	En date du . . ., vous nous avez demandé . . .
b/a	passer	La date de livraison est passée depuis 10 jours Passé cette date, je prendrai les mesures qui s'imposent
b/a	porter	Votre rapport ne porte malheureusement pas de date
b/a	poste	La date de la poste (du cachet postal) fait foi
b/a	respecter	Il ne nous sera pas possible de respecter la date du . . ., que nous avions fixée
b/a	sans	Une réunion est prévue, sans date précise
	Dater	a. ab – b. datieren – c. zurückliegen a. to date – b. to start
b/a		La lettre n'était pas datée
a/b		A dater d'aujourd'hui, nous ne . . .
b/a		Votre lettre, datée du . . ., vient de nous parvenir
c/a		Cette affaire date de plus d'un an
	Déballer	auspacken – to unpack En déballant les caisses, nous avons constaté que trois . . . étaient endommagées
	Débarquer **Débarquement** (m)	a. ausschiffen – b. Lösch . . . a. disembark – b. to unload
b/b		Le quai, les frais de débarquement
a/b-a		Débarquer des marchandises, des voyageurs

	Débattre	a. aushandeln – b. herumschlagen a. to discuss – b. to struggle
a/a		Nous n'en avons pas encore débattu le prix
a/a		Le prix reste à débattre
b/b		Nous nous débattons dans de grandes difficultés
	Débit (m)	a. Absatz (m) – b. belasten – c. Belastungsanzeige (f) – d. Last (f) – e. Lastschrift (f) a. to debit – b. debit – c. turnover
a/c	article	Le débit de ces marchandises est d'un bon rapport Il nous faudra accroître le débit de ces articles
e/b	fiche	Une fiche de débit vous sera remise par notre service de comptabilité
b/a	inscrire	Je vous prie d'inscrire cette somme au débit de mon compte
c/b	note	Nous établirons une note de débit
b/a	porter	Nous portons cette somme au débit de v/compte
d/b	solde	Je vous rappelle qu'il reste un solde à votre débit de Fr. . . .
	Débiter	belasten – to debit
		Nous débiterons votre compte de cette somme Veuillez débiter mon compte du montant de cette facture
	Débiteur (m)	a. Debetkonto (n) – b. Debetsaldo (m) – c. Schuldner (m) a. debit – b. debtor – c. (to be) indebted
a-b/a	compte	Votre compte – solde – débiteur s'élève à Fr. . . .
c/b	douteux	Nous regrettons de ne pouvoir vous donner des renseignements favorables sur cette personne qui figure dans nos comptes sous la rubrique des débiteurs douteux
c/c	être	Nous sommes débiteurs de Fr. . . .
c/b	insolvable	Ce débiteur est insolvable – l'insolvabilité de ce débiteur
	Débouché (m)	Absatzmarkt (m) – outlet
	chercher	Je cherche de nouveaux débouchés pour mes produits
	créer	L'implantation d'une nouvelle zone industrielle dans votre région devrait créer d'importants débouchés pour nos . . .
	trouver	Nous avons réussi à trouver un bon débouché pour votre . . ., pour autant que vous puissiez nous garantir une livraison régulière
	Débours (m)	Spesen (pl) – expenses
		Ma note de frais et débours se monte à Fr. . . . Pour me couvrir de mes débours, je . . .
	Débourser	auslegen – to spend
		Nous avons dû débourser Fr. . . ., lors de . . . Je ne suis pas disposé à débourser plus que prévu

	Débouter	a. abweisen a. to dismiss – b. to nonsuit
a/ab		Il a été débouté de sa demande
	Débrayage (m)	Arbeitsniederlegung (f) – work stoppage
		Un débrayage dans les ateliers de finition de notre fournisseur va retarder de quelques jours notre livraison
	Débuter **Début** (m)	a. anfangen – b. Anfang (m) a. to start – b. start(ing)
b/a	à	Ce litige n'en est qu'à son début
a/b	affaire	L'affaire débute bien, mieux même que nous ne l'espérions
b/b	au	Au début, nous pensions que ...
b/b	dès le	Dès le début, nous avons compris que cela irait mal
b/ab	faire	J'ai fait mes débuts dans le commerce en 19. .
b/b	pour	Pour débuter, vous recevrez un salaire de Fr. ...
	Décéder **Décès** (m)	a. Sterbe ... – b. Tod (m) a. death – b. to die
a-a-b/a		Un acte – un certificat – un faire-part de décès
b/a		Nous avons le regret de vous annoncer le décès de ...
b/a		Par suite du décès de notre associé, M. ..., nous ...
b/b		Il est décédé à la suite d'une grave maladie
	Décevoir	enttäuschen – to disappoint
		Nous avons été profondément déçus
	Décharge (f)	a. Entlastung (f) a. defence (GB), defense (US) – b. receipt
a/a		A la décharge de M. ..., nous pouvons dire que ...
a/b		Nous vous donnons décharge de ...
a/b		Ne lui donnez décharge qu'après contrôle des pièces
	Décharger **Déchargement** (m)	a. abladen – b. Ausladen (n) – c. Lösch. . . a. to unload – b. unloading
c/b		Le certificat – les frais – le permis de déchargement
b/b		Il faudra effectuer le déchargement dès réception
a/a		La marchandise a été déchargée le ... par ...
	Déchet (m)	Abgang (m) – waste
		Nous avons dû constater un déchet de plus de ...% parmi les ... que vous nous avez livrés Nous ne pouvons accepter un tel déchet
	Déchirer	zerreissen – to tear (up)
		Un sac – un emballage déchiré Sa menace de déchirer le contrat n'est pas sérieuse
	Déchoir	a. einbüssen – b. vergeben a. to lower – b. to strip
a/b		Il est déchu de tous ses droits
b/a		Ne croyez pas déchoir en acceptant ...

	Décider	a. beschliessen – b. entschliessen – c. veranlassen a. to decide – b. to determine – c. to persuade – d. to resolve
a/ad		Rien n'a encore été décidé à ce sujet
b/b		Je suis fermement décidé à faire valoir mes droits
b/a		Je suis décidé à acheter – à vendre ...
c/c		Nous sommes heureux de vous informer que nous avons pu décider M. ... à faire partie de notre association
	Décision (f) **Décisif**	a. ausschlaggebend – b. Entscheidung (f) a. conclusive – b. decision – c. decisive
b/b	accepter	J'accepte votre décision, sans discussion
b/b	arriver	Après de longues – délicates – négociations, nous avons pu arriver à une décision équitable pour tous
b/b	attendre	Nous attendrons votre décision avant d'agir
a/a	document	Un document décisif vient de nous être remis
b/b	forcer	Je ne voudrais pas forcer votre décision, cependant ...
a/c	moment	Je vous remercie de votre intervention faite au moment décisif
b/b	prendre	Vous comprendrez que nous désirons prendre notre décision en toute connaissance de cause
b/b	réserver	Je réserve ma décision jusqu'à plus ample informé
b/b	revenir	Il n'est pas question de revenir sur notre décision
a/c	séance	Ce sera une séance décisive pour l'avenir de notre société
b/b	soumettre	Il va de soi que je me soumettrai à votre décision
	Déclarer **Déclaration** (f)	a. Angabe (f) – b. Anzeige (f) – c. erklären – d. Erklärung (f) a. certificate – b. declaration – c. to declare – d. statement
d/d		Déclaration orale – verbale – écrite – sous serment
d/b		Déclaration en douane – d'embarquement
a/b		Déclaration des marchandises – de la valeur (valeur déclarée)
d/b		Déclaration de faillite – d'impôts
b/a		Déclaration de mariage – de naissance – de décès
c/c	à	Nous n'avons rien eu à déclarer
c/c	coupable	Il a été déclaré coupable (innocent)
d/d	dans	Dans votre déclaration du ..., vous dites que ...
d/bd	fausse	C'est une fausse déclaration
d/bd	nul	Cette déclaration est nulle et non avenue
	Décliner **Déclin** (m)	a. ablehnen – b. Niedergang (m) a. to decline – b. decline – c. to refuse
a/a		Nous regrettons d'être obligés de décliner votre offre
a/ac		Je décline toute responsabilité à ce sujet
b/b		Cette entreprise est en déclin
	Décommander	a. abbestellen – b. absagen a. to cancel

b/a		Des raisons de famille m'obligent à me décommander
a/a		De mon ordre du ..., je souhaite pouvoir décommander les 10 kg de ... dont je n'ai plus l'emploi
	Décompte (m)	a. Abrechnung (f) a. account – b. bill – c. breakdown
a/ac	adresser	Je vous prie de m'adresser un décompte détaillé de ...
a/c	donner	Nous vous donnons décompte de nos livraisons comme il suit: ...
a/ac	droits	Le décompte de vos droits de licence vous parviendra dans le courant de la semaine prochaine
a/b	établir	J'aimerais que vous établissiez votre décompte final
	Déconseiller	abraten – to advise (negative)
		Nous vous déconseillons d'acheter maintenant Je vous déconseille d'entrer en relation avec lui
	Décourager	a. abschrecken – b. entmutigen a. to discourage
b/a		Ne vous laissez pas décourager par cet insuccès
a/a		Sans vouloir vous décourager de vous lancer dans cette opération, je crois de mon devoir de ...
	Découvert (m)	a. Deckung (f) – b. Leerverkauf (m) – c. Spekulationskauf (m) a. short – b. unsecured
c-b/a		Un achat – une vente – de titres à découvert
a/a	à	Je suis à découvert pour une somme de Fr. ...
a/b	avance	J'aurais besoin d'une avance à découvert de Fr. ... pour une durée de ... mois
a/b	crédit	Un crédit à découvert de Fr. ... me permettrait de profiter d'une offre exceptionnelle
	Découvrir	entdecken – to discover
		J'ai découvert une erreur dans votre relevé du ...:
	Dédaigner	a. unterlassen – b. verachten a. to ignore – b. to neglect
b/a		Je pense que cette solution n'est pas à dédaigner
a/b		Si, une fois de plus, vous dédaignez de répondre à ce rappel, nous nous adresserons à l'Office des poursuites
	Dédit (m)	a. Abstandsgeld (n) – b. Konventionalstrafe (f) a. penalty
ab/a		Le contrat prévoit un dédit de Fr. en cas de ...
	Dédommager **Dédommagement** (m)	a. entschädigen – b. Entschädigung (f) a. damages – b. to pay damages
b/a	accorder	Nous sommes prêts à vous accorder un dédommagement

b/a	avoir droit	J'estime que j'ai droit à un dédommagement que j'évalue à Fr. ...
b/a	demander	Je demande un dédommagement pour le tort subi
a/b	pouvoir	Je pourrai vous dédommager entièrement – partiellement
a/b	refuser	Nous refusons de vous dédommager car nous estimons ...
a/b	tenir à	Vous êtes tenus à nous dédommager des dégâts subis par votre faute
	Dédouaner	a. abfertigen – b. Abfertigung (f) – c. verzollen
	Dédouanement (m)	a. clear (to ... through customs)
b/a		Le dédouanement de la marchandise sera fait au port franc
a-c/a		La marchandise a été dédouanée – Je l'ai dédouanée
	Déduire	a. abziehen – b. Abzug (m)
	Déduction (f)	a. to deduct – b. deduction
b/b		Sous déduction de 5% d'escompte – de rabais – de remise
b/a		Tous frais déduits, l'article revient à ...
a/a		La valeur des emballages retournés sera déduite du montant de la facture
b/b		Déduction faite des frais, il vous revient Fr. ...
b/b		Nous vous rappelons que nos factures sont payables net, dans les 10 jours, sans déduction d'escompte
a/a		De ce montant, vous êtes autorisés à déduire ...
	Défaire	abstossen – to get rid of
		Je cherche à me défaire d'un lot de ...
	Défalcation (f)	Abzug (m) – deduction
		Défalcation de dettes
		Défalcation faite de mes frais, il vous revient Fr. ... que je vous verse ce jour à votre compte ...
	Défaut (m)	a. Ausbleiben (n) – b. fehlen – c. Fehler (m) – d. fehlerlos – e. statt
		a. default – b. defect – c. (to) lack – d. not enough – e. out
e/c	à	A défaut de cet article, nous prendrons ...
		A son défaut, nous nous contenterons de ...
b/d	argent	L'argent me fait défaut pour vous payer comptant
c/b	avoir	Cette étoffe a le défaut de se rétrécir au lavage
c/b	commun	Le défaut commun de tous ces articles est leur prix élevé
c/b	constater	J'ai constaté un petit défaut dans le fonctionnement
d/b	exempt	Bien que soldés, ces articles sont exempts de tout défaut
b/e	faire	Ces marchandises nous font momentanément défaut
c/b	moindre	Ce n'est pas le moindre défaut de cet appareil
a/a	paiement	En cas de défaut de paiement, nous ferons saisir ...

c/b	présenter	Si la machine présente un défaut quelconque, nous la reprendrons et la remplacerons
e/c	preuve	A défaut de preuves, il y a des faits troublants
c/b	sans	Cette machine n'est pas sans défaut, notamment . . .
b/d	temps	Le temps m'a fait défaut pour vous expédier . . .
	Défavorable	a. ablehnend – b. ungünstig a. unfavo(u)rable
b/a		Les conditions – les circonstances – nous sont défavorables
a/a		Il s'est montré défavorable à notre projet
	Défectuosité (f) **Défectueux**	a. Mangel (m) – b. mangelhaft a. defect – b. defective
b/b		Le fonctionnement de cette machine est défectueux
a/a		A l'expérience, j'ai constaté plusieurs défectuosités
	Défendre **Défense** (f)	a. umhinkönnen – b. verbieten – c. verteidigen – d. vertreten – e. Vertretung (f) a. defence (GB), defense (US) – b. to defend – c. to forbid – d. no . . . – e. to prevent
d/b		Défendre une cause – un droit – une opinion
b/d		Défense – défendu – de fumer, de parquer
e/a		J'ai confié la défense de mes intérêts à M. . . ., avocat
a/e		Je ne peux me défendre de penser que . . .
b/c		Nous avons fait défense à notre agent de . . .
c/a		Je tiens à prendre sa défense
	Défier **Défi** (m)	a. argwöhnen – b. herausfordern – c. Herausforderung (f) – d. misstrauen – e. schlagen a. to beware – b. challenge – c. to defy – d. wary (to be)
c/b		Adresser – jeter – lancer – relever un défi
b/c	au	Je vous mets au défi de prouver vos assertions
e/c	concurrence	Nos prix défient toute concurrence à qualité égale
b/c	de	Nous vous défions de prouver le contraire
d/d	se	Je me défie de cet homme – de ses intentions
a/a		Défiez-vous des contrefaçons
	Déficit (m)	a. Defizit (n) – b. Fehlbetrag (m) a. deficit
b/a	accuser	Vos comptes accusent un tel déficit que . . .
a/a	balance commerciale	Le déficit de la balance commerciale de ce pays freine nos possibilités d'exportation
b/a	combler	J'espère combler rapidement ce déficit
b/a	se solder	Ces opérations malheureuses se sont soldées par un déficit de . . .
	Déflation (f)	Deflation (f) – deflation
		La politique de déflation pratiquée par ce pays peut avoir des répercussions favorables – néfastes – sur nos activités
	Déformer	a. entstellen – b. verformen a. to twist (out of shape)

a/a		Pour quelle raison avez-vous ainsi déformé nos propos?
b/a		Mal emballé, l'objet m'est parvenu tout déformé
	Défraîchir	anschmutzen – to fade
		Ces tissus défraîchis ne peuvent être vendus qu'en solde
	Dégager	a. ablehnen – b. befreien – c. herausfinden – d. ziehen – e. zurücknehmen a. to discern – b. to disclaim – c. to draw – d. to go back on – e. to release
d/c	conclusion	Nous avons cherché à dégager les conclusions
e/d	parole	Si vous pouviez dégager votre parole
b/e	promesse	J'espère pouvoir me dégager de ma promesse
a/b	responsabilité	Je dégage ma responsabilité
c/a	vérité	Il est difficile de dégager la vérité de ses propos
	Dégâts (m.pl.)	Schaden (m) – damage
	causer	Ces dégâts ont été causés par l'eau – le gel – le feu – l'inattention – la malveillance
	demander	Nous demandons des dommages-intérêts pour les dégâts qui ont été causés pendant le transport
	évaluer	M. . . . a été chargé d'évaluer les dégâts
	Délai (m)	a. Aufschub (m) – b. Frist (f) – c. unverzüglich a. date – b. deadline – c. delay – d. extension – e. period
b/b	accepter	Nous acceptons le nouveau délai que vous proposez
b/d	accorder	Nous avons décidé de vous accorder le délai demandé
b/c	bref	Vous voudrez bien livrer dans le plus bref délai
b/e	dans	Vous recevrez la marchandise dans le délai d'un mois
b/d	dernier	Nous vous accordons un dernier délai; passé cette date, nous prendrons les mesures qui s'imposent
b/b	expiration	Nous attendrons jusqu'à expiration du délai
b/b	fixer	Le délai que vous aviez vous-même fixé est expiré
b/b	garantir	Vous m'aviez assuré que vous pourriez garantir le délai de . . .
b/b	légal	Nous vous rappelons que le délai légal est de . . .
b/b	long	Un si long – court – délai est excessif
b/b	observer	Comme vous n'avez pas observé le délai prévu, nous . . .
b/b	passé	Passé ce dernier délai, nous serons obligés de . . .
b/b	prescription	Il vous faut agir avant le délai de prescription
b/b	proroger	Compte tenu des circonstances, le délai est prorogé de . . .
a/d	refuser	Nous regrettons d'être obligés de refuser le délai demandé
b/b	respecter	Nous regrettons de n'avoir pu respecter le délai
b/ab		Nous insistons pour que vous respectiez strictement ce délai de livraison, compte tenu de . . .
c/c	sans	Vous recevrez une réponse sans délai

	Déléguer **Délégué** (m) **Délégation** (f)	a. abordnen – b. Abordnung (f) – c. Delegierter (m) – d. übertragen a. to assign – b. delegate – c. delegation
a/a		Si vous l'estimez nécessaire, nous pouvons déléguer un de nos spécialistes – techniciens
b/c		Je souhaite vivement que vous acceptiez de faire partie de la délégation
c/b		En votre qualité de délégué officiel, vous aurez à ...
d/a		J'ai délégué toute la partie technique de l'usine à M. ...
	Délibérer **Délibération** (f)	a. absichtlich – b. beraten – c. Überlegung (f) a. consideration – b. deliberately – c. to discuss – d. to ponder
a/b		Il a agi de propos délibéré, sans nous consulter
b/d		Après avoir longuement délibéré de la situation, nous avons décidé que ...
c/a		Après délibération, nous acceptons de ...
b/c		Votre proposition sera mise en délibération lors du prochain conseil
	Délictueux	a. strafbar – b. unerlaubt a. criminal
ab/a		Il s'agit d'un acte nettement délictueux
	Délimiter	abgrenzen – to define
		Nos responsabilités respectives sont clairement délimitées
	Délit (m)	a. strafbar – b. unerlaubt a. crime
ab/a		L'auteur du délit – l'objet du délit
	Délivrer	a. ausstellen a. to deliver – b. to give – c. to issue
a/b	certificat	Je vous remercie très vivement du certificat élogieux que vous avez bien voulu me délivrer
a/ac	document	Les documents vous seront délivrés contre paiement
	Déloyal	a. unkorrekt – b. unlauter a. dishonest – b. unfair
a/a	attitude	Votre attitude déloyale nous oblige à rompre toutes relations avec vous
b/b	concurrence	Intenter un procès en concurrence déloyale
	Demande (f)	a. Ersuchen (n) – b. Gesuch (n) – c. Nachfrage (f) – d. Verlangen (n) a. demand – b. request
b/b	acquiescer	Nous ne pouvons pas acquiescer à votre demande tardive
b/b	adresser	Veuillez adresser directement votre demande à ...
c/a	augmenter	Si la demande de cet article venait à augmenter, nous ...

c/a	baisser	La demande pour ces articles a fortement baissé depuis . . .
b/b	bien-fondé	Nous reconnaissons le bien-fondé de votre demande
b/b	donner suite	Je n'ai pu donner suite à sa demande
b/b	écrite	Il faut que vous adressiez une demande écrite (par écrit)
b/b	emploi	Nous avons pris note de votre demande d'emploi
c/a	être	La demande pour . . . est active – faible – soutenue
a/b	faire droit	Il ne m'est pas possible de faire droit à votre demande car . . .
c/a	offre et	La loi de l'offre et de la demande
a/b	prendre en considération	Nous avons pris votre demande en considération et vous accordons un délai de . . . jours pour . . .
b/b	refuser	Nous avons dû refuser votre demande car vous ne remplissiez pas toutes les conditions exigées
b/b	renouveler	Permettez-moi de renouveler ma demande du . . .
a/b	renseignements	Toute demande de renseignements doit être accompagnée d'un timbre pour la réponse
d/b	sur	Sur demande, nous pouvons vous livrer . . . C'est sur sa demande que nous avons agi ainsi
	Demander	a. bitten – b. erfordern – c. fragen – d. verlangen a. to ask – b. (to) demand – c. to request – d. to wonder
c/b	article	Nos articles étant très demandés, nous vous conseillons de passer votre commande sans trop tarder
c/ac	avis	Je me suis permis de lui demander son avis
d/a	combien	Combien demanderiez-vous pour la réparation de . . .
a/ac	instamment	Nous vous demandons instamment de nous répondre
d/ab	pas mieux	Je ne demande pas mieux que d'en faire l'essai
c/a	pouvoir	Puis-je vous demander si vous n'avez pas . . .
d/ac	que	Je demande que vous payiez les intérêts de retard
a/a	renseignement	Je me permets de vous demander quelques renseignements sur les activités professionnelles de la personne dont le nom figure sur la fiche en annexe
c/d	se	Nous nous demandons si c'est vraiment indiqué
b/b	temps	La fabrication demandera plus de temps que prévu
	Démarche (f)	a. Massnahme (f) – b. Schritt (m) a. to contact – b. procedure – c. step
b/c	aboutir	Nos démarches n'ont malheureusement pas abouti
b/c	entreprendre	Il est en train d'entreprendre les premières démarches
b/c	faire	Il vous faut absolument faire les démarches nécessaires pour obtenir votre permis de . . .
a/b	nécessiter	Si je suis bien renseigné, cela ne nécessite aucune démarche particulière
b/a	réitérée	Malgré nos démarches réitérées auprès de notre fournisseur, nous n'avons pu . . .
a/c	réussir	Je souhaite que vous réussissiez dans vos démarches

	Démarque (f)	Ladendiebstahl (m) – shoplifting
		Nous attirons l'attention du personnel sur la hausse inquiétante de la démarque inconnue
	Démarrer	a. Gang (m)
		a. to begin – b. to get off to a start
a/b		Son affaire a démarré très lentement
a/a		La fabrication a enfin pu démarrer
	Démenti (m)	a. dementieren
		a. to contradict – b. to deny – c. to refute
a/b		J'oppose un démenti formel à vos allégations
a/ac		Sans crainte de démenti, je puis vous affirmer que . . .
	Demeure (f)	a. auffordern – b. ständig – c. Verzug (m)
		a. to give notice – b. immediat – c. to order – d. permanently
b/d		Je ne suis pas à demeure à mon bureau
a/ac		Nous vous mettons en demeure de payer – de livrer
c/b		Attendez encore, il n'y a pas péril en la demeure
	Demeurer	a. bleiben – b. verbleiben – c. wohnen
		a. to leave – b. to live – c. to remain
a/c	convaincu	Je demeure convaincu que cette affaire est rentable, malgré les difficultés actuelles
b/a	en	Si vous le voulez bien, nous en demeurerons là
c/b	sur place	Comme il demeure sur place – en votre ville – il vous sera plus facile de l'atteindre
	Demi	a. Andeutung (f) – b. halb
		a. halfway – b. so many
b/a		Je n'aime pas faire les choses à demi, c'est pourquoi . . .
a/b		Il nous l'a fait comprendre à demi-mot
	Démission (f)	Rücktritt (m) – resignation
		Mes obligations professionnelles – mon état de santé – mon départ prochain – m'oblige(nt) à donner ma démission de membre . . . de votre société
		Nous avons pris note de votre démission de membre actif de notre société et regrettons que des circonstances exceptionnelles vous obligent à nous quitter
	Démontrer	a. beweisen – b. demonstrieren – c. Vorführung (f)
	Démonstration (f)	a. to demonstrate – b. demonstration
c/b		Je suis à votre disposition pour une démonstration, sans engagement de votre part bien entendu
b/a		Une visite de nos locaux d'exposition nous permettra de vous démontrer les qualités de notre nouveau modèle
a/a		Les faits ci-dessus démontrent la parfaite bonne foi de . . .
	Démunir	fehlen – out
		En ce moment, nous sommes démunis de cet article

	Dénomination (f)	a. Bezeichnung (f) – b. Firmenbezeichnung (f) a. name
a/a		La dénomination exacte est . . .
ab/a		Sous la dénomination de . . ., nous proposons également . . .
	Dénommé	a. ein gewisser – b. nennen a. named
b/a		Les personnes ci-après – ci-dessus – dénommées . . .
a/a		C'est un dénommé . . . qui en serait responsable
	Dénoncer	a. kündigen a. to break – b. to cancel – c. to terminate
a/b-ab		Je dénonce mon abonnement – mon bail – pour le . . .
a/bc		A la suite de . . ., nous avons dû dénoncer le contrat nous liant avec . . .
	Denrée (f)	a. Lebensmittel (n) – b. Ware (f) a. food (stuff) – b. item – c. produce
a-b/a-c		Les denrées alimentaires – coloniales
b/b		Cette denrée est de plus en plus difficile à trouver
	Dénuer	entbehren – devoid
		Je vous assure que les rumeurs de faillite qui courent sur cette entreprise sont dénuées de tout fondement
	Départ (m)	a. Abgang (m) – b. Abreise (f) – c. Ausscheiden (n) a. departure – b. starting
a/b-b-a-a		Le lieu – le point – la gare – le port de départ
b/a		Différer son départ – fixer le départ à . . .h.
a/a		Nous recevons à l'instant l'avis de départ de . . .
c/a		Je regrette beaucoup le départ de cet employé
c/a		Le départ de notre associé n'entraînera aucune modification d'ordre financier
c/a		Par suite du départ de notre comptable, atteint par la limite d'âge, nous recherchons un collaborateur dynamique, . . .
	Département (m)	a. Abteilung (f) a. departement – b. division
a/ab		Département commercial – financier – technique
a/ab		Département des ventes – des achats – de recherche
	Dépasser	a. überschreiten – b. übersteigen – c. unverständlich a. beyond – b. to exceed – c. to pass – d. to surpass
a/c	âge	Il a dépassé la cinquantaine – l'âge requis
b/bd	attente	Le succès a dépassé notre attente
a/d	but	Vous avez dépassé le but fixé et nous vous en félicitons
b/b	de	Le prix dépasse de Fr. . . . celui que vous aviez fixé
c/a	entendement	De tels procédés dépassent mon entendement

b/b	poids	Le poids dépasse la limite autorisée
	Dépassement (m)	a. Überschreitung (f) a. overdraft – b. overrun
a/a	crédit	Nous constatons que votre compte présente un dépassement de crédit de Fr. . . ., somme que nous vous prions de nous verser au plus vite
a/b	devis	Nous vous garantissons qu'il n'y aura aucun dépassement du devis
	Dépendre	a. abhängen – d. dazugehören – c. liegen a. to belong – b. to depend
b/a	ce qui	Le bâtiment, avec ce qui en dépend, . . .
a/b	de	Il dépend de vous qu'un arrangement puisse intervenir
a/b	tout	Tout dépend du temps qu'il fera
c/b		Nous ferons tout ce qui dépend de nous pour que . . .
	Dépens (m.pl.)	a. Kosten – b. Schaden (m) a. costs – b. expense
a/a		Il a été condamné aux dépens
b/b		J'ai appris, à mes dépens, à me méfier de . . .
	Dépense (f)	a. Ausgaben (f) – b. kosten a. expense – b. outlay
a/a	aperçu	Veuillez me donner un aperçu des dépense prévues
a/a	budgetée	Les dépenses budgetées se montent à Fr. . . .
a/a	contrôler	Nous avons contrôlé les dépenses de l'exercice et constaté . . .
a/a	état	Vous voudrez bien me présenter un état des dépenses au . . .
a/a	excédent	Les comptes présentent un excédent de dépenses de . . .
a/ab	faire	Nous sommes prêts à faire encore cette dépense
a/a	imprévue	Cette dépense imprévue m'oblige à vous demander de bien vouloir proroger de . . . mois l'échéance de votre facture
a/a	limiter	J'ai cherché à limiter les dépenses
a/a	réduire	Nous avons été contraints de réduire les dépenses
ab/a	regarder	Dans ce cas, il ne faudrait pas regarder à la dépense
	Dépenser	ausgeben – to spend
		Je ne désire pas dépenser plus de Fr. . . . pour . . . Vous voudrez bien nous remettre un justificatif des sommes que vous avez dû dépenser lors de ce . . .
	Dépit (m)	a. trotz – b. Trotz (m) a. despite – b. spite
a/ab		En dépit des circonstances, nous vous assurons que . . .
b/b		Il a agi par dépit
	Déplacer **Déplacement** (m)	a. Reise (f) – b. verreisen – c. versetzen a. to transfer – b. travel(ling) – c. trip

a/b		Nous rembourserons vos frais de déplacement
b/c		Il serait préférable que vous vous déplaciez
c/a		Cet employé a été déplacé dans un autre département
a/c		Je serai en déplacement à l'étranger à cette date et je ne pourrai pas assister à votre réunion
	Déplaire	a. missfallen – b. widerwärtig
	Déplaisant	a. unpleasant
a/a		Sa façon d'agir nous déplaît fortement
b/a		Il a une attitude tout à fait déplaisante
	Dépliant (m)	a. Faltenprospekt (m) a. brochure – b. folder – c. pamphlet
a/abc		Notre dépliant vous donnera de plus amples détails sur les multiples possibilités d'emploi de . . .
	Déplorer	a. bedauern
	Déplorable	a. deplorable – b. to regret
a/b		Croyez que nous déplorons sincèrement cette erreur
a/b		Je déplore ce retard qui me cause un grave préjudice
a/a		Cette mesure a eu un effet déplorable sur les ventes
	Déployer	a. entfalten a. to employ – b. to undertake
a/a		J'ai déployé mon activité dans un domaine très différent
a/b		Malgré tous les efforts déployés, nous n'avons pas . . .
	Déposer	a. anmelden – b. einreichen – c. Gebrauchsmuster (n) – d. hinterlegen – e. Schutzmarke (f) a. to bring – b. to declare – c. to deposit – d. to register
a/b	bilan	Le concordat ayant été refusé, il a dû déposer son bilan
a/d	brevet	Notre nouveau procédé fait l'objet d'un brevet déposé
d/c	fonds	Les fonds recueillis seront déposés auprès de la banque . . .
e/d	marque	. . . est une marque déposée
c/d	modèle	C'est un modèle déposé
b/a	plainte	Je devrai déposer plainte contre vous si vous ne retirez pas vos propos diffamants
	Dépositaire (m)	Depositär (m) – agent
		Notre dépositaire à . . . est la maison . . .
		Nous sommes dépositaire général pour la Suisse
	Dépôt (m)	a. Depot (n) – b. Einlage (f) – c. hinterlegen – d. Hinterlegung (f) – e. Lager (n) a. (to) deposit – b. depot – c. stock
d-e/a-b		Dépôt d'argent – dépôt en marchandises

b/a		Dépôt en banque – en compte courant – sur livret d'épargne
c/a	faire	J'ai fait un dépôt de Fr. . . . auprès de la banque . . ., en garantie de . . .
e-a/a	garder	Vous voudrez bien garder ces marchandises – ces titres – en dépôt chez vous jusqu'à nouvel avis
c/a	laisser	Vous pouvez sans autre laisser en dépôt chez moi vos . . .
c/a	remettre	En garantie de mon emprunt, je peux vous remettre en dépôt les titres suivants: . . .
e/c	tenir	Nous tenons en dépôt tous les produits de la maison . . .
	Dépouiller	a. Auszug (m) (machen) – b. berauben – c. durchsehen a. to deprive – b. to examine – c. to open
c-a/c-b		Dépouiller le courrier – des comptes
b/a		Dépouiller quelqu'un de ses droits
	Dépourvu	unvorbereitet – unawares Comme nous ne désirons pas être pris au dépourvu, nous vous prions de nous aviser quelques jours à l'avance
	Déprécier	a. herabsetzen – b. Wertverminderung (f) a. to belittle – b. to depreciate – c. to disparage
b/b		Les dommages subis ont déprécié la marchandise
a/ac		Nous n'avons pas voulu déprécier votre machine, mais il faut bien reconnaître que . . .
	Dépression (f)	Depression (f) – slump La phase de dépression actuelle du marché ne saurait durer
	Déranger **Dérangement** (m)	a. stören – b. Störung (f) a. to inconvenience – b. inconvenience
a/a		Si cela ne vous dérange pas, je passerai à votre bureau
b/b		Nous regrettons de vous avoir causé ce dérangement
	Dernier	a. äusserst – b. letzte – c. neueste a. final – b. last – c. lately – d. latest – e. utmost
b/b	année	L'année dernière – durant ces dernières années
b/d	cours	Les derniers cours indiquent une tendance à la baisse
b/b	effort	Nous vous demandons de faire un dernier effort pour . . .
a/e	importance	Il est de la dernière importance que vous . . .
b/a	main	Nous donnons en ce moment la dernière main à . . .
c/d	mode	C'est la dernière mode dans ce domaine
b/b	moment	N'attendez pas au dernier moment pour vous décider
a/a	prix	Est-ce votre dernier prix?
b/b	ressort	En dernier ressort, nous nous adresserons à . . .
b/c	temps	Je ne l'ai pas vu ces derniers temps

	Déroger **Dérogation** (f)	a. abweichen – b. abweichend a. to depart – b. departure
b/b		Par (en) dérogation à la règle, vous pourrez . . .
a/a		Il n'est pas possible de déroger à l'usage
a/b		Il ne peut être apporté aucune dérogation aux conditions
	Désaccord (m)	a. Meinungsverschiedenheit (f) – b. uneinig a. disagreement
b/a		Je suis en désaccord avec lui sur plusieurs points
a/a		Nous espérons trouver une solution à ce désaccord momentané
a/a		Un désaccord est apparu en dernière minute
	Désagréable	unangenehm – disagreeable
		Il m'est désagréable de vous rappeler que . . .
		J'ai le désagréable devoir de vous informer – apprendre – que . . .
	Désagrément (m)	a. Unannehmlichkeit (f) a. problem – b. trouble
a/b	attirer	Si vous ne voulez pas vous attirer des désagréments, vous devriez . . .
a/b	avoir	Vous n'aurez que des désagréments avec cette personne
a/b	causer	Je regrette vivement de vous avoir causé ce désagrément
a/b	épargner	Nous désirons avant tout vous épargner des désagréments
a/a	futur	Pour éviter des désagréments futurs, nous vous conseillons . . .
a/b	résulter	Nous espérons que vous ne nous tiendrez pas rigueur du désagrément qui en est résulté, bien malgré nous
	Désappointer **Désappointement** (m)	a. enttäuschen – b. Enttäuschung (f) a. to disappoint – b. disappointment
b/b		A notre vif désappointement, vous n'avez pas tenu compte des remarques que nous vous avions faites
a/a		Je suis très désappointé par les résultats médiocres de cette affaire
	Désavantager **Désavantage** (m)	a. benachteiligen – b. Nachteil (m) a. disadvantage
b/a		Si l'affaire tourne à votre désavantage, nous n'encourrons aucune responsabilité
b/a		Votre proposition présente les désavantages suivants: . . .
a/a		Nous n'avons nullement voulu vous désavantager mais . . .
	Désemparer	a. manöverierunfähig – b. ununterbrochen a. (to be) overwhelmed – b. stopping

a/a		Ne vous laissez pas désemparer par ces difficultés
b/b		Nous vendons sans désemparer ces articles de mode
	Désespérer	a. aufgeben – b. Ausweg (m)
	Désespoir (m)	a. to despair – b. desperation
a/a		Nous ne désespérons pas de nous en procurer
a/a		Je commence à désespérer d'obtenir une réponse de . . .
b/b		En désespoir de cause, nous avons bien dû . . .
	Désigner	a. bezeichnen – b. Bezeichnung (f)
	Désignation (f)	a. to describe – b. description – c. to designate
a/ac		Les marchandises ci-dessous désignées: . . .
a/c		Nous avons désigné M. . . . pour le poste de . . .
b/b		La désignation du contenu de votre envoi ne correspond pas à la réalité, il manque . . .
	Désintéresser	a. abfinden – b. Interesse (n) – c. uneigennützig
	Désintéressement (m)	a. disinterestedness – b. interested (not to be . . . in) – c. to pay of
b/b		Ne croyez pas que je me désintéresse de votre problème
c/a		Il a agi avec un total désintéressement
a/c		Il a pu désintéresser tout ses créanciers
b/b		Il semble que vous vous désintéressez de cette affaire
	Désinvolture (f)	a. ungeniert – b. Ungeniertheit (f)
	Désinvolte	a. impertinence – b. off-handed
a/b		On ne pouvait se montrer plus désinvolte
b/a		Vous avez agi avec une désinvolture inadmissible
	Désir (m)	a. Wunsch (m) a. desire – b. wish
a/b		Sur – selon – suivant votre désir, nous avons . . .
a/ab		Malgré notre désir de vous être agréable, il ne nous est pas possible de . . .
a/b		Afin de répondre à un désir souvent exprimé par nos clients, nous avons décidé de . . .
a/a		Ce jeune employé a vraiment le désir de bien faire
a/b		Les désirs particuliers de nos clients sont toujours examinés avec le plus grand soin
a/b		Pour accéder à votre désir, nous avons . . .
	Désirer	a. wünschen a. to desire – b. to like – c. to wish
a/bc	entrer	Nous désirons entrer en relation avec une maison sérieuse
a/b	explication	Je désire quelques explications complémentaires
a/a	laisser	La qualité de votre dernier envoi laisse à désirer
a/c	que	Que pouvez-vous désirer de mieux?

	Désolé	a. betrübt – b. leid tun a. sorry
a/a		J'ai été désolé d'apprendre le malheur qui vous frappe
b/a		Je suis désolé de ne pouvoir vous satisfaire
b/a		Nous sommes désolés de ne pouvoir accéder à votre désir
	Dessein (m)	a. Absicht (f) – b. Plan (m) a. aim – b. internation(ally) – c. plan
a/b	à	A dessein, nous avons laissé ce problème en suspens
a/ab	avec	Vous avez certes agi avec le dessein de nous aider, mais . . .
a/b	avoir	J'ai très vivement le dessein d'aboutir à un accord à l'amiable
a/a	dans	Dans le dessein de vous rendre service, nous . . .
a/b	de	Ne croyez pas qu'il ait eu dessein de vous nuire
b/c	sans	Nous commençons, sans dessein bien établi
	Desservir	schaden – detrimental
		Une telle politique ne peut que nous desservir
	Dessous (m)	a. Hintergrund (m) – b. unter – c. unterliegen a. below – b. defeated (to be) – c. hidden side
a/c		Nous ne connaissons pas les dessous de l'affaire
c/b		Il a finalement eu le dessous
b/a		Vendre au-dessous – au-dessus – du prix
	Dessus (m)	a. genesen – b. überlegen sein a. to have the upper hand – b. to rally
b/a		Avoir le dessus dans une bataille – un litige
a/b		Prendre le dessus (dans une maladie)
	Destiner **Destinataire** (m) **Destination** (f)	a. bestimmen – b. Bestimmung (f) – c. Empfänger (m) a. addressee – b. destination – c. to intend – d. to
b/b		La gare – le port destinataire (de destination)
c/a		Le nom et l'adresse du destinataire
c/a		Les documents seront remis au destinataire contre paiement
b/d		Notre envoi à destination de . . . a déjà été expédié
b/b		La marchandise est arrivée à destination en bon état
a/c		Cet envoi ne vous était pas destiné
	Détail (m)	a. Detail (n) – b. Näheres (n) a. description – b. detail – c. retail
a/c	commerce	L'évolution actuelle du commerce de détail
a/b	connaître	Je ne connais pas encore tous les détails de cette affaire, mais je vous tiendrai au courant
a/b	donner	Vous voudrez bien nous donner de plus amples détails
a/b	entrer	Sans entrer dans les détails, nous constatons que . . .
a/c	magasin	L'agrandissement de mon magasin de détail me permettra de mieux satisfaire ma clientèle

a/b	pour	Pour de plus amples détails, il faudrait vous adresser à ...
b/a	trouver	Les marchandises dont vous trouverez le détail ci-dessous
a/c	vendre	Nous ne vendons pas au détail, nous ne vendons qu'en gros
	Détailler **Détaillant** (m)	a. detaillieren – b. Detaillist (m) a. to detail – b. retailer – c. to sell separately
a/c		Nous ne pouvons pas détailler ces articles
a/a		Donnez-nous des renseignements plus détaillés sur ...
a/a		Je vous remets, en annexe, la liste détaillée des ...
a/a		Un mode d'emploi détaillé est joint à l'appareil
b/b		Les détaillants de la branche ont renoncé à ...
	Détaxer **Détaxe** (f)	a. begleichen – b. Gebührenbefreiung (f) a. deduction of duty – b. remission of duty
b/ab		Nous avons besoin du certificat d'origine pour bénéficier de la détaxe ...
a/ab		Ces marchandises seront détaxées par vos soins
	Détenir	a. besitzen – b. halten a. to have – b. to hold
b/a		Nous regrettons de vous informer que nous ne détenons plus cet article en stock
a/b		La cédule hypothécaire que nous détenons en garantie de notre prêt ...
	Détente (f)	a. Entspannung (f) a. détente – b. expansion
a/a–b––		La détente politique – la détente sur le marché du travail – sur le marché des changes
	Détenteur (m)	a. Inhaber (m) a. bearer – b. holder
a/a–b		Le détenteur légal de ces titres – de ce brevet
	Détériorer	a. beschädigen a. to damage – b. to spoil
a/ab		Les marchandises ont été détériorées par ...
	Déterminer **Détermination** (f)	a. entschliessen – b. Entschlossenheit (f) – c. ermitteln – d. veranlassen a. determination – b. to determin – c. to persuade
c/b		Nous n'avons pas encore déterminé le montant des dépenses – des indemnités
a/b		Nous sommes bien déterminés à ne pas céder
d/c		Nous l'avons déterminé à nous vendre
b/a		Je vous prie d'agir avec la plus ferme détermination
	Détourner **Détour** (m) **Détournement** (m)	a. Umschweife (f) – b. Veruntreuung (f) – c. zerstreuen a. to avert – b. embezzlement – c. straight answer
a/c		Je vous prie de répondre sans détours à ma question

c/a		Il avait réussi à détourner les soupçons
b/b		Il a été victime d'un détournement de fonds
	Détriment (m)	Nachteil (m) – detriment
		Cela s'est fait à notre détriment Nous l'avons appris à notre détriment
	Dette (f)	a. Schuld (f) – b. Verbindlichkeit (f) a. debt
a/a	amortir	Je m'engage à amortir ma dette en ... versements de Fr. ... chacun
b/a	arriéré	Votre arriéré de dette se monte à Fr. ...
b/a	contracter	Il apparaît que cette personne a contracté des dettes qui dépassent sa capacité de remboursement
a/a	échue	Je vour rappelle que votre dette est échue depuis le ...
a/a	hypothécaire	Les dettes hypothécaires grevant cet immeuble représentent ...% de sa valeur d'assurance – de sa valeur vénale
a/a	règlement	En règlement de ma dette du ..., j'ai versé ce jour sur votre compte de chèques postaux Fr. ...
a/a	remise	Tenant compte de ..., nous sommes disposés à vous accorder une remise de dette de ...% (de Fr. ...)
	Dévaluation (f)	Abwertung (f) – devaluation
		A la suite de la dévaluation intervenue dans ce pays, nous avons pu procéder à une baisse de nos prix de ...%
	Développer **Développement** (m)	a. ausbauen – b. entwickeln – c. Entwicklung (f) – d. fördern – e. Steigerung (f) a. to expand – b. to grow – c. growth – d. to increase – e. increase
d/ad	désireux	Désireux de développer la vente des ..., nous allons lancer une campagne à prix réduit dès le ...
bc/ab	en	Ce marché est en constant développement
e/ce	faciliter	Les mesures monétaires prises par ce pays ne facilitent pas le développement de nos exportations
b/c	prendre	Notre nouveau secteur de ... a pris, en peu de temps, un développement réjouissant – satisfaisant
a/a	songer à	Nous songeons à développer notre implantation dans ce domaine plein – cette région pleine – d'avenir
bc/ab	tel	Notre affaire a pris un tel développement que nous devons engager de nouveaux employés – ouvriers
	Devenir	werden – to happen
		Que devient cette affaire dont vous nous parliez?
	Devis (m)	Kostenvoranschlag (m) – estimate
		Nous vous garantissons que notre devis ne sera pas dépassé Nous vous remettons, ci-joint, un devis que nous avons soigneusement étudié

	Devises (f. pl)	a. Devisen (f) – b. Währung (f) a. currency
a/a	cours	Le cours des devises est à la baisse – à la hausse
a/a	paiement	Quelles assurances pouvez-vous nous donner d'un paiement en devises librement convertibles?
a/a	règlement	Le règlement sera fait en devises, au cours du jour de l'échéance
b/a	restriction	Les restrictions apportées aux paiements en devises fortes nous obligent à suspendre nos ventes provisoirement
	Devoir **Devoir** (m)	a. formgerecht – b. geschuldet – c. Pflicht (f) – d. unfrankiert – e. zurückführen a. due – b. duty – c. forward
e/a	dû à	Le défaut est dû à ... – l'erreur est due à ...
c/b	être	Il est de mon devoir de vous mettre en garde contre ... Nous considérons que notre devoir est de ...
c/b	faire	Il a fait son devoir jusqu'au bout
c/b	se faire	Je me fais un devoir de vous signaler que ...
a/a	forme	Un contrat en bonne et due forme sera établi
c/b	manquer	Il a manqué à son devoir professionnel en ne ...
b/a	montant	... montant dû Fr. ..., à payer par virement postal sur notre compte ...
d/ac	port	Notre envoi sera fait en port dû, à vos risques et périls
c/b	remplir	Il a toujours rempli scrupuleusement son devoir
	Dévouer **Dévouement** (m)	ergeben sein – loyal
–/a		Croyez, Monsieur, à mon entier dévouement
a/a		Je vous assure que M. ... vous est tout dévoué
	Différence (f)	a. Differenz (f) – b. unterscheiden a. difference – b. distinction
a/a	compenser	Pour compenser la différence de poids, nous vous offrons ...
a/a	être	La différence est de peu d'importance – est insignifiante – est notable
b/b	faire	Faire la différence entre une ... et une ... – d'une ... avec une ...
a/a	provenir	La différence provient du fait que ...
a/a	trouver	Nous avons trouvé une différence de Fr. ...
	Différend (m)	Meinungsverschiedenheit (f) – dispute
	faire naître	Cette vente a faire naître un différend entre ...
	régler	La meilleure façon de régler ce différend est de ...
	soumettre	Je suis d'accord de soumettre le différend à un arbitre
	Différer	a. abweichen – b. hinausschieben – c. zögern a. to defer – b. to delay – c. to differ
b/a	avoir	J'ai dû différer mon paiement car ...

a/c	entre	Elles diffèrent entre elles par la longueur
b/ab	être	Les expéditions sont différées de quelques jours
a/c	opinion	Nous différons d'opinion sur ce point particulier
c/b	sans plus	Il vous faut agir, sans plus différer
	Difficile	a. Ansprüche (m) – b. schwer a. difficult
b/a		Il est difficile de contenter tous les clients
b/a		Il m'est difficile de vous préciser déjà la date
b/a		C'est en effet une opération difficile à effectuer
a/a		Je ne voudrais pas faire le difficile, mais pourtant . . .
	Difficulté (f)	a. Schwierigkeit (f) a. difficulty – b. problem
a/a	aplanir	Nous avons cherché à aplanir les difficultés
a/b	augmenter	Les difficultés de . . . augmentent sans cesse
a/b	avoir	Nous avons eu des difficultés avec ce représentant
a/a		J'ai quelque difficulté à m'en procurer
a/b	comprendre	J'espère que vous comprendrez mes difficultés momentanées
a/b	concernant	Toute difficulté concernant le . . . doit être soumise à . . .
a/b	élever	De graves difficultés se sont élevées depuis lors
a/b	éluder	Nous avons réussi à éluder cette difficulté
a/a	entraîner	Une telle action n'entraîne aucune difficulté majeure
a/b	éprouver	Nous éprouvons quelques difficultés à obtenir . . .
a/b	être	Je suis aux prises avec de grandes difficultés
a/b	face	Face à ces nouvelles difficultés, j'envisage de . . .
a/b	faire	Notre débiteur fait des difficultés pour payer
a/b	se heurter	Nous nous heurtons à toutes sortes de difficultés
a/b	momentanée	Mes difficultés ne sont que momentanées et je crois que . . .
a/b	naître de	Ma décision est née des difficultés que j'ai rencontrées
a/a	présenter	Ce problème présente de grandes difficultés
a/b	sortir	Je ne sais pas comment me sortir de ces difficultés
a/b	surmonter	Vous surmonterez ces difficultés si vous savez . . .
a/b	survenir	Une difficulté inattendue vient de survenir
a/b	tenir compte	Nous avons tenu compte de ces difficultés
a/b	trésorerie	Mes difficultés de trésorerie sont momentanées
a/b	vaincre	Nous sommes décidés à vaincre toutes les difficultés
	Digne	würdig – worthy
		Je saurai me montrer digne de la confiance que vous voudrez bien m'accorder
	Diligence (f)	a. beeilen – b. Eifer (m) a. diligence – b. haste – c. promptly
b/a		Nous comptons sur votre diligence pour activer . . .
a/c–b		Nous vous demandons de faire diligence – d'exécuter notre commande avec toute la diligence possible
a/c		Vous nous obligeriez en faisant diligence dans l'envoi de . . .

	Diminuer **Diminution** (f)	a. Abbau (m) – b. Ermässigung (f) – c. Rückgang (m) – d. senken – e. zurückgehen a. to cut – b. (to) decline – c. (to) drop – d. to reduce – e. reduction
c/bc	accuser	Nous accusons une diminution sensible de nos recettes depuis . . .
b/e	de	Pouvez-vous nous accorder une diminution de prix?
e/bc	en	La demande de cet article est en très nette diminution
a/e	personnel	Une diminution du personnel est envisagée
d/ad	prix	Grâce à l'augmentation de la production, nous pouvons diminuer nos prix de . . . % en moyenne
b/e	sur	Je vous ai accordé une diminution sur le prix des . . .
	Dire	a. besagen – b. heissen – c. sagen – d. selbstverständlich – e. sozusagen a. fact – b. to mean – c. to mention – d. to say – e. to speak – f. to tell – g. word
c/d	à	A ce qu'il dit, l'article est trop cher
c/f		A vrai dire, je ne sais qu'en penser
c/d	avoir beau	Vous avez beau dire, la vente est un succès
ac/b	beaucoup	Cela veut beaucoup dire, quoi que vous en pensiez
b/bg	être	C'est-à-dire qu'on ne le voit plus
b/b		Est-ce à dire que vous ne viendrez pas?
e-c-c/e-c-a	pour	Pour ainsi dire – pour ne pas dire – pour tout dire
c/d	que	Que dire de tout cela?
d/d	sans	Il va sans dire que . . .
c/d	selon	Selon son dire, il vaudrait mieux . . .
c/f	savoir	Je ne saurais vous dire s'il est diplômé ou non
c/f	tout	Tout ce que je peux vous dire, c'est qu'il coûte cher
a/b	vouloir	Que veut dire cette façon de procéder?
	Directeur (m) **Directrice** (f) **Direction** (f)	a. Direktion (f) – b. Direktor (-in) a. director – b. executive – c. management – d. manager
a/ab		Notre comité de direction a décidé que . . .
b/d		Notre directeur général – Président-directeur général
b/a		La directrice de cette institution est Mme . . .
a/c		Il faut s'attendre à un prochain changement de direction
a/c		Depuis qu'il a pris la direction de cette entreprise, . . .
a/c		Nous en avons confié la direction à M. . . .
	Diriger	a. entgegengehen – b. führen – c. leiten a. to head – b. to manage
b/b		Cette affaire est bien – mal – dirigée
a/a		Nous nous dirigeons lentement vers une amélioration
c/ab		M. . . . a été appelé à diriger le service des . . .
	Discréditer **Discrédit** (m)	Verruf (m) – to discredit
		Certains de ses concurrents ont tenté de le discréditer, mais sans succès

		Les opérations peu claires auxquelles il a été mêlé ont jeté un certain discrédit sur sa réputation
	Discrétion (f)	Diskretion (f) – discretion
		Je compte sur votre discrétion Je vous assure de ma discrétion la plus complète En vous assurant de ma plus entière discrétion au sujet des renseignements que vous me communiquerez, je . . .
	Discrimination (f) **Discriminatoire**	a. diskriminierend – b. Unterschied (m) a. discrimination – b. discriminatory
b/a		Vos accusations nous surprennent et nous vous prions de croire que nous ne faisons nulle discrimination parmi nos clients
a/b		Ces mesures discriminatoires sont de nature à nous porter préjudice
	Discussion (f)	a. Diskussion (f) – b. unbestreitbar a. argument – b. discussion – c. doubt
a/b		Cela pourrait donner matière – sujet – à discussion
a/a		Nous ne voulons pas entrer en discussion avec lui
b/c		Vous avez raison, sans discussion possible
a/b		La question en discussion n'est pas de mon ressort
a/b		Des discussions préalables ont permis d'éclaircir la situation et laissent bien présager de l'avenir
	Discuter **Discutable**	a. bestreiten – b. erörtern a. debatable – b. to discuss – c. disputable – d. to dispute
a/ac		Votre argumentation est discutable, pour le moins
b/b		Nous en discuterons avec nos associés
a/d		Votre droit n'a jamais été discuté
	Dispenser **Dispense** (f)	a. Dispens (m) – b. dispensieren – c. schenken a. to dispense – b. to excuse – c. exemption
c/a		Je vous dispense de vos commentaires spécieux
b/b		Pour ces raisons, je vous prie de me dispenser d'assister à votre réunion
b/b		Vous avez bien voulu me dispenser de . . . et je vous en remercie
a/c		Il est nécessaire que vous nous présentiez une dispense médicale
	Disponibilité (f) **Disponible**	a. Mittel (n) – b. verfügbar – c. Verfügung (f) a. available – b. available funds – c. liquid assets
a/bc		Je désire placer mes disponibilités en actions
a/bc		Nous n'avons pas beaucoup de disponibilités en ce moment
a/bc		Mes disponibilités me permettront d'assurer sans problème l'échéance du . . .
a/bc		Mes disponibilités ne sont pas suffisantes pour que je puisse vous payer à la date prévue, . . .

b/a		Quelles sont les quantités disponibles?
b/a		Cet article n'est plus disponible jusqu'à nouvel avis
c/a		Je suis disponible à partir du . . . – depuis . . . heure
	Disposer	a. bereit sein – b. verfügen a. (to be) available – b. (to be) willing
a/b	à accorder	Seriez-vous disposés à m'accorder un crédit garanti par . . .
b/a	de	Vous pouvez disposer de la marchandise dès le . . .
		Vous pouvez sans autre disposer de moi
a/b	être	Nous ne sommes nullement disposés à céder
a/b	vendre	Ils ne sont pas disposés à vendre pour l'instant
	Disposition (f)	a. Bestimmung (f) – b. Verfügung (f) a. arrangement – b. available – c. disposal – d. service – e. stipulation – f. use
b/b	à	Les fonds à ma disposition s'élèvent à Fr. . . .
a/e	d'après	D'après les nouvelles dispositions en vigueur, . . .
b/c	avoir	Il faut que j'aie tous ces documents à ma disposition
b/f		J'ai la libre disposition de cet emplacement
b/c	demeurer	Nous demeurons à votre entière disposition pour de plus amples renseignements
b/c	être	Je suis à votre entière disposition si vous désirez faire . . .
		Nos services sont à votre disposition pour étudier . . .
b/c	laisser	Si cela peut être utile, je le laisse à votre disposition
b/c	mettre	Si vous pouviez le mettre à ma disposition pendant quelques jours, cela me rendrait service
b/d		Nous nous mettons volontiers à votre disposition
b/a	prendre	Nous prendrons toutes dispositions utiles
		Vous auriez dû nous en aviser plus tôt et nous aurions pris d'autres dispositions
b/c	rester	Je reste à votre disposition pour vous fournir tous les renseignements complémentaires que vous pourriez désirer
b/a	sauf	Sauf disposition contraire de votre part, nous . . .
b/c	tout	Je me tiens à votre disposition pour tout renseignement que vous pourriez désirer
b/c	tenir à	Nous tenons à votre disposition le récépissé . . .
	Dissoudre	a. auflösen – b. Auflösung (f)
	Dissolution (f)	a. dissolution – b. to dissolve
b/a		Cette faillite a entraîné la dissolution de la société
a/b		Nous avons dissous notre société
	Dissuader	abbringen – to dissuade
		Nous l'avons dissuadé de s'associer avec . . .
	Distinguer	a. auszeichnen – b. Auszeichnung (f) – c. bedeutend – d. unterscheiden
	Distinction (f)	a. distinction – b. to distinguish – c. hono(u)r
d/a		Il faut faire une nette distinction entre les deux cas
a/b		Mes articles se distinguent tout particulièrement par leur solidité et leur prix avantageux

d/b		Il est difficile de distinguer cet article de celui-là
c/b		C'est un homme très distingué
b/c		Notre ... a obtenu les plus hautes distinctions
	Distraire	absondern – to divert
		Il ne m'est pas possible de distraire une partie de mes fonds pour une telle opération
	Distribuer **Distribution** (f)	a. Absatz (m) – b. Ausschüttung (f) – c. verteilen a. to distribute – b. distribution – c. to issue – d. to pay – e. payment
a/b		Notre rayon de distribution est très restreint
c/a		Nous distribuerons notre prospectus dans tous les ménages
c/cd		Cette société n'a plus distribué de bénéfices depuis ...
b/e		La distribution du dividende aura lieu prochainement
	Divers	a. verschieden – b. Verschiedenes (n) a. miscellaneous – b. several – c. various
a/b	à	A diverses reprises, nous vous avons demandé ...
b/a	chapitre	Au chapitre des divers, nous avons reçu une proposition intéressante que nous vous soumettons
a/bc	en	En diverses occasions, nous avons pu constater que ...
a/a	fait	Cet incident doit être rangé dans les faits divers
a/a	frais	Nous sommes surpris du montant des frais divers mentionnés sur votre décompte et vous prions de nous fournir un justificatif (des pièces justificatives)
	Dividende (m)	Dividende (f) – dividend
		Dividende intérimaire – final – annuel Le coupon de dividende – l'action cotée ex-dividende Distribuer – payer – verser un dividende Encaisser – toucher un dividende
	Divulguer	bekanntgeben – to divulge
		Nous ne pouvons pas encore divulguer ce secret
	Document (m) **Documentaire**	a. Beleg (m) – b. Dokumentenkredit (m) – c. Urkunde (f) a. document – b. documentary
c/a	à l'appui	Je suis en mesure de justifier mes arguments, documents à l'appui
c/a	authentique	Ce document authentique ne saurait prêter à discussion
b/b	crédit	Je sollicite un crédit documentaire de Fr. ...
a/a	embarquement	Le document d'embarquement a été établi au nom de ...
c/a	original	Veuillez nous faire parvenir le document original afin que ...
a/a	remise	La somme de Fr. ... est payable contre remise des documents

	Documenter	a. Dokumentation (f) – b. informieren
	Documentation (f)	a. to do research – b. documentation
a/b		Nous vous adressons aujourd'hui notre documentation relative à . . .
a/b		Nous tenons à votre disposition une documentation complète sur ce sujet
a/b		Après avoir étudié votre documentation, je vous prie . . .
a/b		La documentation que j'ai consultée . . .
b/a		Je me suis documenté sur la question et pense que . . .
a/b		Nous vous demandons de réunir une documentation aussi complète que possible sur ce problème
	Doigté (m)	a. Fingerspitzengefühl (n) a. diplomacy – b. tact
a/ab		Cette affaire est délicate et nous vous prions d'agir avec beaucoup de doigté – avec tout le doigté nécessaire
	Domaine (m)	a. Bereich (m) – b. frei werden a. area – b. domain – c. field
a/a		Cette affaire n'est pas de mon domaine
b/b		Ce brevet – cet ouvrage – est tombé dans le domaine public
a/c		M. . . . est un spécialiste dans le domaine financier – fiscal – économique
	Domicilier **Domicile** (m) **Domiciliation** (f)	a. Domizil (n) – b. domizilieren – c. Haus (n) – d. Sitz (m) – e. Wohnsitz (m) a. domicile – b. to domicile – c. home
e-e-e-d/a		Le domicile fixe – légal – réel – social
c/c	à	Nous livrons à domicile tous les jours
e/a	changer	Je vous informe que j'ai changé de domicile et habite maintenant . . .
a/a	commission	Nous débitons votre compte de la commission de domiciliation de . . .% suivant l'avis que vous recevrez ultérieurement
b/b	traite	Veuillez faire domicilier la traite auprès de . . .
	Dommage (m)	a. bedauerlich – b. Schaden (m) a. damage – b. damages – c. injury – d. shame
b/b		Demander – obtenir des dommages-intérêts
b/c-a		Des dommages corporels – matériels
b/a	causer	Cet incendie a causé de grands dommages
a/d	être	C'est dommage que vous ne puissiez accepter Il est dommage que vous n'ayez pu le voir
b/a	évaluer	Nous évaluons les dommages à Fr. . . . environ
b/a	indemniser	Nous vous indemniserons des dommages subis
b/b	intenter	Nous intenterons une action en dommages-intérêts
b/b	payer	Les dommages seront payés par . . .
b/a	réparer	Il est impossible de réparer ce dommage
b/a	responsable	Je ne suis pas responsable de ce dommage

b/a	résulter	D'après le certificat d'avarie, les dommages résultent de . . .
b/a	vérifier	Nous ferons vérifier les dommages par . . .
	Don (m) **Donation** (f)	a. Schenkung (f) a. to donate – b. to give
a/b		Il a fait don de Fr. . . . en faveur de . . .
a/a		Il a fait donation de tous ses biens à . . .
	Donnée (f)	a. Daten (n. pl.) a. data – b. information
a/b		Nous n'avons pas encore toutes les données en main
a/a		Nous avons tenu compte des données les plus récentes de la technique
	Donner	a. Anbetracht – b. geben – c. gehen – d. hinstellen – e. schenken – f. zahlen a. to give – b. to put
f/a	combien	Combien donnez-vous de ce stock?
b/a	congé	Il lui a donné congé pour la fin du mois
b/a	à entendre	Je lui ai donné à entendre que je n'étais pas satisfait
e/a	être	A ce prix, c'est vraiment donné
a/a		Etant donné les circonstances, nous ne pourrons pas . . .
d/a	exemple	On pourrait donner en exemple ce cas spécial
b/a	parole	Je lui ai donné ma parole que j'observerai le . . .
b/b	peine	Nous nous sommes donné beaucoup de peine pour faire . . .
b/a	preuve	Il nous a donné une preuve de sa grande habileté
b/–	raison	Je lui donne raison
c/a	sur	La fenêtre donne sur le lac
b/–	tort	On ne peut lui donner tort
	Dossier (m)	a. Akten (f) – b. Fall (m) – c. Leumund (m) a. dossier – b. file
a/ab		Mettez cette lettre dans son dossier
c/ab		Il a un dossier lourdement chargé
b/a		Nous devrons reprendre ce dossier en suspens
	Douane (f)	Zoll (m) – customs
		L'agent en douane – le commissionnaire en douane Le bureau de douane – la déclaration en douane Les droits de douane – le tarif de la douane Déclarer à la douane – passer en douane
	Doubler **Double** (m)	a. Doppel (n) – b. gefüttert – c. verdoppeln – d. zweideutig a. to double – b. double – c. duplicate – d. to line
a/c		Le double d'un acte – une facture en double exemplaire
a/c		Quittance en double valant pour simple
d/b		C'est un mot à double sens qu'il faudrait éviter
c/a		Ce . . . a doublé de valeur en . . . ans

b/d		L'emballage a été fait en caisses doublées de zinc
b/d		Ce manteau est chaudement doublé
	Douloureusement	a. schmerzlich a. deeply – b. profoundly
a/ab		Nous avons été douloureusement frappés par la nouvelle de la mort de . . .
	Doute (m)	Zweifel (m) – doubt
	avoir	Nous avons des doutes sur sa loyauté
	dans	Dans le doute, je préfère m'abstenir
	hors de	Il est hors de doute qu'il échouera – réussira
	il	Il n'y a pas de doute que cela sera difficile
	mettre en	Nous ne mettons pas en doute vos paroles
	nul	Nul doute qu'il réussisse
	tirer du	J'aimerais bien que vous me tiriez de ce doute
	sans	Vous l'obtiendrez, sans aucun doute
	Douter **Douteux**	a. bezweifeln – b. zweifelhaft a. to doubt – b. doubtful
b/b		Une créance douteuse – un débiteur douteux
a/a		Nous ne doutons pas de son honnêteté
a/a		Je doute qu'il puisse obtenir l'autorisation nécessaire
	Droit (m)	a. Anspruch (m) – b. Gebühr (f) – c. handlungsunfähig – d. Recht (n) – e. rechtlich – f. stattgeben – g. zuständig a. duty – b. fee – c. to grant – d. law – e. proper authority – f. right
d/d		Le droit civil – pénal – des obligations
d/d		Le droit commercial – le droit de change
d/f-f-a		Les droits réels – de propriété – de succession
d/f-d		Le droit d'auteur – de brevet
d/f		Le droit d'emption – de préemption – de réméré
b/a		Les droits de douane ad valorem – sur le poids (spécifiques)
b/a-b		Le droit de timbre – de statistique
d/f	acquérir	En vertu du droit acquis, . . .
d/f	appartenir	Ce rôle nous appartient de droit
d/f	s'arroger	Ils n'ont pas craint de s'arroger le droit de . . .
a/f	avoir	Nous estimons avoir droit à une indemnité de Fr. . . .
d/f		Nous avons parfaitement le droit d'agir ainsi
d/f	conférer	. . . confère à la maison . . . le droit exclusif de fabrication et de vente de l'objet protégé par le brevet mentionné . . .
d/f	contester	Il nous conteste le droit de vendre cet article
d/f	déchoir	Il a été déchu de tous ses droits
d/f	donner	Je vous donne le droit de faire . . . Vous comprendrez que votre retard nous donne le droit de vous réclamer des dommages-intérêts
d/f	être en	Nous sommes en droit de réclamer une indemnité
b/a	exempt	Cette marchandise est exempte de tous droits
d/f	exercer	Vous pouvez exercer vos droits dans ce cas

f/c	faire	Nous ferons droit à votre requête
a/f		C'est le moment de faire valoir vos droits
e/d	en fait	En fait et en droit, nous sommes seuls propriétaires de ...
a/f	ignorer	Il ne pourra pas ignorer plus longtemps notre droit
d/f	jouir	Savez-vous s'il jouit des droits civiques
d/f	outrepasser	Je ne pense pas qu'il ait outrepassé ses droits
b/a	percevoir	Les droits de ... perçus s'élèvent à Fr. ...
d/f	plein	Nous l'avions déjà de plein droit
c/f	priver	Il est privé de l'exercice de ses droits civils
g/e	à qui	Adressez-vous à qui de droit
d/f	sans préjudice	... bien entendu, sans préjudice de mes droits
d/f	se prévaloir	Comment pouvez-vous vous prévaloir de votre droit?
d/f	se réserver	Je me réserve le droit de retirer cette autorisation si ...
		Nous nous réservons le droit d'annuler le contrat
	Ducroire (m)	a. Delkredere (n)
		a. delcredere agent – b. delcredere commission – c. provision for doubtful debts
a/a-b		Un commissionnaire ducroire – une commission ducroire
a/c		Un ducroire sur débiteurs (douteux)
	Dûment	ordnungsgemäss – duly
		Je suis dûment autorisé à représenter M. ..., selon la procuration par lui établie en date du ...
	Duplicata (m)	Doppel (n) – copy
		Le duplicata d'une facture
	Durer	a. andauern – b. Dauer (f) – c. halten
	Durée (f)	a. duration – b. to last – c. time
b/a		La durée du travail – un travail de longue durée
b/a		La durée d'un contrat – de la validité d'un contrat
b/c		Je serai absent pour une courte durée
c/b		C'est une étoffe qui durera longtemps
a/b		Si la crise dure encore ...

E

	Eau (f)	a. Tiefgang (m) – b. Wasser (n) a. water
b/a		Le transport – les communications par eau
b-a/a		Le niveau de l'eau – le tirant d'eau d'un navire
b/–		Ce projet est définitivement tombé à l'eau
	Ebranler	a. erschüttern – b. zerrütten a. to shake
a-a-b/a		La confiance – le crédit, la fortune, a été fortement ébranlé(e)
	Ecarter **Ecart** (m)	a. abschweifen – b. Differenz (f) – c. fernhalten – d. zurückweisen a. to brush aside – b. difference – c. to diverge – d. spread – e. to stay clear
b/b		Il y a un écart de ... francs entre les deux comptes
c/e		Il vaut mieux vous tenir à l'écart d'une telle manœuvre
b/bd		Un écart de ...%, en plus ou en moins, est conforme aux tolérances en usage
d/a		Vous avez écarté mon objection – ma réclamation – sans aucune justification
a/c		Je me suis quelque peu écarté du sujet
	Echange (m)	a. Austausch (m) – b. Ersatz (m) – c. Gegenleistung (f) – d. Tausch (m) – e. umtauschen a. alternative – b. to exchange – c. exchange
d/c	donner	Que nous donnerez-vous en échange?
e/b	faire	Nous ferons l'échange des ... contre (pour) les ...
d/a	moyen	Malheureusement, il n'existe pas de moyens d'échange
c/c	offrir	Nous vous offrons en échange ...
d/c	prendre	Nous pourrions prendre en échange ...
a/b	procéder	Il me paraît nécessaire que nous procédions à un échange de points de vue
b/c	recevoir en	La machine que nous avons reçue en échange ...
	Echanger	a. austauschen – b. umtauschen – c. wechseln a. to exchange
c-a-a/a		Echanger une correspondance – des idées – des vues
a/a		Echanger des suggestions – de bons procédés
b/a		Echanger une marchandise pour (contre) une autre
	Echantillon (m) **Echantillonnage** (m)	a. Muster (n) – b. Musterkollektion (f) a. sample – b. sampling
a/a	acheter	Nous n'achetons ce genre de produit que sur échantillon

a/a	comparer	Nous avons comparé votre échantillon avec ceux que . . .
a/a	conforme	Nous avons fait constater que votre livraison n'est pas conforme aux échantillons soumis
a/a	correspondre	Les échantillons ne correspondent pas à la marchandise livrée
b/b	idée	Pour vous donner une idée de l'échantillonnage de notre production, nous vous remettons en annexe notre catalogue détaillé
a/a	offre	Veuillez nous faire une offre accompagnée d'échantillons
a/a	soumettre	Nous pouvons vous soumettre à l'examen des échantillons de . . .
a/a	sans valeur	Nous certifions sans valeur commerciale la collection d'échantillons de . . . no . . .
a/a	vendre	Tous nos . . . sont vendus garantis conformes aux échantillons soumis dans nos offres
	Echapper	a. entfallen – b. entgehen a. to escape – b. to miss – c. to pass
b/a	attention	Cette correction avait échappé à notre attention
b/b	contrôle	Nous regrettons que ce . . . ait échappé à notre contrôle
b/ab	faute	Cette faute nous a malencontreusement échappé
b/c	laisser	Vous ne devriez pas laisser échapper cette occasion
a/a	nom	Son nom m'échappe en ce moment
b/a	y	Nous ne pourrons pas y échapper
	Echéance (f)	a. Ablauf (m) – b. fällig – c. Fälligkeit (f) – d. . . . fristig a. commitment – b. due date – c. expiration – d. obligation – e. redemption date – f. term
d/f		A brève – courte – moyenne – longue échéance
a/c	à	A l'échéance du présent contrat, nous réexaminerons certaines conditions
b/b	arriver	La traite arrive à échéance le . . .
c/b	encaisser	Vous voudrez bien encaisser à l'échéance les trois effets inclus, dûment endossés
b/ad	faire face	Nous sommes momentanément dans l'impossibilité de faire face à nos échéances par suite de . . .
c/be	payable	. . . payable comme convenu à l'échéance du . . .
c/b	payer	Nous comptons bien que vous paierez à l'échéance
c/b	présenter	J'ai payé un acompte de Fr. . . . sur votre traite no . . . qui m'a été présentée à l'échéance
c/b	proroger	Etant donné ces circonstances vraiment exceptionnelles, nous vous demandons de proroger l'échéance au . . .
c/b	rappeler	Nous vous rappelons l'échéance de . . .
c/b	reporter	J'accepte de reporter l'échéance de . . . au . . .
c/b	respecter	Je m'engage à respecter la nouvelle échéance que vous vous voudrez bien m'accorder
c/b	tomber	Si l'échéance tombe sur un jour férié, . . .

b/b	traite	Ma traite no . . ., échéance le . . ., de Fr. . . . n'a pas été payée
b/b	venir	Si la traite vient à échéance le . . ., . . .
	Echelle (f)	a. Massstab (m) – b. Tarif (m) a. scale
a/a		Nous envisageons de diffuser notre publicité sur une large échelle
b/a		Une nouvelle échelle des salaires sera appliquée dès le . . .
	Echelonner	a. staffeln – b. verteilen a. to spread out
a/a		Dans le but d'échelonner mes paiements – versements – je vous propose de . . .
b/a		Dans ces conditions, vos versements s'échelonneront sur les huit prochains mois, le premier étant effectué le . . .
	Echoir	a. erforderlichenfalls – b. fällig a. (to fall) due – b. necessary
b/a		Un billet – un effet échu – les intérêts échus
b/a		La dette – la somme – la valeur échue
a/b		Le cas échéant, nous étudierons à nouveau la question
	Echouer	a. durchfallen – b. scheitern a. to fail
b/a		L'affaire a complètement échoué
a/a		Il a échoué à l'(dans un, un) examen d'entrée
b/a		Ses manœuvres ont fait échouer notre plan
	Eclaircir **Eclaircissement** (m)	a. abklären – b. Aufklärung (f) a. clarification – b. to clear up
a/b		Il vous faudra éclaircir cette affaire
b/a		Nous ne sommes pas satisfaits de ces explications et demandons des éclaircissements
	Economiser **Economie** (f) **Economique**	a. Einsparung (f) – b. sparen – c. sparsam – d. Wirtschaft (f) a. conservation – b. economic – c. to economize – d. economy – e. to save
d/b	crise	La crise économique nous oblige à . . .
b/ce	énergie	Notre appareil a été conçu afin d'économiser l'énergie
a/e	faire	Vous pourriez faire de réelles économies en . . .
d/d	marché	Le marché économique libre ou planifié
b/ad	mesure	De sérieuses mesures d'économies devront être appliquées au plus tôt
d/d	mondial	Sur le plan de l'économie mondiale, les spécialistes prévoient . . .
d/d	nationale	Notre situation actuelle s'explique par l'évolution de notre économie nationale durant la dernière année

d/b	politique	La politique économique pratiquée par ce pays nous oblige à ...
c/b	procédé	Ce procédé économique nouveau devrait vous intéresser
a/e	réaliser	En utilisant ..., vous réalisez une économie de ...
a/e	résulter	Si vous adoptiez ces modifications, il en résulterait une économie de l'ordre de Fr.... par année
b/e	temps	Si vous pouviez intervenir directement, nous économiserions un temps précieux
	Ecouler **Ecoulement** (m)	a. absetzen – b. vergehen – c. verkäuflich a. to pass – b. to sell
b/a		Quelques mois se sont écoulés depuis que nous ...
a/b		Il est impossible d'écouler cette marchandise
b/a		Le 8 écoulé, nous vous avons demandé ...
b/a		Durant l'exercice écoulé, nos ventes ont progressé de ...%
c/b		Cet article est d'un écoulement difficile
	Ecrire **Ecrit**	a. schreiben – b. schriftlich a. to write – b. written – c. writing
a/a		Au moment où nous écrivons ces mots, nous apprenons ...
a/a		J'ai écrit à M. ... pour lui demander ...
b/b		Notre convention écrite du ... arrive bientôt à échéance
b/c		Je vous prie de vous engager par écrit à ...
b/b		Nous sommes prêts à vous signer une promesse écrite
b/b		J'ai besoin d'une preuve écrite
a/a		Veuillez écrire lisiblement vos nom et adresse
b/c		Vous voudrez bien me confirmer par écrit ...
	Ecriture (f)	a. Bücher (n) – b. Buchung (f) – c. Eintrag (m) a. accounts – b. bookkeeping – c. entry
a-c/a-c		Arrêter les écritures – annuler une écriture
b-a/c-a		Passer écriture conforme – vérifier les écritures
b/b	complication	Pour éviter toute complication d'écriture, je vous serais obligé de m'adresser, le plus tôt possible, le montant de ...
a/a	comptable	Les écritures comptables ont été contrôlées par ...
a/a	vérification	En procédant à la vérification de nos écritures, nous remarquons que votre compte reste débiteur de ...
	Editer **Editeur** (m) **Edition** (f)	a. herausgeben – b. Verleger (m) a. to edit – b. edition – c. editor
a/a		Nous éditons en ce moment un magnifique catalogue
b/bc		L'éditeur a préparé une édition revue et augmentée

	Effectif (m)	a. Bestand (m) – b. greifbar – c. tatsächlich
	Effectif	a. indeed – b. real – c. size
	Effectivement	
c/b		Quelle est la valeur effective de cet immeuble?
c/b		Il y a une grande différence entre la valeur effective et la valeur nominale de vos titres
a/c		L'effectif de notre personnel a été réduit
c/a		Effectivement, nous constatons que ...
b/b		Aucun travail effectif n'a été entrepris depuis notre dernière visite
	Effectuer	a. erfolgen – b. vornehmen a. to make
b/a		Nous effectuons nous-mêmes toutes les réparations
b/a		J'ai effectué un premier versement le ...
a/a		Le paiement s'effectuera comme suit: ...
	Effet (m)	a. Kraft (f) – b. tatsächlich – c. Wechsel (m) – d. Wirkung (f) – e. Zweck (m) a. bill (of exchange) – b. effect – c. effective – d. end – e. indeed
c/a		Un effet en portefeuille – le portefeuille d'effets
c/a		Un effet à recevoir – un effet à payer
c/a		Un effet accepté – un effet présenté à l'acceptation
c/a		Un effet payé – un effet présenté au paiement
c/a		Un effet refusé à l'acceptation – au paiement
c/a		Un effet protesté – faire protester un effet
c/a		Escompter un effet – domicilier un effet
c/a		Souscrire un effet – mettre un effet en circulation
e/bd	à	A cet effet, nous vous demandons de ...
d/b	avoir	Nous espérons que cette mesure aura un effet positif
b/e	en	Je pense, en effet, qu'il est préférable de patienter
c/a	endosser	Nous vous adressons, sous ce pli, dûment endossé à votre ordre, un effet no ..., sur ..., de Fr. ..., à fin juin prochain
c/a	escompter	Je vous prie d'escompter ces effets et d'en porter le montant net au crédit de mon compte
d/c	immédiat	Nous avons décidé, avec effet immédiat, de ...
a/b	prendre	Cette nouvelle réglementation prendra effet dès ...
a/b	rétroactif	Cette mesure n'a pas d'effet rétroactif
d/b	sans	Tous nos efforts sont restés sans effet
	Efficacité (f)	a. wirksam – b. Wirksamkeit (f)
	Efficace	a. effective – b. effectiveness
a/a		Son appui nous a été très efficace
b/b		L'efficacité de cette publicité n'est pas prouvée
	Efforcer (s')	bemühen (sich) – to do one's best
		Nous nous efforcerons de respecter le délai convenu
		Je m'efforcerai de mériter votre confiance
	Effort (m)	Anstrengung (f) – effort
	après	Après bien des efforts, nous avons réussi à l'atteindre

	consacrer	Nous consacrerons tous nos efforts à cette tâche
	faire	Je ferai tous mes efforts pour y parvenir
	malgré	Malgré ses efforts, le résultat a été décevant
	seconder	Je vous demande de seconder mes efforts
	soutenu	Par un effort soutenu, nous devrions arriver à . . .
	succès	Je souhaite que vos efforts soient couronnés de succès
	tendre	Tous nos efforts tendront à mériter votre confiance
	vain	Tous nos efforts sont restés vains et nous n'avons pu concilier nos points de vue
	Egal	a. gleich – b. gleichgültig – c. seines(ihres)gleichen a. equal – b. equivalent – c. indifferent – d. same
a/d		A prix égal (à conditions égales) je vous donnerai la préférence
c/ab		Cet article n'a pas son égal sur le marché
b/cd		Il nous est égal que vous l'envoyiez par train ou camion
	Egard (m)	a. gegenüber – b. Hinsicht (f) – c. Rücksicht (f) a. consideration – b. respect
b/b	à cet	N'ayez aucune crainte à cet égard
a/–	à l'	Il n'a pas montré beaucoup de reconnaissance à mon égard
b/b	à tous	A tous égards, cela vaut mieux ainsi Il nous a donné satisfaction à tous égards
c/a	avoir	Je vous remercie des égards que vous avez eus pour moi
c/a	eu	Eu égard à votre jeune âge – votre situation – nous . . .
c/b	manquer	Il manque d'égards envers ses chefs – ses clients
c/b	par	Par égard pour lui, je ne dirai rien
c/a	plein	Vous avez toujours été plein d'égards pour moi
c/a	témoigner	Il sera bon de lui témoigner beaucoup d'égards
	Elargir	a. erweitern a. to enlarge – b. to expand
a/ab		Nous désirons élargir notre champ d'activité
	Electricité (f)	a. Elektrizität (f) a. electricity – b. power
a/ab		La consommation d'électricité a pu être réduite de . . . %
	Electronique	elektronisch – electronic
		Les composants électroniques – une commande électronique Un circuit électronique – l'industrie électronique
	Elever	a. erheben – b. hoch – c. wenden a. high – b. to object – c. to raise
b/a		Le cours du change – le taux – est élevé
b/a		Les droits – les taxes – sont élevé(es)
b/a		Vos prétentions sont beaucoup trop élevées

a/c		Nous avons immédiatement élevé une protestation
c/b		Nous nous sommes élevés contre cette mesure
	Elire	a. Wahl (f) – b. wählen
	Election (f)	a. to elect – b. election
b/a		Lors de notre prochaine assemblée, nous devrons élire de nouveaux ...
a/b		Je vous félicite de votre brillante élection
	Eloge (m)	a. Lob (n) – b. loben
	Elogieux	a. compliment – b. complimentary – c. to praise – d. praise
a/ad		Je suis très sensible à l'éloge que vous avez fait de ...
b/c		Il a très bien su faire l'éloge de vos articles
b/b		Il nous a parlé de vous en termes très élogieux
	Eloigner	a. abweichen – b. fernbleiben – c. verwerfen – d. zerstreuen a. away – b. to differ – c. to eliminate
d-c-c-d/c		Eloigner une crainte – une idée – une pensée – un soupçon
b/a		Il est resté éloigné des affaires pendant un an
a/b		Votre proposition ne s'éloigne pas beaucoup de la mienne
	Emballage (m)	Verpackung (f) – packaging
		Franco d'emballage – emballage à votre charge – en sus Emballage en caisses – en fûts – en sacs La caisse d'emballage – le papier, les frais d'emballage Emballage soigné – défectueux – insuffisant
	adopter	Nous avons adopté un nouvel emballage plus résistant
	compter	Nous avons compté Fr. ... pour l'emballage
	contrôler	Si l'emballage avait été contrôlé avant le départ, ...
	défaut	La marchandise a été endommagée par suite d'un défaut dans l'emballage – de quelque défaut d'emballage
	facturer	L'emballage est facturé Fr. ... quand il n'est pas retourné dans les ... jours.
	faire	L'emballage a été fait avec soin – avec négligence
	laisser à désirer	Nous constatons que l'emballage laisse à désirer
	original	Nous vous garantissons que tous les articles ... sont livrés dans l'emballage original
	renforcer	Vous voudrez bien renforcer l'emballage afin que ...
	reprendre	Nous reprenons l'emballage s'il est retourné en bon état
	soigner	Je vous recommande tout particulièrement de soigner l'emballage
	surveiller	Nous ne manquerons pas de surveiller l'emballage afin que la marchandise arrive en parfait état

	veiller	J'ai personnellement veillé à l'emballage
	vouer	Vous voudrez bien vouer tous vos soins à l'emballage
	Emballer	verpacken – to pack
		Emballer en caisse – dans du carton
	Embargo (m)	a. Beschlagnahme (f) – b. beschlagnahmen a. embargo
a/a		Lever – mettre l'embargo sur une cargaison
b/a		Les marchandises ont été frappées d'embargo
	Embarquer **Embarquement** (m)	a. einlassen (auf) – b. einschiffen – c. Heuervertrag (m) – d. laden – e. Verschiffung (f) a. to embark – b. embarkment
c-d-d/b		Les conditions – la déclaration – le permis d'embarquement
d/b		Les frais d' – le poids à l' – les risques d' – embarquement
e/b		Nous vous informons de l'embarquement de ... sur le S/S ...
e/b		Le port d'embarquement devra nous être communiqué
b/a		Il s'est embarqué à Hambourg
a/a		Il s'est embarqué dans une mauvaise affaire
	Embarras (m)	a. Schwierigkeit (f) a. financial straits – b. fuss – c. predicament – d. problem – e. trouble
a/de	avoir	Il n'a que des embarras avec cette affaire
a/d	causer	Cela nous a causé de multiples embarras
a/ac	être	Il est dans un grand embarras
a/b	faire	On ne devrait pas vous faire d'embarras à ce sujet
a/c	sortir	Je ne vois pas comment vous sortir (tirer) d'embarras
a/c	se trouver	Je ne me suis jamais trouvé dans pareil embarras
	Embarrasser	a. belasten – b. peinlich – c. Skrupel (m) a. to bother – b. embarassing – c. to encumber
b/b		Votre question est vraiment embarrassante
a/c		Notre stock étant complet, nous ne pouvons pas nous embarrasser encore de ces articles
c/a		Il ne s'est jamais embarrassé de scrupules
	Emettre **Emission** (f)	a. ausgeben – b. äussern – c. ausstellen – d. Emission (f) – e. Sendung (f) a. to express – b. to float – c. to issue – d. (bond) issue – e. program(me) – f. underwriting
a/c-b		Emettre des actions – un emprunt par obligations
c/c		Emettre un chèque – une lettre de change
d/f-d-d-d		La banque – le prix – le taux – le cours d'émission
d/d		Une émission au pair – au-dessous ou au-dessus du pair
b/a	avis	Si vous me permettez d'émettre un avis, je pense ...
b/a	opinion	Vous comprendrez que je préfère ne pas émettre

		d'opinion à ce sujet – en la matière
e/e	radio	Lors d'une émission radiophonique (de la radio), j'ai appris que vous fabriquez des ...
	Emmagasiner	a. einlagern – b. Einlagerung (f)
	Emmagasinage (m)	a. storage – b. to store
b/a		Les frais d'emmagasinage des marchandises sont de ...
a/b		Nous n'avons pas la place pour emmagasiner ...
	Empêcher	a. hindern – b. Hinderungsgrund (m) – c. trotzdem –
	Empêchement (m)	d. umhinkönnen
		a. to avoid – b. nevertheless – c. to prevent
b/c		Retenu par un empêchement survenu au dernier moment, je ...
b/c		Un empêchement imprévisible – imprévu – ne me permettra pas d'assister à votre réunion
a/c		Le mauvais temps nous a empêché d'exécuter votre ordre
d/a		Je ne peux m'empêcher de penser que ...
c/b		Il n'empêche que vous auriez pu prévoir ce retard
	Empiéter	a. eingreifen (in) – b. übergreifen
		a. to infringe
a-b/a		Je ne veux pas empiéter sur vos droits – votre terrain
	Emplacement (m)	a. Platz (n) – b. Stelle (f)
		a. site
b/a		Vous n'auriez pas pu choisir un meilleur emplacement
b/a		L'emplacement conseillé présente les avantages suivants: ...
a/a		Cet emplacement est (exclusivement) réservé à – aux ...
	Emploi (m)	a. Gebrauchsanweisung (f) – b. Personal (n) – c. Stelle (f) – d. Verbuchung (f) – e. verwenden – f. Verwendung (f)
		a. job – b. schedule – c. use
f/c	avoir	Nous n'avons pas l'emploi de cet appareil
c/a	chercher	Je cherche un emploi mieux en rapport avec ma formation
c/a	confier	Si je vous confie cet emploi, je désire que ...
c/a	convenir	Je crois convenir pour l'emploi que vous offrez
d/–	double	A vendre, pour cause de double emploi
c/a	être	Nous l'avons renvoyé parce qu'il n'était pas à la hauteur de l'emploi
c/a		Je suis sans emploi depuis ...
e/c	faire	Nous ne pouvions faire un meilleur emploi de ...
f/c	justifier	Il n'a pu justifier de l'emploi de cet argent
f/c	limité	L'emploi de cette machine est très limité
a/c	mode	Vous trouverez, ci-joint, le mode d'emploi détaillé
c/a	occuper	J'ai occupé pendant deux ans un emploi de ...

c/a	offrir	Je vous offre un emploi dans mon commerce
c/a	perdre	J'ai perdu mon emploi parce que la société a été dissoute
c/a	quitter	Vous êtes libre de quitter cet emploi quand vous voulez
b/a	réduction	Nous devrons procéder à une réduction de l'emploi
c/a	rémunéré	Il nous quitte pour prendre un emploi mieux rémunéré
e/b	temps	Il ne nous a pas donné l'emploi de son temps
c/a	vacant	Nous n'avons pas d'emploi vacant en ce moment
	Employé (m)	Angestellter (m) – employee
		Un employé de banque – d'assurance – de commerce
		Un certificat d'employé de commerce qualifié
		C'est un employé consciencieux – digne de confiance
		J'aimerais entrer comme employé dans une maison de . . .
	Employer	a. beschäftigen – b. verwenden a. to employ – b. to use
b/b		La somme remise a été employée le plus judicieusement, selon décompte en annexe
a/a		Notre société emploie plus de . . . ouvriers
b/b		Nous n'employons que des produits de première qualité
	Employeur (m)	Arbeitgeber (m) – employer
		Je suis resté trois ans chez le même employeur
		Cette attestation doit être signée de votre employeur
	Empresser (s') **Empressement** (m)	a. beeilen – b. Eifer (m) – c. Interesse (n) (zeigen) a. desire – b. to hasten – c. overeager
b/c		Nous reconnaissons qu'il l'a fait avec empressement
c/a		Il a montré peu d'empressement à se rendre à . . .
a/b		Nous nous empressons de répondre à votre lettre du . . .
–/–		Veuillez agréer, Monsieur, nos salutations empressées
	Emprunt (m)	a. Anleihe (f) a. bond – b. loan
a/b-a-b		Contracter – émettre – négocier un emprunt
a/b		Amortir – rembourser un emprunt
a/a-a-b		Un emprunt d'Etat – public – hypothécaire
a/b		Un emprunt à court – moyen – long terme
a/a-a-b		Un emprunt à primes – convertible – de conversion
a/b		Le taux d'un emprunt – un emprunt à taux progressif
a/a		Un emprunt souscrit partiellement – entièrement souscrit
a/a		Un emprunt offert aux conditions suivantes: . . .

	Emprunter **Emprunteur** (m)	a. Darlehensnehmer (m) – b. Geld (n) – c. leihen a. to borrow – b. borrower
b/a		Emprunter sur gage – sur hypothèque – sur nantissement
c/a		Il m'a emprunté mille francs
a/b		L'emprunteur s'est adressé à un autre prêteur
	Encaisser **Encaissement** (m)	a. einkassieren – b. einziehen – c. Inkasso (n) a. to collect – b. collection
a-b-b/a		Encaisser une somme – un effet – une traite
c/b		Les frais d'encaissement – valeur à l'encaissement
c/b		Envoyer – présenter une traite à l'encaissement
c/b		Veuillez trouver, ci-inclus, à l'encaissement, les traites suivantes: . . .
c/b		Je vous remets, pour encaissement, divers coupons
c/b		Nous créditons votre compte de ce montant, sous réserve d'encaissement
	Enchère (f)	a. ersteigern – b. versteigern a. auction
a-b-b/a		Acheter – mettre – vendre aux enchères
	Encombrer **Encombrement** (m)	a. platzraubend – b. überfüllen – c. Überfüllung (f) a. to clutter – b. cumbersome – c. holdup
a/b		Ces colis sont trop encombrants pour notre véhicule
c/c		Le chargement a été retardé à cause de l'encombrement des quais
b/a		Notre magasin est encombré de ces articles
	Encontre	Gegensatz (m) – against
		Je ne voudrais pas aller à l'encontre des règlements – des habitudes – des usages
	Encourager **Encouragement** (m) **Encourageant**	a. ermutigend – b. Unterstützung (f) – c. zureden a. to encourage – b. encouragement – c. encouraging
a/c		Les nouvelles reçues sont très encourageantes
b/b		Les encouragements que nous avons reçus nous ont aidés à . . .
c/a		Il faut l'encourager à se perfectionner dans cette branche
	En cours	a. befinden – b. Gang (m) – c. laufend – d. unterwegs a. accrued – b. in the process – c. pending – d. underway – e. way
c/cd	affaires	Durant mon absence, M. . . . aura la responsabilité des affaires en cours
b/d	construction	La construction en cours sera terminée à la date prévue
a/b	fabrication	Les pièces sont présentement en cours de fabrication
c/a	intérêts	Les intérêts en cours se montent déjà à Fr. . . .

d/e	route	En cours de route, je profiterai de rencontrer M. . . .
	Endetter	a. verschuldet – b. Verschuldung (f)
	Endettement (m)	a. debts – b. in dept (to be)
a/b		Cette personne est plus fortement endettée qu'elle le dit
b/a		Je ne désire pas accroître mon endettement
	Endommager	beschädigen – do damage
		La marchandise a été endommagée durant le transport
		L'humidité de l'entrepôt a endommagé la . . .
	Endosser	a. Indossament (n) – b. indossieren – c. übernehmen
	Endossement (m)	a. to assume – b. to endorse – c. endorsement – d. to shoulder
b/b		Endosser un effet – un connaissement
a/c		Un endossement en blanc – nominatif – au porteur
a/c		Une lettre de change transmissible par endossement
a/c	munir	Veuillez trouver ci-joint la lettre de change no . . ., à l'ordre de . . ., de Fr. . . ., munie de mon endossement
c/a	responsabilité	Nous n'avons aucune raison d'endosser une telle responsabilité
a/c	voie	Ce . . . doit m'être transféré par voie d'endossement
	Endroit (m)	a. Ort (m) – b. Seite (f) – c. Stelle (f) – d. über a. place – b. regarding – c. side
a/a	à	Nous en avons vu à deux endroits
d/b		Nous ne pouvons rien dire à son endroit
b/ac		En mettant cette pièce à l'endroit . . .
c/a	en	L'étoffe est abîmée en plusieurs endroits
c/a	par	Elle est tachée par endroit
	Energie (f)	Energie (f) – energy
	apporter	Nous avons apporté toute notre énergie à cette tâche
	avec	Il travaille avec – sans – beaucoup d'énergie
	économie	Notre nouveau dispositif vous procurera des économies d'énergie appréciables
	Enfreindre	übertreten – to violate
		Je n'ai pas enfreint la loi
	Engagement (m)	a. Anstellung (f) – b. unverbindlich – c. Verpflichtung (f) a. obligation – b. promise
c/a		Un engagement conditionnel – ferme – formel
c/a		Un engagement oral – (par) écrit – en la forme authentique
a/a	condition	J'attire votre attention sur les conditions d'engagement
c/a	contracter	Par l'engagement que vous avez contracté, vous devez . . .
c/b	contrevenir à	Vous avez contrevenu aux engagements que vous aviez pris

c/a	délier	Je me considère comme délié de mes engagements
c/a	faire face	Ma situation actuelle m'empêche de faire face à mes engagements
c/a	faire honneur	J'ai toujours fait honneur à mes engagements
		Nous espérons que vous ferez honneur à vos engagements
c/a	libre	Il nous a quitté libre de tout engagement
c/a	lier	Nous sommes liés par d'autres engagements
c/a	manquer	Reconnaissez que vous avez manqué à vos engagements
b/a	offre sans	Cette offre vous est faite sans aucun engagement
c/a	prendre	Nous ne pouvons pas prendre de nouveaux engagements
c/a	remplir	Nous devons nous-mêmes remplir nos engagements et ne pouvons pas accéder à votre demande
c/a	respecter	Si vous ne pouvez pas respecter vos engagements, nous serons obligés d'annuler notre ordre
b/a	sans	Nous vous donnons ces renseignements sans engagement
		Je vous invite à visiter, sans engagement pour vous, ...
c/a	tenir	Il nous sera difficile de tenir nos engagements
	Engager	a. anstellen – b. beginnen – c. einladen – d. einlassen – e. einsetzen – f. eröffnen – g. übernehmen – h. veranlassen – i. verpflichten
		a. to become involved – b. to bind – c. to commit – d. to encourage – e. to enter into – f. to hire – g. to tie up – h. to undertake – i. to urge
c/di	à	Nous vous engageons vivement à visiter nos ...
h/d	conditions	Nous espérons que ces conditions exceptionnelles vous engageront à nous passer commande
d/a	dans	Il s'est engagé dans une affaire douteuse – délicate
f/e	discussion	Nous sommes toujours prêts à engager la discussion
a/f	employé	Nous avons engagé cet employé pour le ...
e/cg	fonds	Je ne désire pas engager tous mes fonds dans ...
b/e	négociation	Ils ont engagé des négociations avec ...
g/b	responsabilité	Ces renseignements sont confidentiels et n'engagent pas notre responsabilité
i/b	rien	Un essai ne vous engage bien entendu en rien
i/h	s'	Nous nous engageons par cette lettre, à ne pas ...
i/h		Nous nous sommes engagés par contrat à vendre ...
d/a		Pourquoi vous êtes-vous engagé dans cette affaire?
i/b	valablement	Les personnes, dont la signature figure sur la fiche ci-jointe, engagent valablement notre maison
	Enjoindre	anweisen – to enjoin
		Nous vous enjoignons de respecter la convention
	Ennui (m)	a. Schwierigkeit (f) – b. Unannehmlichkeit (f)
		a. problem
b/a	attirer	Cet homme ne nous a attiré que des ennuis

a/a	avoir	Nous avons quelques ennuis financiers
b/a	causer	Nous regrettons de vous avoir causé ces ennuis
b/a	créer	On nous crée des ennuis de toutes sortes
b/a	occasionner	Nous espérons que ce retard ne vous aura occasionné aucun ennui
b/a	prévoir	Si nous avions pu prévoir tous ces ennuis, nous ...
b/a	rapporter	On m'avait dit que cela ne me rapporterait que des ennuis
b/a	susciter	Il nous suscite des ennuis
	Enquérir	a. erkundigen – b. informieren a. to enquire (GB), to inquire (US)
a/a		Voudriez-vous vous enquérir du prix de ...
b/a		Nous nous sommes enquis des conditions de ...
	Enquêter **Enquête** (f)	a. Erhebungen (f) anstellen – b. Untersuchung (f) a. to investigate – b. investigation
a/a		Nous avons enquêté sur ...
b/a		Nous avons fait une enquête sur cette affaire
a/b		J'ai procédé à une enquête approfondie sur la solvabilité de cette personne
b/b		Je sais, de source sûre, qu'une enquête est en cours
a/b		Nous nous sommes livrés à l'enquête d'usage
	Enregistrer **Enregistrement** (m)	a. Aufgabe (f) – b. aufgeben – c. eintragen – d. Eintragung (f) a. to record – b. to register – c. registration
c-c-b/a-a-b		Enregistrer un accord – un acte – des bagages
d/c		Le bureau – les droits – les frais – le numéro d'enregistrement
a/c		Je me chargerai de l'enregistrement des bagages
	Ensemble (m)	a. Gesamt- – b. gesamthaft – c. im grossen und ganzen a. entirely – b. overall – c. together – d. whole
a/b		Nous aimerions avoir une vue d'ensemble du projet
c/d		Dans l'ensemble, l'affaire se présente bien
b/a		Ils y ont renoncé avec ensemble
b/c		A vendre, ensemble ou séparément, 6 ...
	Ensuivre (s')	a. ergeben (daraus) a. to entail – b. result
a/b		Il s'ensuit que nous allons renoncer à cette opération
a/b		... d'où il s'ensuit que je ne peux partager votre opinion
a/a		... et de tout ce qui s'ensuit
	Entamer	a. angreifen – b. anschneiden – c. einleiten a. to begin – b. to broach – c. to deplete
a/c	capital	Cette malencontreuse affaire a sérieusement entamé son capital
c/a	discussion	Nous vous donnons carte blanche pour entamer des discussions préliminaires

c/a	négociations	Des négociations ont été entamées à ce sujet
c/a	poursuites	Si ce dernier rappel reste sans réponse, nous serons obligés d'entamer des poursuites contre vous
b/b	sujet	Avant d'entamer ce sujet, il faudrait d'abord liquider ...
	Entendre	a. hören – b. vereinbaren – c. Vernunft (f) – d. verständigen – e. verstehen a. to get along – b. to hear – c. to include – d. to listen – e. of course – f. to reach – g. to understand
d/a	avec	Nous espérons que vous pourrez vous entendre avec ...
a/b	à vous	A vous entendre, cela semble facile
e/e	bien	Bien entendu, nous préférerions que ...
a/b	dire	J'ai entendu dire qu'il comptait faire ...
e/g	donner à	Il m'a donné à entendre que ...
b/g	être	Il est entendu que chacun a le droit de ... Etant entendu que la quantité livrée doit ...
e/g	faire	On m'a fait entendre que la faillite est proche
e/g	laisser	Il m'a laissé entendre que je pourrais avoir la préférence
e/g	ne pas	Nous ne l'entendons certes pas de cette façon
c/d	raison	Il est impossible de lui faire entendre raison
e/c	s'	Les prix s'entendent emballage (non) compris
d/f		Je me suis entendu directement avec M. ...
e/a		Nous sommes faits pour nous entendre
c/d	vouloir	Ils ne veulent pas entendre raison
e/g	y	Je n'y entends rien en matière de ...
	Entente (f)	a. Absprache (f) – b. Verständigung (f) a. agreement
b/a		Nous espérons arriver prochainement à une entente
a/a		Les conditions seront fixées d'entente avec votre responsable
	En-tête (m)	Kopf (m) – letterhead Un en-tête de facture – de lettre
	Enthousiasmer (s') **Enthousiaste**	a. begeistern a. to become enthusiastic – b. enthusiastic
a/a		Il s'est enthousiasmé pour ...
a/b		Notre article a rencontré un accueil enthousiaste auprès de ...
	Entraîner	Folge (f) – to result
	changement	Toute modification entraîne un changement de prix
	conséquence	Cela entraînera les conséquences suivantes: ...
	frais	Son retard entraîne des frais qu'il aura à supporter
	inconvénient	Cela ne saurait entraîner d'inconvénient
	retard	... va entraîner un retard de quelques jours
	Entrée (f)	a. Beginn (m) – b. Einfuhr (f) – c. Eingang (m) – d. Eintritt (m) – e. treten (in Kraft) a. earnings – b. to enter – c. entrance – d. import – e. start

a/e	à	A l'entrée de l'hiver, nous vous conseillons de faire reviser vos ...
c/a	caisse	Grâce à une entrée de caisse imprévue, je peux vous rembourser plus tôt que prévu, si vous le désirez
d/c	carte	Nous nous faisons un plaisir de vous remettre 2 cartes d'entrée à notre exposition de ...
b/d	droit	Des droits d'entrée très élevés (prohibitifs) freinent nos ventes sur ce marché
a/e	fonction	Votre entrée en fonction est fixée au ...
d/c	interdite	«Entrée interdite aux personnes étrangères à l'entreprise»
d/c	libre	Entrée libre à notre exposition de ..., qui aura lieu du ... au ...
c/c	porte	La porte d'entrée principale donne sur la rue ...
d/c	prix	Le prix d'entrée de Fr. ... comprend également ... consommations gratuites
e/b	vigueur	Entrée en vigueur du nouveau règlement dès le ...
	Entremise (f)	a. Vermittlung (f) a. intervention – b. through
a/b		Nous l'avons su par l'entremise de ...
a/a		Vous recevrez une commission de ...% pour toute affaire traitée par votre entremise
a/b		Les marchandises seront embarquées par l'entremise de ...
	Entreposer **Entrepôt** (m)	a. einlagern – b. Lager (n) a. storage – b. to store – c. warehouse
b/c-c-a		Certificat – magasin – frais d'entrepôt
a/b		Les marchandises devront être entreposées chez ...
b/c		Notre entrepôt de pièces détachées est ouvert de ... à ...
	Entreprendre	a. anfangen – b. unternehmen a. to undertake
a-a-b/a		Entreprendre une affaire – un commerce – une opération
b/a		Entreprendre une étude – une campagne de publicité
b/a		Entreprendre des travaux – un transport
b/a		J'ai entrepris de nouvelles démarches afin d'essayer d'obtenir les autorisations nécessaires
	Entrepreneur (m)	Unternehmer (m) – contractor
		Un entrepreneur de (en) bâtiments – de transports – de (en) travaux publics
		L'entrepreneur chargé de la nouvelle construction nous garantit qu'il tiendra les délais fixés
	Entreprise (f)	a. Unternehmen (n) – b. Unternehmung (f) a. business – b. company – c. corporation – d. enterprise – e. entrepreneurial – f. undertaking
a/ab-bc		Entreprise individuelle – publique

a/d-d-ab		Entreprise commerciale – industrielle – de transports
a/a		PME = Petites et moyennes entreprises
a/f	abandonner	Ce n'est pas le moment d'abandonner notre entreprise
a/a	chef	En tant que chef d'entreprise, j'estime que ...
a/d	commerciale	Pouvez-vous nous donner quelques renseignements sur la valeur et le sérieux de l'entreprise commerciale dont le nom figure sur la fiche en annexe?
a/ab	créer	Sous la raison sociale ..., il crée une entreprise de ...
b/e	esprit	C'est un homme qui a vraiment l'esprit d'entreprise
a/f	être	L'entreprise est difficile – délicate – confidentielle
b/b	journal	Notre journal d'entreprise vous tiendra au courant de ...
a/ab	lancer	Il est question de lancer une nouvelle entreprise de ...
a/f	mener	Il a mené son entreprise à bonne fin
a/f	renoncer	Pourquoi renoncerions-nous à cette entreprise?
	Entrer	a. aufnehmen – b. eintreten – c. gehören – d. stehen – e. treten a. to begin – b. to come under – c. to enter – d. entry
c/c	dans	Cela n'entre pas dans mes calculs – mes projets
c/bc		Cet objet ne peut entrer dans cette catégorie
b/cd	défense	«Défense d'entrer, danger»
b/c	détail	Nous n'entrerons pas dans le détail de cette affaire
d/bc	discussion	Cela n'entre pas en discussion pour l'instant
a/ad	en fonction	Il est entré en fonction le ...
a/a	en pourparlers	Nous sommes entrés en pourparlers avec ... pour ...
a/c	en relation	J'aimerais entrer en relation avec une maison sérieuse
e/c	en vigueur	Le nouveau règlement est entré en vigueur le ...
	Entretenir	a. unterhalten – b. warten a. to discuss – b. to maintain
b/b		Ces machines devront être entretenues avec (plus de) soin
a/b		Nous entretenons d'excellentes relations – des relations suivies – avec cette maison
a/a		J'ai eu l'occasion de m'entretenir de ce problème avec ...
	Entretien (m)	a. Unterhalt (m) – b. Unterredung (f) a. discussion – b. maintenance
a/b		Les frais – les travaux d'entretien de ce bâtiment
b/a	accorder	Pouvez-vous m'accorder quelques instants d'entretien?
b/a	avoir	Nous avons eu un long entretien avec leur représentant
b/a	dans	Nous avons décidé, dans notre dernier entretien, de ...

b/a	refuser	Vous ne pouvez pas me refuser l'entretien que je demande
	Entrevoir	a. andeuten – b. finden – c. Zusammenkunft (f)
	Entrevue (f)	a. to glimpse – b. interview – c. to think
c/b	accorder	Je vous prie de m'accorder une entrevue afin que nous puissions étudier . . .
a/a	laisser	Il m'a laissé entrevoir la possibilité de . . .
c/b	solliciter	J'ai sollicité en vain une entrevue avec . . .
b/c	solution	Si vous entrevoyez une solution, écrivez-moi
	Enumérer	a. anführen a. to list – b. to mention
a/ab		Les articles énumérés ci-après – ci-dessous
a/ab		Les difficultés que vous avez énumérées ne nous semblent pas insurmontables
	Enveloppe (f)	a. Umschlag (m) a. cover – b. envelope
a/b		Enveloppe à en-tête – à fenêtre – oblongue
a/b		Veuillez utiliser l'enveloppe affranchie – timbrée – ci-jointe pour votre réponse
a/a		Nous vous enverrons sous enveloppe séparée . . .
	Envier	a. beneiden – b. Lust (f) haben
	Envie (f)	a. to desire – b. to envy
b/a		Nous n'avons pas du tout envie de risquer nos fonds dans . . .
a/b		Je ne lui envie pas sa situation
	Environs (m. pl.)	Umgebung (f) – near
		Habiter aux environs de Londres – dans les environs de . . .
	Environ	a. ungefähr a. about – b. around
a/ab		Il faut compter environ Fr. . . . pour cette réparation
a/ab		Nous en avons environ 500 kg à disposition
a/ab		Nous serons une quinzaine de personnes environ
	Envisager	a. Auge (n) – b. sehen a. to envisage – b. to foresee
b/b		Comment envisagez-vous l'avenir – cette affaire?
a/a		Nous n'avions pas envisagé cette solution
	Envoi	a. Sendung (f) a. to send – b. shipment
a/b		Un envoi (envoyer) franco de port – en port dû – en port payé – contre remboursement – recommandé – exprès
a/b	accuser	J'accuse réception de votre envoi de . . .
a/b	annoncer	Vous voudrez bien nous annoncer votre envoi à temps afin que nous prenions nos dispositions
a/ab	avoir	Notre envoi aura lieu demain – dès que possible

a/a	fonds	J'espère que mon envoi de fonds vous est bien parvenu
a/b	par	Notre envoi par poste a été expédié aujourd'hui
	Epargner	a. schonen – b. sparen
	Epargne (f)	a. do (to) – b. to save – c. savings – d. to spare
b/d	effort	Nous n'épargnerons aucun effort pour vous aider à ...
a/a	forces	Je n'ai pas épargné mes forces pour essayer de ...
b/b	frais	Cette solution devrait nous épargner des frais
b/b	peine	Pour vous épargner la peine de ..., nous acceptons de ...
b/c	taux	Le taux d'intérêt sur les livrets (carnets) d'épargne
b/b	temps	Afin d'épargner du temps, nous vous proposons de ...
	Epoque (f)	a. Zeit (f) – b. Zeitpunkt (m) a. date – b. time
a/b	à	A l'époque de sa fondation, cette entreprise ...
a/b		C'était l'an passé, à pareille époque
b/b		A partir de cette époque – passé cette époque
b/a	convenir	Si une époque plus favorable vous convient, ...
a/b	depuis	Depuis cette époque, nous ne vendons plus cet article
b/a	fixer	Nous pourrions déjà fixer l'époque de votre paiement
a/a	payer	Nous vous demandons de payer à l'époque fixée
b/a	règlement	Vous choisirez l'époque et le mode de règlement
	Epreuve (f)	a. ausprobieren – b. Probe (f) – c. unbedingt a. ordeal – b. proofs – c. test – d. unfailing
a/a	faire	Nous en avons fait l'épreuve
b/b	imprimerie	La correction des épreuves d'imprimerie
b/c	mettre	Vous pouvez mettre ma bonne volonté à l'épreuve
c/d	à toute	Une honnêteté, une bonne volonté à toute épreuve
	Eprouver	a. stossen – b. treffen a. to afflict – b. to meet with
a/b		Nous avons éprouvé bien des difficultés avant de réussir
b/a		Il a été très éprouvé par la mort de ...
	Epuiser	a. ausverkaufen – b. erschöpfen
	Epuisement (m)	a. to exhaust – b. to last – c. to run out – d. to sell out
b/a	arguments	Nous avons épuisé tous nos arguments sans aboutir à une conclusion – un accord
a/cd	article	Cet article est momentanément épuisé
b/c	crédit	Le crédit que nous vous avions accordé est épuisé
b/a	moyens	Nous avons épuisé tous les moyens à notre disposition
b/b	stock	Cet article est vendu au prix spécial de Fr. ... jusqu'à épuisement du stock

	Equilibre (m)	a. Ausgleich (m) – b. Stabilität (f) a. to balance
a/a		Nous avons réussi à rétablir l'équilibre du budget
b/a		Notre entente – accord – est en fragile équilibre
	Equipe (f)	a. Gemeinschaft (f) – b. Schicht (f) a. shift – b. team
a-b/b-a		Le travail par équipes – le travail d'équipe
b/a		Nous mettrons une équipe de nuit pour achever les travaux
	Equiper **Equipement** (m)	a. ausstatten – b. Betriebseinrichtung (f) a. to equip – b. equipment – c. to supply
a/ac		Nous désirons équiper nos bureaux de . . .
b/b		Grâce à un équipement moderne (à la pointe du progrès), nous pouvons vous garantir une qualité et une rapidité d'exécution exceptionnelles
	Equitable	a. angemessen – b. gerecht a. fair
a-a-ab/a		Une rétribution – un salaire – une répartition équitable
a/a		Il serait équitable de tenir compte de . . .
b/a		Nous avons pu aboutir à une solution équitable
	Equivoque (f)	a. Unklarheit (f) – b. zweideutig a. equivocal – b. equivocation –
a/b		Nous ne voulons pas d'équivoque
b/a		Ses paroles sont sans équivoque
	Erreur (f)	a. falsch – b. Fehler (m) – c. Irrtum (m) – d. irrtümlich a. error
b-b-a-a/a		Une erreur de caisse – de calcul – de poids – de prix
b/a		Une erreur de date – de frappe – typographique
b/a	s'apercevoir	Nous nous sommes aperçus de l'erreur en contrôlant . . .
b/a	commettre	Vous avez certainement commis une erreur en . . .
b/a	coûter	De telles erreurs coûtent cher
b/a	découvrir	J'ai découvert une erreur d'addition dans votre facture
b/a	échapper	Cette erreur a échappé à notre contrôle
b/a	entraîner	Une erreur aussi grossière entraînera de grands frais
c/a	être dans	Vous êtes dans l'erreur si vous croyez que . . .
c/a	excuser	Vous voudrez bien excuser cette erreur
b/a	faire	Je reconnais que c'est moi qui ai fait l'erreur
b/a	se glisser	Une erreur s'est glissée dans notre rapport, page . . .
b/a	il y a	Il y a une erreur inadmissible dans votre . . .
b/a	imputable	L'erreur est imputable à notre service de . . .
b/a	induire	Ce sont ses déclarations qui m'ont induit en erreur
a/a	jugement	Mon erreur de jugement est due au fait que . .
d/a	par	Nous vous avons envoyé par erreur 12 . . . au lieu de 8
c/a	prévenir	Vous voudrez bien, pour prévenir toute nouvelle erreur, contrôler avec soin . . .

b/a	reconnaître	Nous reconnaissons l'erreur que vous signalez
b/a	rectifier	L'erreur a été rectifiée, et vous recevrez ...
c/a	sauf	Sauf erreur ou omission (S.E.O.)
	Erroné	falsch – erroneous
		C'est dû à une interprétation erronée des faits
	Escompter **Escompte** (m)	a. Diskont (m) – b. diskontieren – c. erwarten – d. Rabatt (m) – e. Skonto (n)
		a. to count on – b. to discount – c. discount – d. to expect
d/c	accorder	Je vous remercie de l'escompte que vous m'avez accordé
c/ad	bénéfice	Nous escomptions un plus grand bénéfice
e/c	bénéficier	Je suis surpris des conditions mentionnées sur votre dernière facture car j'ai toujours bénéficié d'un escompte de ...% pour paiement dans les 30 jours
b/b	effet	Vous voudrez bien escompter ces effets
c/ad	hausse	Nous escomptons une hausse – baisse – des prix prochaine, c'est pourquoi nous vous conseillons de ...
e/c	net sans	... facture payable net sans escompte dans les 10 jours
c/d	profit	Le profit escompté devrait atteindre – dépasser – Fr. ...
a/c	taux	Nous acceptons en paiement vos traites, au taux d'escompte de ...%
	Escroquer **Escroc** (m) **Escroquerie** (f)	a. Betrug (m) – b. betrügen – c. Betrüger (m) a. to defraud – b. fraud
b/a		Il l'a escroqué de plusieurs milliers de francs
c/b		Vous avez eu affaire à un escroc
a/b		Ces procédés frisent l'escroquerie
	Espace (m)	a. Raum (m) – b. Zeitraum (m)
		a. space
b/a	dans	Dans l'espace de dix jours, nous avons reçu trois plaintes
a/a	faute	Je ne puis acheter maintenant, faute d'espace disponible
a/a	manquer	L'espace nous manque dans notre dépôt pour stocker ...
	Espacer	a. auseinanderrücken – b. selten
		a. to become less frequent – b. to space out
a/b	commande	Nous avons espacé nos commandes afin de ...
b/a	ordre	Ses ordres s'espaçaient depuis quelque temps
a/b	paiement	Je suis étonné que vous ayez espacé vos paiements
	Espèce (f)	a. bar – b. Bargeld (n) – c. konkret
		a. cash – b. individual
b/a	caisse	Le total de mes espèces en caisse est de Fr. ...
c/b	cas	Nous étudions chaque cas d'espèce

b/a	disponible	Mon disponible en espèces est momentanément restreint
a/a	dividende	Le dividende est payable en espèces ou en actions gratuites, à raison de 1 pour ... actions anciennes
a/a	payer	Je préfère payer en espèces
a/a	valeur	Valeur reçue en espèces
	Espérance (f)	Hoffnung (f) – hope
	bercer	Il s'est bercé de vaines espérances
	dépasser	Le résultat dépasse toutes nos espérances
	fonder	Nous avions fondé de grandes espérances sur ...
	répondre	Le résultat n'a pas répondu à nos espérances
	tromper	Nos espérances ont été trompées
	Espérer	hoffen – to hope
		Il faut espérer qu'il réussira
		J'espère que vous voudrez bien excuser cette erreur
		Nous osons espérer que vous ne nous tiendrez pas rigueur de ce retard, indépendant de notre volonté
		Tout en espérant avoir répondu à votre demande, nous restons à votre disposition pour de plus amples renseignements
	Espoir (m)	a. hoffen – b. Hoffnung (f) a. to hope – b. hope
b/b		Beaucoup d'espoir – un faible espoir – un grand espoir
b/b		Le moindre espoir – pas d'espoir – peu d'espoir
b/b	abandonner	J'ai abandonné tout espoir de récupérer ma créance
a/a	avoir	L'affaire marchera, nous avons bon espoir Nous avons l'espoir de faire mieux la prochaine fois
b/b	dans	Dans l'espoir de trouver une solution, nous sommes prêts à revoir certaines de nos conditions
b/b	donner	Il est regrettable que vous ne lui ayez donné aucun espoir
b/b	fondé	Notre espoir n'était pas fondé
b/b	mettre	Il a mis tout son espoir en vous
b/b	perdre	Nous avons perdu tout espoir de réussite
	Esprit (m)	a. einfallen – b. Geist (m) a. mind – b. spirit
b/a	conserver	Il a conservé toute sa présence d'esprit
b/b	constructif	C'est dans un esprit constructif que je propose ...
a/a	venir	Il m'est venu une idée à l'esprit, que je m'empresse de vous communiquer
	Essai (m)	a. Probe (f) – b. probeweise – c. Versuch (m) a. test – b. trial – c. to try
a/b	commande	Cette commande d'essai (à titre d'essai) nous permettra d'apprécier la solidité de vos produits
c/a	concluant	Les essais que nous avons faits sont concluants
c/a	convaincre	Nous sommes certains qu'un essai vous convaincra
a/bc	envoyer	Nous vous l'envoyons volontiers à l'essai
c/c	faire	Nous vous conseillons d'en faire l'essai

a/b	mois	Nous le garderons, après deux mois d'essai, s'il nous donne satisfaction
a/b	prendre	Si vous me prenez à l'essai, je puis vous assurer que je saurai me montrer digne de votre confiance
a/ab	prolonger	Nous voulons bien prolonger cet essai jusqu'au . . .
a/ab	servir	Cela pourrait servir d'essai
c/a	tenter	Nous sommes certains que l'essai que vous tenterez vous donnera toute satisfaction
b/b	à titre	Nous en prenons . . . à titre d'essai
	Essayer	a. erproben – b. versuchen a. to try (out)
a-b/a		Essayer une machine – essayer de faire
a/a		Pourquoi n'essayeriez-vous pas cet article récemment introduit (lancé) sur le marché?
	Essentiel	wesentlich – essential
		L'essentiel est de savoir quand la marchandise sera disponible
		Les conditions essentielles de réussite nous paraissent les suivantes: . . .
		Il est essentiel que votre accord nous parvienne par retour du courrier
		Tous les points essentiels ont pu être examinés
	Essor (m)	a. Aufschwung (m) a. to expand – b. expansion
a/b		L'essor de cette industrie est remarquable
a/a		Notre affaire a pris un essor remarquable
	Estampille (f)	Stempel (m) – stamp
		. . . doit être muni de notre estampille
	Estimation (f)	Schätzung (f) – estimate
		Une estimation optimiste – pessimiste – prudente
		L'estimation officielle est de Fr. . . .
		D'après une estimation approximative – provisoire . . .
	Estime (m)	a. Achtung (f) – b. Ansehen (n) – c. Hochachtung (f) a. esteem – b. respect(s)
a/a	baisser	Il a beaucoup baissé dans mon estime
c/b	croire	Je vous prie de croire à ma profonde estime
a/ab	digne	C'est un homme digne de la plus grande estime
a/a	gagner	Il a su gagner rapidement notre estime
b/a	jouir	Il jouit de l'estime générale – de la plus haute estime
a/ab	mériter	Il mérite toute notre estime
c/a	témoigner	J'aimerais vous témoigner mon estime
a/a	tenir en	Je sais qu'il vous tient en grande estime
	Estimer	a. einschätzen – b. schätzen a. to appraise – b. to estimate – c. to size up
b/a		Estimer une fortune – un bien – une marchandise
b/b		Estimer un bénéfice – une perte

b/b		Le rendement estimé est de Fr. . . . au minimum
b/b		La valeur effective de ce titre est estimée à Fr. . .
a/c		Cette personne – cette affaire – a été estimée à sa juste valeur
	Etablir	a. ansässig – b. aufstellen – c. ausstellen – d. bekannt sein – e. etablieren – f. festsetzen – g. geltend – h. selbständig machen a. to draw up – b. to establish – c. to live – d. to open – e. to set (up)
b/b-a-d		Etablir une balance – un bilan – un compte
f-c-f/be-a-e		Etablir le cours – une facture – un prix
d/b	commerçant	C'est un commerçant bien établi sur la place
h/e	à mon compte	Le . . . j'ai quitté la maison . . . et me suis établi à mon compte
a/c	être	Je suis établi à . . . depuis . . .
f/e	prix	Nos prix ont été établis en tenant compte de . . .
g/ab	règle	D'après les règles établies, il n'est pas possible de . . .
h/e	s'	Il s'est établi à son compte comme courtier en . . .
e/e		Il s'est établi agent de . . .
	Etablissement (m)	a. Anlage (f) – b. Festsetzung (f) – c. Grund (m) – d. Institut (n) – e. Niederlassung (f) – f. Unternehmen (n) a. building – b. establishment – c. setting (up)
d-f/b		Un établissement de crédit – de premier ordre
b/b-c		L'établissement des conditions – des prix
c-a/c		Le capital – les frais de premier établissement
e/a		Notre établissement principal est sis à . . .
	Etalage (m)	a. ausstellen – b. prahlen a. display – b. to show off
a/a		Mettre un article à l'étalage
b/b		Faire étalage de ses connaissances – de ses relations
	Etat (m)	a. berufen (auf) – b. Stand (m) – c. Zivilstandsamt (n) – d. Zustand (m) a. account – b. condition – c. inventory – d. order – e. to reveal – f. to stand – g. state – h. statement – i. status
b/f		Dans l'état actuel des choses – l'état de choses présent
b-b-d/h-ah-c		L'état des dépenses – des frais – des lieux
d/b	arriver	Le mauvais état dans lequel la marchandise est arrivée
c/i	civil	S'inscrire – s'annoncer à l'état civil
d/b	constater	Nous avons fait constater et vérifier l'état des marchandises
b/b	être	Nous sommes hors d'état de payer la différence
a/e	faire	Nous ne voulons pas faire état de ces renseignements
b/b	de faire	Je ne suis pas en état de faire face à mes engagements

b/d remettre — Il faudrait remettre tout cela en état
d/g vendre — Cette matière est toujours vendue à l'état brut

Etendre — a. erstrecken – b. erweitern
a. to expand – b. to extend – c. to spread out

b/a — Etendre ses connaissances – ses relations
b/a — Nous allons étendre notre domaine d'activité
a/c — Le remboursement s'étendra donc sur ... ans (mois)
a/b — La garantie ne s'étend pas aux dégâts causés par ...

Etiqueter — a. Etikette (m) – b. etikettieren
Etiquette (f) — a. to label – b. label

a/b — Coller – mettre – porter une étiquette
b/a — Les colis ont été soigneusement étiquetés

Etonner — a. Erstaunen (n) – b. erstaunlich – c. erstaunt sein
Etonnement (m) — a. to astonish – b. astonishment

a/b — Au grand étonnement de tout le monde, il a ...
a/b — Nous vous exprimons notre vif étonnement de ...
b/a — Il est étonnant que vous n'ayez encore rien reçu
c/a — Je m'étonne de votre silence – de vos atermoiements

Etranger (m) — a. Ausland (n) – b. ausländisch – c. fremd
Etranger — a. abroad – b. borrowed – c. foreign – d. irrelevant – e. not involved

b/c article — Un article étranger – de provenance étrangère
a/c commerce — Le commerce avec l'étranger
c/e être — Nous sommes totalement étrangers à ces conflits
c/b fonds — La part des fonds étrangers (capitaux étrangers), les dettes hypothécaires notamment, nous paraît excessive par rapport aux fonds propres (capitaux propres)
c/c main-d'œuvre — Le contingentement de la main-d'œuvre étrangère
a/a partir — J'ai dû partir brusquement à l'étranger pour ... jours
c/d question — Vous soulevez là une question étrangère au sujet

Etroit — a. beengt – b. eng begrenzt
a. cramped – b. small

a/a être à — Nous étions à l'étroit dans nos anciens locaux
b/b marché — C'est un marché étroit qu'il est difficile de pénétrer

Etudier — a. Büro (n) – b. prüfen – c. Untersuchung (f)
Etude (f) — a. office – b. to study – c. study

b/b affaire — Cette affaire a été bien – mal – étudiée
a/a avocat — Je vous conseille de vous adresser à l'étude ..., avocat (notaire) spécialisé dans ce domaine
b/b demande — Nous étudierons votre demande avec bienveillance
c/c faire — J'ai fait une étude préliminaire – approfondie – de ...
b/b mettre à — Nous mettrons votre plan – proposition – à l'étude

Evaluer — a. schätzen – b. Schätzung (f)
Evaluation (f) — a. to appraise – b. to evaluate – c. evaluation – d. to valuate

a/d-a-a-b		Evaluer un actif – un immeuble – un dommage – une perte
b/c	d'après	D'après notre évaluation, le prix est excessif
b/c	dans	Dans notre évaluation, nous avons tenu compte de ...
b/c	faire	Nous avons fait une évaluation approximative
a/a		J'ai fait évaluer l'objet par un expert
	Evénement (m)	a. Ereignis (n) – b. Geschehen (n) a. development – b. event
a/a	attendre	Nous ne pouvions pas nous attendre à un tel événement
b/ab	au courant	Je vous tiendrai au courant des événements
a/ab	prévoir	Si nous avions pu prévoir l'événement, ...
a/ab	tenir compte	Nous devons tenir compte des récents événements et adapter notre politique en conséquence
	Eventualité (f) **Eventuel**	a. allfällig – b. eventualitätshalber – c. Möglichkeit (f) d. voraussichtlich a. possibility – b. possible – c. possibly
b/c	à	A titre éventuel, nous vous offrons ...
d/b	acheteur	C'est un acheteur éventuel qui m'en a parlé
a/b	bénéfice	Nous ne comptons pas sur des bénéfices éventuels
c/a	envisager	Avez-vous envisagé cette éventualité?
	Evidence (f)	a. Schau (f) – b. Tatsache (f) a. evidence – b. prominence
a/b	mettre en	Il faudrait mettre cette marchandise mieux en évidence
b/a	nier	Il ne sert à rien de nier l'évidence
b/a	se rendre	Nous espérons que vous vous rendrez à l'évidence
	Eviter	vermeiden – to avoid
		Eviter des désagréments – des reproches Eviter des frais inutiles – des dépenses superflues Je vous prie d'éviter toute discussion avec des tiers sur ce sujet jusqu'à ce que ...
	Evolution (f)	Entwicklung (f) – trend
	affaires	L'évolution des affaires est favorable
	prix	L'évolution des prix nous oblige à renoncer à ...
	Exactitude (f) **Exact**	a. genau – b. richtig – c. Richtigkeit (f) – d. Sorgfalt (f) a. accuracy – b. correct – c. detailed – d. precision
d/d	apporter	Je vous remercie d'avoir apporté la plus grande exactitude dans l'accomplissement de votre tâche
a/c	compte	Veuillez nous remettre un compte exact de vos dépenses
b/b	écritures	Les écritures et le compte sont exacts
b/b	être	Est-il exact que j'aie à supporter les frais de ...
c/a	garantir	Nous vous garantissons l'exactitude de ces informations
d/d	manque	Votre manque d'exactitude est regrettable

	Exagérer	a. übermässig – b. überschätzen a. to exaggerate – b. excessive – c. exorbitant
a/bc		Les prix sont exagérés
b/a		Ne vous exagérez pas les difficultés de cette entreprise
	Examiner **Examen** (m)	a. Durchsicht (f) – b. erwägen – c. Prüfung (f) a. to check – b. exam(ination) – c. to examine – d. to study
c/d	après	Après un nouvel (dernier) examen attentif – minutieux – nous avons décidé de renoncer à notre projet
b/cd	avec	Nous examinerons avec intérêt vos propositions
a/a	livres	En examinant nos livres, nous constatons que vous ne nous avez pas encore réglé notre facture du . . .
b/d	mûrement	J'ai mûrement examiné votre suggestion
c/b	passer	Il a passé ses examens. Je lui ai fait passer un examen
c/b	se préparer	Je sollicite un congé de . . . jours, afin de pouvoir me préparer aux examens finals de . . .
c/b	réussir	Je suis heureux de vous féliciter d'avoir si brillamment réussi vos examens de . . .
c/c	soumettre	Nous avons soumis vos échantillons à un examen approfondi
	Excédent (m)	a. Mehrkosten – b. Übergewicht (n) – c. Überschuss (m) – d. überschüssig a. difference – b. excess – c. overrun – d. surplus
c/b		L'excédent de l'actif sur le passif
c/d		L'excédent budgétaire – de caisse
b-a-b/b-c-b		L'excédent de bagages – de frais – de poids
d/c	dépenses	L'excédent des dépenses sera supporté par le compte . . .
d/a	somme	Nous vous rembourserons la somme en excédent
	Excellence (f)	a. ausgezeichnet – b. Vortrefflichkeit (f) a. excellent
a/a		Nous nous félicitons de l'excellence des relations que nous avons avec votre maison
b/a		L'excellence de ce produit
	Excepté	ausser – except
		Personne, excepté lui, ne connaît cette adresse Le magasin est ouvert tous les jours, excepté le dimanche
	Exception (f) **Exceptionnel**	a. Ausnahme (f) – b. ausnahmsweise – c. aussergewöhnlich a. (particular)case – b. except(ion) – c. exceptional(ly) – d. special
a/b		Sans – sauf exception, – à quelques exceptions près
c/d	cas	Ce cas est exceptionnel et devra être traité en conséquence

a/b	faire	Nous ne pouvons pas faire exception à la règle
c/c	mesure	J'ai dû prendre d'urgence des mesures exceptionnelles
c/d	offre	Nous sommes heureux de vous faire profiter d'une offre exceptionnelle – à un prix exceptionnel – réservée à nos meilleurs clients
b/a	titre	A titre exceptionnel (d'exception), nous vous accordons la prorogation demandée
	Excès (m) **Excessif**	a. Überschuss (m) – b. übertrieben a. excess – b. excessive
a/a		L'excès des dépenses sur les recettes
b/b		Mes prétentions n'ont rien d'excessif
b/b		Les prix ne sont pas excessifs, compte tenu de ...
	Exclure	a. ausschliessen a. to exclude – b. to expel
a/b	personne	Nous avons exclu cette personne de notre société
a/a	possibilité	Certes, nous ne pouvons pas exclure cette possibilité
a/a	risque	Malgré tout, un certain risque n'est pas exclu
	Exclusivité (f) **Exclusif**	allein – exclusive
	représentation	Nous avons la représentation exclusive de cet article
	vente	J'ai obtenu l'exclusivité de la vente de ce produit
	Excuse (f)	a. entschuldigen – b. Entschuldigung (f) a. apology – b. excuse
b/b		Une excuse valable – bonne – mauvaise – légitime – tardive
a/a	accepter	Je vous prie d'accepter mon excuse – mes excuses
b/b	admettre	Nous ne pouvons pas admettre une telle excuse
a/a	exiger	... en conséquence, j'exige que vous m'adressiez des excuses
a/a	faire	Il serait bon que vous lui fassiez des excuses
b/b	invoquer	Comment pouvez-vous invoquer une telle excuse!
a/a	présenter	Je vous présente mes excuses pour le retard apporté à l'exécution de votre ordre – pour l'oubli commis par ...
	Excuser	a. entschuldigen a. to apologize – b. to excuse
a/a	auprès	Vous voudrez bien m'excuser auprès de lui
a/ab	d'avoir	Je m'excuse d'avoir oublié de vous l'envoyer (mieux: je vous prie de m'excuser d'avoir ...)
a/b	de	Nous vous prions de nous excuser de ...
a/b	en	Je ne serai pas présent et m'en excuse
a/b	erreur	Je vous prie d'excuser cette erreur due à une inadvertance
a/b	faire	Il s'est fait excuser et ne viendra pas
a/a	incident	Nous nous excusons de cet incident – de ce contretemps – et ferons en sorte qu'il ne se reproduise plus

a/a	peine	Je m'excuse de la peine que je vous donne
a/b	retard	Je vous prie d'excuser le retard de cette livraison – le retard qui s'est produit dans notre livraison
	Exécuter	a. ausführen
	Exécutable	a. to execute – b. to perform
a/a	commande	Votre commande sera exécutée avec soin
a/a	ordre	Nous pouvons exécuter votre ordre pour la date prévue
a/a		L'ordre est exécutable jusqu'au ... inclusivement
a/a		Cet ordre a été exécuté à notre entière satisfaction
a/b	travail	Ce travail doit être exécuté par un spécialiste en ... Nous vous prions d'exécuter rapidement ces travaux
	Exécution (f)	a. Ausführung (f) a. to carry out – b. to execute – c. execution
a/ab	à	J'apporterai tous mes soins à l'exécution de votre ordre
a/ab	compter	Compter sur une exécution prompte et soignée de ...
a/a	dans	Nous ne manquerons pas de tenir compte de vos observations dans l'exécution de vos prochains ordres
a/c	garantir	Je garantis l'exécution de votre ordre dans les ... jours
a/a	mettre	Quand mettrez-vous ce projet à exécution?
a/a	occuper	M. ... s'occupe personnellement de l'exécution de ...
a/a	s'opposer	Il s'est opposé à l'exécution de ce projet
a/c	pour	Comptez ... jours pour l'exécution de votre ordre
a/c	prendre	L'exécution de cet ordre prendra quelques semaines
a/c	presser	Nous vous prions de presser l'exécution de notre ordre
a/b	recommander	Je vous recommande une exécution rapide de cet ordre
a/c	surveiller	Je surveillerai moi-même l'exécution de votre ordre
	Exemplaire (m)	a. Ausfertigung (f) – b. Exemplar (n) a. copy
a/a	double	Veuillez m'envoyer, en double exemplaire, ...
b/a	tirage	Le tirage sera de ... exemplaires
	Exemple (m)	a. Beispiel (f) – b. beispiellos a. example – b. extraordinary – c. instance – d. unique
a-a-b/ac-a-bd		Par exemple – pour l'exemple – sans exemple
a/a	donner	Je ne vous donne qu'un exemple: ...
a/a	prendre	Prenons un exemple simple et précis: ...
a/a	servir	Cette expérience malheureuse doit nous servir d'exemple
a/a	suivre	Je (ne) vous conseille (pas) de suivre mon exemple
	Exemption (f)	a. frei – b. Freiheit (f)
	Exempt	a. exempt – b. free

b/a		L'exemption des droits – des taxes
a/b		Une marchandise exempte de défauts
a/b		Ce produit est exempt de droits de douane
a/a		Un emprunt exempt de tous impôts et taxes présents ou futurs
	Exercer	a. ausüben a. to exert – b. to work as
a/a	action	Je vais tenter d'exercer une action discrète sur M. ... afin de l'amener à une attitude plus compréhensive
a/a	influence	Je regrette de ne pouvoir exercer d'influence sur M. ...
a/b	métier	Pendant ... ans, il a exercé le métier de ...
	Exercice (m)	a. Ausübung (f) – b. Rechnungsjahr (n) a. to carry out – b. period – c. year
b/bc	bénéfice	Les bénéfices de l'exercice en cours progressent de manière réjouissante
b/c	dividende	Le dividende de l'exercice écoulé se monte à Fr. ...
a/a	fonction	Il s'est toujours montré correct dans l'exercice de ses fonctions
b/c	rapport	Notre rapport sur l'exercice de l'année précédente ...
	Exigence (f)	a. Anspruch (m) – b. Forderung (f) a. demand – b. requirement
b/a	admettre	Nous ne pouvons admettre vos nouvelles exigences
b/b	conformer	Je suis obligé de me conformer aux exigences de la loi
a/a	satisfaire	Il est difficile de satisfaire aux exigences de chacun
b/a	se soumettre	Nous ne voulons pas nous soumettre à ses exigences
b/a	surpris	Nous sommes surpris de vos exigences
	Exiger **Exigibilité** (f)	a. Verbindlichkeit (f) – b. verlangen a. to demand – b. liabilities
b/a	délai	Le délai que vous exigez est trop bref pour que ...
b/a	effort	Nous exigeons de vous un effort plus grand
b/a	expertise	J'exige une expertise afin de déterminer les responsabilités respectives
b/a	explication	J'exige que vous me donniez une explication écrite sur ...
b/a	réponse	J'exige une réponse immédiate – par retour du courrier
b/a	reprendre	J'exige que vous repreniez ces articles qui ne sont pas conformes à ma commande du ...
a/b	terme	Le montant des exibilités à court – moyen – long terme est de Fr. ...
	Exonérer	a. befreien – b. frei a. to exempt – b. free
b/b		Ces marchandises sont exonérées de tous droits
a/a		J'ai été exonéré de cette taxe

	Expansion (f)	a. Ausweitung (f) – b. Förderung (f) a. development
a/a		L'expansion de nos affaires est réjouissante
b/a		L'Office suisse d'expansion commerciale
	Expédier	senden – to send
		Expédier par camion – chemin de fer – avion – bateau
		Expédier par (en) grande vitesse – par exprès
		Expédier en port dû – contre remboursement – en port payé
		Veuillez m'expédier immédiatement – par retour du courrier . . .
		Nous vous expédierons avant le . . . – sans délai – la marchandise commandée
		Je vous ai expédié, ce jour, selon votre demande, franco gare de destination – d'expédition – les articles que vous m'avez commandés
	Expéditeur (m)	a. Transportunternehmer (m) – b. Versand (m)
	Expédition (f)	a. departure – b. dispatching – c. forwarding – d. shipment – e. shipping
a-b/e-abc		Un commissaire-expéditeur – la gare expéditrice
b/d		Une expédition par avion, par bateau, etc.
b/e		Une agence d'expédition – le service d'expédition
b/e		Un avis – un bulletin d'expédition
b/d		L'expédition a été faite conformément à vos instructions
b/d		Compter sur une expédition prompte et soignée
b/d		J'ai fait tout mon possible pour accélérer l'expédition
b/d		L'expédition a eu lieu – a eu – subira quelque retard
b/d		Nous procéderons à l'expédition dès que . . .
b/d		A quelles conditions vous chargeriez-vous de l'expédition?
	Expéditionnaire (m)	Spediteur (m) – forwarding
		Notre agent expéditionnaire nous informe que . . .
	Expérience (f)	a. Erfahrung (f) – b. Versuch (m) a. experience
a/a	acquérir	Il a acquis une grande expérience des affaires
a/a	apprendre	L'expérience nous a appris qu'il valait mieux ne pas . . .
a/a	avoir	J'ai 10 ans d'expérience dans l'import-export
a/a	connaître	Nous connaissons ces difficultés par expérience
a/a	être	Il est sans (aucune) expérience du commerce
b/a	faire	Je suis prêt à faire une telle expérience
a/a	service	Votre expérience pourrait nous rendre de bons services
	Expérimenter	erproben – to try
		Nous avons expérimenté cette nouvelle méthode

	Expert (m)	a. Buchprüfer (m) – b. fachkundig – c. Sachverständiger (m) a. appraiser – b. chartered – c. expert
c-a/c-b		Un export assermenté – un expert-comptable
c/c	à dire	A dire d'expert, l'affaire vaut au moins un million
c/c	d'après	D'après la déclaration – le rapport – de l'expert chargé d'étudier cette affaire, ...
b/c	être	Cet homme est expert dans son domaine
c/a	mandat	Nous avons donné mandat à l'expert de procéder à ...
c/c	soumettre	Nous soumettrons le différend à un expert
	Expertiser **Expertise** (f)	a. begutachten – b. Gutachten (n) a. to appraise – b. appraisal – c. to assess – d. expert's report
b/b-d		Les frais – le rapport d'expertise
a/c	faire	Nous vous demandons de faire l'expertise des dégâts
a/a		Nous ferons expertiser la marchandise
b/d	montrer	L'expertise a montré que ... est dû à ...
	Expiration (f)	a. Ablauf (m) – b. Erlöschen (n) a. expiration – b. expiry
a/a		L'expiration du bail – du brevet – du contrat
a-a-b/a-a-b		L'expiration du délai – du terme – du risque
a/a		Votre contrat arrivant à expiration le ..., nous vous prions de nous faire savoir si vous désirez le renouveler
a/a		Je vous informe que, à l'expiration de mon bail, le ..., je ne renouvellerai pas mon contrat
	Explication (f)	Erklärung (f) – explanation
	attendre	Nous attendons vos explications sur cette affaire
	demander	Nous lui avons demandé des explications au sujet de ...
	donner	Je vous donnerai toutes les explications nécessaires
	écouter	Il n'a pas voulu écouter mes explications
	être	Ces explications sont claires – peu claires – complètes – incomplètes – confuses – satisfaisantes
	fournir	Vous m'avez fourni des explications peu convaincantes
	refuser	Il m'a refusé toute explication
	suffisante	J'espère que mes explications seront suffisantes
	Expliquer	a. erklären a. to explain – b. to understand
a/a		Expliquer une affaire – un cas – un procédé
a/a		Expliquer une attitude – une façon d'agir – une méthode
a/a		Expliquer un changement – une différence – un retard
a/b		Je ne m'explique pas cette baisse – cette hausse

a/a		Nous ne savons pas comment expliquer cette erreur
a/a		Je vous expliquerai de vive voix ce qui s'est passé
	Exploiter	a. auswerten – b. Betrieb (m) – c. Verwertung (f)
	Exploitation (f)	a. business – b. to make the most of – c. operating – d. running – e. use
b/cd		L'exploitation d'un commerce – d'une industrie
c/e		L'exploitation d'un brevet – d'une licence
b/c		Les frais – le permis d'exploitation
b/a		Notre exploitation est en pleine réorganisation
a/b		Votre idée mérite d'être exploitée
	Exporter	a. Ausfuhr (f)
	Exportation (f)	a. to export – b. export
a/b		Un article – un commerce d'exportation
a/b		Un permis – une licence d'exportation
a/a		Ces produits sont momentanément interdits à l'exportation
a/a		Il est strictement interdit d'exporter des capitaux de ce pays
a/b		Nous nous sommes spécialisés dans le commerce d'exportation à destination des pays suivants: ... et disposons de nos propres agents sur place
	Exposer	a. aussetzen – b. ausstellen – c. Bericht (m)
	Exposé (m)	d. darlegen
		a. account – b. to air – c. to display – d. to expose
b/c	marchandise	Ces marchandises devraient être mieux exposées à la vue des clients
c/a	précis	Vous avez fait un exposé précis de l'état des choses
d/b	problème	Je préfère vous exposer de vive voix mon problème
a/d	s'	S'exposer à un danger – une perte – un risque
	Exposition (f)	Ausstellung (f) – exhibition
	modèle	Notre nouveau modèle sera présenté à cette exposition
	ouvrir	L'exposition des arts ménagers sera ouverte le ...
	stand	Comme chaque année, nous participerons à l'exposition de ... et serons heureux de vous accueillir à notre stand
	Exprès	Eil ... – express
		Une lettre (par) exprès
		Une livraison – un envoi par exprès
	Exprimer	a. ausdrücken – b. äussern
	Expression (f)	a. to air – b. to express
b/b		Exprimer un jugement – une opinion – un regret
–/–	agréer	Veuillez agréer, Monsieur, l'expression de mes sentiments (les plus – très) distingués
b/b	crainte	Il m'a exprimé la crainte de ne pouvoir ...
b/b	désir	Je lui ai exprimé le désir d'obtenir une longue entrevue
b/b	étonnement	Il nous a exprimé son grand étonnement que ...

a/b	gratitude	Je vous exprime toute ma gratitude pour votre appui
a/b	mal	Je me suis peut-être mal exprimé dans ma demande
b/a	occasion	Lors de cette rencontre, vous aurez l'occasion d'exprimer vos griefs
b/b	s'	Il s'est exprimé brièvement – longuement – clairement – facilement – confusément – simplement
–/–	sympathie	Veuillez croire à l'expression de ma profonde sympathie
	Exproprier	a. enteignen – b. Enteignung (f)
	Expropriation (f)	a. to expropriate – b. expropriation
a/a		Il y a des risques d'être un jour exproprié
b/b		Une expropriation pour cause d'utilité publique
	Extension (f)	a. ausdehnen – b. Ausdehnung (f) – c. ausweiten a. to expand – b. expansion – c. magnitude
b/b	croître	L'extension croissante de mes affaires m'oblige à . . .
a/a	donner	Afin de pouvoir donner une plus grande extension à notre affaire, nous . . .
c/c	prendre	Cette affaire prend de plus en plus d'extension
	Extinction (f)	a. Erlöschen (n) a. cancellation – b. extinguishing – c. extinguishment
a/c-a-b		L'extinction d'une dette – d'un bail – d'un incendie
	Extrait (m)	a. Auszug (m) a. certificate – b. extract
a/b		Un extrait de compte – de compte rendu
a/a-b		Un extrait de naissance – de casier judiciaire
	Extraordinaire	a. ausserordentlich a. extraordinary – b. special
a/a		Des événements – des difficultés extraordinaires
a/b		Une assemblée – une réunion – une séance extraordinaire
	Extrême	äusserst – extreme
		Il est scrupuleux à l'extrême Ce serait là une mesure extrême que nous regretterions de devoir prendre envers vous, c'est pourquoi nous espérons que vous ferez preuve de bonne volonté

F

	Fabricant (m)	a. Fabrikat (n) – b. Fabrikation (f) – c. Hersteller (m)
	Fabrication (f)	a. factory – b. to make – c. to manufacture – d. manufacturer – e. production – f. quality
c/d		Un fabricant de produits . . .
b/ce	continuer	Nous continuerons la fabrication dès que nous aurons reçu les matières premières nécessaires
b/a	défaut	J'estime qu'il s'agit d'un défaut de fabrication dont vous êtes responsables
		Nous avons immédiatement remédié à ce défaut de fabrication
b/c	en cours	La nouvelle machine est en cours de fabrication
a/f-b-bc	être de	Cet article est de bonne fabrication – de fabrication suisse – de notre fabrication
b/c	être en	Elle est en fabrication dans nos ateliers
b/c	mettre	Nous mettrons bientôt un nouveau modèle en fabrication
b/c	procédé	Je ne connais pas ce nouveau procédé de fabrication
b/e	en série	Les essais sont concluants et la fabrication en série va pouvoir commencer sous peu
b/e	subir	Notre fabrication a subi un temps d'arrêt par suite de . . .
b/e	suspendre	Nous avons dû suspendre la fabrication de . . . qui ne répondait plus aux désirs de notre clientèle
b/a	vice	«Garanti deux ans contre tout vice de fabrication»
	Fabriquer	a. Fabrik (f) – b. fabrizieren – c. herstellen
	Fabrique (f)	a. factory – b. to make – c. to produce – d. quality – e. trademark
a/a-e-a		L'ouvrier – la marque – le prix de fabrique
a/a		Nous avons monté récemment une fabrique de . . .
a/a		Nous recevons cet article directement de la fabrique
c/c-b-c		Fabriquer en série – sur demande – à la chaîne
b/bd		Grossièrement – mal fabriqué
c/b		Nous avons fait (nous pouvons) fabriquer ces articles
	Face (f)	a. fertigwerden – b. gegenüber – c. Seite (f)
		a. across – b. angle – c. to cope – d. to honour
a/c	dépense	J'ai dû faire face à des dépenses imprévues et . . .
b/a	en	Notre dépôt se trouve en face de . . .
a/d	faire	Nous ne pouvons plus faire face à nos engagements
c/b	sous toutes	J'ai examiné l'affaire sous toutes ses faces
	Fâcher	a. ärgerlich – b. leid tun – c. verstimmen
	Fâcheux	a. to offend – b. to be sorry – c. unfortunate
b/b		Nous sommes fâchés d'être obligés de . . .
b/b		Je suis fâché de ne pouvoir vous rendre ce service
c/a		. . . soit dit sans vous fâcher

a/c		Un fâcheux contretemps ne nous a pas permis de ...
	Facilité (f)	a. Erleichterung (f) – b. Gelegenheit (f) – c. leicht
	Facile	a. easy/easily – b. to simplify
c/a	avec	Nous pouvons le faire avec facilité
b/a	avoir	Il a beaucoup de facilité à faire ce travail
a/a	crédit	Je suis prêt à vous accorder des facilités de crédit
c/a	être	Il est très facile de ... – il vous sera facile de ...
c/b	pour plus	Pour plus de facilité, nous vous prions de ...
c/a	usage	L'usage en est très facile
	Faciliter	erleichtern – to facilitate
		Faciliter l'achat – la vente – les affaires Afin de vous faciliter la tâche, nous vous remettons ...
	Façon (f)	a. Art (f) – b. Benehmen (n) – c. jedenfalls – d. so – e. Verarbeitung (f) – f. Weise (f) a. behaviour – b. case – c. how – d. labor – e. to look – f. so – g. way
a/g		D'une autre – de cette – de même – de telle façon
a/g	à	Il l'a fait à sa façon – à la façon ancienne
b/e	avoir	Il a bonne façon
a/g		Vous avez une façon très personnelle d'interpréter notre contrat – nos conventions
a/a-g-g-g	de	La façon d'agir – de travailler – de parler – de procéder
d/g		Nous agirons de façon à ne pas nuire à vos intérêts
d/f		Je lui écris de façon qu'il ne soit pas pris au dépourvu
a/c	de quelle	De quelle façon envisagez-vous la solution?
c/b	de quelque	De quelque façon que ce soit, nous pensons que ...
c/b	de toute	De toute façon, il devra bien payer
f/–	d'une	Il a agi d'une façon absurde – intelligente
f/g	en	En aucune façon, je ne peux me déclarer d'accord
e/d	matière	Matière et façon: Fr. ...
a/g	procéder	Dites-nous si cette façon de procéder vous convient?
	Facteur (m)	a. Briefträger (m) – b. Faktor (m) – c. Verzollungsagent (m) a. agent – b. factor – d. mailman – d. postman
a-c/cd-a		Un facteur postal – un facteur en douane
b/b		Cela constitue un nouveau facteur d'incertitude sur le marché
b/b		C'est le facteur essentiel du succès de cet article
b/b		A l'avenir, nous devrons tenir compte de ce facteur non négligeable
	Facture (f)	Rechnung (f) – invoice
		Etablir – payer – régler une facture Le montant – le prix de la facture La facture détaillée – le relevé de facture

	acquitter	J'ai acquitté votre facture no ... du ... le ... selon photocopie ci-jointe de mon bulletin de versement
	conforme	Votre facture du ... n'est pas conforme à votre livraison du ...
	pro forma	Nous vous remettons une facture pro forma; notre facture définitive vous parviendra plus tard
	remettre	Je vous remets en annexe ma facture pour les travaux effectués à la date du ...
	Facturer	a. berechnen a. to charge – b. to invoice
a/a	combien	Combien factureriez-vous les 100 kilos?
a/b	emballage	Nous facturons les emballages au prix de revient
a/a	frais	Nous sommes obligés de facturer les frais suivants: ...
a/a	par erreur	Vous nous avez facturé par erreur ... kg de ... alors que notre commande, et votre livraison, était de ... kg
a/a	prix	Les prix facturés sont trop élevés
	Faculté (f)	Möglichkeit (f) – option
		Vous avez (nous vous donnons) la faculté de choisir entre ces deux solutions
	Failli (m)	a. Konkurs (m) – b. Konkursschuldner (m)
	Faillite (f)	a. affairs – b. bankrupt – c. bankruptcy
a/b-b-a-b		L'actif – le passif – l'état – la masse de la faillite
a/c		L'ouverture – la clôture de la faillite
b/b	biens	Les biens du failli ont été saisis
a/c	déclarer	Il s'est déclaré en faillite
a/b	être	Cette maison est en faillite
a/c	entraîner	Sa faillite en a entraîné plusieurs autres
a/c	éviter	Il aurait pu éviter la faillite s'il avait ...
a/b	faire	Il a fait faillite l'an passé
a/b	mettre	Nous le ferons mettre en faillite s'il ...
a/c	prévoir	Qui pouvait prévoir cette faillite?
a/c	procédure	La procédure de faillite est entamée
	Faire	a. bekunden – b. gewähren – c. irren – d. leisten – e. machen – f. möglich – g. tätigen – h. treffen – i. tun – j. unternehmen a. to be – b. to deal with – c. to do – d. to give – e. to go – f. to make – g. to offer – h. to take
g/f	achat	J'ai fait un achat très avantageux
g/f	affaire	J'ai fait de bonnes – mauvaises – affaires avec ...
h/f	arrangement	Il a pu faire un arrangement avec ses créanciers
i/b	avoir	Nous aurons à faire à forte partie
i/c	bien	Vous feriez bien de surveiller attentivement l'évolution du marché
f/a	comment	Comment cela se fait-il que vous n'en ayez rien su?
e/f	concession	De mon côté, je suis disposé à faire quelques concessions

b/dg	conditions	Nous espérons que vous pourrez nous faire des conditions plus favorables que vos concurrents
b/d	crédit	Je ne peux vous faire crédit plus longtemps
j/h	démarche	Je vous laisse le soin de faire les premières démarches
c/f	erreur	Vous devez faire erreur
a/a	falloir	Il faut que vous fassiez preuve de plus d'attention
j/f	nécessaire	J'ai fait immédiatement le nécessaire
e/f	offre	Nous vous prions de nous faire une offre, sans engagement de notre part
i/c	plus	J'aurais aimé faire plus pour lui, mais ...
i/c	pouvoir	Nous avons fait tout ce que nous avons pu
d/c		Vous pouvez faire mieux
e/f	prix	Veuillez nous faire un prix ferme et complet
c/e	route	Ne croyez-vous pas que nous sommes en train de faire fausse route?
d/c	travail	Vous avez fait là un excellent travail et nous vous en félicitons chaleureusement
	Faire-part (m)	Anzeige (f) – announcement
		Une lettre de faire-part – un faire-part de décès
	Fait (m)	a. deshalb – b. einsetzen – c. flagranti (in) – d. infolge – e. merkwürdig – f. Sache (f) – g. Tatsache (f) – h. übrigens
		a. act – b. by the way – c. defense – d. due (owing to) – e. fact – f. fait accompli – g. point – h. reason – i. thing
g/f	accompli	C'est maintenant un fait accompli
f/g	aller droit	Nous irons droit au fait: ...
f/g	en arriver	Nous en arrivons enfin au fait
g/e	assurer	Vous êtes-vous assuré du fait?
h/b	au fait	Au fait, que pensez-vous de cette innovation?
e/i	curieux	Fait curieux, il n'en parle jamais
a/h	de ce	De ce fait, nous n'avons pu livrer à temps
d/d	du	Du fait de votre absence, nous n'avons pu ...
f/–	être	Il était tout à fait sûr de son fait
g/e		Il est de fait que nous ne l'avons pas vu
g/e	exposer	Les faits, tels que vous les exposez, ...
g/e	nier	Je ne peux nier ce fait, cependant ...
b/c	prendre	Il a pris fait et cause pour lui
c/a		Nous l'avons pris sur le fait
f/g	en venir	Pour en venir aux faits, que s'est-il passé?
	Falloir	a. benötigen – b. fehlen – c. müssen – d. nötig sein
		a. far from – b. must – c. to need
c/b		Il faut agir – vendre – acheter
c/b		Il faut que nous achetions – vendions
d/c	avoir	A-t-il tout ce qu'il faut?
c/b	comme	Comme il faut bien en convenir, nous ...
a/c	combien	Combien vous en faut-il? 10 ou 15 ...
		Combien vous faut-il de temps pour cette réparation?

b/a	en	Il s'en faut de beaucoup que votre compte soit juste
a/c	être	C'était exactement ce qu'il me fallait
a/c	plus	Nous en avons plus qu'il n'en faut
b/a	tant	Je ne suis pas satisfait, tant s'en faut
	Falsifier	a. fälschen a. to adulterate – b. to falsify – c. to forge
a/bc-c		Falsifier un chèque – une signature
a/bc-a		Falsifier un document – une marchandise
	Familial	a. Familie (f) a. child – b. family
a/a-b		Les allocations familiales – une entreprise familiale
	Familiariser (se)	vertraut – to familiarize oneself
		Durant mes stages chez . . ., j'ai eu la possibilité de me familiariser dans ce domaine
		Je ne suis pas familiarisé avec ce genre d'opérations
	Fantaisie (f)	Phantasie (f) – fancy
		Un article de – une étoffe de fantaisie
		Une marque – un prix de fantaisie
	Fausser **Faussaire** (m)	a. entstellen – b. Fälscher (m) a. to alter – b. to distort – c. forger –
a/ab		Vous faussez par trop les faits
b/c		Vous avez été victime d'un faussaire
	Faute (f)	a. andernfalls – b. bestimmt – c. Fehler (m) – d. mangels a. to catch in the act – b. error – c. fail(ling) – d. fault – e. lack – f. misprint – g. mistake – h. not
d/h	d'acceptation	La traite n'a pas été escomptée, faute d'acceptation
d/e	d'argent	Je n'ai pu l'acheter, faute d'argent
c/g	avoir	Il n'y a aucune faute de ma part
c/g	commettre	Vous avez commis une faute grave en ne . . .
c/bf-b	de	Une faute d'impression – de frappe
d/h		Faute d'être payé, je ne pourrai pas . . .
d/e		Faute de mieux, je prendrai ce que vous m'offrez
a/c		Faute de quoi, je prendrai les mesures qui s'imposent
c/d	être	Je suis en faute – ce n'est pas de ma faute si . . .
c/d	par	Par votre faute, nous n'avons pu conclure cette affaire
c/a	prendre	Je l'ai pris en faute plusieurs fois
b/c	sans	Je compte sur lui, sans faute
d/e	temps	Nous n'avons pu livrer plus tôt, faute de temps
	Faux	a. falsch – b. Falsche (n) – c. irren – d. ungünstig – e. Urkundenfälschung (f) a. false – b. forgery – c. inaccurately – d. irrelevant – e. lie – f. wrong
a/af-a		Une fausse adresse – une fausse nouvelle
a/a		Un faux témoin – un faux témoignage
e/b	accuser	Il a été accusé de faux en écritures

b/a	distinguer	Nous avons cherché à distinguer le vrai du faux
a/f	faire	Vous vous faites une fausse idée de la situation
c/f		N'en doutez pas, vous faites fausse route
a/f	numéro	N'avez-vous pas indiqué un faux numéro d'article?
b/e	plaider	Vous plaidez le faux pour savoir le vrai
a/d	porter	Votre argument porte à faux
d/cf	présenter	Il ne faut pas le présenter sous un faux jour
	Faveur (f)	a. Gefälligkeit (f) – b. Gunst (f) – c. Vergünstigung (f) – d. Vorzug (m) a. behalf – b. favour – c. preferential
a/b	accorder	Pouvez-vous nous accorder cette faveur?
b/ab	argument	C'est un bon argument en ma faveur
d/c	conditions	Je vous remercie des conditions de faveur que vous avez bien voulu me consentir
b/b	différence	La différence en ma faveur est de Fr. ...
b/a	intercéder	Si vous voulez bien intercéder en ma (sa) faveur, ...
c/b	obtenir	Comment a-t-il pu obtenir une telle faveur?
b/a	parler	Je ne manquerai pas de lui parler en votre faveur
b/b		Notre bonne foi parle en notre faveur
d/c	prix	Nous vous faisons là un prix de faveur
a/b	refuser	Je ne pouvais lui refuser cette faveur
b/b	rendre	Le jugement a été rendu en sa faveur
a/b	solliciter	J'espère que vous m'accorderez la faveur que je sollicite
d/c	tarif	Ce tarif de faveur est valable du ... au ...
	Favoriser	a. begünstigen – b. berücksichtigen a. to favour – b. to give preference to
a/ab	client	Nous tenons à favoriser nos fidèles clients en les informant en priorité de la mise en vente de nouveaux produits
b/ab	ordre	Nous espérons que ces conditions exceptionnelles vous engageront à nous favoriser de vos ordres
	Féliciter **Félicitation** (f)	a. Anerkennung (f) – b. beglückwünschen – c. froh sein – d. Glückwunsch (m) a. to congratulate – b. congratulations – c. (to be) glad
d/ab		Nous vous adressons nos très sincères félicitations
a/a		Son action mérite des félicitations
b/a		Je l'ai félicité de sa réussite – d'avoir vendu ...
c/c		Je me félicite de ne pas avoir acheté ...
c/c		Vous vous féliciterez d'avoir accepté notre proposition
d/b	fiançailles	«Nous avons été très heureux d'apprendre vos fiançailles. Nous vous présentons nos plus vives félicitations et nos meilleurs vœux de bonheur»
d/b	mariage	«Nous avons appris avec une très grande joie l'heureuse nouvelle de votre prochain mariage et nous sommes heureux de vous adresser nos très vives félicitations et nos meilleurs vœux de bonheur»
b/b	naissance	«Votre lettre nous a apporté une très grande joie. Nous vous félicitons très chaleureusement et vous

		présentons nos vœux les plus sincères pour la bonne santé de maman et du petit . . .»
d/b	nomination	«J'ai appris avec un très grand plaisir votre nomination au poste de . . . Je vous adresse mes plus vives félicitations et mes vœux les meilleurs»
	Ferme	a. fest – b. standhaft – c. tüchtig a. firm – b. hard – c. steady
a/a		Une offre – un achat – une vente ferme (en compte ferme)
a/a		Une commande – un ordre – un prix ferme
a/ac	bourse	Les cours de la bourse sont fermes
a/ac	marché	Le marché redevient – est – reste ferme
a/a	position	Notre position est ferme et nous ne saurions en changer
ab/a	tenir	Ne cédez pas à ces pressions, tenez ferme!
ac/b	travailler	J'ai dû travailler ferme pour arriver à ce résultat
	Fermeté (f)	a. Entschlossenheit (f) – b. Festigkeit (f) a. firm(ly) – b. stable
a/a	agir	Je suis décidé à agir avec fermeté afin d'obtenir la reconnaissance de mes droits légitimes
b/ab	prix	La fermeté des prix semble se maintenir
	Fermeture (f)	Schliessung (f) – to close
		L'heure de fermeture de nos bureaux – magasins – est fixée à 18.00
		Nous avons dû procéder à la fermeture de notre succursale de . . .
	Fêter **Fête** (f)	a. feiern – b. Fest (n) – c. Festtag (m) a. birthday – b. to celebrate – c. celebration – d. holidays
a/b-c		Fêter la naissance de – fêter un parent
b/a	bonne	A l'occasion de vos . . . ans, je vous adresse mes vœux les plus chaleureux de bonne fête et de bonne santé
c/d	fin d'année	Durant les fêtes de fin d'année, nos bureaux (et magasins) seront ouverts selon l'horaire suivant: . . .
a/b	ouverture	Pour fêter l'ouverture de notre nouveau magasin, nous organisons un concours avec prix – une réception dans nos locaux
	Fichier (m)	Kartei (f) – files
		Nous désirons mettre notre fichier (d'adresses) de nos clients – de nos membres – à jour et vous prions de bien vouloir nous retourner le questionnaire en annexe dûment rempli
	Fictif	a. fiktiv a. fictitious – b. pro forma
a/a-a-b		Un actif – un bilan fictif – une facture fictive
	Fidélité (f) **Fidèle**	a. treu – b. Treue (f) a. faithful

a/a		Etre – rester fidèle à quelqu'un
a/a	client	Vous êtes un fidèle client de notre entreprise, c'est pourquoi nous avons le plaisir de vous accorder ...
b/a	prime	Après 25 ans de services, vous avez bien mérité la prime de fidélité que nous vous remettrons le ... au cours d'un apéritif amical
	Fiduciaire (f)	a. Treuhandbüro (n) – b. Treuhänder (m) a. fiduciary
b/a		Pour de plus amples renseignements, nous vous prions de vous adresser à notre fiduciaire ...
a/a		Les comptes ont été établis par la fiduciaire ...
	Figurer	a. erscheinen – b. stehen – c. vorstellen a. to imagine – b. to include – c. to list
b/c		Les prix figurent sur notre catalogue
a/b		Il ne faut pas faire figurer ce point dans le contrat
c/a		Vous ne pouvez pas vous figurer les difficultés que nous avons eues
	Filiale (f)	Zweigniederlassung (f) – subsidiary
		Notre filiale pour votre pays est la société ...
	Fin (f)	a. Ende (n) – b. Vorbehalt (m) – c. Zweck (m) a. conclusion – b. end – c. goal – d. objective – e. subject (to collection)
a/b		Payer fin courant – à la fin du mois
c/cd	arriver	Arrivera-t-il à ses fins?
a/a	mener	Nous mènerons cette entreprise à bonne fin
a/b	mettre	Il faut mettre fin à ce gaspillage
a/b	prendre	La session prendra fin la semaine prochaine
b/e	sauf	Nous porterons cette somme à votre crédit, sauf bonne fin
a/b	toucher	Notre travail touche à sa fin
a/b	tirer	L'année tire à sa fin, il serait temps de ...
	Financer **Finance** (f) **Financier** (m)	a. Finanzen (f) – b. finanziell – c. finanzieren – d. Finanzierungsbeteiligung (f) – e. Finanzkreise (m) – f. Finanzmann (m) – g. Kapitalmarkt (m) – h. Kursgeld (n) a. capital – b. fee – c. to finance – d. finances – e. financial – f. financier – g. money
h-d/b-a		La finance de cours – de participation est de Fr. ...
g-e/g-e		Le marché financier – les milieux financiers
f/f		Un financier habile – honnête – véreux
b/e	aspect	L'aspect financier du problème mériterait une étude plus approfondie
a/d	état	L'état de nos finances est satisfaisant – s'améliore – s'est dégradé
c/c	par	Ces investissements seront financés par une augmentation de capital
a/e	situation	La situation financière de cette entreprise paraît saine – médiocre – inquiétante

	Fiscal	a. Steuer (f)
		a. revenue – b. tax
a/ab-a		L'administration fiscale – l'estimation fiscale
	Fixe	a. fest – b. Fixum (n)
		a. fixed
a/a		Une date fixe – un prix fixe – un salaire fixe
ab/a		Accorder un fixe de Fr. ... plus ...% de commission
	Fixer	a. Bescheid (m) – b. festlegen – c. festsetzen
		a. to fix – b. to make up one's mind – c. to set – d. to work out
c/a		Fixer une date – un jour – une heure de rendez-vous
b/d	détail	Il reste encore quelques détails à fixer
c/c	entrevue	Quand désirez-vous fixer notre prochaine entrevue?
c/–	prix	Nous vous prions de nous fixer un prix définitif
a/b	prochainement	Je serai fixé très prochainement sur ce point
	Flagrant	a. flagranti (in) – b. krass
		a. flagrant
a-b/a		Il a été pris en flagrant délit – le cas est flagrant
	Fléchir	a. abflauen – b. Abflauen (n) – c. erweichen
	Fléchissement (m)	a. to drop – b. drop – c. to be swayed
a/a		Les cours fléchissent
b/b		On s'attend à un fléchissement des cours à court terme
c/c		Soyez ferme, ne vous laissez pas fléchir par leur plainte
	Florissant	blühen – flourishing
		Ses affaires sont florissantes
	Fluctuation (f)	Schwankung (f) – fluctuation
		Les fluctuations du change – du marché
		Le prix de cet article est sujet à fluctuation
	Fluvial	Fluss (m) – river
		La navigation fluviale – les transports fluviaux
	Foi (f)	a. Beglaubigung (f) – b. Bösgläubigkeit (f) – c. Glaube (m) – d. massgebend – e. Unehrlichkeit (f) – f. Vertrauen (n) – g. zuverlässig
		a. authentic – b. to believe – c. faith – d. reliable – e. strength – f. witness
c/c	acheteur	C'est un acheteur de bonne foi – de mauvaise foi
c/c	agir	Il a agi de bonne foi – de la meilleure foi du monde
c/b	ajouter	Je n'ai pas ajouté foi à ses explications
f/c	avoir	Avez-vous foi en lui?
a/f	en	En foi de quoi, je signe le présent certificat
be/c	excuser	On ne peut pas excuser sa mauvaise foi évidente
d/a	faire	Ce texte fait foi
c/c	reconnaître	Je reconnais votre entière bonne foi en cette circonstance
g/d	source	Nous apprenons, de source digne de foi, qu'il est ...

f/e	sur	Je l'ai engagé sur la foi de sa réputation
g/d	témoin	C'est un témoin digne de foi
	Foire (f)	Messe (f) – fair
	carte	Nous nous faisons un plaisir de vous remettre en annexe une carte d'entrée gratuite à la foire de ...
	exposer	Nous exposerons nos dernières nouveautés à la Foire de ..., du ... au ...
	stand	Nous serons heureux de vous accueillir à notre stand no ..., situé dans la grande halle – dans le pavillon B –, durant la Foire de ...
	visite	Je vous recommande une visite à la Foire de ...
	Fois (f)	a. einmal – b. gleichzeitig – c. jedesmal – d. Mal (n) – e. mehrmals – f. zugleich – g. zweimal a. both – b. once – c. time – d. twice
d/c		Une fois – deux fois – trois fois
b/c	à	Envoyez les trois à la fois
f/a		Cet article est à la fois élégant et bon marché
d/c	autre	Je le saurai pour une autre fois
c/c	chaque	Comme nous avons chaque fois le même problème, il serait bon de ...
d/c	combien	Combien de fois par semaine faites-vous de livraisons?
a/c	de plus	Je vous demande une fois de plus de bien vouloir ...
d/c	dernière	La dernière fois que je l'ai vu, ...
a/b	en	Expédiez le tout en une fois
a/bc	encore	Je vous rappelle encore une fois que l'essentiel est de ...
d/c	maintes	Nous avons maintes fois constaté que ...
d/c	première	La première fois que je lui ai écrit, ... Ce n'est pas la première fois que je dois me plaindre de ...
e/c	plusieurs	De telles erreurs sont apparues plusieurs fois ces derniers mois, nous vous prions donc instamment de ...
d/c	pour	Vous êtes excusé pour cette fois
d/c	que	Que de fois ai-je demandé que vous l'envoyiez à ...
g/d	regarder	Nous y regarderons à deux fois avant de faire ...
b/c	tout	Les commandes arrivent toutes à la fois
a/b	une	Une fois ce travail terminé, nous entreprendrons ...
	Foncier	a. Grund (m) a. land(ed) – b. landowner – c. real estate
a/a-c-a		Un crédit – un revenu – un impôt foncier
a/b-ac		Un propriétaire foncier – une propriété foncière
	Foncièrement	Grund (m) – fundamentally
		Il est foncièrement honnête
	Fonctionner **Fonction** (f)	a. Amt (n) – b. fungieren – c. funktionieren a. to act as – b. to run – c. to take office – d. to work – e. to work (as)
a/c		Il est entré en fonction le 1er mars

b/e		Il fait fonction de représentant de ...
b/a		Nous vous demandons de bien vouloir fonctionner, pour notre compte, comme arbitre dans ce litige
c/b		La machine fonctionne bien
c/bd		Comment fonctionne ce dispositif?
	Fond (m)	a. bauen (auf) – b. Boden (m) – c. gründlich – d. Herz (n) – e. Hintergrund (m) – f. Inhalt (m) – g. Leitartikel (m)
		a. all – b. bottom – c. heart – d. leader/leading – e. to rely on – f. substance – g. thoroughly
c/g	à	Il connaît la question à fond
e/c	affaire	Nous ignorons le fond de l'affaire
g/d	article	Avez-vous lu l'article de fond?
b/b	au	Il y avait un dépôt au fond des bouteilles
d/b	du	Je vous remercie du fond du cœur
c/g	étudier	Nous étudierons (examinerons) le plan à fond
a/e	faire	On ne peut pas faire fond sur de tels bruits
f/f	forme et	Que pensez-vous de la forme et du fond de cet article?
c/a	se lancer	Nous nous lançons à fond dans cette affaire
	Fondateur (m)	a. Fundament (n) – b. Gründer (m) – c. Gründung (f)
	Fondation (f)	a. foundation – b. founder – c. founding
b-c- b/b-c-b		Le fondateur de la maison – le membre fondateur de la société – la part de fondateur
c/c		La fondation de cette maison de commerce date de ...
a/a		Les fondations de ce bâtiment sont solides
	Fonder	a. begründet – b. gründen
		a. to base – b. to found
b/a	espérance	Sur quoi pouvez-vous fonder de telles espérances?
a/b	réclamation	Votre réclamation n'est pas fondée
b/b	société	En collaboration avec M. ... et M. ..., j'ai fondé une société sous la raison sociale ...
	Fonds (m)	a. Auslagen (f) – b. Fonds (m) – c. Geld (n) – d. Geldgeber (m) – e. Geschäft (n) – f. Kapital (n) – g. Mittel (n) – h. rückzahlbar
		a. business – b. capital – c. fund(s) – d. goodwill – e. money – f. partner – g. resources – h. sums
f-b/b		Le fonds de roulement – les fonds sociaux
g/bc		Les fonds privés – les fonds publics
f/g-b		Les fonds propres – les fonds étrangers
b/c		Le fonds de réserve – le fonds d'amortissement
b/c		Le fonds de prévoyance – le fonds de secours
f/c	absorber	La construction a absorbé tous nos fonds
f/c	appel	Nous avons été obligés de faire un nouvel appel de fonds
f/h	avoir	Nous aurons besoin de fonds importants pour ...
d/f	bailleur	Un nouveau bailleur de fonds semble s'y intéresser
f/bc	besoin	J'ai un besoin de fonds immédiat

f/h		Nous aurons besoin de fonds importants pour ...
e/ad	céder	Il m'a cédé son fonds de commerce
c/c	déposer	Il est préférable de déposer ces fonds en banque
f/c	faire	Il fait appel à de nouveaux fonds
f/c	fournir	Si vous pouvez fournir les fonds nécessaires, ...
f/c	manquer	Nous manquons de fonds pour entreprendre cette affaire
f/b	mise	La mise de fonds initiale a été budgétisée à Fr. ...
f/bc	placer	Nous cherchons à placer des fonds dans une affaire sûre
h/e		Considérez que cette somme est placée à fonds perdu
f/c	procurer	Je ferai le nécessaire pour me procurer les fonds
c/c	recevoir	Avez-vous reçu les fonds que nous avons envoyés?
a/e	rentrer dans	Il faut espérer que nous rentrerons dans nos fonds
e/ad	vendre	Il vend son fonds de commerce
	For (m)	a. Gericht (n) – b. im Innersten (n) a. heart – b. place of jurisdiction
a-b/b-a		Le for de la justice – Dans (en) son for intérieur
	Force (f)	a. Beharrungsvermögen (n) – b. durch – c. fähig – d. Gewalt (f) – e. gewaltsam – f. Kraft (f) – g. müssen – h. vollstreckbar – i. zwangsläufig a. capable – b. dint – c. enforceable – d. force – e. forced (to be ... to) – f. might – g. beyond
b/b	à	Il est arrivé à force de travail
f/d	avoir	Cette décision a force de loi
c/a	être	Il est de force à nous concurrencer sérieusement
g/e		Force lui fut de renoncer à ...
h/c	exécutoire	Ce jugement a dès lors force exécutoire
a/–	inertie	Il n'y a rien à faire contre sa force d'inertie
d/g	majeure	Sauf cas de force majeure, j'irai ... Pour des raisons de force majeure, je ne pourrai ...
f/d	motrice	La force motrice de cette usine
i/d	par	Par la force des choses, nous sommes bien obligés de ...
f/d	passer	Ce jugement ayant passé en force, ...
f/f	travailler	Il travaille de toutes ses forces à la réalisation ...
e/d	vive	Nous l'avons obtenu de vive force
	Forcer	a. Zwang (m) – b. zwingen a. compulsory – b. to force – c. to oblige
a/b-b-a		Le change – le cours – l'emprunt forcé
a/a-b		La liquidation – la vente forcée
b/c		Nous nous voyons forcés de vous rappeler l'art. no ... de notre contrat
	Forfait (m) **Forfaitaire**	a. Akkord (m) – b. Pauschal (f) a. contract – b. fixed – c. outright – d. sum (lump)
b/c-a		Un achat – un prix à forfait (forfaitaire)
b-a/ac-a		Un marché – un travail à forfait (forfaitaire)
b/b-d		Un montant – une somme forfaitaire

	Formalité (f)	a. Formalität (f) a. ceremony – b. formality
a/b		Les formalités nécessaires – requises – légales
a/b	être	C'est une simple (pure) formalité
a/b	négliger	Il ne faut pas négliger cette formalité
a/b	remplir	Avez-vous rempli toutes les formalités exigées?
a/a	sans	Vous serez admis sans formalité
	Formation (f)	a. Ausbildung (f) – b. Bildung (f) a. formation – b. training
a/b	professionnelle	Il a complété sa formation professionnelle par des stages dans ... – en suivant des cours supérieurs de ...
b/a	société	La formation d'une nouvelle société s'occupant exclusivement de ... est en cours – est maintenant terminée
	Forme (f)	a. Form (f) – b. kurzerhand – c. ordnungsgemäss a. ado – b. form – c. proper(ly) – d. shape – e. tactful
a/–	contrat	Un contrat en la forme authentique – notariée – écrite
a/d	en	Cet objet est en forme de triangle
c/c		Une quittance en bonne forme
a/b	examiner	Nous l'avons examiné pour la forme
a/bc	faire	Le contrat doit être fait dans les formes
a/e	mettre	Il faut y mettre les formes
b/a	renvoyer	Nous l'avons renvoyé sans autre forme de procès
a/b	sous	Nous vous accordons cette faveur sous forme d'un escompte spécial
	Formel	a. Form (f) – b. formell a. categorically – b. flatly – c. formal
b/c	accord	Nous avons besoin de votre accord formel
a/ab	refus	J'oppose un refuse formel à cette demande
	Formule (f)	a. Formel (f) – b. Formular (n) a. form – b. formula – c. type
b/a		Veuillez remplir cette formule et nous la retourner
a/b		La formule chimique de notre produit ...
a/c		Nous allons chercher une autre formule d'accord
	Fort	a. anheischig (machen) – b. bedeutend – c. mitten – d. Schönste (n) – e. sehr – f. stark – g. voll a. best – b. big – c. full – d. height – e. sure – f. very
f/b		Une forte hausse – baisse des prix
c/d	au	Au plus fort de la saison, il ne nous est pas possible de ...
b/b	commande	Nous avons l'intention de vous passer une forte commande
e/f	être	Je suis fort surpris de votre attitude négative
f/f	faire	Nous avons fort à faire à préparer la vente d'automne
a/e		Il se fait fort d'en trouver

d/a	plus	Le plus fort est qu'il n'a jamais pu ...
g/c	prix	Cet achat a dû être fait au prix fort
	Fortune (f)	a. Glück (n) – b. Pech (n) – c. Vermögen (n) a. financial – b. fortune – c. property – d. well off
c/b		Une fortune mobilière – immobilière
c/c-a		Un élément – un état de fortune
c/b-d	avoir	Il a une fortune de Fr. ... – il a de la fortune
a/b		Il a eu la bonne (mauvaise) fortune de le rencontrer
c/b	estimer	Il a une fortune estimée à Fr. ... environ
c/b	faire	Il a fait fortune en quelques années dans ...
b/a	revers	Après quelques revers de fortune, il est revenu au pays
a/b	tenter	Il a tenté fortune en revendant des ...
	Fournir **Fournisseur** (m)	a. angeben – b. Lieferant (m) – c. liefern – d. versorgen a. customer – b. to provide – c. supplier – d. to supply
d/a		Nous nous fournissons depuis longtemps chez ...
b/c		Notre fournisseur attitré – exclusif – est la maison ...
a/b		Pouvez-vous me fournir quelques détails sur ...
c/d		A quel prix pouvez-vous me fournir ...
b/c		Mon retard s'explique par un retard de mon propre fournisseur
	Fourniture (f)	a. Ausstattung (f) – b. Zutat (f) a. supply
a/a		Fournitures de bureau – de petit matériel
b/a		Les petites fournitures diverses sont comprises dans le prix
	Fragile	a. Bein (n) (auf schwachen ...) – b. zerbrechlich a. fragile – b. unstable
b/a		A manipuler avec précaution: FRAGILE
a/b		Cette entreprise se maintient en fragile équilibre
	Frais (m. pl.)	a. Gebühr (f) – b. Kosten – c. kostenlos – d. Spesen a. carriage – b. charge – c. cost – d. duty – e. expense – f. fee – g. overhead – h. postage – i. warehousing
b-b-d/b		Frais compris – non compris – franco de frais
b-c-c/b-e-b		Frais payés jusqu'à ... – tous frais payés – sans frais
b/g-be-e		Frais généraux – divers – d'administration
b/e		Frais de premier établissement
d-b-b/h-a-c		Frais de port – de transport – d'assurance
d-a-a/d-f-b		Frais de douane – de statistique – de timbre
b/f		Frais de commission – de courtage
b/b-b-bi		Frais d'emballage – de manutention – de magasinage
d-b-d/e-.-e		Frais de déplacement – de séjour – de voyage
b/b		Frais d'impression – d'insertion – d'envoi

b/b-f-b		Frais d'expédition – de recouvrement – de remboursement
b/e	absorber	Ces frais ont absorbé tout le bénéfice (ou presque)
b/c	condamner	Il a été condamné aux frais et dépens
b/e	dépasser	Les frais dépassent les recettes (produits) de Fr. . . .
b/c	diminuer	Il est difficile de diminuer les frais de main-d'œuvre
b/c	économiser	Nous avons cherché à économiser des frais de loyer
b/be	s'élever	Les frais s'élèvent à Fr. . . .
b/e	entraîner	Nous souhaitons que cela n'entraîne pas de frais inutiles
b/e	épargner	Nous voudrions vous épargner (éviter) des frais
b/b	être	Les frais sont calculés sur la base de . . .
b/f	expertise	Les frais d'expertise seront supportés par la partie perdante
b/ce	faire	Il l'a fait à ses frais
b/e	occasionner	Veuillez débiter notre compte des frais occasionnés par cette erreur
b/e	porter	Vous voudrez bien porter vos frais au débit du compte de . . .
b/ce	réduire	Il faut absolument réduire les frais de . . .
b/ce	supporter	C'est nous qui supporterons tous les frais
	Franc	a. franko – b. frei – c. Frei . . . – d. offen a. carriage-paid – b. frank – c. free
a/a		Un envoi franc de port
b/c		Franc d'avaries – franc de droit
c/c		Un port franc – une zone franche
d/b		Avoir une franche discussion avec quelqu'un
	Franchise (f)	a. Freiheit (f) – b. gebührenfrei – c. Offenheit (f) – d. zollfrei a. allowance – b. duty-free – c. exemption – d. frankness – e. paid
a/c-e		La franchise douanière – postale
d/b		Les articles entrent en franchise (sont importés en)
c/d		Nous attendions plus de franchise de sa part
b/a		Vous avez droit à 20 kg de bagages en franchise
	Franco	franko – free
		Franco domicile – franco gare . . .
	FAS-FOB	Franco jusqu'au bateau – Franco à bord
	FOW	Franco sur wagon
	Fraude (f) **Frauduleux**	a. Betrug (m) – b. betrügerisch – c. schmuggeln – d. Steuerhinterziehung (f) a. fraud – b. fraudulent – c. to smuggle
c/c		Entrer – introduire – passer une marchandise en fraude
d/a		Recevoir une amende pour fraude fiscale
a/a		Nous nous sommes aperçus de la fraude en . . .
b/b		Une faillite frauduleuse

	Freiner	einschränken – to curb
	Frein (m)	
		Nous avons volontairement freiné la production
		Il faut mettre un frein à ces dépenses inutiles
	Fréter	a. chartern – b. Fracht (f)
	Fret (m)	a. to charter – b. freight
b/b		Notre prix s'entend fret et assurance compris
b/b		Il est difficile de trouver du fret à ce prix
b/b		Le fret sera payé par le destinataire
b/b		Le coût du fret est de Fr. . . . par tonne
a/a		Nous avons frété un bateau
	Froid (m)	Kälte (f) – cold
	cause	A cause du froid, nous devons . .
	craindre	Cette marchandise craint le froid
	garantir	Il faut garantir cette matière du froid
	Front (m)	a. gleichzeitig – b. Stirn (f)
		a. at the same time – b. to stand (up to)
b/b	faire	Nous saurons faire front à leurs revendications
a/a	mener	Il mène plusieurs entreprises de front
	Frontière (f)	Grenze (f) – border
		L'ouverture – la fermeture des frontières
		La douane – la gare – la ville frontière
	Fuir	a. entziehen – b. flüchten – c. undicht
	Fuite (f)	a. to flee – b. leak – c. to shirk
a/c		Nous ne voulons pas fuir nos responsabilités
b/a		Il a pris la fuite avant la déclaration de faillite
c/b		Ce réservoir doit avoir une fuite
	Fur	a. Je nach – b. Mass (m)
		a. as
a/a		Vous les aurez au fur et à mesure des disponibilités
b/a		Des avances de paiement interviendront au fur et à mesure de l'avancement des travaux
	Fusionner	a. Fusion (f) – b. fusionieren
	Fusion (f)	a. merger
b/a		Ces deux sociétés ont décidé de fusionner
a/a		A la suite de la fusion de . . . avec . . .,
	Fût (m)	a. Fass (n)
		a. barrel – b. non returnable
a/a		Un fût de bière – de vin – du vin en fûts
a/a-b		Un emballage en fûts – envoyer fût perdu
a/a		Les fûts contiennent . . . litres

G

	Gage (m)	a. Beweis (m) – b. Pfand (n) a. to pawn – b. pledge – c. proof
b/b		Le droit de gage – le prêt sur gage
b/a-b		Mettre en gage – retirer un gage
a/c		En gage de bonne volonté, nous acceptons de . . .
	Gagner	a. gewinnen – b. verdienen – c. vorteilhaft a. (to be to one's) advantage – b. to come (out ahead) – c. to earn – d. to gain – e. to save – f. to win
a/b	au change	Nous y gagnons au change
b/df	avoir	Il y a gros (peu) à gagner
a/df	confiance	Il a su gagner notre confiance
b/a	être	Il gagne à être connu
c/b	faire	Nous y gagnons en le faisant nous-mêmes
a/f	procès	Nous avons gagné notre procès contre . . .
b/c	salaire	Il gagne un salaire de Fr. . . .
b/c	sur	J'ai gagné Fr. . . . net sur cette affaire
a/e	temps	Il faut absolument gagner du temps
	Gain (m)	a. Gewinn (m) – b. Recht (n) a. earnings – b. income – c. profit – d. satisfaction
a/c		Un gros gain – un petit gain – un gain inattendu
a/ab-c-c-c		Un gain régulier – licite – illicite – mérité
a/c		Nous avons réalisé un gain net – brut – de Fr. . . .
b/d		J'ai eu gain de cause dans mon litige avec M. . . .
	Garant (m)	a. Bürge (m) – b. verbürgen a. liable (to be . . . for) – b. to vouch for
a/a		Je me porte garant de ses dettes
a/a		Acceptez-vous de vous porter garant de M. . . .?
b/b		M. . . . se porte garant de la parfaite honorabilité de . . .
	Garantie (f)	a. Anzahlung (f) – b. Garantie (f) – c. Sicherheit (f) – d. Vorkehrung (f) a. guarantee, guaranty – b. precaution – c. security – d. warranty
b/a		Une garantie orale – verbale – écrite – officielle
c/a		Une garantie solidaire – accessoire
b/a	appareil	Sur tous nos appareils, nous accordons une garantie de deux ans (pièces et main-d'œuvre)
b/a	comme	Comme garantie de paiement (solvabilité), je . . .
c/a	demander	Il faut demander de sérieuses garanties
b/a	donner	Il ne m'a donné qu'une garantie verbale
c/a	fournir	Si vous me fournissez des garanties sérieuses, je . . .
c/a	offrir	Cette affaire offre toutes les garanties désirables
d/b	prendre	Avez-vous pris les garanties indispensables?

c/a	présenter	Si vous pouvez présenter des garanties sérieuses, ...
c/c	remettre	Je vous remettrai en garantie les valeurs suivantes: ...
b/d	sans	Nous le vendons sans garantie
b/d	usine	Nous vous offrons de plus la garantie d'usine
a/a	verser	J'exige que vous versiez une garantie de Fr. ... (...%)
	Garantir	a. garantieren – b. sichern a. to guarantee
a/a	exécution	Je vous garantis une prompte exécution de votre ordre
a/a	fait	Nous vous garantissons l'exactitude des faits rapportés ci-dessus
b/a	paiement	Pour garantir le paiement de ma facture, je tirerai sur vous une lettre de change à trois mois
a/a	solvabilité	Notre banque pourra vous garantir notre solvabilité
a/a	succès	Il nous a garanti le succès de ses démarches
	Garder **Garde** (f)	a. Aufbewahrung (f) – b. bewahren – c. verwahren – d. warnen a. to hold – b. safe custody – c. to warn
c/a	disposition	En attendant vos instructions, nous gardons les marchandises à disposition
a/b	droit	Les droits de garde s'élèveraient à Fr. ...
b/a	estime	Nous lui gardons toute notre estime
c/a	marchandise	Je ne peux garder plus longtemps cette marchandise et vous prie d'en prendre possession avant le ...
d/c	mettre	Je me permets de vous mettre en garde
	Gare (f)	a. Bahnhof (m) a. station – b. yard
a/a		La gare d'arrivée – de destination – d'expédition
a/a-a-b		La gare routière – ferroviaire – de triage
a/a		La gare douanière – frontière – maritime
a/a		Les marchandises sont rendues franco gare de destination
a/a		Les marchandises sont en souffrance à la gare – en gare
	Garni	möbliert – furnished
		Louer une chambre garnie – un garni – loger en garni
	Gaspiller **Gaspillage** (m)	a. verschwenden – b. Verschwendung (f) a. to waste – b. waste
a/a		Nous avons gaspillé notre temps en vaines discussions
b/b		Il faut lutter contre le gaspillage
	Gâter	a. verderben a. to ruin – b. to spoil
a/a		Il gâte le métier en vendant au-dessous du prix

a/b		Les marchandises ont été gâtées par ... – commencent à se gâter
	Geler **Gelée** (f)	a. erfrieren – b. Frost (m) a. to freeze – b. freeze
a-b/a		Les vignes ont gelé – ont souffert de la gelée
b/b		La gelée a fait de grands dégâts aux cultures
	Gêner **Gêne** (f)	a. bedrängt – b. behindern – c. Geldverlegenheit (f) – d. genieren – e. Hemmung (f) – f. stören a. to bother – b. to embarrass – c. to experience – d. to hesitate – e. to hinder – f. inconsiderate
a/b		Je me trouve dans une situation gênée
c/b		Je suis momentanément gêné
c/c		Etant quelque peu gêné en ce moment, je ne peux ...
b/e		Ces restrictions gênent le commerce
f/a		Je crains de vous gêner
d/d		Ne vous gênez pas si vous avez besoin de moi
e/f		Il est vraiment sans gêne
	Général	a. allgemein – b. Regel (f) a. general – b. generally
a/b		D'une manière générale, je pense que ...
a/a		En général, il est d'usage que ...
b/b		En règle générale, nous ne pouvons pas ...
	Genre (m)	a. Art (f) – b. Weise (f) a. kind – b. type – c. way
a/b	affaire	Ce genre d'affaires ne m'intéresse pas
a/a	même	J'en voudrais deux de (du) même genre, au même prix
a/b	opération	Nous avons déjà fait quelques opérations de ce genre
a/a	en tous	Nous tenons des articles en tous genres
b/c	vie	Son genre de vie est fortement critiqué
	Gens (pl)	a. Leute – b. Schriftsteller (m) a. men – b. people – c. sailors
a/b		Les gens d'affaires – les gens de (du) métier
b-a/a-c		Les gens de lettres – les gens de mer
a/b		De bonnes – de braves – d'honnêtes gens
	Gentillesse (f) **Gentil**	a. Freundlichkeit (f) – b. liebenswürdig – c. Liebenswürdigkeit (f) a. kind – b. kindness
b/a		C'était très gentil à vous de m'écrire
c/b		Nous vous remercions de votre grande gentillesse
a/a		Auriez-vous la gentillesse de me faire parvenir ...
	Gérance (f) **Gérant** (m)	a. Geschäftsführer (m) – b. verpachten – c. Verwaltung (f) a. administrator – b. management – c. manager

a/c		M. . . . a été nommé gérant de notre succursale de . . .
b/c		J'ai mis mon magasin en gérance
c/b		La gérance de nos immeubles a été confiée à . . .
c/b-a		Adressez-vous à une gérance immobilière – un gérant de fortune
a/c		Faute de paiement dans les 10 jours, nous transmettrons votre dossier à notre gérant d'affaires
	Gérer **Gestion (f)**	a. führen – b. Führung (f) – c. Geschäftsbericht (m) – d. Verwaltung (f) a. administration – b. annual – c. to manage – d. management
b/d	bonne	Nous ne voulons pas compromettre la bonne gestion de notre entreprise en nous lançant dans des opérations aussi hasardeuses
b/d	mauvaise	Une mauvaise gestion de ses affaires l'a obligé à déposer son bilan
a/c	au mieux	Je crois avoir géré votre affaire (vos intérêts) au mieux
a/c	père	Il gère ses affaires en bon père de famille
d/a	prudent	Grâce à une gestion prudente des fonds que vous nous avez confiés, nous avons le plaisir de vous annoncer . . .
c/b	rapport	Un rapport de gestion détaillé vous sera adressé sous peu
	Gisement (m)	Vorkommen (n) – deposit
		Un gisement de charbon – de houille – de pétrole
	Global	a. Gesamt- – b. pauschal a. overall
a/a		La dépense – le prix – le montant global
b/a		L'estimation globale des frais – des dégâts
	Gonflement (m)	Aufblähung (f) – increase
		Le gonflement des crédits accordés
	Goût (m)	a. Freude (f) – b. Gefallen (m) – c. Geschmack (m) – d. Vergnügen (n) a. to enjoy – b. to like – c. taste
c/c	article	C'est un article de bon – mauvais – goût
c/c	avoir	Il s'habille bien, il a bon goût
b/b		Il a le goût du travail bien fait
b/a		Il a du goût pour ce genre d'activité
c/c	conformer	Nous devons nous conformer au goût de notre clientèle
c/c	des	Des goûts et des couleurs, il ne faut point en discuter
d-a-c/a-a-b	faire	Il le fait par goût – sans goût – à son goût
c/c	laisser	Cette boisson laisse un goût agréable – désagréable
b/c	prendre	Il a pris goût au travail de recherches
c/c	question	Que voulez-vous? C'est une question de goût

	Grâce (f)	a. dank – b. ersparen – c. gern – d. Wohlwollen (n) a. grace – b. to spare – c. thanks (to)
a/c	à	Grâce à l'aide – à l'appui – à l'intervention de
c/a	bonne	Il l'a fait de bonne grâce
a/c	concours	Grâce à votre bienveillant (judicieux) concours, nous avons pu mener à bonne fin ces délicates négociations
b/b	faire	Je vous fais grâce des détails – de leurs remarques
d/a	mettre	Si vous réussissez à vous mettre dans les bonnes grâces de cette personne, vous obtiendrez sans doute les autorisations nécessaires
	Gracieux **Gracieusement**	unentgeltlich – free of charge
		Nous offrons gracieusement à notre fidèle clientèle . . .
		Nous vous l'envoyons à titre gracieux
	Grand **Grandement**	a. gern – b. gross – c. höchst – d. reichlich – e. sehr a. big – b. great – c. high – d. quite – e. wholeheartedly
b/b		Je fais grand cas de votre opinion
a/e		Il le fera de grand cœur, je vous l'assure
c/c		Il est grand temps que nous commencions . . .
b/a		Peut-être voyez-vous les choses trop en grand?
e-d/d		Vous avez grandement raison – le temps
	Gratification (f)	Gratifikation (f) – bonus
		Une modeste – importante – généreuse gratification
		Gratification de fin d'année – pour 25 ans de services
		Accorder – recevoir – attendre une gratification
	Gratis **Gratuit**	gratis – free
		Une demande d'échantillons gratis et sans engagement
		Recevoir à titre gratuit – un envoi gratuit
		Une entrée gratuite pour une exposition
		La participation à notre concours est entièrement gratuite
	Gratitude (f)	a. Dankbarkeit (f) a. appreciation – b. gratitude
a/b		Permettez-moi de vous témoigner toute ma gratitude
a/a		Il m'a donné plusieurs preuves de gratitude
a/a		Nous vous exprimons notre sincère gratitude
	Gré (m)	a. Antrieb (m) – b. Belieben (n) – c. dankbar – d. freihändig – e. freiwillig – f. gern – g. je nach – h. ungern – i. widerwillig – j. wohl oder übel a. as...chooses – b. grateful (to be) – c. grudgingly – d. private – e. when the...permit – f. whether (we like it or not) – g. will – h. willingly

g/e	au	Nous achèterons au gré des circonstances
b/a		Paiement au comptant avec 2% d'escompte ou à 30 jours net, au gré de l'acheteur
f-h-e-a-i/ h-c-g-g-g	faire	Faire quelque chose de bon gré – de mauvais gré – de son plein gré – de son propre gré – contre son gré
j/f	mal	Nous avons bien dû y consentir, bon gré mal gré
c/b	savoir	Nous vous savons gré de nous avoir prévenus
		Je vous saurai gré de me répondre par retour du courrier
d/d	vente	La vente a eu lieu de gré à gré
	Grève (f)	Streik (m) – strike
		Etre en grève – faire (la) grève – se mettre en grève
	Grever	a. belastet
		a. to mortgage – b. to put a strain on – c. to tax
a/c		Les marchandises sont grevées de droits – de taxes
a/a		Cette maison est grevée d'une hypothèque de Fr. . . .
a/b		Cette dépense inattendue grève lourdement mon budget
	Grief (m)	a. Beschwerde (f) – b. Vorwurf (m)
		a. grievance – b. to reproach
b/b		Nous ne pouvons pas lui faire grief de son retard
a/a		Vos griefs sont sans fondement
	Gros	a. en gros – b. Engros . . .
		a. wholesale
a-a-b-b/a		Acheter – vendre en gros – un achat – une vente en gros
b/a		Un commerce de gros – des prix de gros
b/a		Les conditions de gros – l'indice des prix de gros
	Grossiste (m)	Grossist (m) – wholesale
		Se fournir auprès d'un grossiste en alimentation
	Grossier	a. grob – b. notdürftig – c. vulgär
		a. coarse – b. crude – c. gross – d. superficial – e. uncouth
a/c-b		Une faute grossière – une grossière imitation
a-b/a-d		Un tissu grossier – une réparation grossière
c/e		Un grossier personnage et ses propos grossiers
	Groupage (m)	Sammelladung (f) – bulking
		Quelles sont les conditions de votre service de groupage pour le transport de marchandises de . . . à . . .?
		Nous assurons un service régulier de groupage entre . . . et . . .
	Guère	a. (nicht) besonders – b. kaum
		a. hardly – b. not
a/b	aimer	Je n'aime guère ce genre d'étoffe
b/a	avoir	Je n'ai guère le temps de vous voir pour l'instant
a/b		Il n'y a guère longtemps que je le connais
a/b	devoir	La marchandise ne doit guère tarder à arriver

	Guerre (f)	a. Frieden (m) – b. Kampf (m) – c. Krieg (m) a. fighting – b. war
a/a		De guerre lasse, je renonce à cette affaire
c/b		Conclure une assurance pour risques de guerre
b/b		L'actuelle guerre des tarifs – des prix – est à votre avantage et vous devriez en profiter
	Guichet (m)	a. Schalter (m) a. counter – b. window
a/a		Les heures d'ouverture et de fermeture des guichets
a/a		A payer – à présenter au guichet
a/b		S'adresser au guichet no ...
	Guider **Guide** (m)	a. Führer (m) – b. leiten – c. Weg (m) a. to guide – b. guide
c/a		Si vous voulez nous permettre de guider votre choix ...
b/a		J'ai toujours été guidé par le désir de vous rendre service
a/b		Le petit guide de l'acheteur – de l'utilisateur – que nous nous faisons un plaisir de vous remettre vous donnera d'utiles – précieuses – indications
	Guillemets (m. pl.)	Anführungszeichen (n) – inverted commas
		Le texte doit être corrigé et cette expression mise entre guillemets
	Guise (f)	a. als – b. Art (f) a. as one pleases – b. way
b/a		J'agis à ma guise – il en fait à sa guise
a/b		En guise de paiement, je n'ai reçu que ...

H

	Habile	a. fähig – b. geschickt – c. gewandt a. skilfull
ac-b/a		Un homme habile – habile à faire
	Habitude (f)	a. Gewohnheit (f) – b. gewöhnlich a. custom(ary) – b. habit – c. practice – d. usual
a/b	affaire	Vous vous y mettrez vite, c'est une affaire d'habitude
a/c	avoir	Nous n'avons pas l'habitude de faire crédit
a/a		Nous avons pour habitude de ...

b/d	comme	Nous vous l'enverrons, comme d'habitude, sitôt paru
a/b	connaître	Nous connaissons les habitudes de la clientèle
a/c	contre	Je suis obligé, contre mon habitude, d'exiger que . . .
b/d	moins	Nous en avons reçu moins (plus) que d'habitude
a/b	prendre	Il a pris l'habitude de payer avec un certain retard
ab/a	suivant	Suivant notre habitude, nous envoyons . . .
	Habituer (s')	gewöhnen – accustomed
		Il n'est pas habitué à ce genre de travail – à faire . . .
		Vous vous y habituerez plus vite que vous ne le pensez
	Harceler	a. bedrängen
		a. to harass – b. to plague
a/b		Nous sommes harcelés de demandes à ce sujet
a/a		Il est harcelé par ses créanciers
	Hasard (m) **Hasardeux**	a. Geratewohl (n) – b. unsicher – c. Zufall (m) – d. zufällig
		a. case (in) – b. chance – c. luck – d. risky
c/b	attribuer	On ne peut attribuer cette réussite au hasard seulement
c/c	coup	Par un coup de hasard, j'ai pu en acheter à bas prix
c/c	faire	Le hasard a fait que je n'ai pas pu . . .
d/b	si	Si par hasard vous apprenez que . . ., avertissez-moi
a/a	tout	A tout hasard, je m'adresse à vous
b/d		C'est une entreprise – opération – hasardeuse
	Hâter **Hâte** (f)	a. beeilen – b. beschleunigen – c. Eile (f) – d. hastig – e. kaum
		a. anxious (to be . . . to) – b. to hasten – c. hurriedly – d. hurry – e. posthaste
d-d-c/d-c-e		Faire à la hâte – avec hâte – en (toute) hâte
e/a		Avoir hâte d'en finir
a/b		Se hâter d'acheter – de livrer – de vendre
b/b		Hâter une décision – un départ – une vente
	Hausse (f)	a. Anstieg (m) – b. Erhöhung (f) – c. Hausse (f) – d. Steigen (n)
		a. bull – b. to increase – c. increase – d. uptrend
d/c		La hausse des prix – du change – du taux d'intérêt
c/d		La tendance à la hausse – à la baisse
c/a		Jouer – spéculer à la hausse
a/c	s'accentuer	La hausse sur le . . . s'accentue fortement
b/c	s'attendre	Nous nous attendons à une hausse prochaine des tarifs
a/c	être	La hausse est probable – certaine – imminente – considérable – faible – nulle
a/c	prévoir	Si nous avions pu prévoir cette hausse sur . . .
b/c	produire	Il se produira bientôt une hausse de Fr. . . .
a/b	subir	Ce marché a subi une telle hausse de prix qu'il devient inabordable

	Haut	a. Höhe (f) – b. oben – c. «oben» a. completely – b. high – c. ups
a/c	bas	Cette affaire a connu des hauts et des bas
b/a		L'immeuble a été transformé de haut en bas
c/b	régler	Ce bouton doit être réglé sur «haut» si . . .
	Hauteur (f)	a. gewachsen – b. Höhe (f) a. height – b. to rise to
a/b	être	Il s'est montré à la hauteur des circonstances
b/a	maximale	La hauteur maximale ne doit pas dépasser . . . mètres
b/a	minimale	La hauteur minimale doit être suffisante pour . . .
	Hériter **Héritage** (m) **Héritier** (m)	a. Erbe (m) – b. erben – c. Erbschaft (f) a. estate – b. heir – c. to inherit – d. inheritance
b/c		Hériter d'une fortune mobilière ou immobilière
c/ad-d		La part d'héritage – le montant de l'héritage
a/b		L'héritier direct ou en ligne directe
a/b		L'héritier légal – collatéral – réservataire
c/d		Un héritage récent explique son train de vie
	Hésiter **Hésitation** (f)	a. Zögern (n) – b. zögern a. to hesitate – b. hesitation
a-b/b-a	accepter	J'accepte sans hésitation – j'hésite à accepter votre . . .
b/a	crédit	Nous hésitons à lui accorder le crédit qu'il sollicite
b/a	dans	Il hésite dans le choix des moyens
b/a	faire	Cette nouvelle difficulté le fait hésiter
a-b/a	sans	Ce n'est pas sans hésiter – sans avoir hésité que . . .
	Heure (f)	a. frühzeitig – b. pünktlich – c. sogleich – d. Stunde (f) – e. Überstunde (f) – f. Uhr (f) – g. Zeit (f) – h. Zeitpunkt (m) a. early – b. hour – c. moment – d. o'clock – e. overtime – f. soon – g. time
h-b/g	à	A l'heure qu'il est – Il est toujours à l'heure
g/g	arrivée	L'heure d'arrivée – de départ – du train
d/b	dans	Ce travail peut être fait dans les quarante-huit heures
a/a	de	Je vous attends de bonne heure
f/d	ouvert	Le magasin est ouvert de 8 heures à midi
d/b	payer	Ils sont payés . . . francs l'heure
gh/c	pour	Pour l'heure, je n'en sais encore rien
e/e	supplémentaire	Faire des heures supplémentaires
c/f	tout	Je le recevrai tout à l'heure
	Heureux	a. freuen – b. glücklich a. fortunate(ly) – b. happy
a/b	d'accepter	Nous sommes heureux d'accepter votre invitation
a/b	d'entrer en	Nous serions heureux d'entrer en relation avec vous Je serais heureux de faire cette expérience
b/a	s'estimer	Nous pouvons donc nous estimer heureux de nous en tirer à si bon compte
a/a	être	Il est heureux que vous le sachiez

b/a	hasard	Nous l'avons appris par un heureux hasard
	Heurter (se)	stossen – to come up against
		Nous nous sommes heurtés à de grandes difficultés – à son opposition – à son indifférence – à son hostilité
	Hier	a. gestern – b. neu a. recent – b. yesterday
a/b		Votre lettre d'hier – hier soir
b/a		Ces bruits ne datent pas d'hier
	Hiver (m)	Winter (m) – winter
		A l'entrée – au milieu – à la fin de l'hiver A l'approche – au cœur – au gros de l'hiver Un hiver doux – rigoureux
	Hommage (m)	a. Ehre (f) – b. ehren – c. empfehlen a. homage – b. respects – c. tribute
a/c	dernier	C'est un dernier hommage à lui rendre
c/b	présenter	Veuillez présenter mes hommages à Madame votre mère
b/a	rendre	Nous rendons hommage à sa grande lucidité
	Homme (m)	a. Jurist (m) – b. Mann (m) a. man – b. stooge
b/a		Un homme d'affaires – de confiance – d'honneur
a-b/a-b		Un homme de loi – un homme de paille
b/a		Un homme actif – avisé – capable – prudent
b/a		Un homme énergique – honnête – travailleur
	Honneur (m)	a. Ehre (f) – b. erfüllen a. to honour – b. honour – c. honourary – d. tribute
a/b-c		L'homme d'honneur – le membre d'honneur
a/b		La dette d'honneur – la parole d'honneur
a/b	aller	Il y va de notre honneur
a/b	avoir	Nous avons l'honneur de vous informer que ... (formule guère utilisée dans le commerce) Nous n'avons pas l'honneur d'être connu de vous Comme nous avions eu l'honneur de vous le dire, ...
a/b	décliner	J'ai décliné cet honneur
b/a	faire	J'ai toujours fait honneur à mes engagements
a/b	périlleux	C'est un honneur périlleux que j'hésite à accepter
a/b	remercier	Je vous remercie de l'honneur que vous me faites
a/d	rendre	Nous lui avons rendu les derniers honneurs
	Honorabilité (f) **Honorable**	a. achtbar – b. Ehrenhaftigkeit (f) – c. ehrenvoll a. honourable – b. respectability
a/a	motif	Vos motifs sont parfaitement honorables
b/b	penser	Que pensez-vous de l'honorabilité de ...
b/b	reconnaître	Je reconnais maintenant la parfaite honorabilité de ...
b/b	renseigner	Auriez-vous l'obligeance de nous renseigner sur l'ho-

		norabilité de la personne dont vous trouverez le nom sur la fiche ci-jointe?
c/a	solution	C'est une solution qui nous paraît honorable
	Honoraires (m. pl.)	Honorar (n) – fees
		Les honoraires de l'avocat – du médecin
	Honorer	a. beehren – b. ehren a. to honour
a/a	confiance	Nous vous remercions de la confiance dont vous avez bien voulu nous honorer Je suis heureux que vous m'honoriez de votre confiance
b/a	présence	Nous serions heureux que vous acceptiez d'honorer de votre présence la manifestation . . .
	Horaire (m)	a. Fahrplan (m) – b. Stundenplan (m) – c. Terminkalender (m) a. schedule – b. timetable
a/ab		Un horaire des chemins de fer – l'horaire cadencé
b/a		Un horaire partiel de travail
c/a		J'ai un horaire chargé et ne pourrai vous accorder qu'une brève entrevue
	Huitaine (f) **Huit**	a. acht Tage (m) – b. Woche (f) a. week
b/a		D'aujourd'hui en huit – dans une huitaine de jours
a/a		Dans les huit jours – tous les huit jours
	Humeur (f)	a. gelaunt – b. Stimmung (f) a. humouredly – b. mood
b/b		Il nétait pas d'humeur à nous écouter
a/a		Il nous a répondu avec bonne (mauvaise) humeur
	Humidité (f)	a. Feuchtigkeit (f) a. dry – b. humidity
a/a		Cette marchandise craint l'humidité
a/b		Elle doit être entreposée sous une humidité relative de . . .
	Hypothèque (f) **Hypothécaire**	a. Hypothek (f) – b. Hypothekar . . a. mortgage – b. mortgagee – c. mortgagor – d. unencumbered – e. unmortgaged
b/a		Une banque – un emprunt – un crédit hypothécaire
b/b-c		Un créancier – un débiteur hypothécaire
a/de		Une propriété franche – libre d'hypothèque
a/a		Un immeuble grevé d'une hypothèque en 1er rang – en 2ème rang – en faveur de la Banque . . .
a/a	emprunter	Nous avons emprunté Fr. . . . sur hypothèque
a/a	prêter	J'ai prêté sur hypothèque
a/a	rembourser	L'hypothèque sera remboursée par un amortissement annuel de Fr. . . .

I

	Ici	a. binnen – b. bis – c. heute in – d. hier a. by then – b. here – c. shortly – d. within
d/b		Nous ne pouvons pas agir depuis ici
b/a		D'ici là, nous aurons le temps de trouver une solution
a/c		D'ici peu, je pourrai vous donner de plus amples détails
c/d		La livraison interviendra d'ici à 5 jours
d/b		Ici, la situation reste calme
	Idée (f)	a. Absicht (f) – b. Ahnung (f) – c. Ansicht (f) – d. Idee (f) – e. Meinung (f) – f. Vorstellung (f) – g. Zusammenhang (m) a. idea – b. obsession – c. to occur to – d. opinion – e. thinking
a/a	abandonner	Pourquoi abandonneriez-vous cette idée?
e/a	arrêtée	C'est un homme aux idées arrêtées
b/a	avoir	Je n'en ai pas la moindre idée
e/d		Il a une très (trop) haute idée de ces capacités
f/a	donner	Pourriez-vous me donner quelque idée de l'importance . . .
d/a-a-b	être	C'est une bonne – mauvaise idée – c'est une idée fixe
g/e	ordre	Dans cet ordre d'idées, pourrions-nous . . .
c/a	répandre	C'est une idée très répandue
c/d	selon	Selon mon idée, on pourrait . . .
d/c	venir	Il m'est venu à l'idée que nous pourrions . . .
	Identifier **Identité** (f)	a. Ausweis (m) – b. ausweisen – c. Erkennungsmarke (f) – d. feststellen – e. identifizieren – f. Identitätsnachweis (m) a. identification – b. to identify – c. identity
a-c/c-a		Une carte – une plaque d'identité
f-a/c-a		Un certificat – une pièce d'identité
b/c	justifier	Vous devrez justifier de votre identité
d/b	provenance	Nous n'avons pu identifier la provenance de ces bruits
e/b	servir	Ce document sert à identifier la marchandise
	Ignorer **Ignorance** (f)	a. Unkenntnis (f) – b. verstehen – c. wissen (nicht) a. (not) to know
a/a	dans	Il vaudrait mieux le laisser dans l'ignorance de ce qui s'est passé
b/a	de	Il ignore tout de la comptabilité
c/a	où	J'ignore où en est cette affaire
a/a		Dans l'ignorance où je suis des détails, je préfère . . .
c/a	personne	Personne n'ignore que vous êtes le meilleur . . .
c/a	que	Vous n'ignorez pas que, grâce à notre expérience, nous . . .

	Illégalité (f)	a. rechtswidrig – b. ungesetzlich –
	Illégal	c. Ungesetzlichkeit (f)
		a. illegal(ly) – b. unlawful(ly)
b/ab		Un acte – un procédé illégal – des moyens illégaux
a/b-ab-ab		Une décision – une mesure – une démarche illégale
cb/ab		Nous ne pouvons en aucun cas nous permettre d'agir dans l'illégalité – d'une manière illégale
	Illicite	unzulässig – illicit
		Un tel acte est illicite
	Illimité	unbegrenzt – unlimited
		Mes ressources n'étant malheureusement pas illimitées, je renonce à votre proposition
	Illisible	unleserlich – illegible
		Une signature – un mot – une annotation illisible
	Illusion (f)	Illusion (f) – illusion
		Ne vous nourrissez pas d'une douce illusion
		Je ne me fais plus aucune illusion sur la possibilité d'une solution à l'amiable
	Imaginer	a. Phantasie (f) – b. phantasielos – c. vorstellen
	Imagination (f)	a. imagination – b. to imagine
a/a		Vous avez su faire preuve de beaucoup d'imagination
b/a		Votre solution manque d'imagination, nous attendions mieux
c/b		Comment pouvez-vous vous imaginer un instant que . . .
c/b		Comme vous pouvez l'imaginer, il . . .
c/b		Vous pouvez vous imaginer les difficultés rencontrées
	Imiter	a. Imitation (f) – b. nachahmen – c. Nachahmung (f)
	Imitation (f)	a. to forge – b. imitation
c/b		Méfiez-vous des imitations
b/a		Il a imité la signature du . . .
a/b		Nos sacs en imitation cuir
	Immeuble (m)	a. Gebäude (n) – b. Grundstück (n) – c. Immobilien (f) – d. Liegenschaft (f) – e. unbeweglich
	Immobilier	a. building – b. real estate – c. real property
e-b/c-a		Des biens immobiliers – des immeubles sis à . . .
d/b		Une agence immobilière – un agent immobilier
c-b/b		Une société immobilière – un investissement dans l'immobilier
a/a		Une rénovation – un agrandissement d'immeuble
	Immobiliser	a. festlegen – b. gebunden
	Immobilisation (f)	a. fixed assets – b. to immobilize
b/a		Les immobilisations – les actifs immobilisés
a/b		Il n'est pas avantageux pour nous d'immobiliser des capitaux aussi importants

	Impasse (f)	Sackgasse (f) – impasse
		Ces discussions ont abouti à une impasse
		Pour sortir de cette impasse, nous vous proposons de . . .
	Impatienter (s') **Impatience** (f) **Impatient**	a. gespannt (auf) – b. Ungeduld (f) – c. ungeduldig werden
		a. anxious(ly) – b. impatient
c/b		Ce retard nous ennuie, nos clients s'impatientent
b/a		Nous attendons notre envoi avec impatience
a/a		Je suis impatient de connaître le résultat de l'enquête
	Impayé	a. unbezahlt
		a. outstanding – b. unpaid
a/b		Une facture – une note impayée
a/b		Un chèque – un effet impayé
a/a		Le solde de Fr. . . . reste impayé à ce jour
	Impeccable	a. tadellos – b. untadelig
		a. impeccable
ab/a		La qualité – la tenue impeccable
ab/a		Félicitez-le de son travail vraiment impeccable
	Importance (f) **Important**	a. Ausmass (n) – b. bedeutend – c. Bedeutung (f) – d. gross – e. wichtig
		a. extent – b. importance – c. important (un) – d. large – e. major
c/c-b-b	affaire	Une affaire sans – de peu – de grande importance
b/e	défaut	Le défaut est important (d'importance) et nous exigeons que vous y remédiez au plus vite
a/a	dommage	L'importance du dommage est difficile à évaluer
c/c	erreur	Votre erreur n'a aucune importance
e/c	être	Il est important que vous sachiez si . . .
d/d	faire	Si vous me faites une commande importante, je pourrais vous accorder des conditions très avantageuses
c/c	indication	Cette indication est très importante et doit figurer sur . . .
c/b	quelque	Si vous attachez quelque importance à conserver notre clientèle, il est nécessaire que . . .
	Importateur (m) **Importation** (f)	a. Einfuhr (f) – b. Importeur (m)
		a. import – b. imported – c. importer
a/b-a		Un article d'importation – un commerce d'importation
a/a		Des droits – un permis – une licence d'importation
a/a		L'importation libre – contingentée – soumise à autorisation
b/c	exclusif	Nous sommes importateur exclusif pour la Suisse de . . .
a/a	octroi	Vous devez solliciter l'octroi d'un permis d'importation

a/a	provenance	Les importations en provenance de ce pays sont momentanément suspendues
	Importer	a. einführen – b. wichtig sein a. (to be) important – b. to import
b/a	il	Il importe que vous nous fournissiez ces pièces au plus vite
a/b	marchandise	Cette marchandise est directement importée de ...
b/a	précision	Voici les précisions qui nous importent le plus: ...
	Imposer **Imposable**	a. aufdrängen – b. auferlegen – c. festsetzen – d. steuerpflichtig a. to charge – b. to fix – c. to impose – d. taxable
b/c	condition	Je ne peux accepter les conditions que vous m'imposez
c/a	droit	Les droits imposés sur ces articles sont excessifs
c/b	prix	Nous avons l'obligation de vendre à un prix imposé et ne pouvons vous accorder une remise particulière
d/d	revenu	On estime que son revenu imposable est d'environ Fr. ...
a/c	vue	Il n'a pas réussi à nous imposer son point de vue
	Impossibilité (f) **Impossible**	a. Menschenmögliche (n) – b. unmöglich – c. Unmögliches (n) a. (not to be) able – b. impossibility – c. impossible – d. unable
c/c	demander	Le délai est trop court, vous demandez l'impossible
b/c	être	Il est matériellement impossible de terminer ce ...
b/a		Il nous est impossible de vous faire d'autres conditions
c/c	faire	Je ne peux faire l'impossible pour vous donner satisfaction
a/c		Soyez assuré que nous ferons l'impossible pour que les ... vous parviennent à temps
b/b	technique	Il y a là une impossibilité technique
b/d	trouver	Nous nous trouvons dans l'impossibilité de ...
	Impôt (m)	Steuer (f) – tax
		La déclaration d'impôt – le bordereau d'impôt L'impôt direct – indirect – sur le chiffre d'affaires L'impôt sur le revenu – sur la fortune – personnel L'impôt foncier ou immobilier – mobilier Exempt d'impôt – net d'impôt – soumis à l'impôt Le rendement – le taux – le barême – de l'impôt Frapper d'un impôt – mettre un impôt sur ...
	Imprécision (f)	a. Ungenauigkeit (f) a. imprecise – b. vague
a/b-b-a		L'imprécision des conditions – des termes – de la traduction
	Impression (f)	a. Druck (m) – b. Eindruck (m) a. impression – b. press – c. printing
a/b		Le catalogue – le texte – le livre est à l'impression

a/c		Les fautes d'impression sont nombreuses
b/a		Ils nous ont fait une impression très favorable
b/a		L'impression qu'il nous a produite est, en tous points, excellente
	Impressionner	beeindrucken – to impress
		Il a cherché à nous impressionner
		Ne vous laissez pas impressionner par . . .
	Imprévisible	unvorhersehbar – unforeseeable
	accident	Un accident imprévisible nous prive de . . .
	baisse	Cette baisse (hausse) des prix était imprévisible
	contretemps	Un contretemps imprévisible ne me permettra pas de participer à votre réunion du . . .
	Imprévoyance (f)	a. kurzsichtig – b. Kurzsichtigkeit (f)
	Imprévoyant	a. lack of foresight – b. careless
b/a		Vous avez montré une imprévoyance regrettable
a/b		On ne peut être plus imprévoyant
	Imprévu (m)	unvorhergesehen – unexpected
		Un événement – un cas – un obstacle – des frais imprévu(s)
	à	A moins d'imprévu, vous recevrez la marchandise le . . .
	en	En cas d'imprévu, nous vous avertirons immédiatement
	sauf	Sauf imprévu, vous serez renseigné à temps
	Imprimer	a. Druck (m) – b. drucken – c. Drucksache (f) –
	Imprimé (m)	d. einprägen
		a. to impart – b. to print
ac-c/b		Les frais d'imprimés – le tarif des imprimés
c/b		Envoyer par poste des imprimés
b/b		Une formule (un formulaire) imprimée à compléter – à remplir – à nous retourner
d/a		Vous avez su imprimer un remarquable dynamisme à votre équipe de vendeurs
b/b		Vous avez imprimé notre maquette sans nous soumettre de bon à tirer
	Impropre	a. unbrauchbar
		a. unfit – b. unsuitable
a/a		Cette marchandise est impropre à la consommation
a/b		Ces articles détériorés sont impropres à la vente
	Improviser	improvisieren – to improvise
		Cette réception improvisée était bien réussie
		J'ai dû improviser à la dernière minute
	Imprudence (f)	a. Unvorsichtigkeit (f)
		a. careless – b. carelessness
a/b		L'imprudence que vous avez commise est bien regrettable
a/a		Ne commettez aucune imprudence!

	Impulsion (f)	a. Antrieb (m) – b. Schwung (m) a. boost – b. stimulus
b/a	donner	Il a su donner de l'impulsion à son affaire
a/b	recevoir	Les affaires ont reçu une nouvelle impulsion grâce à ...
	Inabordable	unerschwinglich – prohibitive
		Les prix sont en ce moment inabordables
	Inadmissible	unstatthaft – inadmissible
		Une faute – un procédé inadmissible
	Inadvertance (f)	Versehen (n) – inadvertently
		Par inadvertance, nous n'avons pas indiqué que ...
	Inaliénable	unveräusserlich – inalienable
		Un bien – un droit inaliénable
	Inapparent	nicht sichtbar – visible (not)
		Les défauts du tissu sont inapparents
	Inapte	ungeeignet – incapable
		Il semble inapte à faire ce travail
	Inattendu	unerwartet – unexpected
		Des circonstances inattendues nous obligent à ... Votre visite inattendue nous a fait un grand plaisir
	Inaugurer **Inauguration** (f)	a. eröffnen – b. Eröffnung (f) a. to inaugurate – b. inauguration
a/a		Nous inaugurons nos nouveaux locaux – un service de ...
b/b		A l'occasion de l'inauguration de ..., nous vous ...
	Incalculable	unermesslich – incalculable
		Les dommages subis sont incalculables
	Incapacité (f) **Incapable**	a. ausserstande – b. unfähig – c. Unfähigkeit (f) a. (not) to be able to – b. disability – c. incapable
b/c		Il est incapable de nous faire une sérieuse concurrence
a/a		Je suis dans l'incapacité de livrer à la date prévue
c/b		Veuillez trouver ci-joint l'attestation médicale de mon incapacité de travail pendant ... jours
c/b		Une incapacité partielle – temporaire – permanente
	Incendie (m)	Brand (m) – fire
		Un court-circuit a provoqué un commencement d'incendie
	Incertitude (f) **Incertain**	a. ungewiss – b. Ungewissheit (f) a. uncertain – b. uncertainty
a/a		Le résultat – le succès est incertain
b/b		L'incertitude dans laquelle je me trouve ...
b/b		Je ne peux pas rester plus longtemps dans l'incertitude

	Incident (m)	a. beiläufig – b. Zwischenfall (m)
	Incidemment	a. incident – b. in passing
b/a		Un incident désagréable – fâcheux – malheureux
b/a		Nous déplorons (regrettons) cet incident
b/a		Nous vous demandons de bien vouloir excuser cet incident dont nous ne sommes pas responsables
b/a		J'espère que cet incident, dont je suis le responsable involontaire, sera réglé au mieux
a/b		J'ai appris incidemment que vous aviez ...
	Inclure	a. beiliegend – b. einschliessen a. enclosed – b. included
b/b	accessoire	Tous les accessoires mentionnés sont inclus dans le prix
b/b	assurance	Un risque inclus (exclus) dans votre assurance
a/a	remettre	Inclus, nous vous remettons ... (voir: ci-inclus)
	Incomber	obliegen – incumbent
		C'est à vous qu'il incombe de payer ces frais
		Voici les devoirs – obligations – qui vous incombent
	Incompétence (f)	a. auskennen – b. Unzulänglichkeit (f)
	Incompétent	a. incapable – b. incompetence
a/a		Je suis tout à fait incompétent dans ce domaine
b/b		Dans cette situation difficile, son incompétence manifeste nous a coûté cher
	Incompréhension (f) **Incompréhensible**	a. unverständlich – b. Verständnis (n) a. incomprehensible – b. lack of understanding
a/a		Une attitude – un geste – un texte incompréhensible
b/b		Il a fait preuve d'une totale incompréhension de nos problèmes
	Inconcevable	unbegreiflich – inconceivable
		Une telle attitude est inconcevable
	Inconciliable	unvereinbar – irreconcilable
		Leurs points de vue restent (sont) inconciliables
	Inconnu	unbekannt – unknown
		Adresse – personne – source inconnue
	Inconsidéré	unbedacht – rash
		Vous avez fait des dépenses inconsidérées
	Incontestable	a. unbestreitbar a. irrefutable – b. undeniable
a/a		La qualité incontestable de ce produit est ...
a/b		Il est incontestable que ...
	Incontrôlable	unkontrollierbar – unverifiable
		Des affirmations – allégations – bruits incontrôlables

	Inconvénient (m)	a. Nachteil (m) a. disadvantage – b. drawback – c. objection – d. risk
a/d	avoir	Il y a quelque inconvénient à agir ainsi
a/a	écarter	Comment pourrez-vous écarter ces inconvénients?
a/a	obvier	Nous ne savons comment obvier à ce gros inconvénient
a/b	présenter	Cette méthode présente de graves inconvénients
a/a	remédier	Pour remédier à cet inconvénient, il faudrait ...
a/a	résulter	Il en est résulté de sérieux inconvénients
a/c	voir	Je ne vois pas d'inconvénient à ce que vous ...
	Indécision (f) **Indécis**	a. unschlüssig – b. Unschlüssigkeit (f) – c. zweifelhaft a. hazy – b. indecision – c. undecided
c/a		La situation est – reste – indécise
a/c		Nous sommes indécis quant au parti à prendre
b/b		Votre indécision ne facilite pas les affaires
	Indélicatesse (f)	Taktlosigkeit (f) – dishonesty Il s'est rendu coupable de plusieurs indélicatesses
	Indemniser **Indemnisation** (f) **Indemnité** (f)	a. entschädigen – b. Entschädigung (f) – c. Krankengeld (n) – d. Unterstützung (f) – e. Vergütung (f) a. allowance – b. compensation – c. damages – d. pay – e. to reimburse
b/a		Une indemnité de déplacement – de voyage – de route
e-d-c/a-b-d		Une indemnité de transport – de chômage – de maladie
b/a	allouer	Nous vous allouerons une indemnité forfaitaire de ...
e/a	droit	J'ai droit à une indemnité pour ...
a/e	être	Vous serez indemnisé en espèces – en nature
a/c	exiger	J'exige d'être également indemnisé pour ...
b/c	offrir	L'indemnisation que vous nous offrez est insuffisante
b/c	réclamer	Je réclame Fr. ... à titre d'indemnité
	Indéniable	unleugbar – undeniable Il est indéniable que nous avons eu de la chance
	Indexer	indexieren – to index Votre salaire est indexé au coût de la vie, sur la base de 120 au mois de ... 19 ...
	Indication (f)	a. Angabe (f) – b. bestimmen – c. Orientierung (f) a. information – b. to indicate – c. instruction – d. to state
a/b	avec	Une liste des articles avec indication des prix
a/ac	donner	Il nous a donné de fausses indications
b/d	à moins	Franco de port, à moins d'indication contraire
a/a	posséder	Nous ne possédons aucune indication précise au sujet de ...

b/c	sans	Sans autre indication de votre part, nous ...
a/d	sauf	Sauf indication contraire, nous livrons ...
a/c	sur	La machine a été modifiée sur ses indications
c/a	titre	A titre d'indication, le prix par 100 kg est de ...
	Indice (m)	a. Anzeichen (n) – b. Index (m) – c. Zeichen (n) a. index – b. indication
b/a		Indice du coût de la vie – des prix de gros (de détail)
b/a		Indice de la production – de la consommation
a/b		Il n'y a aucun indice que la situation s'améliore
c/b		C'est un indice sérieux – certain – probable
	Indigner **Indigne**	a. empört – b. unwürdig a. indignant – b. unworthy
b/b		Ces procédés sont indignes d'un honnête homme
a/a		Nous sommes indignés de sa conduite
	Indiquer	a. angeben – b. anzeigen a. to indicate – b. should – c. to tell
a/a		A l'heure indiquée – au jour indiqué
a/a		Les conditions indiquées – le prix indiqué
b/b	être	Il est indiqué de ne pas agir avec précipitation
a/c	mode	Nous lui avons indiqué le mode d'emploi
a/c	obligeance	Auriez-vous l'obligeance de nous indiquer ...
a/ac	possibilité	Veuillez nous indiquer les diverses possibilités de ...
	Indiscrétion (f) **Indiscret**	a. indiskret – b. Indiskretion (f) a. indiscreet
b/a		Nous l'avons su par une indiscrétion de son employé
a/a		Est-il indiscret de vous demander le nom de ...
	Indispensable	unerlässlich – essential
		Il est indispensable que je sache – que vous répondiez
		Il faut nous donner les moyens indispensables à la réussite
	Indulgence (f)	a. Nachricht (f) a. clemency – b. indulgence – c. leniency – d. sympathy
a/c	apprécier	Nous apprécions l'indulgence que vous lui témoignez
a/b	avec	Nous avons examiné avec indulgence ...
a/d	avoir	Nous n'avons aucune indulgence pour ce genre de ...
a/b	compter	Vous pouvez compter sur mon indulgence
a/a	demander	Nous vous demandons un peu d'indulgence
a/c	montrer	Il a bien voulu montrer quelque indulgence pour ...
	Industrie (f)	Industrie (f) – industry
		Industrie lourde – légère – de transformation
		Industrie chimique – métallurgique – alimentaire
	Industriel (m) **Industriel**	a. Industrie (f) – b. Industrieller (m) a. industrial – b. manufacturer

b/b		C'est un gros industriel de . . .
a/a		Un centre industriel – une région industrielle
	Inefficacité (f)	a. unwirksam – b. Unwirksamkeit (f)
	Inefficace	a. inefficiency – b. ineffective
b/a		Cette politique d'attente a démontré son inefficacité
a/b		Ces mesures – ces moyens sont inefficaces
	Inévitable	unvermeidlich – inevitable
		Ces erreurs – ces incidents sont inévitables
	Inexactitude (f)	a. ungenau – b. Unpünktlichkeit (f) – c. unrichtig
	Inexact	a. incorrect – b. laxness – c. wrong
a/a		Un calcul – un décompte inexact
c/c		Il est inexact de prétendre que . . .
b/b		Votre inexactitude dans le respect des délais convenus nous oblige à . . .
	Inexécution (f)	Nichterfüllung (f) – non-fulfillment
		Nous serons contraints de rompre nos relations pour inexécution du contrat
		Nous réclamerons des dommages-intérêts pour l'inexécution de vos obligations
	Inexpérience (f)	a. unerfahren – b. Unerfahrenheit (f)
	Inexpérimenté	a. inexperienced – b. lack of experience
b/b		Son inexpérience n'est pas une excuse
a/a		Je suis encore inexpérimenté dans ce domaine
	Inexplicable	unerklärlich – inexplicable
		L'erreur – le retard – l'omission est inexplicable
	Inférieur	a. geringer – b. niedriger a. inferior – b. less
a/a		La qualité de cet article est inférieure à celle des articles que vous me livriez précédemment
b/b		Son prix est inférieur de Fr. . . .
b/b		Je l'ai acheté à un prix inférieur à Fr. . . .
	Inflation (f)	a. Inflation (f) a. Inflation – b. spiral
a/a-b-a		L'inflation des coûts – des prix – des salaires
a/a		Nous n'avons que partiellement répercuté sur nos prix le renchérissement dû à l'inflation
	Influencer	a. beeinflussen – b. Einfluss (m)
	Influence (f)	a. impression – b. to influence – c. influence
b/c		Une influence bienfaisante – utile – nuisible
b/c		Une influence favorable – défavorable
b/c	aucune	Cet incident n'aura aucune influence sur notre attitude future, nous pouvons vous l'assurer
b/c	exercer	Il exerce une influence certaine sur . . .
b/a	sous	Nous restions sous l'influence défavorable de nos derniers entretiens
b/b	subir	Je n'accepterai pas de subir une telle influence

a/b	vouloir	Sans vouloir vous influencer, nous attirons votre attention sur . . .
	Informer **Information** (f)	a. Information (f) – b. informieren – c. Klärung (f) a. to inform – b. information
c/b	ample	Jusqu'à plus ample informé, nous restons sur nos positions
b/a	bon	Je crois bon de vous informer que . . .
b/a	de	Je vous informerai de ma décision dès que . . .
b/a	devoir	Il est de notre devoir de vous informer que . . .
a/b	obtenir	Nous aimerions obtenir quelques informations sur la solvabilité de . . .
a/b	pour	Ces documents vous sont remis pour votre information et nous vous prions d'en user avec discrétion
a/b	prendre	Il est indispensable que vous preniez des informations
b/b	si	Si nous sommes bien informés, . . .
b/a		Si vous pouviez vous en informer assez tôt, . . .
a/b	à titre de	A titre d'information, je vous signale que . . .
	Infraction (f)	a. Verletzung (f) a. breach – b. infringement – c. violation
a/a-c-b		Commettre une infraction à un contrat – à une loi – à un règlement
	Infructueux	fruchtlos – unsuccessful
		Une tentative – une démarche infructueuse
	Ingérence (f)	Einmischung (f) – interference
		Nous n'admettons pas cette ingérence dans nos affaires
	Initial	a. Anfang (m) – b. erste a. first – b. initial – c. preliminary
a/b		Le capital initial a été fixé à Fr. . . .
b/ac		Vous voudrez bien vous charger des démarches initiales
	Initiative (f)	a. Initiative (f) – b. Verkehrsverein (m) a. Initiative – b. tourist office
a/a	heureuse	Nous vous félicitons de votre heureuse initiative
a/a	manquer	Il manque tout à fait d'initiative
a/a	propre	Si vous agissez de votre propre initiative, soyez prudent
b/b	syndicat	Le syndicat d'initiative de la ville de . . . pourra vous renseigner
	Initier (s')	vertraut – to learn
		Il s'est initié aux difficultés de ces opérations J'ai eu la possibilité de m'initier à . . .
	Innovation (f)	Neuerung (f) – innovation
		C'est une heureuse – malencontreuse innovation Les innovations que nous avons introduites dans

		notre service de ... devraient nous permettre de mieux vous satisfaire
	Inopportun	a. ungeeignet
		a. inopportune – b. untimely
a/b		Cette mesure inopportune doit être immédiatement rapportée
a/a		Nous craignons de prendre une décision inopportune
	Inquiéter	a. Besorgnis (f) – b. beunruhigen
	Inquiétude (f)	a. to worry
b/a		Son silence m'inquiète
b/a		Nous avions raison (tort) de nous inquiéter
b/a		Ne vous inquiétez pas trop de ce qui pourrait arriver
a/a		Votre télégramme nous a enfin tirés d'inquiétude
	Insaisissable	unpfändbar – attachement (not)
		Les biens insaisissables
	Inscrire	a. Anmeldung (f) – b. aufnehmen – c. einsetzen –
	Inscription (f)	d. Eintragung (f)
		a. to enter – b. to put – c. to record – d. registration
d-a/d		Le droit – la feuille d'inscription
d/d		L'inscription au registre foncier – au registre des réserves de propriété lors d'une vente par acomptes
a/d	enregistrer	Votre inscription à notre ... a été dûment enregistrée
c/a	être	Cette acquisition est inscrite au bilan pour Fr. ...
a/d	figurer	Votre nom ne figure pas dans la liste d'inscription
b/b	ordre	Je vous prie d'inscrire ce point à l'ordre du jour de notre prochaine séance
a/d	prendre	Les inscriptions seront prises dans l'ordre d'arrivée
b/c	procès-verbal	Votre intervention sera inscrite au procès-verbal
	Insérer	a. einfügen – b. einrücken – c. Insertion (f)
	Insertion (f)	a. to insert – b. insertion
a/a		Je crois utile d'insérer cette clause dans notre contrat
b/a		Voulez-vous (faire) insérer cette annonce dans le journal?
c/b		Les frais d'insertion sont élevés
	Insignifiant	unbedeutend – insignificant
		Les frais – les dégâts sont insignifiants
	Insinuer	a. unterstellen – b. verstehen
		a. insinuate
a/a		Je n'ai jamais voulu insinuer que ...
b/a		Qu'avez-vous donc voulu insinuer en disant que ...
	Insister	a. bestehen (auf) – b. dringen – c. Nachdruck (m)
		a. to insist
a-c-a/a		Insister sur une demande – un fait – le paiement
a/a		Il insiste pour vous voir prochainement
a/a		J'insiste sur le caractère temporaire de cette offre
b/a		Il a beaucoup insisté auprès du directeur

a/a		Nous insistons pour que notre ordre soit exécuté
a/a		Nous insisterons auprès de nos fournisseurs sur la nécessité de prendre des mesures de contrôle
	Insolvabilité (f)	a. zahlungsunfähig – b. Zahlungsunfähigkeit (f)
	Insolvable	a. insolvency – b. insolvent
b/a		Je ne peux vous recommander cette personne dont l'insolvabilité est notoire
a/b		Ne livrez pas à ce client, il est insolvable
	Inspecter	a. besichtigen – b. Inspektor (m)
	Inspecteur (m)	a. to inspect – b. inspector
a/a		Après avoir inspecté le chantier, je constate ...
b/b		J'attends votre inspecteur des sinistres pour l'évaluation des dommages
	Instabilité (f)	Unsicherheit (f) – instability
		L'instabilité du marché – l'instabilité monétaire
	Installer	a. einrichten – b. Installation (f) – c. Montage (f)
	Installation (f)	a. to install – b. installation
b-c/b		Les frais d'installation – l'installation de la machine
a/a		Nous avons fait installer ...
	Instamment	nachdrücklich – to insist
		Je vous demande instamment de m'avertir à temps
		Nous vous prions instamment de nous répondre
	Instance (f)	a. Drängen (n) – b. Instanz (f)
		a. court – b. instance – c. request
b/a		L'instance compétente – l'instance de recours
a/c		Nous vous écrivons sur l'instance d'un ami
b/b		L'affaire a été jugée en première instance
	Instant (m)	a. Augenblick (m) – b. mitunter – c. sobald
		a. as soon as – b. at times – c. constantly – d. moment
a/c-c-d		A chaque instant – à tout instant – à l'instant même
b-a/b-d		Par instant – l'instant est propice (favorable)
c/a		Dès l'instant que vous êtes d'accord ...
	Instaurer	einführen – to institute
		Nous avons instauré un nouveau système
	Instigation (f)	Betreiben (n) – prompt
		Il a certainement agi à l'instigation d'un concurrent
	Instructions (f. pl.)	Instruktion (f) – instruction
		Attendre – demander – solliciter des instructions
		Modifier – compléter – annuler des instructions
		D'accord avec – suivant – selon les instructions
	adresser	Veuillez lui adresser directement vos instructions
	agir	Il a agi conformément aux instructions reçues
	avoir	Avez-vous de nouvelles instructions?
	communiquer	Je vous prie de me communiquer vos instructions

	donner	Vous voudrez bien lui donner des instructions précises pour que le nécessaire soit fait au plus vite
	nouvelles	Nous retarderons l'exécution de votre ordre jusqu'à ce que nous ayons reçu de nouvelles instructions
	sauf	Sauf instructions contraires, vous devez ...
	suivre	Nous avons suivi vos instructions à la lettre
	Insu (m)	ohne Wissen (n) – knowledge
		Il a agi à l'insu de ses chefs – à mon insu
	Insuffisance (f)	a. ungenügend – b. unzureichend
	Insuffisamment	a. insufficient
b/a		Une insuffisance d'actif – de fonds
a/a		Une insuffisance de connaissances – de formation
a/a		Votre envoi était insuffisamment affranchi
	Intact	a. unbeeinträchtigt – b. unbeschädigt
		a. intact
b/a		Le contenu de la caisse était intact
a/a		Nous conservons intactes nos chances de succès
	Intégralement	vollumfänglich – ful(ly)
		Il a versé intégralement toutes les sommes reçues
		A cette date, j'aurai ainsi remboursé intégralement l'emprunt que vous avez bien voulu m'accorder
	Intelligence (f)	a. Kenntnis (f) – b. Klugheit (f) – c. Verständnis (n)
		a. intelligently – b. to understand – c. (good) understanding
a/c		Il a l'intelligence des affaires
c/b		Pour l'intelligence de ce qui suit, il faut savoir ...
b/a		Vous avez agi avec beaucoup d'intelligence
	Intensifier	intensivieren – to increase
		Il faut intensifier la publicité – les ventes
	Intention (f)	Absicht (f) – intention
	avoir	J'ai appris que vous aviez l'intention de ...
	cacher	Nous ne vous cacherons pas nos intentions
	connaître	Quand vous nous aurez fait connaître vos intentions, ...
	se défier	Il faut vous défier de ses intentions
	deviner	Nous n'avons pas encore deviné ses intentions
	interpréter	Nous avons mal interprété vos intentions
	remercier	Nous vous remercions de vos bonnes intentions
	sans	Il l'a fait sans mauvaise intention – sans intention frauduleuse – sans intention de lui nuire
	Interdire	a. verbieten – b. Verbot (n)
	Interdiction (f)	a. ban – b. to forbid – c. to prohibit
b/a		L'interdiction de commerce – d'exportation
a/b		Il m'est interdit de vendre au-dessous du prix
a/c		Notre contrat nous interdit de ...

	Intéresser **Intéressé** (m) **Intéressant**	a. beteiligen – b. interessant – c. interessieren – d. vorteilhaft a. concerned – b. to interest – c. interest – d. interesting
d/d		Une offre – une proposition intéressante
a/a		Les parties intéressées – les intéressés sont convoqués
c/b	à	Je m'intéresse à un article – une personne – la vente de . . .
a/c	dans	Il est intéressé dans notre maison
b/d	problème	Vous soulevez là un problème intéressant
c/b	qui	Les articles qui nous intéressent
	Intérêt (m)	a. Anteilnahme (f) – b. Interesse (n) – c. Zins (m) a. advantage – b. interest
c/b		Les intérêts annuels – simples – composés Le taux d'intérêt – le montant de l'intérêt L'intérêt arriéré – échu – de retard Une baisse – une hausse du taux de l'intérêt
b/b	agir	Nous agirons au mieux de vos intérêts
c/b	ajouter	J'accepte que les intérêts dus s'ajoutent au capital
b/b	avoir	Nous avons des intérêts communs à défendre
b/b		Je n'ai eu en vue que vos intérêts
b/ab		Vous auriez intérêt à me donner une réponse rapide
b/ab		Vous avez tout intérêt à . . .
c/b	calculer	Les intérêts seront calculés au taux de . . . % dès le . . .
b/b	compatible	Ce n'est pas compatible avec nos intérêts
b/b	concilier	Il est difficile de concilier les intérêts en cause
b/b	contraire	Ces mesures sont contraires à nos intérêts
c/b	élever (s')	Les intérêts s'élèvent à Fr. . . . en votre (notre) faveur
b/ab	être	Il est de votre intérêt de . . . – ce n'est pas de mon intérêt
b/b		Ce n'est pas sans intérêt pour nous de savoir si . . .
b/b	jeu	Les intérêts en jeu sont considérables
b/b	léser	Nous ne voudrions pas léser vos intérêts
b/b	montrer	La clientèle montre un vif intérêt pour . . .
b/b	négliger	Il ne peut pas m'accuser d'avoir négligé ses intérêts
b/b	nuire à	Votre décision nuit à mes intérêts
b/b	porter	Je porte un grand intérêt à cette affaire
a/b	preuve	Je vous remercie des nombreuses preuves d'intérêts que vous . . .
c/b	productif	La somme due est productive d'intérêt au taux de . . .
c/b	rapporter	Un tel placement devrait vous rapporter un minimum de . . . % d'intérêt
b/b	sauvegarde	Il se chargera de la sauvegarde de vos intérêts
b/b	souffrir	J'espère que mes intérêts n'en souffriront pas
	Intérieur (m)	a. inländisch – b. Innere (n) a. domestic – b. inside – c. interior
a/a		Le commerce intérieur – la consommation intérieure
b/b-c		A l'intérieur de la caisse – dans l'intérieur du pays

Intérimaire
Intérim (m)

a. Aushilfe (f) – b. Stellvertretung (f) – c. vorläufig – d. Zwischen
a. broken-period – b. interim – c. temporary

b/b M. . . . exercera l'intérim durant votre absence
c/c Cette situation intérimaire ne saurait durer
a/c Si nous voulons terminer dans les délais, il nous faudra engager du personnel intérimaire
d/ba Le dividende intérimaire a été fixé à Fr. . . .

Intermédiaire (m)

a. Mittelsperson (f) – b. Vermittler (m) – c. Vermittlung (f) – d. Zwischenhändler (m)
a. intermediary – b. through

a/a Nous nous sommes adressés à un intermédiaire
c/b Je me le suis procuré par l'intermédiaire d'un agent
bd/a Nous avons conclu un marché sans intermédiaire – sans passer par un intermédiaire
c/b Vous nous avez commandé, par l'intermédiaire de M. . . .,
c/a Nous nous engageons à traiter par votre seul intermédiaire

International

international – international

Le commerce – le droit international
Une conférence – une société internationale

Interpréter
Interprétation (f)
Interprète (m)

a. auslegen – b. Auslegung (f) – c. Dolmetsch (m)
a. to interpret – b. interpretation – c. spokesman

b/a Vous donnez une fausse interprétation à ma proposition
a/a Quelle interprétation donne-t-il à ce point litigieux?
c/c Je suis l'interprète de vos amis pour vous demander . . .
a/a Vous avez mal interprété mes paroles – le sens de ma lettre
a/a Cela pouvait s'interpréter autrement
a/b Cet article du contrat n'est pas clair, il est susceptible de diverses interprétations

Interrompre
Interruption (f)

a. abbrechen – b. Unterbrechung (f)
a. to break off – b. interruption

a/a Nous avons interrompu toute relation avec cette maison
b/b Nous livrons depuis deux ans sans interruption des . . . à . . .

Intervalle (m)

a. Zeitabstand (m) – b. Zwischenzeit (f)
a. interval – b. meantime

b/b Dans l'intervalle, vous recevrez un premier colis
a/a Vous voudrez bien faire les livraisons à intervalles réguliers

Intervenir
Intervention (f)

a. beitreten – b. intervenieren – c. Intervention (f) – d. treffen
a. honour – b. to intervene – c. intervention – d. to reach

c/a-ac		Une acceptation – un paiement par intervention
a/b		Nous sommes résolus à intervenir dans ce procès
b/b		Nous allons immédiatement intervenir auprès de ...
d/d		Un accord est enfin intervenu entre les parties
c/c		Grâce à son intervention, nous avons pu obtenir le permis
c/c		Si mon intervention est nécessaire, j'irai ...
	Intransigeance (f) **Intransigeant**	a. unnachgiebig – b. Unnachgiebigkeit (f) a. intransigent – b. intransigence
a/a		Ne soyez pas trop intransigeant sur ce point
b/b		Votre intransigeance ne facilite pas les choses
	Intrinsèque	wirklich – intrinsic
		La valeur intrinsèque de l'objet est difficile à chiffrer
	Introduire **Introduction** (f)	a. einführen – b. einreichen – c. Empfehlung (f) – d. Zutritt (m) a. to accept – b. to bring suit – c. to introduce – d. introduction – e. to launch
a/c		Il a introduit une méthode nouvelle
a/e		C'est un article bien introduit sur le marché
d/a		Il s'est introduit dans ce milieu malgré nous
c/d		Voici une lettre d'introduction de la part de M. ...
b/b		Nous serons contraints d'introduire une action en dommages-intérêts si ...
	Inutile **Inutilisable**	a. nutzlos – b. unbrauchbar a. unusable – b. useless
a/b		Il est inutile de faire – d'insister
b/a		Ces objets sont totalement inutilisables
	Invendu (m)	unverkauft – unsold
		Nous avons dû liquider ces invendus à un prix dérisoire
	Inventaire (m)	a. Betracht (m) – b. Inventar (n) a. assets – b. inventory – c. list
b/b-c-b		L'inventaire des marchandises – du stock – de la caisse
b/b		Dresser (faire) l'inventaire de – porter sur l'inventaire
b/b		Figurer au bilan à la valeur d'inventaire
b/a		Accepter une succession sous bénéfice d'inventaire
a/c		Faire l'inventaire de toutes les possibilités
	Inventer **Inventeur** (m) **Invention** (f)	a. erfinden – b. Erfinder (m) – c. Erfindung (f) a. to invent – b. invention – c. inventor
a/a		Nous avons inventé un nouveau modèle de ...
b/c		L'inventeur a pris un brevet
c/b		Cette invention a été perfectionnée par ...
	Inverse	a. gegen – b. umgekehrt a. backwards – b. contrary – c. reverse

a/b		Agir à l'inverse du bon sens
b/a-c		En sens inverse – en ordre inverse
	Investir	a. investieren – b. Investition (f)
	Investissement (m)	a. to invest – b. investment – c. mutual (fund) – d. trust
a/b		Investir à court – moyen – long terme
b/cd-b		Un fonds – une société d'investissement
a/a	avoir	Il a investi sa fortune dans une affaire immobilière
b/b	budget	Le budget des investissements pour l'année prochaine
b/b	crédit	Le crédit d'investissement est épuisé
a/a	disposer	Je suis disposé à investir des capitaux dans . . .
b/a		Je dispose de Fr. . . . à investir dans . . .
b/b	financer	Il ne nous est pas possible de financer ces investissements par nos propres ressources, c'est pourquoi nous procéderons à une augmentation de capital
b/b	valeur	La valeur des investissements figurant au bilan est manifestement sous-évaluée (sur-évaluée)
	Inviter	Einladung (f) – invitation
	Invitation (f)	
	accepter	Nous acceptons avec grand plaisir l'invitation que vous nous avez adressée
	décliner	Je regrette d'être obligé de décliner votre invitation
	remercier	Je vous remercie de votre aimable invitation que j'accepte avec grand plaisir
		J'ai été très sensible à votre aimable attention et vous remercie de votre invitation. Malheureusement . . . et vous prie de m'excuser
		Nous vous prions de nous faire l'honneur d'accepter notre invitation
	Invoquer	anführen – to state
		Les motifs – les raisons que vous invoquez ne sont pas valables
	Irrecevable	unzulässig – unacceptable
		Votre demande est irrecevable
	Irrécouvrable	uneinbringlich – irrecoverable
		Cette créance est irrécouvrable
		Il sera créé une provision pour créances irrécouvrables
	Irrémédiable	unheilbar – irreparable
		Les dégâts sont irrémédiables
	Irréprochable	untadelig – irreproachable
		Une attitude – une conduite irréprochable
	Irrégularité (f)	a. ordnungswidrig – b. Unregelmässigkeit (f)
	Irrégulier	a. discrepancy – b. irregular – c. unorthodox
b/b		L'irrégularité de vos livraisons perturbe notre production

b/a		Je constate quelques irrégularités dans votre décompte et j'attends vos explications
a/c		Le procédé est irrégulier
	Irrévocable	unwiderruflich – irrevocable
		Un crédit – une décision irrévocable
	Issue (f)	a. Ausgang (m) – b. Sackgasse (f) – c. Schluss (m) a. end – b. outcome
b/a		Un chemin – une rue – une sortie sans issue
c/a		A l'issue de notre réunion, un repas sera offert
a/b		Il est trop tôt pour prévoir l'issue de cette affaire

J

	Jauger	a. einschätzen – b. Tonnage (f) – c. Tonne (f)
	Jauge (f)	a. register – b. to size up – c. tonnage
b-b-c/c-c-a		La jauge brute – nette – le tonneau de jauge
a/b		Nous vous laissons le soin de jauger la situation
	Jeter	a. werfen a. to glance at – b. to throw
a/b		Jeter son argent par les fenêtres
a/a		Je n'ai pu encore jeter qu'un bref regard sur votre rapport
	Jeton (m)	a. Marke (f) a. attendance fees – b. time card – c. time ticket
a/a-bc		Jeton de présence – jeton de contrôle
	Jeu (m)	a. Hand (f) (in die ... arbeiten) – b. Karte (f) – c. Satz (m) – d. Spiel (n) a. at stake – b. (to be) fair – c. to serve – d. set
c/d		Le jeu complet du connaissement
d/–	cacher	Je ne vous ai pas caché mon jeu
d/a	en	Le marché en jeu est d'importance
a/c	faire	Cette politique ne peut que faire le jeu de la concurrence
b/b	franc	Nous avons toujours joué franc jeu avec eux
	Joindre	a. beifügen – b. zusammentreffen a. to enclose – b. to reach
a/a		Nous joignons à cette lettre la documentation demandée

a/a		Notre facture sera jointe à l'envoi
a/a		Je joindrai quelques échantillons de ...
b/b		Je n'ai pas encore pu joindre M. ... pour lui communiquer vos propositions
		(voir aussi: ci-joint)
	Jouer	a. heucheln – b. spekulieren – c. spielen –
	Joueur (m)	d. Verlierer (m) – e. Wortspielereien (f)
		a. loser – b. to make use of – c. to play – d. to speculate
b/c-d		A la bourse, jouer à la hausse ou à la baisse
a-e/.-c		Jouer de malheur – jouer sur les mots
c/c		Nous avons joué le rôle d'intermédiaire dans cette affaire
c/b		Nous pouvons essayer de faire jouer nos relations
d/a		Je serai beau joueur – je ne veux pas être mauvais joueur
c/c		Cet élément ne joue strictement aucun rôle dans notre choix
	Jouir	a. Besitz (m) – b. Fälligkeit (f) – c. geniessen
	Jouissance (f)	a. to enjoy – b. to enter (in possession) – c. payment
c/a		M. ... jouit de notre confiance – de notre estime
c/a		Il jouit d'une excellente réputation sur la place
b/c		La jouissance annuelle – semestrielle des coupons
a/b		Nous désirons entrer en jouissance de nos bureaux le ...
	Jour (m)	a. aufarbeiten – b. Licht (n) – c. plötzlich – d. Tag (m) – e. Termin (m)
		a. agenda – b. date – c. day – d. light – e. up to date – f. week
e-.-e/c-.-b		A jour fixe – à un jour près – au jour dit
d-c-d-d/c		De jour en jour – du jour au lendemain – d'un jour à l'autre – à partir de ce jour
d/f		Dans huit jours au plus tard – dans les huit jours
e/b		Le jour d'échéance – le jour fixé – le jour exact
d/c		Les jours ouvrables – fériés – les jours de fête
d/c-c-a		Le cours du jour – le prix du jour – l'ordre du jour
d/c	avoir	Il y a plus de dix jours que je ne l'ai vu
a/e	être	Nos comptes sont à jour
a/e	mettre	La liste a été mise à jour
d/c	payable	Fr. ... payable à 60 jours net ou à 30 jours avec 2% d'escompte
b/d	voir	Je vois les choses sous un tout autre jour
	Journal (m)	a. Blatt (n) – b. Journal (n) – c. Tagebuch (n) – d. Zeitschrift (f) – e. Zeitung (f)
		a. advertiser – b. bulletin – c. daily – d. diary – e. gazette – f. journal – g. magazin – h. (news)paper – i. periodical – j. weekly
a-e-a/a-bh-e		Le journal d'annonces – d'entreprise – officiel
e/ch-g-f		Le journal quotidien – illustré – financier

e-d-d/j-i-i		Le journal hebdomadaire – mensuel – bimestriel
e/h		J'ai lu dans le journal que ...
e/h		Notre annonce a paru dans les principaux journaux de la place
b/f		Toutes les écritures ont été passées au journal, les comptes pourront être bouclés dans ... jours
c/d		Tenez un journal succinct – détaillé de vos démarches
	Journée (f)	a. Tag (m) – b. Zeit (f) a. day – b. public holiday
b/a		La journée de travail est de ... heures ... jours par semaine
a/a		Il faut compter au moins ... journées de travail pour achever cet ouvrage
a/b		Les journées chômées ne sont pas indemnisées
	Juger **Juge** (m) **Jugement** (m)	a. aburteilen – b. anscheinend – c. beurteilen – d. halten – e. Richter (m) – f. überlassen – g. Urteil (n) – h. urteilen a. to deem – b. to feel – c. to judge – d. judge – e. judgment – f. justice – g. to tell – h. trial
e/d-d-f		Le juge informateur – d'instruction – de paix
g/e		Un jugement définitif – provisoire – par défaut
g/e		Un jugement confirmé – cassé
a-g/h-e		Passer en jugement – rendre un jugement
g/e		Faire opposition à – contester – un jugement
g/e		Interjeter appel du jugement
b/c	à	A en juger par les apparences, il ne sera pas facile ...
d/b	au	Au cas où vous le jugeriez convenable, vous pouvez ...
c/g	autant	Autant que j'en puis juger, l'affaire n'est pas saine
d/a	bon	Je regrette que vous n'ayez pas jugé bon de m'aviser
f/d	décision	Je vous laisse juge de la décision à prendre
d/a	digne	Il a été jugé digne d'occuper ce poste de confiance
h/c	être	Il n'était pas en état de juger
g/d	faire	Je vous fais juge du procédé
d/b	nécessaire	Si vous le jugez nécessaire, faites-le
c/c	permettre	Nous ne nous permettons pas de le juger – de juger cet acte
g/e	réserver	Je réserve mon jugement jusqu'à plus ample informé
c/c	sincérité	Vous pouvez juger par là de sa sincérité
e/d	soumettre	Nous nous soumettrons à la décision du juge
c/g	à vue d'œil	On pouvait juger à vue d'œil les progrès de ...
	Jusque	a. bis a. far – b. until – c. up to
a/b	à	Jusqu'à aujourd'hui – demain – maintenant
a/b	au	Jusqu'au 10 courant (le 10 est compris dans le délai)
a/bc	ici	Jusqu'ici, je n'ai pas eu à m'en plaindre
a/a	là	J'irai jusque là, mais pas plus loin
a/a	où	Jusqu'où voulez-vous aller?
a/c	point	Jusqu'à un certain point, je l'admets

	Juste	a. gerade – b. knapp – c. richtig – d. wahr a. best – b. exactly – c. head – d. home – e. just – f. right
c/d-c-f		Frapper – tomber – voir juste
c/f		L'heure juste – le poids juste – la juste mesure
b/a	au	Je le vends au plus juste prix
c/f	être	Il est juste que vous soyez indemnisé
c/f	rien	Rien de plus juste que de tenir compte de . . .
a/e	temps	Nous aurons juste le temps de nous préparer
d/b	valeur	Vous l'avez payé à sa juste valeur
	Justice (f)	a. gerechterweise – b. Gericht (n) – c. gerichtlich – d. Recht (n) – e. widerlegen a. court – b. fairness – c. justice – d. legal – e. to refute – f. suit
c-d/df-c		Une action en justice – un déni de justice
b-c/a		Les frais de justice – la vente par autorité de justice
b/a	adresser	Nous nous adresserons à la justice
b/f	citer	Je suis obligé de vous citer en justice
a/b	en bonne	En bonne justice, vous devez reconnaître que . . .
e/e	faire	Nous saurons faire justice de ses allégations
b/a	porter	Nous porterons l'affaire en justice, s'il le faut
c/df	poursuivre	Nous avons dû finalement le poursuivre en justice
d/d	procéder	Vous nous obligerez à procéder par voie de justice
	Justifier **Justificatif** (m) **Justification** (f)	a. begründen – b. Beleg (m) . . . – c. rechtfertigen – d. reinwaschen a. to clear – b. copy – c. to justify – d. proof – e. supporting
a/c	conduite	Il n'a pu justifier sa conduite – son opinion
c/c	de	Il n'a pas pu justifier de l'emploi de ces fonds
d/a		Je n'ai pas pu me justifier de cette accusation
b/b	numéro	Veuillez nous indiquer le numéro justificatif
b/e	pièce	Les pièces justificatives vous parviendront demain
b/d	utile	Nous vous fournirons toute justification utile

	Kilo (m)	Kilogramm (n) – kilo
		Prix Fr. . . . le kilo brut – net – brut pour net
		Le poids arrondi au kg inférieur ou supérieur
	Krach (m)	Krach (m) – crash
		Le krach boursier – d'une banque

L

	Lacune (f)	Lücke (f) – loophole
		Une lacune dans la loi – dans le contrat Une lacune à combler pour éviter des abus
	Laisser	a. entweder – oder – b. lassen – c. überlassen a. to leave – b. to let
c/b	à	Je vous laisserai cet article à bon compte
c/–	aller	Cet échec n'est pas une raison pour vous laisser aller au pessimisme
b/a	désirer	Sa conduite laisse à désirer depuis quelque temps
b/a	détail	Je laisse les détails de côté pour en venir à l'essentiel
b/b	faire	Je vous laisse faire les premières démarches
c/a	libre	Nous vous laissons libre d'agir au mieux des circonstances
c/a	marchandise	Je vous laisse ces marchandises à Fr. . . .
a/a	prendre	C'est à prendre ou à laisser
	Lancer	a. auflegen – b. einlassen (auf) – c. lancieren a. to issue – b. to launch – c. to set
c/b		Lancer une affaire – une nouvelle entreprise
c-c-a/b-b-a		Lancer un article – un produit – un emprunt
b/c		Nous craignons de nous lancer dans cette opération
	Langage (m) **Langue** (f)	a. Sprache (f) a. language – b. terminology
a/b		Le langage boursier – commercial – de l'informatique
a/a	apprendre	Il apprend une langue étrangère
a/a	connaissance	Il a une excellente connaissance de la langue anglaise
a/a	familière	La langue allemande lui est familière
a/a	notion	J'ai quelques notions scolaires de la langue écrite
a/a	parler	Il parle couramment plusieurs langues étrangères
a/a	perfectionner	Il désire se perfectionner dans la langue anglaise
	Large **Largement**	a. bedeutend – b. grosszügig – c. reichlich a. broad – b. generous – c. high – d. major
b/a-b		Il a l'esprit large – il est large en affaires
a/d		Il prend une large part dans la direction de l'entreprise
c/c		Il sera largement temps d'intervenir – d'agir
	Lecture (f)	Lesen (m) – reading
		La lecture de l'ordre du jour – du rapport
	Légaliser **Légalisation** (f) **Légal**	a. beglaubigen – b. Beglaubigung (f) – c. gesetzlich a. to authenticate – b. authentication – c. legal – d. to notarize – e. statutory
a-b/a-b		Légaliser une signature – la légalisation d'une pièce
c/e-c		Le délai légal – le domicile légal
a/d		Faire légaliser un acte par . . .

Législation (f) a. Gesetzgebung (f) – b. Recht (n)
a. law(s) – b. legislation

a/ab La législation commerciale – du travail
b/ab Selon la législation en vigueur, il est nécessaire que ...

Légitime a. berechtigen – b. Recht (n)
a. lawful – b. legitimate

a/b Nous défendons des intérêts légitimes
b/a Nos droits légitimes ont été violés – bafoués

Lettre (f) a. Brief (m) – b. Buchstabe (m) – c. buchstäblich – d. Familienanzeige (f) – e. Schreiben (n)
a. announcement – b. circular – c. letter – d. waybill

a/c Lettre urgente – à envoyer par exprès – en recommandé
a/c Lettre privée – personnelle – confidentielle – anonyme
e/c-c-b Lettre de recommandation – d'excuses – circulaire
e-d-e/c-a-c Lettre de félicitations – de faire part – de condoléances
a/d Lettre de transport – de voiture
a/c La copie – la date – le port d'une lettre
a/c Le ton – le sens – les termes inacceptable(s) d'une lettre
a/c Affranchir – poster – envoyer – recevoir une lettre
c/c Suivre des instructions à la lettre
b/c Tenir compte de l'esprit plutôt que de la lettre des instructions

Lettre de change (f) Wechsel (m) – bill (of exchange)

Lettre de change à vue – à trois mois
Au 30 ... 19 ..., veuillez payer contre cette lettre de change, à l'ordre de M. ..., à ..., la somme de Fr. ...
Veuillez trouver, sous ce pli, une lettre de change de ..., que nous avons tirée sur vous en règlement de notre facture du ...
Nous avons le regret de vous retourner, impayée et protestée, votre lettre de change du ..., sur ..., à ..., de Fr. ...
Notre lettre de change de Fr. ..., à échéance du ... ct, et domiciliée suivant vos indications à la Banque ..., nous revient impayée

Lettre de crédit (f) Kreditbrief (f) – letter of credit

Veuillez établir une lettre de crédit en ma faveur, du montant de Fr. ... Durée de validité: ... mois sur les places de ..., ...

Lever a. aufheben – b. aufnehmen – c. ausüben – d. erheben – e. leeren
a. to clear – b. to collect – c. to draw up – d. to drop – e. to lift – f. to take up

c-c-a/f-f-d		Lever une option – une prime – une opposition
a/e		Lever la saisie – le séquestre – l'embargo
e/b-a		Lever le courrier – la boîte aux lettres
b/c		Faire lever un plan des lieux
d/–		Un vote à main levée
	Libérer	a. befreien – b. einzahlen – c. tilgen a. to free oneself – b. to pay back – c. to pay up
b/c		Une action partiellement ou entièrement libérée
b/c		Des actions – des obligations libérées au cours de . . .
c/b		Faites-nous connaître de quelle manière et dans quel délai vous pensez vous libérer de votre dette
a/a		Je ferai tout mon possible pour me libérer de mes obligations
	Liberté (f)	a. frei – b. Freiheit (f) – c. freilassen – d. offen a. freedom – b. freely – c. liberty – d. off – e. to release
b-b-a/a-a-d		La liberté du commerce – de la presse – mon jour de liberté
b/a	avoir	Vous avez pleine liberté d'action
c/e	mettre	Il a été mis en liberté sous caution
d/b	parler	J'ai pu parler en toute liberté
b/c	prendre la	Je prends la liberté (expression vieillie) de vous demander l'autorisation de . . .
b/c	prendre des	Il me semble qu'il prend des libertés avec nous
	Libre	a. frei a. free – b. off – c. un-
a/a	être	Si vous êtes libre demain, nous pourrions aller à . . . Il est libre de tout engagement Vous êtes libre de faire comme bon vous semble
a/c	hypothèque	Cet immeuble est libre d'hypothèque
a/b	jour	Quel est votre jour libre?
a/a	temps	J'ai maintenant du temps de libre et pourrai m'occuper de . . .
a/a	traduction	Il en a fait une traduction libre
	Libre-échange (m)	Freihandelszone (f) – free trade
		La zone européenne de libre-échange
	Licencier **Licence** (f)	a. Lizentiat (n) – b. Lizenz (f) a. degree – b. license/licence – c. permit – d. rights
a/a		Une licence en droit – HEC – ès lettres – ès sciences
a/a		Passer sa licence en – être reçu licencié en . . .
b/b		Une licence d'exportation – d'importation
b/c-b-b		Une licence de fabrication – une fabrication sous licence – le décompte des droits de licence
b/d	accorder	Nous vous accordons la licence exclusive pour l'exploitation de notre brevet dans votre pays
b/b	concession	La présente concession de licence donne le droit de . . .

b/b	enregistrer	Nous ferons enregistrer la licence conférée à la maison ... auprès de l'Office ...
b/b	fabrication	Cette machine est fabriquée sous licence par ...
b/b	garantir	Afin de garantir le paiement des droits de licence, la maison ... remet à ... une garantie bancaire irrévocable auprès de la banque ...
b/b	octroi	L'octroi de la licence a lieu aux conditions suivantes: ...
b/b	redevance	Le prix de la présente licence est constitué par une redevance annuelle de Fr. ...
	Lier	a. anknüpfen – b. binden – c. kombinieren a. to bind – b. to combine – c. to strike up
b/a		La clause – le contrat – l'accord qui nous lie
b/a		Je suis lié par un engagement moral
a/c		Avez-vous pu lier conversation avec M. ...?
c/b		Effectuer en bourse une opération liée
	Lieu (m)	a. Anlass (m) – b. Ort (m) – c. Raum (m) – d. statt – e. stattfinden – f. Stelle (f) a. cause – b. fixtures – c. instead – d. lastly – e. place – f. reason – g. scene – h. to serve as
b/e		Le lieu de départ – de destination – de livraison
b/e		Le lieu de provenance – de sortie – de paiement
d/c	au	Vous m'avez envoyé deux caisses au lieu des trois que j'avais commandées
a/a	avoir	Il y a lieu de supposer que la marchandise a été payée
a/f		J'ai tout lieu de croire que les prix vont augmenter
a/f		Vous n'avez pas lieu de vous plaindre
e/e		La conférence n'a pu avoir lieu le ... comme prévu
f/e-d-e	en	En premier – en dernier lieu – en haut lieu
c/b	état	Il faudra contrôler l'état des lieux
b/e	mettre en	Nous avons mis ces documents en lieu sûr
b/e	naissance	Nous avons besoin de l'indication de votre lieu de naissance
f/g	sur	Pensez-vous vous rendre sur les lieux de l'accident?
d/h	tenir	Cette pièce vous tiendra lieu de quittance
	Ligne (f)	a. Art (f) – b. Form (f) – c. Linie (f) – d. Zeile (f) a. line – b. route
c/a-b-ab-b		La ligne aérienne – de train – de bateau – d'autobus
c/a-b		La ligne de chemin de fer – la ligne directe
c/a	biffer	Il faut biffer les cinq dernières lignes de la page 8
a/a	conduite	Ceci ne nous fera pas changer notre ligne de conduite
c/a	laisser	Il faut laisser trois lignes en blanc au-dessous du titre
d/a	lire	Si vous savez lire entre les lignes, vous aurez compris que ...
b/a	pureté	Une grande pureté des lignes distingue notre nouveau modèle

a/a	suivre	Nous suivons une ligne de conduite différente de la vôtre
c/–	sur	Il a été débouté sur toute la ligne
	Limiter **Limitation** (f) **Limite** (f)	a. begrenzen – b. Begrenzung (f) – c. beschränken – d. Grenze (f) a. to limit – b. limit
c/a		Limiter les achats – la production – les investissements
a/b-a		Obtenir un crédit limité – limiter le temps imparti
b/b		Limitation de crédit – de vitesse
d/b		Atteindre la limite d'âge
	Liquidité (f) **Liquide**	a. flüssig – b. Liquidität (f) a. liquid – b. liquid assets – c. liquidity
a/a		L'argent liquide disponible
b/b		Manquer des liquidités nécessaires
b/c		Les actifs du bilan classés selon l'ordre de liquidité
	Liquider **Liquidateur** (m) **Liquidation** (f)	a. Abschluss (m) – b. abstossen – c. Ausverkauf (m) – d. Liquidation (f) – e. Liquidator (m) – f. räumen – g. Verwalter (m) a. to clear – b. liquidation – c. liquidator – d. sale – e. to sell – f. settlement – g. winding-up
a/f		La liquidation de fin de mois
d/bg-d-g-bg		La liquidation forcée – générale – judiciaire – volontaire
e-g/c		Le liquidateur d'avaries – de faillite
c/d		Une liquidation pour cause de fin de bail – de cessation d'activité
d/b-bg		La maison est en liquidation – la liquidation est gérée par . . .
b/e		Liquider des articles à bas prix – avec un fort rabais – à tout prix
f/a		Nous liquiderons notre stock sans tenir compte du prix
	Liste (f)	a. Liste (f) – b. Verzeichnis (n) a. list – b. roll
b/a		La liste des membres – des abonnés – des clients
b-a/a-ab		La liste des actionnaires – la liste de présence
a/a		La liste d'attente – la liste de souscription
b-a/a		Dresser la liste de . . . – rayer de la liste
a/a		Envoyez-nous une liste des articles encore disponibles
b/a		Mon nom ne figure pas sur la liste
a/a		Cette liste de prix no . . . annule toutes les précédentes
	Litige (m)	a. Streit (m) a. contention – b. dispute
a/b	amiable	Nous préférerions liquider ce litige à l'amiable
a/b	en	Le cas en litige sera soumis à l'arbitrage de . . .

a/a	objet	L'objet du litige n'est pas très clair
a/b	suspens	Le litige en suspens n'est pas prêt d'être réglé
	Livrable	lieferbar – delivered
		Une marchandise livrable immédiatement – à terme – du stock
		Livrable en une fois – uniquement sur fabrication
		Livrable le 15 courant – fin courant – le mois prochain
	Livraison (f)	a. Lieferung (f)
		a. delivery – b. to receive – c. shipment
a/a		Une livraison CAF – FOB – SM (service messagerie, anciennement grande vitesse) – PV (petite vitesse)
a/c-a-a-a		Une livraison franco fabrique – gare d'expédition – gare de destination – domicile
a/a		Une livraison par train – route – avion – bateau
a/a		Le bon – le bordereau – le bulletin de livraison
a/a		La date – le délai – les frais de livraison
a/a		Le poids à la livraison – le lieu (port) de livraison
a/a	avoir	J'ai d'importantes livraisons à faire avant la fin du mois
a/a	compter	Nous comptons sur une prompte livraison de ces articles
a/a	effectuer	La livraison sera effectuée dans le courant du mois
a/a	faire	Nous pouvons faire une livraison partielle avant le milieu de la semaine prochaine
a/a	garantir	Nous vous garantissons une livraison impeccable
a/a	partielle	Nous regrettons que vous n'ayez pu nous faire qu'une livraison partielle
a/a	payable	Les marchandises sont payables à la livraison
a/b	prendre	Nous avons pris livraison, sous toutes réserves, de l'expédition que vous nous avez faite
a/a	presser	Cette livraison presse – est pressante
	Livre (m)	a. Buch (n)
		a. book – b. ledger
a/a-b		Tenir les livres de la comptabilité – le grand livre
a/a		Le livre des réclamations
a/a		Selon nos livres, il apparaît que vous nous devez encore Fr. . . .
a/a		En contrôlant nos livres, nous constatons que . . .
	Livrer	liefern – to deliver
	à ce prix	Si vous pouvez livrer à ce prix, . . .
	à la date	Ces circonstances imprévues nous empêchent de livrer à la date convenue
	conditions	A quelles conditions pouvez-vous livrer . . .
	contre	Nous ne livrons que contre remboursement
	désirer	Je désire que vous livriez le 30 juin au plus tard
	en	Nous pouvons livrer en caisse de . . . kg
	s'engager	Je m'engage à vous livrer en deux fois . . .
	être	Les marchandises seront livrées le . . .

	falloir	Il faut que vous livriez à la date convenue
	pouvoir	Nous pouvons livrer en toute quantité du stock
	rester	Il reste encore à livrer dix . . .
	Livret (m)	a. Buch (n) a. book – b. passbook
a/b-a-a		Livret d'épargne – de dépôt – de famille
	Local (m)	Raum (m) – premises
		Nous disposons de vastes locaux d'exposition Nous mettrons plusieurs locaux de vente à votre disposition à partir du . . . Nos nouveaux locaux de vente nous permettent . . .
	Localité (f) **Local**	a. Ort (m) – b. Ortschaft (f) a. city – b. local
b/a		C'est une localité de 40 000 habitants
a/b		Les autorités locales – l'usage local
	Locataire (m) **Location** (f) **Locatif**	a. Miete (f) – b. Mieter (m a. hire – b. to rent – c. rental – d. tenant
b/d		Nous sommes locataires d'un immeuble
a/c		La valeur locative de cet immeuble est de Fr. . . .
b/b		Nous sommes en location et non propriétaires
a/c		Les conditions de location à la journée – au mois
a/a		Pour l'acquisition d'un tel bien, nous vous recommandons notre système de location-vente très avantageux
	Loger **Logement** (m)	a. wohnen – b. Wohnung (f) a. housing – b. lodging – c. vacancy
b/c		Un logement est disponible – libre – occupé – vacant
b/a		La crise du logement – la pénurie de logements
b/b		Je (re)cherche un logement – je change de logement
a/–		Nous sommes logés très – trop à l'étroit
	Loi (f)	a. Gesetz (n) – b. Recht (n) a. law
b/a		La loi actuelle – existante – en vigueur
a/a		Une infraction à la loi – en violation de la loi
a/a		Conformément à la loi – en vertu de l'art . . . de la loi du . . .
a/a		La loi de l'offre et de la demande
b/a	avoir	Cette décision a force de loi
a/a	éluder	Il cherche toujours à éluder la loi
b/a	être	Il est au bénéfice de la loi
a/a	se soumettre	Nous ne pouvons que nous soumettre à la loi
a/a	se soustraire	Il cherche à se soustraire à la loi
a/a	tomber	Cette infraction tombe sous le coup de la loi
a/a	violer	Nous n'avons pas violé la loi
	Loin	a. fern – b. keineswegs – c. weit a. far – b. way

c/a	aller	Ce jeune homme, s'il continue ainsi, ira loin
		Vous allez beaucoup trop loin dans vos exigences
c/a	entraîner	De telles dépenses nous entraînent trop loin
a/a	être	J'étais loin de m'attendre à des remerciements
c-b/b-a		Nous sommes loin du compte – loin d'être satisfaits
c/a	mener	Cela pourrait nous mener loin
	Loisir (m)	a. Musse (f) – b. Zeit (f)
		a. leisure – b. time
a/a		Pendant mes heures – mes moments de loisir
a/a		J'examinerai cette affaire à loisir
a/a		Je profiterai de mes loisirs pour étudier votre projet
b/b		Je n'ai pas le loisir de m'amuser à vérifier si . . .
	Long	a. genau – b. lange – c. langfristig – d. vielsagend
		a. long – b. more – c. slow – d. telling
d/d	dire	C'est un geste qui en dit long
b/c	être	Il est long à comprendre – à prendre une décision
a/b	savoir	Il en sait plus long que vous ne pensez
c/a	terme	Un prêt à long terme pour consolider le financement de cet investissement
	Longtemps	a. lange
		a. far – b. long(er)
a/b	aussi	Gardez-le aussi longtemps que vous voulez
a/b	avant	Il fera faillite avant qu'il soit longtemps
a/b	avoir	Je n'en aurai certainement pas pour longtemps
		Y a-t-il longtemps qu'il travaille chez vous?
a/b	plus	Il ne peut s'occuper de cette affaire plus longtemps
a/a	trop	Il est inutile d'acheter trop longtemps avant la saison
	Longueur (f)	a. Länge (f)
		a. to drag out – b. length
a/b		Les mesures de longueur (et de largeur)
a/a		Traîner – tirer une affaire en longueur
	Lot (m)	Posten (m) – lot
		Acheter – vendre un lot de marchandises à bon compte
	Louer	a. vermieten – b. zufrieden
		a. to let – b. praise – c. rent
a/ac		Une chambre – un magasin – une maison à louer
a/a		Je (bailleur ou loueur), sous-loue une place à l'année – au mois – pour la saison, à quelqu'un (preneur ou locataire)
b/b		Nous n'avons qu'à nous louer de ses services
	Lourd	a. lustlos – b. schwer
		a. serious – b. sluggish
a/b		Le marché est lourd – la bourse est lourde
b/a		C'est un incident lourd de conséquences
	Loyauté (f)	a. Loyalität (f) – b. redlich
	Loyal	a. fairness – b. loyalty – c. straightforward

b/c		Il est loyal en affaires
a/ab		C'est un manque total de loyauté envers nous
	Loyer (m)	Miete (f) – rent
		Le loyer d'un local – d'un appartement Le blocage – le contrôle des loyers Un arriéré de loyer – une hausse des loyers
	Lucratif	a. einträglich – b. Erwerb (m) (auf . . . gerichtet) a. lucrative – b. profit
b/b		Une association sans but lucratif
a/a		Une affaire lucrative à étudier de près
	Lutter **Lutte** (f)	a. Kampf (m) – b. kämpfen a. battle – b. to fight
a/a		Nous l'avons gagné de haute lutte
b/b		Il nous faut lutter contre cet abus

M

	Machine (f)	a. Maschine (f) – b. maschinell a. equipment – b. machine – c. typewriter
a/b-c-b		Une machine de bureau – à écrire – à calculer
a/ab		Une machine de chantier – une machine automatique
a/b	démonter	Il faudra démonter la machine pour voir son défaut
b/b	faire	Cet article est fait à la machine, non à la main
a/b	fonctionner	La machine fonctionne bien – mal – ne fonctionne pas
a/b	garantir	Nous garantissons nos machines pendant 3 ans Les machines sont garanties contre tous vices de construction et de fonctionnement
a/b	perfection	La machine marche maintenant à la perfection Il y aura des perfections à apporter à la machine
a/b	régler	Cette machine est bien – mal réglée – déréglée
a/b	réputer	Ces machines sont réputées les meilleures
	Magasin (m) **Magasinage** (m)	a. Geschäft (n) – b. Laden (m) – c. Lager (n) a. shop – b. stock – c. storage – d. store – e. warehousing
a/d		Le magasin de détail – de gros – discount – libre-service
a/d		Les grands magasins – les magasins à rayons multiples

a/a		Le magasin de modes – de nouveautés
b/a		Un commis – une demoiselle de magasin
b-c/d-ad		Un agencement de magasin – un magasin bien assorti
c/ce		Les frais – les droits de magasinage
c/b	avoir	Nous n'en avons plus en magasin
a/ad		Nous avons ouvert un magasin de . . .
c/d	prendre	Les prix s'entendent marchandises prises en magasin
c/b	se trouver	Les marchandises se trouvent encore en magasin et ne partiront que demain
	Main (f)	a. finden – b. Hand (f) – c. Handerheben (n) – d. Kontrolle (f) – e. übergeben a. hand – b. -handed
c/a	à	Le projet a été adopté à main levée
d/a	avoir	C'est lui qui a la haute main sur cette affaire
b/a	changer	Ce magasin a changé de mains récemment
b/a	coup	Vous m'avez donné un fameux coup de main
b/a	de	Cela a été fait de main de maître
		Les actions ont été transmises de la main à la main
		Une marchandise achetée de première – seconde – main
b/–	donner	Nous donnons la dernière main à ce rapport
b/a	en	Cette affaire est en de mauvaises – meilleures – mains
		Nous le remettrons en main propre
		Le document est-il en mains sûres?
e/a	entre	Nous avons remis l'affaire entre les mains d'un avocat
b/a	faire	Cette dentelle est faite à la main
b/–	mettre	Il sait mettre la main à l'ouvrage
a/a		Je n'arrive pas à mettre la main sur ce document
b/a	prendre	Si vous prenez l'affaire en main, la réussite est assurée
b/–	prêter	Nous ne prêterons pas la main à une telle manœuvre
b/a	signer	Cette lettre est signée de sa main
b/–	sous	Il a reçu Fr. . . . sous main (en sous-main)
b/a		Je n'ai pas cette pièce sous la main
b/b	vide	Nous ne sommes pas repartis les mains vides
	Main-d'œuvre (f)	a. Arbeitskräfte (pl) – b. Ausführung (f) a. labour – b. labourer – c. manpower
a/a		La main-d'œuvre masculine – féminine – étrangère
a/a		La main-d'œuvre qualifiée – spécialisée
a/b		Embaucher – recruter – licencier de la main-d'œuvre
a/a		Le coût – le prix de la main-dœuvre
a/ac		Par suite de la pénurie de main-d'œuvre, le chantier ne sera pas terminé à la date prévue
a/c		Nous allons essayer d'engager de la main-d'œuvre temporaire pour tenir les délais imposés
b/a		Notre machine est garantie un an, pièces et main-

		d'œuvre, contre tout vice de fabrication
b/a		Les pièces défectueuses sont fournies gratuitement, au titre de la garantie, mais la main-d'œuvre est à votre charge
	Mainlevée (f)	a. Rechtsöffnung (f) a. release – b. withdrawal
a/b		La mainlevée provisoire ou définitive de l'opposition
a/b		Entamer – requérir la procédure en mainlevée d'opposition
a/a		Le juge a prononcé – ordonné la mainlevée
	Maintenir	a. aufrechterhalten – b. beharren – c. belassen – d. halten – e. wahren a. to hold – b. to keep – c. to maintain – d. to stick to – e. to uphold
b/e-d-d		Maintenir son droit – ses prétentions – ses dires
d/a		Les prix se maintiennent ferme
e/c		Nous tenons à maintenir notre réputation
b/c		Si vous maintenez votre point de vue, nous devrons . . .
c/b		Je demande à être maintenu dans ma fonction jusqu'au . . .
a/c		Nous maintenons notre offre jusqu'au . . ., passé cette date, . . .
	Maison (f)	a. Bank (f) – b. Firma (f) – c. Haus (n) a. bank – b. company – c. firm – d. house
c/d		Une maison d'habitation – locative – de campagne
ac-a-c/a-a-c		Une maison de banque – de change – de commerce
b/b		Une maison d'exportation – d'importation – de gros
c/b		La maison-mère et ses succursales
b/b		Une maison de premier ordre – solvable – de confiance
b/b		Une maison concurrente de la place nous a fait des offres plus intéressantes
b/b		La maison est honorablement connue depuis longtemps
b/b		Nous nous sommes associés et avons fondé une maison de . . .
b/b		Cette maison, fondée en 1908, jouit d'une excellente réputation
	Maître (m)	a. Bauleiter (m) – b. beherrschen a. control – b. foreman
b/a		Nous sommes encore maîtres de la situation
a/b		Le maître d'œuvre aura pour tâche de . . .
	Majeur	a. höher – b. überwiegend – c. wichtig a. force majeur – b. most – d. unavoidably
a/a		C'est un cas de force majeure
b/b		La majeure partie de la marchandise est abîmée
c/c		Il était absent pour raison majeure

	Majorer	a. erhöhen – b. Erhöhung (f)
	Majoration (f)	a. to increase – b. increase
b/b		Il faut compter sur une majoration des prix de ...%
a/a		Nos prix subiront une majoration – seront majorés de ...%
a/a		A la suite de la hausse des prix des matières premières, nous sommes à regret contraints de majorer nos prix de ...%, ceci avec effet immédiat
a/a		Tenez compte que le prix indiqué doit être majoré des frais de port – de commission
	Majorité (f)	a. Mehrheit (f) – b. meiste – c. Volljährigkeit (f) a. age – b. majority – c. most
a/b		Il a été élu à la majorité de ... voix
a/b		Il a obtenu la majorité absolue
a/b		La majorité qualifiée n'a pas été atteinte
a/b		La décision a été prise à la majorité des voix
b/c		La majorité de ces articles n'est pas encore en vente
c/a		Il aura bientôt atteint sa majorité
	Mal (m)	a. Böse (n) – b. falsch – c. Mühe (f) – d. schlecht – e. schlimm – f. unbehaglich – g. zahlreich a. bad(ly) – b. harm – c. ill – d. lot – e. trouble – f. worse – g. wrong
f/c	à	Il nous a semblé très mal à son aise
d/a	aller	Ses affaires vont mal depuis quelque temps
c/e	avoir	Il aura du mal à mettre de l'ordre dans cette affaire
c/e	donner	Il se donne beaucoup de mal pour nous faire croire que ...
d/c	être	Vous étiez mal (bien) informé
g/d	faire	J'ai fait pas mal d'affaires avec cette entreprise
e/a	finir	Tout cela finira mal, je le crains
a/b	penser	Il a agi sans penser à mal
b/g	prendre	Vous vous y prenez peut-être mal
d/–	tant	Nous y sommes parvenus tant bien que mal
d/f	tomber	J'aurais pu tomber plus mal, il est vrai
a/b	voir	Je n'y vois aucun mal – pas de mal
	Malade (m) **Maladie** (f)	a. krank – b. Krankheit (f) a. disease – b. illness – c. medical – d. sick
b/a		Une épidémie de maladie – une maladie professionnelle
a/d		Il s'est fait porter malade
b/b		Par suite de maladie, je ne pourrai pas assister à ...
b/c		Veuillez trouver, en annexe, mon certificat de maladie
	Malchance (f)	a. Pech (n) a. bad luck – b. unfortunately
a/b		Par malchance, nous n'avons pas pu le voir
a/a		La malchance nous poursuit
	Malentendu (m)	Missverständnis (n) – misunderstanding

	dissiper	Nous espérons que ce malentendu sera bientôt dissipé
	dû à	Cette erreur est due à un malentendu
	prévenir	Afin de prévenir tout malentendu, ...
	séparer	Le malentendu qui nous sépare provient de ...
	Malheur (m)	a. Missgeschick (n) – b. Unglück (n) – c. unglücklicherweise a. bad luck – b. loss – c. misfortune – d. unfortunately
b/c	arriver	Pourvu qu'il ne lui soit pas arrivé malheur
b/a	avoir	Ils ont eu beaucoup de malheurs
a/c	être	C'est un malheur auquel nous ne nous attendions pas
a/a	jouer	Depuis quelque temps, nous jouons de malheur
c/d	par	Par malheur, il m'est impossible de m'en occuper
b/a	pour	Pour comble de malheur, une grève a éclaté dans son usine
b/b	prendre	De tout cœur, nous prenons part à votre grand malheur
	Malhonnêteté (f) **Malhonnête**	a. unredlich – b. Unredlichkeit (f) a. crooked dealings – b. dishonest
b/a		Se rendre complice de malhonnêtetés
a/b		User de procédés malhonnêtes
	Malversation (f)	a. Unterschlagung (f) – b. Veruntreuung (f) a. embezzlement
ab/a		Le caissier s'est rendu coupable de malversation
	Mandat (m)	a. Anweisung (f) – b. Auftrag (m) a. duties – b. mandate – c. office – d. order
a/d		Le mandat postal – de paiement – télégraphique
a/d		Je vous adresse, par mandat postal, Fr. ..., représentant le solde de votre facture. Je vous prie de m'en accuser réception
b/b		J'ai reçu mandat pour agir en son nom
b/c		Je ne désire pas renouveler mon mandat de ...
b/a		M. ... s'est démis (a été démis) de son mandat
	Mandater **Mandataire** (m)	a. beauftragen – b. Vertreter (m) a. agent – b. to appoint
b/a		Le mandataire commercial
a/b		Nous avons mandaté M. ...
	Manière (f)	a. Art (f) – b. so – c. Weise (f) – d. zum a. way
a/a	à	Je le ferai à ma manière
b/a	de	J'agirai de manière à vous donner satisfaction
d/a	en	En manière de consolation, vous pouvez vous dire ...
a/a	faire	Ses manières de faire ne nous ont pas convenu
c/a	plaire	De tout autre manière qu'il vous plaira

	Manœuvrer	a. Handlanger (m) – b. Machenschaften (f) – c. manöverieren
	Manœuvre (f. ou m.)	a. to manoeuvre – b. manoeuvre – c. scheme – d. unskilled worker
c-b/b-c		De fausses manœuvres – des manœuvres frauduleuses
a/d		Ce travail peut être confié à un manoeuvre
c/a		Il a manœuvré avec beaucoup d'habileté
	Manquant (m)	a. Abgang (m) – b. Fehlbetrag (m) – c. fehlen a. missing – b. short
b-a-a/b-b-a		Le manquant de caisse – de poids – de quantité
b/a		Le manquant sur la mesure – sur la longueur
c-a/a		Il y a un colis manquant et vingt sacs de manquant
a/a		Nous avons constaté un manquant de huit pièces
	Manque (m)	a. Ausfall (m) – b. Mangel (m) – c. Untergewicht (n) – d. Wortbruch (m) a. lack – b. loss – c. shortage – d. shortweight
b/a-c		Le manque de place – de personnel qualifié
b/a		Le manque de confiance – de communication
a/b		Le manque à gagner
b-d-c/a-.-d		Le manque de fonds – de parole – de poids
	Manquer	a. brechen – b. fehlen – c. nicht befolgen – d. nicht erfüllen – e. verfehlen – f. verletzen – g. versäumen a. to bungle – b. to fail – c. to flout – d. to lack – e. missing – f. to neglect – g. not . . . – h. to want for
b/d		Manquer d'argent – de fonds – de capitaux liquides
b/d		Manquer de courage – de goût – de politesse
b/d		Manquer de place – de locaux – de moyens
f-d-a-c-c/ f-g-g-g-c	à	Il a manqué à son devoir – à ses engagements – à sa parole – à la règle – aux usages
b/e	il	Il manque deux caisses
b/h	laisser	Ne le laissez manquer de rien
b/g	marchandises	Ces marchandises manquent momentanément en magasin
g/a	marché	Nous avons manqué ce marché
e/b	ne	Ne manquez pas de lui en parler
g/a	vente	J'ai manqué la vente – une vente manquée
	Manutentionner	a. handhaben – b. Handhabung (f)
	Manutention (f)	a. to handle – b. handling
a/a		Fragile, à manutentionner avec soins
b/b		Une manutention trop brusque semble être la cause de ce dégât
	Marchand (m)	a. Handel (m) – b. Händler (m) – c. Hausierer (m) a. dealer – b. market – c. merchant – d. pedlar – e. retailer – f. wholesale(r)
b/c-a-ae		Un petit marchand – un marchand en gros – au détail
c-b/d-c		Un marchand ambulant – de vins

a/c-c-.		La marine – la flotte marchande – le port marchand
a/f-b		Le prix marchand – la valeur marchande
	Marchander **Marchandage** (m)	a. aushandeln – b. feilschen – c. Feilschen (n) a. to bargain – b. bargaining
a/a		Il devrait être possible de mieux marchander ces conditions
b/a		Il a essayé de marchander avec nous
c/b		Nous refusons ce marchandage
	Marchandise (f)	a. Gut (n) – b. Ware (f) a. goods
a/a		La marchandise en vrac – en sac – en caisse
b/a		La marchandise de bonne ou mauvaise qualité
b/a		La marchandise de 1ère ou $2^{è}$ qualité
b/a		La marchandise achetée – vendue – livrée – à livrer
a/a		La marchandise en transit – importée – exportée
b/a		La marchandise disponible – en stock – en magasin
b/a		La marchandise en solde – liquidée – sacrifiée
b/a		La marchandise périssable – défectueuse – détériorée
b/a		La marchandise abîmée – avariée – endommagée
b/a		Le poids brut ou net de la marchandise emballée
a/a		La gare – le train de marchandises
b/a		Il sait faire valoir – il sait vanter sa marchandise
b/a		Les marchandises seront inspectées avant l'embarquement
b/a		Nous vous offrons des marchandises de choix à des prix très avantageux
	Marcher **Marche** (f)	a. betriebsbereit – b. Gang (m) – c. gehen – d. Weg (m) a. to be – b. procedure – c. running – d. to start
b/c		La marche des affaires – d'un commerce
c/a		Les affaires marchent bien – mal
d/b		Avez-vous bien respecté la marche à suivre?
a/c		J'ai revisé votre machine qui est maintenant en parfait état de marche
b/d		Lorsque vous mettez en marche la machine, prenez garde à . . .
	Marché (m)	a. billig – b. Geschäft (n) – c. Markt (m) a. cheap – b. deal – c. market – d. well
c/c		Le marché du travail – des matières premières
c/c		Le marché boursier – financier – des capitaux
c/c		Le marché est animé – déprimé – languissant
c/c		Le marché est ferme – soutenu – lourd
c/c		L'allure – l'incertitude du marché
c/c-c-b		Les besoins – les exigences – les termes du marché
c/c		Les cours – les prix – la tendance du marché
c/c		Le Marché commun
c/c	argent	Etant donné les conditions actuelles du marché de l'argent, nous . . .

a/a	bon	Les articles sont bon marché – le prix est bon marché
b/b	conclure	Nous avons conclu un marché avantageux
c/c	connaissance	Il a une connaissance parfaite de ce marché
c/c	disparaître	Cet article a disparu du marché
a/a	meilleur	Laisser – trouver – obtenir à meilleur marché
b/b	passer	Vous avez passé un marché avec notre fournisseur
c/c	peser	La situation politique actuelle pèse sur le marché
c/c	pourvu	Le marché est bien pourvu en ...
a/d	s'en tirer	Il s'en tire à bon marché
	Marge (f)	a. Rand (m) – b. Spanne (f)
		a. margin
b/a		La marge commerciale – bénéficiaire – de revendeur
b/a		La marge brute – nette – tous frais déduits
b/a	bénéfice	Notre marge de bénéfice s'est améliorée – restreinte
b/a	maintenir	Il faut maintenir notre marge actuelle de bénéfice
a/a	note	Voyez les notes en marge
	Marginal	a. Grenz- ... – b. unwichtig
		a. marginal
a-b/a		Une entreprise – une productivité marginale
	Marier	a. Heirat (f) – b. verbinden
	Mariage (m)	a. to coordinate/match – b. marriage – c. wedding
a/b-c-b		L'acte – le faire-part de mariage – la demande en mariage
b/a		Savoir marier les couleurs
	Marine (f)	a. Hafen (m) – b. Marine (f) – c. Schiff (n) – d. See (f)
	Maritime	– e. seemännisch
		a. coastal – b. harbour – c. marine – d. nautical – e. navy – f. ship – g. shipping
e-b/d-ce		Un terme de marine – la marine marchande
c-c-d/g-f-c		L'agent – le courtier – l'assurance maritime
d-a-a/g-b-a		Le commerce – la gare – la ville maritime
	Marquer	a. angeben – b. hoch – c. Marke (f) – d. markieren –
	Marque (f)	e. Qualität (f) – f. Warenzeichen (n) – g. Zeichen (n)
		a. brand – b. distinguished – c. to mark – d. sign – e. stamp – f. token – g. trademark
g/f-d-f		La marque d'amitié – de confiance – de respect
c/e-g-g		La marque de contrôle – de fabrique – déposée
d-d-a/c		La caisse – la pièce – le prix est marqué(e)
e-b/a-b		Un article de grande marque – un personnage de marque
f/a	apposer	La marque est apposée sur ...
f/a	contrefaire	Il est interdit de contrefaire cette marque
		Cette marque est une contrefaçon
c/a	demandée	Ce sont toujours les marques les plus demandées
c/g	déposer	La marque est déposée en Angleterre
f/a	porter	La pièce porte notre marque

	Masse (f)	a. Masse (f) – b. Menge (f) a. assets – b. estate – c. mass – d. pile
a/.-ab		La masse des créanciers – la masse de la faillite
a/c		La fabrication – la production de – en – masse
b/d		Il y a encore une masse de documents à examiner – à dépouiller – avant de pouvoir vous donner une réponse satisfaisante
	Matériel (m) **Matériellement**	a. Material (n) – b. Mittel (n) – c. tatsächlich a. equipment – b. gear – c. material – d. materially – e. plant – f. stock – g. supplies
b-a/e-f		Le matériel d'exploitation – le matériel roulant
a/c-b		Le matériel d'emballage – le matériel de protection
a/ag		Leurs besoins en matériel sont importants
c/d		Il nous est matériellement impossible de livrer . . .
	Matière (f)	a. Einleitung (f) – b. Gebiet (n) – c. Inhalt (m) – d. Material (n) – e. Stoff (m) a. contents – b. introduction – c. material – d. matter – e. on – f. topic
d-e-e/c-d-d		La matière brute – solide – liquide
e-c/c-a		Le stock de matières premières – la table des matières
e/f	à	Cela pourrait donner matière à discussion
e/c	approvisionnement	Nos approvisionnements en matières premières sont couverts pour les . . . prochains mois
b/e	en	Il est grand connaisseur en matière de . . .
a/b	entrée	Son entrée en matière n'a pas convaincu
e/c	pénurie	Nous devons faire face à une pénurie momentanée de matières premières
	Matin (m) **Matinée** (f)	a. Morgen (m) – b. Vormittag (m) a. morning
a/a		Le matin, de bonne heure de préférence
b/a		En matinée, nous avons prévu une séance de . . .
a-b/a		Tous les mardis matin – dans la matinée de vendredi
	Mauvais	a. falsch – b. schlecht – c. übelnehmen a. bad – b. wrong
b/a		Une mauvaise action – une mauvaise conduite
b/a		Un mauvais goût – une mauvaise odeur
b/a		19 . . . a été une très mauvaise année pour nous
b/a		Il a fait de mauvaises affaires
c/b		Il ne faut pas prendre ma démarche en mauvaise part
a/b		Nous nous sommes engagés dans une mauvaise direction
b/a		Il ne serait pas mauvais que vous tentiez de . . .
	Maximum (m)	a. Höchst – b. höchstens a. maximum
a/a		Le prix – le rendement – le tarif maximum
a/a		Le maximum de poids autorisé est de . . . kg

a/a		C'est un maximum de prix que je ne veux pas dépasser
a/a		Nous avons porté la production au maximum
b/a		Cela devrait coûter au maximum Fr. . . .
	Mécompte (m)	Enttäuschung (f) – disappointment
		J'ai subi quelques mécomptes avec ce client – fournisseur
	Méconnaître	a. verkennen
	Méconnaissance (f)	a. ignorance – b. unaware
a/b		Je ne méconnais pas les faits – votre mérite, mais . . .
a/a		Il a montré une méconnaissance totale de ce genre d'affaires
	Mécontenter	a. unzufrieden – b. Unzufriedenheit (f) – c. verärgern
	Mécontentement (m)	a. discontent – b. to displease – c. displeasure – d. dissatisfied
	Mécontent	
c/b		C'est la façon la plus sûre de mécontenter la clientèle
b/a		Le mécontentement est général
b/c		Nous sommes obligés de vous exprimer notre profond mécontentement pour la manière très peu satisfaisante dont vous avez exécuté notre ordre
a/d		Je suis mécontent de la marchandise – de vos services
a/d		Je ne suis pas mécontent de ce début
	Médiocre	a. dürftig – b. mangelhaft – c. mittelmässig a. mediocre
c-a-b/a		La qualité – le résultat – le travail médiocre
	Méfier (se)	a. hüten (sich) – b. Misstrauen (n)
	Méfiance (f)	a. to beware of – b. distrust – c. guard – d. trust (not)
a/a-c		Méfiez-vous des imitations – de cet individu
b/d		J'ai quelque méfiance à son égard
b/b		Un climat de méfiance règne au sein du personnel
	Meilleur	a. besser – b. Bessere (n) – c. Bestes (n) – d. billiger – e. günstigste a. best – b. better – c. cheaper
a/b		Cet article est meilleur – bien meilleur que celui-là
b/b	avoir	Je n'en ai pas de meilleur à vous proposer
c/a		Livrez-moi ce que vous avez de meilleur
d/c	marché	Avez-vous un article meilleur marché?
e/a	prix	Je peux les fournir au meilleur prix du jour
c/a	réputé	Ce produit est réputé le meilleur
b/b	tournure	Les événements ont pris une meilleure tournure
	Mêler	a. mischen
	Mélange (m)	a. to involve – b. to meddle – c. unadulterated
a/a	affaire	Nous ne voulons pas nous mêler de cette affaire
a/b	de ce	Je ne me mêle pas de ce qui ne me regarde pas

a/c	sans	Ce produit est garanti sans mélange
a/a	s'en	Je ne m'en mêlerai à aucun prix
	Membre (m)	Mitglied (n) – member
		Le membre d'une association – d'un conseil – d'une société
		Le membre actif – passif – honoraire
		Le membre fondateur – d'honneur – en congé
		Les tantièmes attribués aux membres du conseil d'administration ont été fixés à . . .
	Même	a. dasselbe – b. ebenso – c. gleich – d. imstande a. position – b. same
c-a/b	au	Il l'a vendu au même prix – cela revient au même
b/b	de	Nous ferons de même, bien entendu
d/a	être	Nous sommes à même de le faire
c/b	rester	Les prix restent les mêmes
	Mémoire (f)	a. Gedächtnis (n) – b. Speicher (m) a. memory – b. to remind – c. storage
a/a	avoir	Si j'ai bonne mémoire, je vous ai rencontré à . . .
b/c	ordinateur	La mémoire permanente – auxiliaire – externe – tampon d'un ordinateur
b/a		Le contenu de la mémoire – l'accès à la mémoire
b/a		La mémoire vive – morte est de . . . K
a/a	perdre	On dit qu'il commence à perdre la mémoire
a/b	rafraîchir	Je tiens à vous rafraîchir la mémoire
	Mémoire (m)	a. Kostenaufstellung (f) – b. Rechnung (f) a. bill
ab/a		Un mémoire d'un architecte – entrepreneur – fournisseur
ab/a		Arrêter – établir un mémoire
	Menacer **Menace** (f)	a. Androhung (f) – b. drohen – c. Drohung (f) a. threat – b. to threaten
c-a/a		Une lettre de menaces – la menace d'un procès
c/a		Ces menaces n'ont eu aucun effet sur lui
c/a		Je ne crains pas vos menaces
c/a		Croyez que ce ne sont pas des menaces en l'air
b/b		Il menace de cesser de nous livrer si nous ne . . .
b/a		Il n'a pas été nécessaire d'user de menaces pour qu'il . . .
	Ménager **Ménagement** (m)	a. bereiten – b. herbeiführen – c. mässigen – d. Rücksicht (f) a. to arrange – b. (to have in) store – c. to treat kindly – d. to watch
d/c	avoir	Nous vous demandons d'avoir des ménagements pour lui
b/a	entrevue	Pouvez-vous me ménager une entrevue avec . . .
d/–	parler	Parlez-lui sans ménagement(s)
a/b	surprise	Il pourrait bien nous ménager une surprise
c/d	termes	Je vous prie de ménager vos termes (expressions)

	Mener	a. ausüben – b. bringen – c. führen a. to bring to – b. to carry on – c. to get – d. to lead – e. to take
c/a	à bien	Saura-t-il mener à bien cette affaire?
c/a	à bonne fin	Il a su mener l'affaire à bonne fin
b/d	à croire	Cela me mène à croire que . . .
c/c	à rien	Tout ce que vous faites ne mène à rien
a/b	de front	Vous ne pouvez mener de front ces deux activités
c/e	sur	Nous sommes prêts à vous mener sur place
	Mensualité (f)	Monatsrate (f) – monthly installment
		Il paie par mensualités de Fr. . . . Je vous propose de m'acquitter du solde en 3 mensualités
	Mentionner **Mention** (f)	a. Angabe (f) – b. erwähnen – c. Note (f) a. comment – b. grade – c. to mention
a/a	avoir	Les mentions ayant trait à . . .
b/c	ci-dessus	Les articles mentionnés ci-dessus – ci dessous
b/c	conditions	Les conditions sont celles que j'ai mentionnées dans . . .
b/c	délai	Vous ne mentionnez pas le délai de livraison
b/c	faire	Il n'a pas fait mention de votre lettre
c/b	obtenir	Il a obtenu la mention «bien»
	Menu	a. klein a. minor – b. minute – c. small
a/b-a-c		Les menus détails – les menus frais – la menue monnaie
	Méprendre (se)	a. täuschen (sich) – b. verwechseln a. to mistake – b. mistaken
a/b		Vous vous êtes mépris sur les motifs de mon intervention
b/a		Il lui ressemble à s'y méprendre
	Mépris (m) **Méprisable**	a. verachtenswert – b. Verachtung (f) – c. wider a. contempt(ible) – b. contrary
c/b		Il l'a fait au mépris du bon sens
b/a		Je n'ai que mépris pour un tel acte
a/a		Ce sont des procédés méprisables
	Mer (f)	a. See a. boat – b. marine – c. maritime – d. sailor – e. sea
a/e-d		Le port – les gens de mer
a/b-c		L'avarie – le risque de mer
a/a		Nous vous expédions, par mer, . . .
	Merci	a. ausliefern – b. Dank (m) a. mercy – b. thanks
b/b	adresser	Nous vous adressons un cordial merci pour tout ce que vous avez fait pour nous
a/a	être	Nous sommes à la merci de ce créancier – fournisseur

	Mériter	a. verdienen – b. Verdienst (n)
	Mérite (m)	a. credit – b. to deserve – c. merit
b/a	s'attribuer	Il s'est attribué tout le mérite du succès
b/a	dire	Il faut dire à son mérite qu'il a toujours payé ses dettes
b/c	homme	C'est un homme de grand mérite
a/b	indulgence	J'estime qu'il mérite toute notre indulgence
b/c	reconnaissance	En reconnaissance de vos mérites, nous vous nommons membre d'honneur
a/b	réflexion	Cette proposition mérite réflexion
	Mésintelligence (f)	Unfrieden (m) – disagreement
		Etre – vivre en mésintelligence avec quelqu'un
	Message (m)	a. Beförderung (f) – b. Mitteilung (f)
	Messagerie (f)	a. message – b. parcel post
b/a		Un message téléphonique – urgent
a/b		Le service des messageries
	Mesure (f)	a. einigermassen – b. je nach – c. Können (n) – d. Lage (f) – e. Mass (n) – f. Massgabe (f) – g. Massnahme (f) – h. übermässig – i. weitgehend
		a. able – b. as – c. best – d. capability – e. enable (to) – f. extent – g. limit – h. measure – i. measurement – j. medium
e/h-i-i		Une mesure de capacité – de longueur – de surface
g/h		Une mesure appropriée – convenable – salutaire
g/h		Une mesure efficace – rigoureuse – restrictive
g/h		Une mesure conforme aux circonstances – de rigueur
g/h		Une mesure contraire aux intérêts – désagréable
e/b	à	Nous vendons à mesure que nous fabriquons
b/b	au	Au fur et à mesure de nos besoins
g/h	avoir	Cette mesure aura de bons effets
a-i/f	dans	Il l'a fait dans une certaine – large – mesure
f/b-c-b		Dans la mesure du besoin – de ses forces – de ses moyens
e/g	dépasser	Je ne peux admettre qu'il dépasse ainsi la mesure
c/d	donner	Dans cette fonction, il a pu donner toute sa mesure
d/a	être	Il est en mesure de payer – de fournir la marchandise
		Nous sommes en mesure de vous livrer des ... à des prix très modérés
g/h	extrême	Nous nous refusons à croire que vous nous obligerez à avoir recours à des mesures extrêmes
e/h	faire	C'est un habit fait sur mesure
e/j	garder	Il faut savoir garder la mesure
g/h	imposer	Cette mesure nous a été imposée par nos fournisseurs
		Des mesures de sécurité s'imposent
d/e	mettre en	Ma longue expérience des affaires me met en mesure de ...
h/–	outre	Nous n'en avons pas besoin outre mesure
e/i	précise	Veuillez nous donner les mesures précises de ...

g/h	prendre	Il a pris des mesures sévères contre le gaspillage Je vous ferai connaître les mesures que je pense prendre Nous prendrons les mesures nécessaires pour que de tels incidents ne se renouvellent plus
g/–	rétorsion	Nous appliquerons les mesures de rétorsion qui s'imposent
g/h	rigueur	La loi nous autorise à prendre des mesures de rigueur
	Mesurer	a. massvoll – b. messen a. to be – b. to measure – c. to weigh
b/b-c-b-b		Mesurer la distance – le poids – la largeur – la surface
b/a		Cette pièce mesure 4 mètres sur 3
a/c		Il s'est exprimé en termes mesurés
	Méthode (f)	a. Methode (f) – b. methodisch a. method
a/a	absence	Cette absence de méthode nuit au résultat
b/a	avoir	Il a de la méthode dans tout ce qu'il entreprend
a/a	donner	Cette méthode donne de bons réultats dans ce cas
a/a	grâce	Grâce à nos méthodes rationnelles de fabrication, nous . . .
a/a	introduire	Nous avons introduit une nouvelle méthode de . . .
	Métier (m)	a. Fachmann (m) – b. Gewerbe (n) – c. Sache (f) a. expert – b. job – c. professional – d. specialist – e. technical – f. trade
a/acd		Une personne du métier – les gens du métier
b/f-e		La Chambre – l'école des métiers (des arts et métiers)
c/b		Soyez sans crainte, il connaît son métier
	Mettre	a. angeben – b. aufwenden – c. beitreten – d. brauchen – e. entwickeln – f. finden – g. kleiden – h. setzen – i. treten a. to dress – b. to fire – c. to join – d. to pay – e. to perfect – f. to put – g. to take
d/g	à	Il a mis deux jours à faire ce travail
h/b		J'ai dû le mettre à la porte
e/e	au	Nous avons mis au point une nouvelle machine
h/f	en	Le rapport a été mis en circulation
g/a	être	Il a toujours été bien – mal mis
f/f	main	J'ai enfin pu mettre la main sur un bon représentant
d/g	pour	Il met longtemps pour nous répondre
a/d	prix	Si vous le voulez, il faudra y mettre le prix
c/c	se	Je me suis mis d'une société de . . .
i/c		Il a accepté de se mettre à notre service
b/f	soins	Je mettrai tous mes soins à ce travail
b/g	temps	Il faut y mettre du (le) temps
	Meuble (m)	a. beweglich – b. Möbel (n) a. cabinet – b. chattels – c. cupboard – d. furniture

a-b/b-d		Les biens meubles – les meubles d'époque ou de style
b/d-c-a		Un meuble de bureau – de rangement – de classement
b/d		Un meuble en bois – en métal – en stratifié
	Midi (m)	a. Mittag (m) – b. Süden (m) – c. zwölf (Uhr) a. afternoon – b. noon – c. south – d. twelve (o'clock)
a-c-a/b-d-a		Avant midi – dès midi et demi – l'après-midi
b/c		Une chambre (située) au midi
	Mieux	a. besser – b. Besseres – c. Beste (n) – d. bestenfalls – e. mehr – f. möglichstes – g. sehr gut – h. so günstig wie möglich a. best – b. better – c. rather
h/a	acheter	Veuillez m'acheter 10 actions Z, au mieux
g/a	agir	Il a agi pour le mieux – au mieux de nos intérêts
c/b	avoir	C'est ce que nous avons de mieux à faire
b/b	demander	Nous ne demandons pas mieux que de vendre
e/c	dire	Pour ne pas dire mieux – pour ne pas mieux dire
c/a	être	Le mieux est de payer, de liquider
g/a		Il est le mieux du monde avec M. ...
f/a	faire	Il fera de son mieux, j'en suis certain
a/b		Vous auriez mieux fait d'acheter à ce moment
d/a	mettre	En mettant les choses au mieux, il faut compter ...
b/b	pouvoir	Vous ne pouviez mieux dire – faire
e/b	valoir	Plus vous attendrez, mieux cela vaudra
a/b		Cela vaut mieux ainsi
a/b		Il aurait mieux valu les vendre
a/b		Mieux vaut tard que jamais
a/b	vendre	Ces articles se vendent mieux que ...
	Milieu (m)	a. Kreis (m) – b. Mittelweg (m) – c. mittlere a. balance – b. circle – c. medium
a/b		Dans les milieux autorisés – commerciaux – financiers
a/b		Appartenir à un milieu de commerçants – d'artisans
b/c		Il a choisi le juste milieu
c/a		Il a su tenir le milieu entre ... et ...
	Minimum (m)	a. kürzeste – b. mindestens – c. Minimum (n) – d. niedrigste a. least – b. minimum – c. subsistence – d. waiting period
d-d-a-d/b-b-d-b		Le prix – le tarif – le délai – le salaire minimum
b/a		Cela coûte au minimum Fr. ...
c/b		Il faut réduire les pertes – les frais au minimum
b/b		Il faut compter au minimum ... jours avant d'avoir une réponse
c/c		Le minimum vital

	Minutie (f) **Minutieux**	sorgfältig – meticulous
		Il travaille avec grande minutie Il est très minutieux dans son travail
	Miser **Mise** (f)	a. Abfüllen (n) – b. Anfangskapital (n) – c. angebracht – d. Anlandbringen (n) – e. Einschaltung (f) – f. ersteigern – g. Informierung (f) – h. Kleidung (f) – i. Mahnung (f) – j. Richtigstellung (f) – k. Stapellauf (m) – l. Verladen (n) a. appearance – b. to bid – c. bottling – d. boxing – e. canning – f. capital outlay – g. (to be) fitting – h. formal – i. informing – j. landing – k. launching – l. loading – m. packing – n. plugging – o. statement
l-k-d/l-k-j		La mise à bord – à l'eau – à terre
g/i		La mise au courant de quelqu'un
e/n		La mise sous courant d'un appareil
a/e-c-d-m		La mise en boîtes – en bouteilles – en caisses – en sacs
i/h	demeure	Je lui ai adressé une mise en demeure très sèche
c/g	être	Il est de mise que chacun aille le voir
b/f	fonds	La mise de fonds initiale est évaluée à Fr. . . .
h/a	irréprochable	Sa mise est toujours irréprochable
j/o	au point	Nous vous saurions gré de publier cette mise au point
f/b	pour	Je vous demande de miser pour moi les lots suivants: . . .
	Mobile (m)	a. Beweggrund (m) a. motive – b. to prompt
a/a		Des mobiles personnels – honorables
a/b		Quels sont les mobiles de son attitude?
	Mobilier (m)	a. beweglich – b. Fahrnis (f) – c. Möbel (n) – d. Wertpapier (n) a. furniture – b. property – c. securities
c-b/a-b		Le mobilier de bureau – les biens mobiliers
a-d/b-c		La fortune mobilière – les valeurs mobilières
	Mobilisable	verfügbar – disposable
		Les capitaux mobilisables à court – moyen – long terme
	Mode (f)	a. Mode (f) a. fad – b. fashion – c. fashionable – d. style
a/b		Un article de mode – les exigences de la mode
a/d-bd-bd		L'ancienne mode – la mode du jour – la dernière mode
a/c-cd-bcd		Tout à fait à la mode – à la mode – passé de mode
a/c		Moins à la mode – plus guère de mode – plus à la mode
a/b-c		Lancer la mode – mettre à la mode
a/a		La mode dure encore – la mode est passée

	Mode (m)	a. Art (f) – b. Gebrauchsanweisung (f) – c. Herstellungsverfahren (n)
		a. directions – b. instructions – c. method – d. mode
b-a-c/a-b-c		Le mode d'emploi – d'utilisation – de fabrication
a/d		Le mode de paiement – de livraison – d'expédition
	Modèle (m)	a. Modell (n)
		a. design – b. model
a/b-a		Un modèle de dessin – un modèle déposé
a/b		Notre nouveau modèle de ... sera lancé sous peu
	Modérer **Modicité** (f)	a. Geringfügigkeit (f) – b. mässig – c. mässigen – d. Niedrigkeit (f)
		a. low – b. to moderate – c. moderate – d. modest
b/c-d		Nos prix sont modérés – nos prestations modérées
d-a/a-d		La modicité de nos prix – de nos moyens
c/b		Il a dû finalement modérer ses exigences
	Modifier **Modification** (f)	a. ändern – b. Änderung (f)
		a. change – b. to modify
a/b		Modifier une commande – les conditions – le prix
b/a	accepter	Je regrette de ne pouvoir accepter la modification que vous me proposez
b/a	apporter	Nous avons apporté des modifications à notre catalogue
b/a	faire	Nous avons fait une modification au bas de la page
b/a	noter	Veuillez noter cette légère modification
b/a	raison sociale	Nous vous prions de prendre note de la modification de notre raison sociale devenue ...
b/a	statuts	Lors de la prochaine assemblée des actionnaires, il vous sera proposé une modification des statuts
	Moindre	a. geringer – b. geringst
		a. lesser – b. slightest
b/b		Nous n'avons pas le moindre espoir
a/a		C'est une question de moindre importance
	Moins	a. abzüglich – b. weniger – c. Wenigste (n) – d. wenigstens – e. wenn nicht
		a. least – b. less – c. unless
e/c	à	Je ne l'enverrai pas, à moins d'avis contraire – à moins d'y être forcé
		J'attendrai, à moins que vous puissiez trouver un autre moyen de transport
d/a	au	Il a dû le payer au moins Fr. ... .
b/b	être	Il est moins cher que le précédent
b/b	fournir	Pouvez-vous fournir cet article à Fr. ... de moins?
c/a	le	Le moins qu'on puisse dire est que ...
a/b	les	Le montant de la vente, moins les frais, est de Fr. ... .
b/b	trouver	Nous pensons le trouver à moins de Fr. 100.–
	Mois (m)	a. Monat (m) – b. monatsweise
		a. month
a/a		Au commencement – au milieu – à la fin du mois

a/a		Le mois dernier – dans le courant du mois
b/a		Louer un local au mois
a/a		A 30 jours avec 2% ou à 3 mois net
	Moitié (f)	a. halb – b. Hälfte (f) a. fifty per cent – b. half
a/ab		Ce tissu est moitié laine, moitié coton
b/b		Je paierai moitié au comptant, moitié à 3 mois
b/b		Nous avons pris moitié de l'un, moitié de l'autre
a/b	acheter	Il a acheté (vendu) à moitié prix
b/b	couper	Il faut le couper par la moitié
b/a	être	Nous sommes de moitié dans cette affaire
b/b	faire	Le travail n'est qu'à moitié fait
	Moment (m)	a. Augenblick (m) – b. da – c. gegenwärtig – d. Zeitpunkt (m) a. moment – b. time
d/ab		Le bon – le mauvais moment
d/a		Le moment favorable – défavorable – critique
d/b	arriver	Les marchandises sont arrivées au bon moment
d/b	c'est	C'est le moment d'acheter – de vendre – de demander
b/–	du	Du moment que vous me le promettez, je vous crois
c/a	en	En ce moment, les affaires sont calmes
a/b	sur	Sur le moment, nous avons été surpris de son attitude
d/b	venir	Le moment venu, vous établirez un décompte précis
	Monde (m)	a. alles (daran setzen) – b. bestens – c. Welt (f) a. earth – b. world
c/b		Le monde du commerce – financier – de la finance
b/b	être	Il est le mieux du monde avec cette personne
a/a	faire	Il fait tout au monde pour obtenir cette situation
c/b	pour	Pour rien au monde, je voudrais y habiter – travailler
	Monétaire	a. Geld (n) – b. Währung (f) a. monetary – b. money
b-a-b/a-b-a		La situation – le marché – le système monétaire
b-a-b/a-.-a		La crise – l'inflation – la stabilité monétaire
b/b		Nous avons encore quelques problèmes monétaires à régler
	Monnaie (f)	a. Geld (n) – b. Währung (f) – c. Zahlungsmittel (n) a. currency – b. deposit – c. money – d. tender
c-b-a/d-d-ac		La monnaie légale – qui a cours – la fausse monnaie
a/c-b		La monnaie fiduciaire – scripturale
b/a		Nous n'acceptons pas de paiement en monnaie étrangère
b/a		Des problèmes de convertibilité de la monnaie se posent dans ce pays

	Monopoliser **Monopole** (m)	a. Anspruch (m) – b. Monopol (n) – c. monopolisieren a. to monopolize – b. monopoly
b/b		Avoir – exercer – posséder un monopole
b/b		Obtenir un monopole – jouir d'un monopole
c-a/a		Monopoliser le marché – l'attention
b/b		Nous ne sommes pas de taille à lutter contre les grands monopoles
b/b		C'est un monopole d'Etat
	Montant (m)	Betrag (m) – amount
		Le montant brut – net – total
		Le montant maximum – minimum
		Une commande – une facture d'un montant de ...
	approximatif	Je suis disposé à vous accorder un crédit de fournitures d'un montant approximatif de Fr. ...
	encaisser	Vous voudrez bien encaisser ce montant pour notre compte
	libérer	Je m'engage à libérer le montant de ma souscription le ...
	restituer	Le montant versé en trop vous sera restitué sous peu
	Monter **Montage** (m)	a. betragen – b. einrichten – c. Montage (f) – d. montieren – e. steigen a. to amount – b. to assemble – c. assembly – d. to increase – e. to set up
b-b-d/e-e-b		Monter un magasin – une usine – une machine
e/d		Les frais – les prix montent à cause de ...
e/d	cours	La situation politique fait monter les cours
e/d	faire	Sa manœuvre a fait monter les prix
c/c	frais	Les frais de montage sont inclus dans notre prix
a/a	se	La facture se monte à Fr. ...
	Mort (f)	a. tot a. dead – b. lull
a/a-a-b		Le poids mort – le point mort – le temps mort
	Morte-saison (f)	stille Zeit (f) – off-season
		Nous sommes en morte-saison – la morte-saison dure trois mois
		Nous vous faisons un prix de morte-saison
	Mot (m)	a. Blume (f) (durch die ...) – b. mindestens – c. sprechen – d. Wort (n) – e. wörtlich a. least – b. word
b/a	au bas	Cela vous coûtera au bas mot Fr. ...
d/b	code	Convenons d'un mot de code pour ...
a/b	couvert	Je lui ai fait comprendre à mots couverts que ...
d/b	croire	Je n'en crois pas un mot
d/b	dernier	Je n'ai pas encore dit mon dernier mot
c/b	dire	Je lui dirai un mot de votre part
d/b	en	En un mot, nous refusons
d/b	répéter	Il a répété mot pour mot votre discours d'hier

d/b	sens	Au sens strict du mot, ...
e/b	traduire	C'est une erreur, il a traduit mot à mot
d/b	trouver	Je ne trouve pas le mot en ce moment
	Motiver	a. begründen – b. Grund (m) – c. Motiv (n)
	Motif (m)	a. to justify – b. motif – c. reason
b/c	avoir	Vous n'aviez aucun motif pour faire cette déclaration
b/c	de	Le motif de mon mécontentement – ma satisfaction
a/a	décision	Comment motivez-vous votre décision?
c/b	décoration	Ce pourrait être un bon motif de décoration de Noël
b/c	pour	Pour quel motif avez-vous agi ainsi?
b/c	quel	Quel motif avez-vous de ne pas faire ...
a/a	refus	Son refus est motivé – non motivé
b/c	sans	Il a agi sans motif
	Mouvement (m)	a. beschleunigen – b. Bewegung (f) – c. Gang (m) – d. Regung (f) – e. spielen – f. Verkehr (m) a. activity – b. gesture – c. let up (to) – d. motion – e. movement – f. trend
c-c-f/af-af-e		Le mouvement d'affaires – du commerce – de fonds
b/e		Le mouvement de baisse – de hausse
d/b	avoir	Il a eu un bon mouvement et lui a donné une gratification
c/d	être	L'affaire est en mouvement
a/a	imprimer	Cette mesure a imprimé aux échanges un mouvement plus rapide
e/d	mettre	Nous mettrons en mouvement toutes nos relations
b/c	ralentir	Ce n'est pas le moment de ralentir le mouvement
	Moyen (m)	a. Durchschnitt (m) – b. durchschnittlich – c. Mittel (n) – d. Weg (m) a. average – b. means – c. medium – d. possibility – e. way
c/b		Les moyens de communication – d'échange – de transport
c/b		Les moyens de production – d'existence
a/a		Le change – le cours – le rendement moyen
a/a		Le prix – le taux – le revenu moyen
b-a-a/a		La quantité – la qualité – la valeur moyenne
c/b	avoir	Nous avons les moyens nécessaires pour ...
c/e		N'y aurait-il pas moyen de trouver une autre solution
c/e	connaître	Je connais un moyen plus pratique pour ...
c/b	dans	Je le ferai dans la mesure de mes moyens
c/d	de	De tous les moyens, c'est celui que je préfère
c/b	disposer	Il dispose de moyens considérables
		Les moyens dont je dispose sont insuffisants
c/b	employer	Nous devrons employer les grands moyens si nous voulons terminer à temps
c/b	essayer	J'ai essayé tous les moyens pour le faire changer d'avis
c/e	par	Par quel moyen pensez-vous aboutir?
c/c	prendre	Il vaudrait mieux prendre un moyen terme

c/b	procurer	Il faut que nous nous procurions les moyens nécessaires
c/b	recourir	Nous avons dû recourir à d'autres moyens
c/e	se servir	Nous nous servirons du même moyen que vous
d/e	trouver	Il a trouvé moyen de ne pas payer sa part
	Moyennant	a. gegen – b. womit a. for (in return ...)
a/a		Nous sommes d'accord de la faire, moyennant finance
b/a		... moyennant quoi, vous êtes certain de l'obtenir
	Moyenne (f)	a. Durchschnitt (m) – b. durchschnittlich – c. Mittel (n) a. average – b. mean
c/a		La moyenne annuelle – mensuelle – pondérée
c/b		La moyenne arithmétique – géométrique
a/a		La moyenne de rendement est de ...
b/a		Il gagne Fr. ... en moyenne par année
b/a		Cette marchandise coûte en moyenne Fr. ...
	Multiplier	a. multiplizieren – b. vermehren a. to increase – b. to multiply
b/a		Vous multipliez les difficultés à plaisir
a/b		Si vous multipliez ce chiffre par le total des ...,
	Mutation (f)	Änderung (f) – transfer
		Les droits de mutation sont à la charge de l'acheteur Nous avons dû procéder à quelques mutations du personnel
	Mutuel	a. gegenseitig – b. Gegenseitigkeit (f) a. mutual
a/a		Une société de secours mutuels
b/a		Nous avons fait des concessions mutuelles

N

	Naissance (f)	a. aufkommen – b. Geburt (f) a. birth – b. rise – c. to start
b/a		Le jour – la date – le lieu de naissance
b/a		L'acte – le faire-part de naissance
b/a		La naissance de votre . . . nous a apporté une très grande joie. Nous vous adressons nos plus vives félicitations et nos vœux de bonheur et de santé pour tous
a/b		Cette affaire a donné naissance à toutes sortes de bruits
a/c		La rumeur a pris naissance au lendemain de la faillite
	Naître	erregen – to create
		C'est cette imprudence qui a fait naître les soupçons
	Nantissement (m)	Sicherheit (f) – pledge
		Un prêt sur nantissement – des titres en nantissement
		Déposer – donner – remettre en nantissement
		Emprunter sur nantissement
	Nationalisation (f)	Verstaatlichung (f) – nationalisation
		Les nationalisations opérées dans ce pays vont nous obliger à revoir notre politique d'investissements
	Nature (f)	a. Art (f) – b. geeignet – c. Natur (f) a. kind – b. nature
a/ab		La nature d'un emploi – d'un article – d'une transaction
b/a		C'est un fait de nature à nous surprendre (étonner)
c/a		Accepteriez-vous un paiement en nature?
	Naturel	a. natürlich a. life – b. natural
a/b-a-b		Don naturel – grandeur naturelle – produit naturel
a/b		Je trouve naturel que vous soyez le premier informé
	Navigation (f)	a. Schiffahrt (f) a. navigation – b. shipping
a/ab		La navigation intérieure – côtière – de cabotage
a/ab-ab-a		La navigation hauturière – au long cours – au tramping
a/b		La compagnie – la ligne de navigation
	Navire (m)	Schiff (n) – ship
		Armer – fréter un navire
	FOB	Marchandise livrée FOB (free on board) franco à bord du navire

	FAS	Marchandise livrée FAS (free alongside ship) franco le long du navire
	Navrer	leid tun – (to be) sorry
		Nous sommes navrés que notre service d'expédition vous ait livré des ... qui ne vous étaient pas destinés Je suis vraiment navré de ne pouvoir venir
	Nécessaire	a. notwendig a. necessary – b. needed
a/ab	avoir	Avoir l'argent – les fonds – les moyens – le temps nécessaire
a/a	être	Il est nécessaire que vous alliez ... Il est nécessaire de préciser que ...
a/a	faire	Dès mon retour, je ferai tout le nécessaire
a/a	juger	Nous avons jugé nécessaire de ...
a/a	sembler	Vous prendrez les mesures qui vous sembleront nécessaires
	Nécessité (f)	a. erforderlichenfalls – b. gezwungen – c. notgedrungen – d. notwendig – e. Notwendigkeit (f) – f. unnötigerweise a. essential – b. necessary – c. necessity – d. need
f/d	agir	Il a agi sans aucune nécessité
d/a	article	Ce sont des articles de première nécessité
a/d	en cas	En cas de nécessité, nous vous enverrons le solde
e/cd	comprendre	Nous espérons que vous comprendrez la nécessité de notre décision
c/d	contraindre	Je suis contraint par la nécessité de cesser mon activité
b/b	être	Je suis dans la nécessité de vous demander un délai ...
b/b	se voir	Nous nous voyons dans la nécessité de vous demander une prorogation d'échéance de ... mois
	Nécessiter	bedingen – to necessitate
		Cela nécessitera de longs entretiens – des négociations ardues – une étude approfondie
	Négligence (f)	Nachlässigkeit (f) – negligence
	accuser	Je regrette de devoir vous accuser d'une grave négligence
	avoir	Il y a certainement eu négligence de sa part
	attribuer à	Cette erreur peut être attribuée à la négligence
	être	Nous voulons espérer que c'est une simple négligence
	par	Cela est arrivé par suite de la négligence de ...
	Négliger	a. berücksichtigen (nicht) – b. ungenutzt – c. vernachlässigen – d. versäumen a. to neglect – b. to omit – c. to pass up – d. to spare
c/a	affaire	Depuis quelque temps, il néglige son affaire – ses intérêts

d/a	de faire	Il a négligé de faire le nécessaire
a/b	fraction	La différence résulte du fait que nous avons négligé les fractions de poids inférieures au kilo
b/d	moyen	Nous ne négligerons aucun moyen pour réussir
d/c	occasion	Nous ne pouvons négliger cette occasion unique de ...
d/a	rien	Rien n'a été négligé pour essayer de ...
	Négociant (m)	a. Handel (m) – b. Händler (m)
	Négoce (m)	a. merchant – b. trade
b/a		Un petit – important – négociant en denrées coloniales
a/b		Cette entreprise est spécialisée dans le négoce du blé
	Négocier	a. begeben – b. börsenfähig – c. verhandeln –
	Négociation (f)	d. Verhandlung (f)
	Négociable	a. negotiable – b. to negotiate – c. negotiations
d/c		Entamer – rompre – reprendre les négociations
d/c		Nous avons engagé des négociations avec ...
c/b		Nous allons négocier un nouvel accord avec ...
d/c		Des négociations sont en cours afin de ...
b/a		Ces titres sont négociables en bourse
a/b		Je désire négocier ces effets
	Net	a. frei – b. klar – c. netto – d. rein
		a. clear – b. net – c. to recopy
c/b		L'actif – le passif – le capital net
c/b		Le prix – le poids – le contenu net
c/b		La recette – le produit – le rendement net
c/b		Le bénéfice net – la perte nette
c/b		Le montant net de la facture
c/b		Une vente net au comptant sans escompte
c/b		Payable à 10 jours avec 2% d'escompte ou à 30 jours net
a/b		Une opération nette d'impôt
d/c		Je suis en train de mettre au net mon rapport
b/a		Pour que tout soit bien net entre nous, je précise ...
	Netteté (f)	klar – clearly
		Il s'est exprimé avec netteté – la plus grande netteté
	Nier	a. bestreiten
		a. to deny – b. to refuse
a/a		Je nie l'avoir fait – l'avoir vu – l'avoir dit
a/b		Il n'est pas question de nier nos responsibilités
	Nom (m)	a. Firma (f) – b. Kollektivgesellschaft (f) – c. Name (m)
		a. name
c/a		Nom de baptême – de famille – de mariage – de jeune fille
c/a		Un faux nom – un nom supposé – un nom d'emprunt
b-a/a		Une société en nom collectif – le nom social

c/a	adresse	N'omettez pas de mentionner le nom et l'adresse du destinataire
c/a	agir	Je vous donne l'autorisation d'agir en mon nom
c/a	appeler	Appelons les choses par leur nom, c'est du vol
c/a	connaître	Je ne le connais que de nom – son nom m'est inconnu
c/a	continuer	L'entreprise continuera sous le nom de ...
c/a	envoi	Vous voudrez bien faire l'envoi à mon nom
c/a	établir	Veuillez établir la facture au nom de ...
c/a	faire	Je le fais en mon nom – en mon propre nom Il s'est fait un nom dans le monde des arts
c/a	inscrire	Vous l'inscrirez à mon nom
c/a	ouvrir	Le compte a été ouvert au nom de ...
c/a	rappeler	Pourriez-vous me rappeler le nom de ...
	Nombre (m)	a. darunter – b. einige – c. ihrer – d. Nummer (f) – e. Zahl (f) – f. zählen – g. zahlreich a. among – b. innumerable – c. many – d. number
e/d		Un nombre entier – fractionnaire – rond
e/d-d-b		Un grand – un petit nombre – sans nombre
e/d		Un nombre pair ou impair
d/d		La balance des nombres d'un compte-courant
b/d	certain	Un certain nombre de clients nous a demandé de ...
f/d	compter	Nous sommes heureux de vous compter au nombre de nos fidèles – nouveaux clients
a/a	dans	Dans le nombre, il se trouvait quelques ...
c/–	être	Nos délégués seront au nombre de trois
g/c		Nous n'étions vraiment pas en nombre
e/d	savoir	Nous ne savons pas le nombre exact de participants
	Nominal (m)	a. Nennwert (m) a. par (value) – b. registered share
a/a		Le nominal des actions – des obligations – d'un effet
a/a		La valeur nominale – sans valeur nominale
a/b		Un nominal entièrement – partiellement libéré
	Nommer	a. ernennen – b. heissen – c. nominieren a. to appoint – b. name
c/a		Il a été nommé à un poste important – au poste de ...
a/a		Il sera nommé agent général – il a été nommé d'office
b/b		Comment se nomme donc ce personnage – ce produit?
	Non-exécution (f)	Nichterfüllung (f) – non-execution
		Nous réclamerons des dommages-intérêts pour la non-exécution du contrat
	Non-lieu (m)	Einstellung (f) – dismiss
		Il a bénéficié d'un non-lieu

	Non-paiement (m)	Nichtzahlung (f) – non-payment
		La traite a été protestée pour non-paiement
		En cas de non-paiement à l'échéance, nous ...
		Nous sommes très surpris de son non-paiement que rien ne justifie – ne laissait prévoir
	Normal	a. normal – b. normalerweise
		a. normal
a/a		Le prix – le poids normal
b/a		En temps normal, nous vendons ...
a/a		Il est normal que nous vous demandions des garanties
	Notaire (m)	a. Notar (m) – b. notariell
	Notarié	a. notarized – b. notary
a-a-b/b-b-a		Une étude de notaire – un acte passé par-devant notaire – un acte notarié
	Note (f)	a. Anmerkung (f) – b. Gutschrift (f) – c. Lastschrift (f) – d. Mitteilung (f) – e. Notiz (f) – f. Rechnung (f) – g. vormerken
		a. invoice – b. memorandum – c. note – d. notice
c-b-f-d/d-d-a-b		La note de débit – de crédit – de frais – de service
f-f/a		La note acquittée – détaillée
e/c	jeter	J'ai jeté quelques notes en marge de votre rapport
g/c	prendre	Nous avons pris (bonne) note de votre avertissement – de votre commande – de vos instructions
a/c	page	Lisez aussi les notes du bas de la page 12
g/c	réserve	Vous voudrez bien prendre note de cette réserve
	Noter	a. vormerken
		a. to mention – b. to note
a/b		Nous notons – avons noté – de vous livrer ...
a/b		Nous avons noté que vous êtes acheteur de ...
a/a		J'ai dû oublier de noter ce point
	Notice (f)	a. Erläuterung (f)
		a. directions – b. leaflet
a/ab		La notice explicative vous orientera sur les qualités contrôlées de ...
	Notoriété (f)	a. allgemein bekannt
	Notoire	a. knowledge – b. notoriety – c. notorius
a/a		Il est de notoriété publique que ...
a/b		La notoriété de cette personne est bien récente
a/ac		Il est notoire qu'il a de la peine à payer
	Nouer	anknüpfen – to establish
		Nous avons noué d'excellentes relations avec cette Maison
	Nouveauté (f)	a. erneut – b. Modeartikel (m) – c. neu – d. Neuheit (f)
	Nouveau	a. again – b. further – c. new – d. novelty
c/c		Un nouveau produit – le nouvel arrivant – le nouveau venu

d-b/d		Les articles de nouveautés – le magasin de nouveautés
d/c		La dernière nouveauté en matière de ...
c-a/c-a	à	Faire à nouveau (d'une façon toute nouvelle) – faire de nouveau (une deuxième fois)
c/c	apprendre	Nous avons appris du nouveau depuis hier
c/b	jusqu'à	Vous ne changerez rien jusqu'à nouvel ordre – nouvel avis
c/c	savoir	Savez-vous quelque chose de nouveau sur cette affaire?
	Nouvelle (f)	a. erkundigen – b. hören – c. Nachricht (f) a. news
c/a		Des nouvelles agréables – favorables – défavorables
c/a		Une bonne – fausse nouvelle – de meilleures nouvelles
b/a	attendre	Nous attendons bientôt de ses nouvelles
c/a	au	Aux dernières nouvelles, nous apprenons que ...
b/a	avoir	Nous n'en avons plus de nouvelles
c/a		Nous avons une pénible nouvelle à vous annoncer
c/a	confirmer	Je confirme la nouvelle que je vous ai donnée hier
c/a	demander	Cette nouvelle demande confirmation
b/a	donner	Il nous donne de ses nouvelles de temps en temps
c/a	parvenir	La nouvelle nous est parvenue ce matin
a/a	prendre	Je prendrai des nouvelles de sa santé
c/a	recevoir	Avez-vous reçu des nouvelles de cet ami?
c/a	tenir	De qui tient-il ces nouvelles?
	Nu	a. nackt a. owner without usufruct – b. ownership without usufruct
a/a-b		Le nu-propriétaire – la nue-propriété
	Nuancer **Nuance** (f)	a. differenzieren – b. Nuance (f) a. nuance – b. to soften
a/b		Je nuancerai mon point de vue en disant que ...
b/a		Il y a là une nuance que vous n'avez pas bien saisie
a/b		Il vaudrait mieux employer des couleurs plus nuancées
	Nuire	a. schaden a. to harm – b. to hurt
a/b		Il a cherché à nous nuire de bien des manières
a/b	craindre	Je crains de leur nuire
a/a	intérêt	Cela pourrait nuire à nos intérêts
a/a	rien	Cela ne nuit en rien
	Nullité (f) **Nul**	a. nichtig – b. Nichtigkeit (f) – c. null – d. null und nichtig a. nil – b. null and void – c. nullity
c/a		Le bénéfice – le résultat nul
a/b		La clause est nulle – le contrat est nul
b/c		La nullité d'un acte – d'un contrat – d'un marché

a/c		Frapper une clause de nullité
d/b		Nul et de nul effet – nul et non avenu
	Numéraire (m)	bar – cash
		Vous serez payé en numéraire
	Numéro (m)	Nummer (f) – number
		Le numéro d'appel – téléphonique – de référence
		Le numéro de compte – le compte sous numéro
		Le numéro de commande – la facture no 453 de Fr. . . .

O

	Objecter	a. Einspruch (m) – b. einwenden
	Objection (f)	a. to object – b. objection
a/b		Faire – formuler – soulever une objection
a/b		Prévenir – écarter – réfuter une objection
a/b		Votre objection est mal fondée – sans valeur
b/a		Je n'ai rien à objecter à une telle façon de faire
	Objet (m)	a. Gegenstand (m) – b. gegenstandslos – c. Traktandum (n)
		a. applicable – b. item – c. object – d. purpose – e. subject
a/d		L'objet du contrat – de ma commande – de ma demande
a/b		Un objet de consommation courante – de luxe – de première nécessité
a/c		Un objet d'art – de valeur – sans valeur marchande
c/e	être	Ce sera le premier objet de l'ordre du jour
a/e	faire	Votre demande a fait l'objet d'une enquête approfondie
b/a	sans	Ma réclamation est maintenant sans objet
	Obligation (f)	a. Obligation (f) – b. Verbindlichkeit (f) – c. verpflichten – d. Verpflichtung (f)
		a. bond – b. issue – c. obligation – d. security
a/ab		Une obligation à intérêt fixe – à intérêt variable
a/d		Une obligation au porteur – nominative
a/b		Une obligation à option – avec prime au remboursement
a/a		Une obligation émise – remboursée au pair
a/a		Le taux d'un emprunt par obligations

d/c	avoir	J'ai des obligations envers lui
b/c	contracter	J'ai contracté des obligations
b/c	dégager	Ne pourriez-vous pas vous dégager de vos obligations?
c/c	être	Je suis dans l'obligation (mieux: je suis obligé de)
d/c	faire face	J'espère que la régularité avec laquelle j'ai toujours fait face à mes obligations dans le passé ...
		J'ai dû faire face à des obligations financières que je ne pouvais prévoir
d/c	imposer	On lui a imposé de lourdes obligations
d/c	libérer	J'ai pu me libérer de ces obligations
d/c	manquer	Je ne voudrais pas manquer à mes obligations
	Obligeance (f)	a. Entgegenkommen (n) – b. Güte (f) a. kindness
b/a	abuser	Je crains d'abuser de votre obligeance
b/a	avoir	Auriez-vous l'obligeance de me renseigner sur ce point?
		Veuillez avoir l'obligeance de me rendre ce service
a/a	recourir	Une fois encore, j'ai recours à votre grande obligeance
a/a	remercier	Je vous remercie de votre obligeance
	Obliger	nötigen – to oblige
	être	Je serais obligé de m'adresser à une autre maison, si vous ne pouviez ...
		Je suis obligé d'attirer votre attention sur ...
		Je regrette d'être obligé de prendre de telles mesures
	intérêt	Votre intérêt vous y oblige, ne l'oubliez pas
	se voir	Nous nous voyons obligés de recourir à ...
		Je me vois obligé de renoncer à ...
	Obliger (rendre service)	a. dankbar – b. Gefallen (m) a. (to be) grateful
b/a		Vous m'obligeriez beaucoup en prorogeant l'échéance
a/a		Je vous suis obligé pour tout ce que vous pourriez faire dans ce cas
a/a		Nous vous serions grandement obligés de nous faire connaître ... – de nous tenir au courant
a/a		Nous vous en sommes très obligés
	Observation (f)	a. Bemerkung (f) – b. Beobachtung (f) a. observation
a/a	être	Vos observations étaient fort intéressantes
a/a	faire	L'observation que vous faites est très judicieuse
		Je me permets de vous faire cette observation, car je crois que cela pourra vous rendre service
b/a	faire part	Vous voudrez bien nous faire part de vos observations
a/a	justifié	Vos observations sont tout à fait justifiées
b/a	prendre note	Nous avons pris bonne note de vos observations et vous remercions de nous les avoir communiquées

a/a	reconnaître	Je reconnais le bien-fondé de vos observations et ferai en sorte que de telles erreurs ne se reproduisent plus
a/a	tenir compte	Tenant compte de vos observations, j'ai modifié les termes du contrat de la manière suivante: ...
	Observer	a. aufmerksam (machen) – b. befolgen – c. einhalten – d. halten
		a. to follow – b. to observe – c. to point out – d. to respect
b/d-bd-b		Observer les clauses d'un contrat – la loi – le règlement
c-b/d-a		Observer le délai de livraison – les instructions
d/d	engagement	Les engagements que nous avons pris seront scrupuleusement observés
a/c	faire	Je vous ferai observer que vous n'aviez pas précisé ce point lors de notre discussion
	Obstacle (m)	a. Hindernis (n) – b. verhindern
		a. to block – b. obstacle
a/b	arrêter	Ces obstacles ne doivent pas nous arrêter
a/b	en dépit	Nous le ferons, en dépit des obstacles qui pourraient se présenter
a/b	disparaître	Maintenant que ces obstacles ont disparu, nous pouvons ...
a/b	écarter	Il nous faut d'abord écarter cet obstacle
a/b	être	Je reconnais que c'est là un obstacle de taille
b/a	faire	Il fait obstacle à toutes nos entreprises
a/b	surmonter	Grâce à votre aide, nous avons pu surmonter cet obstacle
a/b	susciter	Je crains qu'il ne cherche à susciter des obstacles
	Obstiner (s')	versteifen – to persist
		Pourquoi vous obstinez-vous à ne pas suivre nos instructions?
		Il est inutile de vous obstiner dans cette voie
	Obtempérer	nachkommen – to comply with
		Il a immédiatement obtempéré à notre requête – à notre sommation
	Obtenir	a. erhalten
		a. to obtain – b. to receive
a/ab-b		Obtenir de l'argent – le paiement intégral
a/a		Obtenir des conditions favorables – des renseignements
a/a		Obtenir un prix intéressant – un résultat inespéré
a/a	de	J'ai obtenu de mon chef l'autorisation de ...
a/a	où	Où peut-on obtenir cet article?
a/a	plus que	J'ai obtenu plus que je ne pensais
	Occasion (f)	a. bei – b. Gelegenheit (f) – c. gelegentlich – d. Okkasion (f)
		a. occasion – b. opportunity – c. secondhand – d. time – e. when

d/c		Des meubles – des marchandises – des machines d'occasion
b/c		Un achat – une vente d'occasion
c/d	à l'	Faites-moi une offre à l'occasion
a/e		J'y penserai, à l'occasion de son départ
b/a	à plusieurs	Je le lui ai dit à plusieurs occasions
b/b	attendre	Nous attendrons une meilleure occasion
b/b	avoir	Il aura l'occasion d'étudier ce nouveau système
		Nous serons heureux d'avoir l'occasion de ...
b/b	dès que	Dès que l'occasion se présentera, je lui en parlerai
b/b	espérer	Nous espérons qu'une occasion favorable d'entrer en relation d'affaires avec vous se présentera prochainement
b/b	manquer	Je ne veux pas manquer cette occasion
b/d	même	Par la même occasion, voulez-vous nous indiquer ...
b/b	négliger	Nous ne négligerons pas cette occasion de la voir
b/b	présenter	Si l'occasion se présente, je suis prêt à ...
b/b	profiter	Nous vous engageons à profiter de cette occasion
		Nous profitons de cette occasion pour vous rappeler ...
b/b	représenter	Une telle occasion ne se représentera pas de sitôt
b/b	saisir	Nous saisissons cette occasion pour vous remercier
b/a	suivant	Nous agirons suivant l'occasion
	Occasionner	a. bereiten – b. verursachen a. to cause – b. to result
a/a		Je ne voudrais pas vous occasionner des ennuis et je comprendrais fort bien votre refus
b/b		Cette livraison occasionnera de grands frais
	Occupation (f)	a. Arbeit (f) – b. Beschäftigung (f) a. engagement – b. job
b/b		Une occupation accessoire – temporaire – principale
a/a	avoir	J'ai trop d'occupations en ce moment
a/a	empêcher	Mes multiples occupations m'empêchent de participer à cette manifestation
ab/b	être	Il est sans occupation depuis quelques mois
	Occuper	a. befassen – b. bekleiden – c. beschäftigen – d. besetzen – e. kümmern a. to be busy – b. to employ – c. to fill – d. to handle – e. to hold – f. process
b/e		Occuper un emploi – une place – une haute situation
a/d	aller	Je vais m'en occuper immédiatement et personnellement
c/f	arrêter	Occupés à arrêter nos comptes, nous constatons que ...
a/d	cas	Dans le cas dont nous nous occupons, il vaudrait mieux ...
a/d	charger	Il m'a chargé de m'occuper de cette affaire
c/a	à faire	Il était occupé à faire le contrôle de ...

c/b	ouvrier	Dans une première phase, nous occuperons 500 ouvriers
d/c	place	Nous le regrettons pour vous, mais la place est déjà occupée – repourvue
b/ce	poste	Vous êtes trop inexpérimenté pour occuper un tel poste
a/d	s'	Il s'occupe d'affaires immobilières
a/d		De quel genre d'affaires s'occupe-t-il?
e/d		Qu'il s'occupe de ses propres affaires!
c/a	si	Je suis si occupé que je n'ai pas eu le temps de . . .
	Octroi (m)	Gewährung (f) – to grant
		Nous vous conseillons d'être très prudents dans l'octroi d'un crédit à cette personne
	Oeil (m)	a. Auge (n) – b. Blick (m) – c. Handumdrehen (n) – d. zusehends
		a. eye – b. glance
b/b	au	Au premier coup d'œil, je me suis rendu compte que . . .
a/a	avoir	Faites attention, il a l'œil sur vous – cette affaire
a/a	croire	Il n'en croyait pas ses yeux
c/a	en	En un clin d'œil, sa décision a été prise
a/a	ouvrir	Ayez l'œil ouvert sur ce qui se passe
		Il a ouvert de grands yeux lorsque je lui ai raconté . . .
		C'était le moment de lui ouvrir les yeux
a/–	sauter	Cela saute aux yeux
a/–	sous	J'ai, sous mes yeux, le rapport de la société
d/a	à vue	Le stock diminue à vue d'œil
	Oeuvre (f)	a. Arbeit (f) – b. Werk (n)
		a. to do – b. work
a/b	faire	Il a fait œuvre utile en . . .
b/a	mettre en	J'avais pourtant tout mis en œuvre pour que . . .
b/b	se mettre à	Je me mettrai à l'œuvre immédiatement
	Offenser	beleidigen – to offend
		Soit dit sans vous offenser, . . .
		Il n'y a pas là de quoi s'offenser
	Office (m)	a. Amt (n) – b. Dienst (m) – c. Pflicht (f) – d. Stelle (f) – e. Zentrale (f)
		a. to act – b. automatically – c. help – d. office – e. officially (ex officio)
a/d		Un office officiel – l'office du tourisme – du personnel
e/d		L'office suisse d'expansion commerciale
b/c	accepter	J'accepte avec plaisir vos bons offices
c/b	d'	Vous recevrez un exemplaire d'office
a/e		Il a été nommé d'office
d/a	faire	Il fait office de secrétaire privé
	Officiel	a. amtlich – b. offiziell
		a. official

a/a		Ce sont des renseignements officiels (des autorités) et non officieux (ne sont pas encore officiels)
b/a		Vous serez invité à titre officiel
	Offrant (m)	Bietende (m) – bidder
		La pièce a été adjugée au plus offrant
	Offre (f)	a. Angebot (n) – b. Offerte (f) – c. Stellen-bewerbung (f) a. offer – b. supply
a/a		Une offre avantageuse – dérisoire – négligeable Une offre ferme – directe – conditionnelle
a/a	accepter	J'accepte votre offre du . . . ct et vous demande de . . . Nous regrettons de ne pouvoir accepter votre offre, malheureusement trop tardive
b/a	attendre	Nous attendons vos offres et espérons que nous pourrons vous donner la préférence
b/a	avec	Veuillez nous soumettre une offre avec échantillons
b/a	décliner	Nous regrettons d'être obligés de décliner votre offre qui n'est pas aussi avantageuse que nous l'espérions
a/a	d'emploi	J'ai pris connaissance de l'offre d'emploi que vous avez fait paraître dans le journal du . . . ct
b/a	engagement	Je vous prie de me faire une offre pour . . ., sans engagement de ma part
b/a	faire	Il m'a fait une offre pour . . . que j'étudie en ce moment
a/b	loi	La loi de l'offre et de la demande
a/a	profiter	Profitez de cette offre vraiment avantageuse
b/a	remercier	Nous vous remercions de votre offre du . . . ct et regrettons de ne pouvoir lui donner la suite que vous désiriez
a/a	réponse	Nous accusons réception de votre offre de service du . . . et regrettons de ne pouvoir lui donner une réponse favorable
a/a	semblable	Il est peu probable qu'une offre semblable vous soit présentée dans un proche avenir
c/a	service	I a Me référant à l'annonce parue dans le journal du . . ., je me permets de vous offrir mes services de secrétaire débutant b Vous engageriez peut-être un employé qualifié, expérimenté, ayant de sérieuses références et capable de faire tous les travaux de . . . II a Après . . . années de pratique, je peux affirmer que je connais bien le travail que vous pourriez me confier b Dans les postes que j'ai occupés précédemment, j'ai pu acquérir les connaissances professionnelles approfondies que vous exigez c Je n'ai aucune expérience d'un travail de ce genre, mais je sais m'adapter très rapidement III a Par un travail précis et rapide, je saurai me

		montrer digne de la confiance que vous voudrez bien me témoigner
		b J'ai de bonnes connaissances scolaires de la langue . . . et désire les améliorer par un séjour prolongé en . . .
		IV a Je puis me présenter le jour qui vous conviendra
		b Si vous pouvez me répondre avant le . . ., cela faciliterait les démarches que je dois entreprendre avant de quitter ma place
		V Veuillez agréer, Monsieur le Directeur, l'assurance de ma très haute considération
a/b	supérieur	Les prix baissent, l'offre étant supérieure à la demande
b/a	utiliser	Je ne manquerai pas utiliser votre offre quand l'occasion se présentera
	Offrir	a. anbieten – b. bieten – c. erbieten (sich) – d. offerieren a. to offer – b. to sell
a/b		Offrir une marchandise à un prix intéressant – à un prix surfait – à meilleur prix
a/a		Offrir des conditions favorables – de faveur
c/a	de faire	J'ai offert de prendre la marchandise à l'usine
c/a	à faire	Il s'offre à le prendre chez lui
d/a	ferme	Nous vous offrons ferme, pour livraison immédiate, . . .
b/a	perspective	Cette affaire offre des perspectives d'avenir intéressantes
a/b	au prix	Je sais que ces articles sont offerts à des prix plus bas
a/a	services	Je vous offre mes services de . . .
	Omettre **Omission** (f)	a. Auslassung (f) – b. unterlassen – c. Unterlassung (f) a. omission – b. to omit
b/b		Nous avons omis de vous aviser que . . .
a-c/a		Sauf erreur ou omission – réparer une omission
	Onéreux	a. Entgelt (n) – b. kostspielig a. costly – b. payment
a-b/b-a		A titre onéreux – Cette solution est trop onéreuse
	Opération (f)	a. Baissespekulation (f) – b. Geschäft (n) – c. Transaktion (f) a. transaction
c-c-b/a		Une opération commerciale – financière – de bourse
b/a		Une opération au comptant – à crédit
b-b-a/a		Une opération ferme – à terme – à découvert
c/a		Une opération avantageuse – malheureuse – risquée
c/a		Une opération à la hausse – à la baisse
c/a	conduire	Je dois reconnaître que l'opération a été bien conduite

c/a	mener	Nous avons pu mener cette délicate opération à bien
c/a	s'occuper	Il s'occupe de toute opération de ...
c/a	prendre part	Je renonce à prendre part à cette opération
c/a	rapporter	Cette opération a rapporté du ...%
c/a	ruiner	Il a été ruiné par des opérations risquées
	Opinion (f)	a. Meinung (f) – b. Tageszeitung (f) a. opinion
a/a		L'opinion publique – commune – générale L'opinion de tout le monde – généralement reçue
a/a	avoir	J'ai bonne – mauvaise opinion de lui
a/a	changer	On n'arrivera pas à le faire changer d'opinion
a/a	connaître	Nous aimerions que vous nous fassiez connaître votre opinion sur ce sujet
a/a	dire	Dites-moi franchement votre opinion
a/a	être	Bien que nous ne soyons pas de la même opinion, ...
a/a	former	Comment pourrais-je me former une opinion si je n'ai pas les renseignements voulus
a/a	imposer	Il essaie de nous imposer son opinion
b/a	journal	Nous devrions faire de la publicité dans quelques journaux d'opinion
a/a	modifier	Son opinion ne s'est pas modifiée sur ce sujet
a/a	partager	Nous partageons entièrement votre opinion
	Opportun	a. angebracht – b. gelegen a. appropriate
b/a		Nous vous préviendrons en temps opportun
a/a		Il ne me semble pas opportun d'agir en ce moment
	Opposer **Opposition** (f)	a. entgegenhalten – b. Rechtsöffnung (f) – c. Rechtsvorschlag (m) – d. sperren – e. Verletzung (f) a. to block – b. opposition – c. to put forward – d. to stop – e. violation
e/e	agir	Vous agissez en opposition avec la loi – nos accords
a/c	argument	Il nous a opposé des arguments de – sans valeur
c/d	commandement	Vous avez fait opposition à notre commandement de payer
c/b	lever	Nous ferons lever votre opposition
b/b	main-levée	Vous m'obligerez à demander la main-levée d'opposition
d/a	valeur	Ces valeurs ont été frappées d'opposition
	Opter **Option** (f)	a. entscheiden – b. Option (f) – c. wählen a. to decide – b. to opt – c. option
b/c		Une option pour acheter – pour vendre
b/c		Exercer son droit d'option
c/a		Vous devez opter entre ces deux formules
a/b		Si vous optez pour la deuxième solution ...
	Or (m)	a. Gold (n) – b. vorteilhaft a. gold – b. profitable
a/a		L'or fin – pur – au titre de ...

a/a		Un objet en or massif – plaqué or
b/b		Je ne suis pas si sûr que ce soit une affaire en or
	Ordinaire	a. gewöhnlich – b. Rahmen (m) (aus dem ... fallen) a. ordinarily – b. ordinary – c. usual
a/a-c		D'ordinaire – comme d'ordinaire
a/a-c		A l'ordinaire – comme à l'ordinaire
b/b		C'est quelque chose qui sort de l'ordinaire
a/b		C'est en fait un article très ordinaire
	Ordonner	a. anordnen – b. auftragen – c. verordnen a. to order
a-c/a		Ordonner une réforme – un remède
b/a		Dites-lui que je vous ai ordonné de ...
	Ordre (m)	a. Anordnung (f) – b. Anweisung (f) – c. aufräumen – d. Auftrag (m) – e. Bestellung (f) – f. Dienst (m) – g. Order (f) – h. Ordnung (f) – i. Rang (m) – j. Reihenfolge (f) – k. Weisung (f) – l. weiteres a. order – b. rate – c. to sort out
d/a		Un ordre écrit – oral – verbal
d-d-b/a		Un ordre d'achat – de vente – de paiement
d/a		Un ordre de bourse au comptant – au mieux – à terme
d/a		Un ordre valable jusqu'au ... – jusqu'à révocation
l-a/a		Jusqu'à nouvel ordre – sauf ordre contraire
j-h-hj/a		L'ordre alphabétique – numérique – chronologique
i/b		... de premier – de deuxième – de troisième ordre
e/a	annuler	Je vous prie d'annuler mon ordre du ...
k/a	attendre	Vous voudrez bien attendre nos ordres ultérieurs
d/a	avoir	J'ai ordre de vendre à tout prix un lot de ...
k/a		J'ai des ordres précis – stricts – impératifs
e/a	confier	Nous constatons, avec regret, que vous ne nous avez pas confié vos ordres depuis quelque temps Nous espérons que la qualité de nos produits vous engagera à nous confier de nouveaux ordres
e/a	confirmer	Je vous confirme mon ordre téléphonique du ...
k/a	conformément	Conformément aux ordres reçus, je ...
f/–	dévoué	Toujours dévoués à vos ordres, nous vous présentons, Monsieur, nos salutations distinguées
k/a	donner	J'ai donné les ordres nécessaires pour que ...
d/a	exécuter	Vos ordres seront exécutés conformément à vos instructions
d/a	exécution	L'exécution de votre ordre aura tous nos soins
h/c	mettre	Je mettrai cette affaire en ordre, dès mon retour
c/c		Il est urgent que vous mettiez ordre à cela – cet abus
j/a	numéroter	Elles sont numérotées dans l'ordre prévu
g/a	payer	Veuillez payer à mon ordre la somme de Fr. ...
h/a	rappeler	J'ai été obligé de le rappeler à l'ordre
k/a	recevoir	J'ai reçu des ordres très précis à ce sujet
h/a	remettre	Il faudrait remettre en ordre ce dossier – ce document

		Le local devra être remis en ordre par vos soins
d/a	sur	Sur l'ordre de M. ..., je ...
g/a	traite	La traite est établie à mon ordre – à l'ordre de M. ...
d/a	vendre	Vendu d'ordre et pour compte de M. ...
k/a	vertu	En vertu des ordres reçus, je ne peux pas ...
	Ordre du jour	Tagesordnung (f) – agenda
	épuiser	Nous ne pourrons épuiser l'ordre du jour en une seule séance
	être	Ce point doit être à l'ordre du jour de notre prochaine assemblée
	figurer	Il faudra faire figurer ce problème à notre prochain ordre du jour
	inscrire	Il n'y a pas lieu d'inscrire cette discussion à l'ordre du jour
	ouvrir	Le président a ouvert l'ordre du jour par ...
	passer	Lorsque nous avons passé à l'ordre du jour, ...
	rayer	Nous avons dû rayer cet objet de l'ordre du jour trop chargé
	Oreille (f)	a. bitten – b. Ohr (n) – c. taub a. to listen
b/a	prêter	Pourquoi prêtez-vous l'oreille à de tels propos?
c/a	sourde	Je crains qu'il ne fasse la sourde oreille
a/–	tirer	Il s'est fait un peu tirer l'oreille avant de nous accorder les conditions que nous désirions
	Organiser **Organisateur** (m) **Organisation** (f)	a. einrichten – b. Organisation (f) – c. Organisator (m) a. organization – b. to organize – c. organizer
b/a		L'Organisation européenne de coopération économique (OECE)
b/a		L'Organisation de coopération et de développement économique (OCDE)
b/a		L'organisation rationnelle du travail
b/a		Grâce à son sens de l'organisation, il trouve des solutions économiques et pratiques
b/a		L'organisation était excellente – défectueuse – nulle
a/b		Il ne sait pas s'organiser pour déléguer une partie de ses tâches secondaires
c/c		C'est un excellent organisateur
	Orienter **Orientation** (f)	a. Beratung (f) – b. informieren – c. richten a. counselling – b. to inform – c. to orient – d. -ward
b/bc		Cette documentation vous orientera sur nos activités
c/d		La tendance est orientée à la hausse – à la baisse
b/b		Vous avez été mal orienté, il fallait s'adresser directement à ...
a/a		Le service de l'orientation professionnelle
	Original (m)	Original (n) – original
		Un document – un texte original – conforme à l'original

	Origine (f)	a. Anfang (m) – b. Herkunft (f) – c. Original (n) – d. Ursprung (m) – e. ursprünglich a. beginning – b. origin – c. original
b/b		Le lieu – le pays – le certificat d'origine
c/c		L'emballage – la caisse – le flacon d'origine
a/a		Dès l'origine – à l'origine, j'ai fait ...
d/b		Je ne connais pas l'origine de ces rumeurs
e/a		A l'origine, il avait été prévu que ...
	Oser	a. dürfen – b. wagen a. to dare – b. may
b/b		Je n'ose vous proposer une autre solution
a/b		Si j'ose (le) dire, ...
b/a		Osera-t-il prendre un tel risque?
	Oublier **Oubli** (m)	a. vergessen – b. Versäumnis (f) a. to forget – b. to neglect – c. omission – d. oversight
b/c	attribuer à	Il faut attribuer cet oubli à la négligence de ...
b/d	commettre	L'oubli que vous avez commis est regrettable
a/a	croire	Je crois que je n'ai rien oublié d'important
a/ab	dire	J'ai oublié de vous dire que ...
b/c	excuser	Vous voudrez bien excuser cet oubli
b/cd	par	Par suite d'un oubli que nous vous prions d'excuser, ...
a/a	responsabilité	N'oubliez pas que vous avez une lourde responsabilité dans cette affaire
	Outillage (m) **Outillé**	a. Ausrüstung (f) a. equipment – b. equipped
a/a		Grâce à un outillage perfectionné, nous pouvons ...
a/b		Nous ne sommes pas outillés pour fabriquer ces articles
	Outre	a. ausser – b. ausserdem – c. hinwegsetzen – d. masslos a. addition – b. excessively – c. to ignore
a-b-d-a/a-a-b-a		Outre cela – en outre – outre mesure – outre cette somme
c/c		Il a passé outre à cette interdiction – à cette objection
	Ouverture (f)	a. Eröffnung (f) – b. Öffnung (f) a. granting – b. opening
a/a-b		L'ouverture d'un crédit – d'un compte
a/b		Le cours – le prix d'ouverture
a/b		L'ouverture de la faillite – d'un testament
b/b		Durant les heures d'ouverture, soit de ... à ... h.
	Ouvrage (m)	a. Bauherr (m) – b. Werk (n) a. book – b. foreman – c. work
b/c		Je me mettrai à l'ouvrage dès mon retour

b/a		Cet ouvrage (livre) est en préparation – vient de paraître – a été tiré à ... exemplaires – est épuisé
a/b		Le maître de l'ouvrage est responsable de ...
	Ouvrier (m)	a. Arbeiter (m)
	Ouvrier-ère	a. labo(u)r – b. worker – c. working
a/b		Un ouvrier adroit – un bon – un mauvais ouvrier
a/b		Un ouvrier spécialisé – non qualifié
a/b		Un ouvrier d'usine – de fabrique
a/b		Un ouvrier à l'heure – à la journée – au mois
a/a-b		Un ouvrier aux pièces ou à la tâche
a/b		Employer ... ouvriers – occuper des ouvriers
a/b		Manquer, (re)chercher, trouver des ouvriers
a/c-a		La classe ouvrière – les mouvements ouvriers
	Ouvrir	a. eröffnen – b. laufend – c. offen – d. öffnen a. to grant – b. to open
a/b-a-b-b		Ouvrir un compte – un crédit – un magasin – un bureau
c/b		Le bureau est ouvert de ... à ... h.
c/b		Les portes seront ouvertes dès ... h.
d/b		Ouvrir entre midi et quatorze heures
d/b		Un hôtel ouvert toute l'année
b/b		J'ai un compte ouvert chez ...
a/b		M. ... ouvrira notre séance par un exposé sur ...

P

	Page (f)	a. Seite (f) – b. vergessen a. page
a/a		Dans le bas – dans le haut – au milieu de la page
a/a		Voir page 32 pour plus de détails
b/a		Tournons la page, ne revenons plus sur cette affaire
	Paie (f)	a. Lohn (m) – b. Zahltag (m) a. pay
a/a		La paie hebdomadaire – de la quinzaine – mensuelle
b-a-a/a		Le jour de paie – la demi-paie – une petite ou une grosse paie
a/a		Nous faisons la paie le vendredi
	Paiement (m)	Zahlung (f) – payment
		Paiement (net) au comptant – à 30 jours – fin du mois

		Paiement à 10 jours moins 2% d'escompte ou net à 30 jours
		Paiement d'avance – anticipé – par acomptes
		Paiement à l'échéance du ... – contre livraison
		Paiement par versements échelonnés ou mensuels
		Le jour de – le lieu de – le mandat de paiement
		Le mode de – le terme de paiement
		Le défaut de paiement – la cessation des paiements
	accuser réception	Nous accusons réception de votre paiement du ..., de Fr. ..., solde de notre facture no ...
		Je vous saurai gré d'accuser réception de ce paiement
	attendre	Nous attendons le paiement de ce solde avant de vous faire de nouvelles livraisons
	avoir	J'ai d'importants paiements en cette fin de mois
	avoir lieu	Nous insistons pour que le paiement ait lieu avant ...
	cesser	On dit que cette maison va cesser ses paiements sous peu
	délai	Je suis obligé de vous demander un délai de paiement
	différer	Me serait-il possible de différer la date du paiement?
	effectuer	Nous effectuerons le paiement à la date prévue
		Je m'étonne de votre rappel car mon paiement a été effectué à la date convenue, le ...
	être	Il est ponctuel dans ses paiements – en retard dans ...
	exiger	Nous exigeons le paiement du solde immédiatement
	facilité	Pouvez-vous m'accorder des facilités de paiement?
	présenter	Cet effet sera présenté au paiement le ...
	rappel	Vous n'avez pas donné suite à notre rappel de paiement
	réclamer	Nous n'avons cessé de lui réclamer le paiement de ...
	reculer	Est-il possible de reculer le paiement?
	remettre	Je vous remets en paiement un chèque sur la banque ...
		J'aimerais remettre ce paiement à plus tard
	reprendre	La maison a repris ses paiements
	retard	Un tel retard dans votre paiement nous inquiète
	suspendre	La maison a été contrainte de suspendre ses paiements – est sur le point de suspendre ses paiements
	Pair (m)	a. au pair – b. Nennwert (m) – c. pari a. au pair – b. par
c/b		Le change au pair – la valeur remboursable au pair
b-c-c/b		Un titre coté au pair – monté au-dessus du pair – tombé au-dessous du pair
b-c-a/b-b-a		Emettre – rembourser au pair – travailler au pair
	Papier (m)	a. Notizzettel (m) – b. Papier (n) – c. Wechsel (m) a. paper – b. securities
b/a		Papier à écrire – à lettres – pour machine à écrire

b/a		Papier calque – buvard – d'emballage
b-b-a/a		Papiers d'affaires – papier timbré – papier minute
b/a-ab-ab		Papier à ordre – nominatif – au porteur
c/ab		Papier à 3 mois – à un an – négociable
b/a		Ces papiers sont confidentiels et pour votre seule information
b/a		Sur le papier, l'affaire se présente assez simplement, mais ...
	Paraître	a. anmerken – b. erscheinen – c. scheinen a. to appear – b. to show
b/a		Paraître bon marché – avantageux – cher – coûteux Paraître honnête – juste – correct – faux
c/a	à	C'est excessif, à ce qu'il (me) paraît
c/a	avoir	Cette ... paraît n'avoir que deux ans
b/a	faire	Faites paraître cette annonce deux fois par semaine dans ...
a/b	laisser	Il n'a pas laissé paraître son mécontentement
c/a	que	Il paraît que des changements interviendront sous peu
b/a	venir	Le règlement qui vient de paraître nous oblige à ...
	Parallèle (m)	a. Parallele (f) – b. vergleichen a. to compare – b. parallel
a/b	établir	Il est discutable d'établir un tel parallèle
b/a	mettre	Mettez les deux en parallèle et vous constaterez la supériorité de ...
	Paralyser	lähmen – to paralyse
		La crise – la grève – les lois paralysent mon entreprise
	Pardonner **Pardon** (m)	a. verzeihen – b. Verzeihung (f) a. to excuse
b/a		Je vous demande pardon de mon long silence – de vous avoir posé une telle question
a/a		Pardonnez la liberté que je prends
	Pareil	a. dergleichen – b. gleich – c. heimzahlen – d. ohnegleichen – e. solche a. equal – b. kind – c. like – d. such – e. this
b/e	à	L'an dernier, à pareille époque, nous ...
e/d	cas	En pareil cas, que feriez-vous?
a/d	chose	On n'a jamais vu une chose pareille
b/c	être	L'article reçu est pareil à l'échantillon
b/a	qualité	La qualité n'est pas pareille à celle de l'échantillon
c/b	rendre	Je serai heureux de vous rendre la pareille quand l'occasion se présentera
d/a	sans	C'est un produit sans pareil pour ...
e/d	situation	Dans une pareille situation, je vous conseille de ...
	Parent (m) **Parenté** (f)	a. Verwandte (m) – b. Verwandschaft (f) a. related – b. relative
a/b		Son plus proche parent – son parent par alliance

b/a		Quel est le degré de parenté des ...
	Parenthèse (f)	nebenbei – incidentally
		Entre parenthèses (soit dit entre parenthèses), nous ne sommes pas renseignés sur ...
	Parité (f)	Parität (f) – parity
		La parité du change – la parité des monnaies
	Parler	a. sagen – b. schweigen – c. sprechen a. to speak – b. to talk
c/a		Parler l'anglais couramment – avec difficultés Parler franchement – sérieusement – à tort et à travers
a/a		Généralement parlant – à proprement parler
a-c/a		Pour parler franc – sa façon de parler
c/b	affaires	Nous parlerons affaires – de cette affaire – de cette question
c/a	de	Il parle de vendre son fonds de commerce
c/a	falloir	Il faudrait lui en parler avant la réunion
c/b		Il n'en faut parler à personne
b/a	sans	Sans parler de tout ce qu'il nous doit
c/b	savoir	Je crois savoir de quoi vous voulez parler
c/b	valoir	Vaut-il la peine de lui en parler?
	Parole (f)	a. Versprechen (n) – b. Wort (n) a. promise – b. to speak – c. word
b/b	adresser	Je n'ai pu lui adresser la parole
b/c	compter	Vous pouvez compter sur ma parole
b/c	croire	J'ai eu tort de le croire sur parole
a/a	dégager	Je vous dégage de votre parole
b/b	demander	Au cours de la réunion, il a demandé plusieurs fois la parole
b/b	donner	On lui a donné la parole quand il l'a demandée
b/c	interpréter	Vous avez mal interprété mes paroles
b/a	manque	Je ne m'attendais pas à ce manque de parole
b/b	prendre	Il a pris la parole à plusieurs reprises
b/c	prononcer	Il n'a pas prononcé une seule parole
b/a	retirer	Il retirera sa parole si ...
b/c	suffire	Votre parole me suffit
b/a	tenir	Je crois qu'il aura à cœur de tenir sa parole
	Parrain (m)	Pate (m) – godfather
		Accepteriez-vous d'être le parrain de mon fils?
	Part (f)	a. abgesehen – b. Anteil (m) – c. Anzeige (f) – d. Auftrag (m) – e. besonders – f. irgendwo – g. mitteilen – h. nirgends – i. Seite (f) – j. Teil (m) – k. teilnehmen – l. übelnehmen – m. übrigens a. to announce – b. announcement – c. apart – d. behalf – e. hand – f. to inform – g. part – h. separately – i. share – j. side – k. way – l. where
b/i		Une part sociale – de fondateur – de bénéfice
b/i		Une part entière – une quote-part

a/c	à	A part cela, que voyez-vous encore?
		A part quelques exceptions, nous les avons tous vus
m/e	autre	D'autre part, j'apprends que vous ...
b/i	avoir	Il a sa part de responsabilité dans cette affaire
		Il a part aux bénéfices, tout comme nous
b/i	créditer	Nous le créditerons de la part qui lui revient
i/e	de	D'une part, il a ..., d'autre part, il ...
i/j		Ils ont des torts de part et d'autre
i/j		Des réclamations nous parviennent de toutes parts
i/g	être	C'est très mal de sa part d'avoir agi sans nous prévenir
e/h	facturer	Vous voudrez bien facturer à part les ...
g/a-f	faire	Je lui ai fait part de ma décision – de mes observations
c/b	lettre	Nous avons reçu votre lettre de faire-part
h/l	nulle	On ne le trouve nulle part (faute: nulle part ailleurs)
b/i	payer	Naturellement, je tiens à payer ma part
j/g	pour	Pour ma part, je m'abstiendrai d'intervenir
k/g	prendre	Il a pris part à la cérémonie – à la conversation
l/k		Il ne l'a pas pris en mauvaise part
i/j		Il l'a pris à part et lui a dit ce qu'il pensait
f/l	quelque	Ce dossier n'est pas perdu, il doit bien se trouver quelque part
j/g	réserver	Il s'est réservé la meilleure part
d/d	venir	Je viens de la part de M. ...
	Partager	a. teilen – b. Verteilung (f)
	Partage (m)	a. to divide up – b. to share
a/b		Je partage vos idées – vos opinions
b/a		Nous avons fait le partage des bénéfices
	Partance (f)	a. Abgang (m) – b. abgehen
		a. departing – b. departure
b-a/a-b		Le bateau en partance pour ... – le port de partance
	Parti (m)	a. abfinden – b. Entschluss (m) – c. Nutzen (m) – d. Partei (f) – e. Seite (f) – f. Voreingenommenheit (f)
		a. opinion – b. prejudice – c. to reconcile to – d. to resolve – e. side – f. to take advantage
e/a	être	Je suis entièrement de votre parti
f/b		Son opinion n'est qu'un parti pris
d-a/e-c	prendre	J'ai pris parti pour lui – j'en ai pris mon parti
d/e		Je me refuse à prendre parti dans cette dispute
b/d		J'ai pris le parti de ne plus faire ...
c/f	tirer	Il sait tirer parti de tout
	Participation (f)	a. Beteiligung (f) – b. Teilnahme (f)
		a. interest – b. participation – c. share – d. stake – e. syndicated
a/ad		Une participation majoritaire – minoritaire
a/c		Une participation aux bénéfices – aux pertes
a/e-c		Une opération en participation – un compte de participation

b/b		Une participation active à une réunion
b/b		Je regrette de ne pouvoir compter sur votre participation
	Participer	a. beteiligen – b. teilnehmen – c. Teilnehmer (m)
	Participant (m)	a. participant – b. to participate
a/b		Participer à une entreprise – une opération commerciale
b/b		Participer à un congrès – une réunion – une assemblée
c/a		Les participants sont priés de se trouver à . . . h.
	Particularité (f)	a. Besonderheit (f) – b. Einzelheit (f) a. characteristic – b. feature
b-a/ab		Les principales particularités de cet accord – de cette machine sont . . .
a/b		C'est là une particularité d'emploi très utile
	Particulier	a. ausnahmsweise – b. besondere – c. besonders
	Particulièrement	a. own – b. particular – c. particularly
a/a	agir	J'agis à titre particulier, je le précise
c/bc	en	Vous voudrez bien noter en particulier que je veux . . .
c/c	intéressé	Nous sommes particulièrement intéressés à cette affaire
b/b	motif	Nous avons des motifs particuliers de nous abstenir
a/a	recevoir	Vous le recevrez à titre particulier
	Partie (f)	a. angreifen – b. Empfänger (m) – c. Gegner (m) – d. gehören – e. Partei (f) – f. Teil (n/m) – g. Zivilklage (f) a. opponent – b. part – c. party
b-e-e/c		La partie prenante – contractante – intéressée
e/c		La partie adverse – les parties en cause
f/b		La plus petite – la plus grande – la majeure partie
e/c	accord	Un accord est intervenu entre les parties
c/a	affaire	Nous aurons affaire à forte partie
f/b	couvrir	Les dégâts sont couverts en partie par l'assurance
f/b	dédommager	Je n'ai été dédommagé qu'en partie
f/b	en	C'est en grande partie de sa faute si . . .
d/b	faire	Il fait partie du comité – du personnel Il a cessé de faire partie de notre société depuis . . .
e/c	lésée	La partie lésée s'adressera à qui de droit
g/–	porter	Nous nous porterons partie civile
a/–	prendre	Il m'a pris à partie, je ne sais pourquoi
	Partiel	a. Teil (m)
	Partiellement	a. partial – b. partially
a/a		Un envoi – un paiement partiel
a/a		Une livraison – une expédition partielle
a/b		Votre projet ne nous satisfait que partiellement
a/b		Je suis partiellement responsable de cet échec
	Partir	a. anfangen – b. ausgehen – c. verreisen – d. vom . . . an a. to leave – b. to start

d/b	à	A partir du . . ., notre nouvelle adresse sera . . .
b/b	idée	Nous partons de l'idée que . . .
c/a	point	Je suis sur le point de partir pour Paris
c/a	prêt	Il était prêt à partir
a/b	rien	Cet homme est vraiment parti de rien
	Parvenir	a. eintreffen – b. erreichen – c. zukommen a. to arrive – b. to attain – c. to reach – d. to send
a/c	à	Votre message est finalement parvenu à destination
a/a	bien	La marchandise m'est bien parvenue
a/a	délai	Votre envoi doit me parvenir dans les délais fixés
c/d	faire	Veuillez me faire parvenir votre réponse par retour du courrier
b/b	fin	Il est parvenu à ses fins
a/a	mauvais état	Ces marchandises nous sont parvenues en mauvais état, par suite d'un emballage défectueux
	Pas (m)	a. Fortschritt (m) – b. Klemme (f) – c. Schritt (m) – d. Stelle (f) – e. Taktlosigkeit (f) a. faux pas – b. leaps and bounds – c. spot – d. step – e. time – f. walk
c/f	demeurer	Il demeure à deux (quelques) pas de chez moi
c/d	être	C'est un grand pas de fait
e/a	faux	On ne compte plus ses faux pas
d/e	marquer	Pour l'instant, nous marquons le pas
a-c/b-d	pas	La construction avance à grand pas – pas à pas
b/c	tirer	Grâce à lui, nous nous sommes tirés de ce mauvais pas
	Passage (m)	a. Durchgangsrecht (n) – b. Durchreise (f) – c. Durchreisende (m) – d. Fahrkarte (f) – e. Stelle (f) a. passage – b. to pass through – c. visit
d-a-c/a-a-b		Un billet – un droit – une personne de passage
b/c	à	Lors de votre passage à . . ., voulez-vous . . . Je l'ai vu à son passage à
b/b	avis	Nous avons bien reçu l'avis de passage de votre voyageur
b/b	être	Je serai de passage à Cologne lundi prochain
e/a	se rapporter	A quel passage du livre se rapporte cette citation?
e/a	sens	Quel est le sens de ce passage de votre lettre?
	Passager (m)	Passagier (m) – passenger Embarquer – débarquer – prendre des passagers
	Passation (f)	a. Ausfertigung (f) – b. Buchung (f) – c. Übertragung (f) a. entry – b. signing – c. transfer
a/b		La passation de l'acte est fixée au . . .
b/a		Quand aurez-vous terminé la passation des écritures?
c/c		La passation des pouvoirs s'est faite aisément
	Passe-droit (m)	Bevorzugung (f) – privilege Grâce à ces passe-droits, il a pu obtenir . . .

	Passer	a. abgeurteilt werden – b. Ablauf (m) – c. abschliessen – d. durchmachen – e. gehen – f. gelten – g. geschehen – h. kommen – i. verbuchen – j. verlaufen – k. verzichten – l. vorübergehen
		a. to come – b. to conclude – c. to do without – d. to go – e. to happen – f. to make – g. to pass
h/a		Passer à votre bureau – à votre magasin – dans votre ville
h-a/d-a		Passer de mode – passer en jugement
c/b	accord	Nous avons passé un accord avec nos fournisseurs
b/g	délai	Passé ce délai, je m'adresserai à . . .
i/f	écriture	J'ai passé écriture de cet article
l/g	être	Nous attendons que la crise soit passée
j/d		Tout s'est très bien passé, finalement
g/e		En fait, je ne sais pas ce qui s'est passé réellement
c/b	marché	Nous souhaitons passer un important marché
i/d	montant	Le montant versé a été passé en compte
d/d	par	Nous serons bien obligés d'en passer par là
f/g	pour	Il passe pour un homme habile et scrupuleux
k/c	se	Nous nous passerons de cet article – de ses services
e/a		Cela ne se passera pas aussi facilement, croyez-moi
	Passible	a. pflichtig – b. verwirken
		a. liable – b. punishable
a-a-b/a-a-b		Etre passible d'un droit – d'une taxe – d'une amende
	Passif (m)	a. passiv – b. Passiven (n) – c. Verbindlichkeit (f)
		a. debit – b. debt – c. liabilities
c-c-a/b-b-a		Le passif exigible – non exigible – le solde passif
b/c		Porter au passif du bilan
	Patente (f)	a. Konzession (f) – b. konzessioniert
	Patenté	a. licensed – b. trading licence (GB) – license (US)
b-a/b		Payer – prendre une patente pour (de) . . .
b/a		Un agent d'affaires patenté
	Patience (f)	a. Geduld (f) – b. geduldig
		a. patience
a/a	abuser	Ce débiteur abuse par trop de notre patience
a/a	armer	Nous devrons encore nous armer de patience
b/a	attendre	Nous attendrons le résultat avec patience
a/a	être	Je suis à bout de patience, vous devriez le comprendre
a/a	falloir	Il faut de la patience pour en venir à bout
a/a	limite	Ma patience a des limites, je ne peux plus attendre
a/a	perdre	J'ai perdu patience et me suis adressé ailleurs
a/a	prendre	Je vous demande de prendre patience
b/a	preuve	Reconnaissez que nous avons fait preuve de patience
	Patienter	gedulden – to wait
		Je vous demande de bien vouloir patienter encore quelques jours pour le paiement du solde
		J'essayerai de la faire patienter encore jusqu'à . . .

	Patron (m) **Patronal**	a. Arbeitgeber (m) – b. Chef (m) – c. Schiffseigner (m) a. management – b. owner – c. skipper
c-b/c-b		Le patron du bateau – de l'entreprise
a/a		Le centre – le syndicat patronal
	Payer **Payable**	a. lohnen – b. riskieren – c. Schaden (m) – d. zahlbar – e. zahlen a. to act – b. to pay – c. payable
e-d-de-de-d/bc		Payer, payable en espèces – en nature – en marchandises – dans les 10 jours sous déduction de . . .% d'escompte ou net à 30 jours
d/c		Payable d'avance – à l'arrivée – par annuités
d/c		Payable au cours du change de . . .
d/c		Payable en un chèque sur notre banque . . .
d/c		Payable à vue – au porteur – au 15 janvier
d/c		Payable contre documents – contre remise du connaissement
b/a	audace	Il a payé d'audace et il a réussi
e/b	avoir à	Nous avons les frais à payer
e/b	état	Nous ne sommes pas en état de payer
e/b	faculté	Pourriez-vous m'accorder la faculté de payer en plusieurs mensualités?
e/b	moyen	A-t-il le moyen de payer?
e/b	noter	Veuillez noter de payer par le débit de mon compte no . . . les effets suivants: . . .
a/b	pas	Une telle opération ne paie pas
c/–	savoir	Je suis malheureusement payé pour le savoir
	Payeur (m)	Zahler (m) – payer
		Le bon – le mauvais payeur – le payeur ponctuel
	Pécuniaire	a. finanziell a. financial – b. money – c. pecuniary
a/b		Les avantages – les difficultés pécuniaires
a/c		L'intérêt pécuniaire (et non pécunier)
a/a-b		Nous pourrions envisager de lui accorder une aide pécuniaire pendant quelque temps
	Peine (f)	a. kaum – b. Kummer (m) – c. Mühe (f) – d. ohne weiteres – e. Strafe (f) a. difficult(y) – b. effort – c. hardly – d. punishment – e. trouble – f. to upset
a/c	à	A peine l'avions-nous envoyé que nous avons reçu votre . . .
c/a		C'est à grand peine que nous l'avons obtenu
e/d	amende	Interdit sous peine d'amende
c/a	avec	Il l'a fait avec peine
c/a	avoir	Il a de la peine à payer
d-c/a	croire	Je le crois sans peine – j'ai peine à croire
c/b	demande	Cela demande beaucoup de peine
c/b	donner	Il se donne aucune – peu – tant – trop de peine

c/a	en	Il ne sera pas en peine de trouver un autre moyen
b/ae	épargner	Vous auriez dû lui épargner cette peine
c/a	être	Cela n'a pas été sans peine
c/e	excuser	Je vous prie de m'excuser pour la peine que je vous donne
b/f	faire	Cette nouvelle me fait beaucoup de peine
c/b	ménager	Il n'a pas ménagé sa peine
c/e	prendre	Prenez-donc la peine d'étudier sérieusement . . .
c/e	récompenser	Je le récompenserai de la peine qu'il se donne
c/e	valoir	Est-ce que cela en vaut encore la peine?
	Pénétrer	a. durchschauen – b. eindringen – c. Zutritt (m) a. to guess – b. to penetrate
b/b	eau	L'eau a pénétré dans . . .
a-b/a	intention	Il y a longtemps que j'avais pénétré ses intentions – ce secret
c/b	marché	Il n'est pas facile de pénétrer sur ce marché
	Penser	a. denken – b. erinnern – c. gedenken – d. glauben – e. halten – f. meinen – g. Meinung (f) a. to remind – b. to think
a/b	à	Je penserai à vous si l'on me demande . . .
d/b	bien	Nous avons pensé bien faire en vous signalant . . .
f/b	comme	Je vous le dis comme je le pense
e/b	dire	Je dois vous dire ce que je pense de son attitude
g/b	façon	Il m'a dit très franchement sa façon de penser
b/a	faire	Faites-moi penser de lui envoyer . . .
c/b		Que pensez-vous faire maintenant?
d/b	que	Pensez-vous que nous pourrons . . .
c-e/b		Que pensez-vous lui dire? – Qu'en pensez-vous?
e/b	savoir	Savez-vous ce qu'il en pense?
a/a	temps	Il est temps d'y penser – de penser à . . .
	Pension (f)	a. Pension (f) – b. Pensionat (n) – c. Rente (f) a. allowance – b. annuity – c. to board – d. board – e. boarding school – f. pension
c/a-f-b		La pension alimentaire – de retraite – viagère
a/f		Cotiser à une caisse de pension
a-a-b/c-d-e		Etre en pension – prendre pension – mettre en pension
a/d		Le prix de pension – chambre et pension
	Pénurie (f)	Mangel (m) – shortage
		Il y a une pénurie de main-d'œuvre en ce moment Une pénurie imprévue de matières premières
	Percevoir **Perception** (f)	a. erheben – b. Erhebung (f) – c. Steuer (f) a. to collect – b. collection
a/a		Percevoir un droit d'après . . . – sur . . . – auprès de . . .
c-b/b		Le bureau de perception – la perception des impôts
	Perdre	a. aufgeben – b. draufzahlen – c. Musse (f) – d. verlieren – e. versäumen a. to lose – b. spare – c. to waste

d-a-e/a		Perdre la confiance – l'habitude – l'occasion
d/a		Perdre de l'argent – de la valeur – du poids
d/a	client	Ce retard risque de nous faire perdre un de nos meilleurs clients
d/a	faire	Votre imprudence nous a fait perdre beaucoup d'argent
d/a	minute	Il n'y a pas – plus une minute à perdre
c/b	moments	Je m'en occupe à mes moments perdus
d/c	peine	C'est peine perdue d'entreprendre une telle démarche
d/a	rien	Vous ne perdrez rien à attendre encore un peu
d/a	risque	Au risque de tout perdre, je préfère . . .
d/a	route	Il a été (s'est) perdu en route
d/c	temps	Vous perdez votre temps à . . . – C'est du temps perdu
d/a	vue	Il y a longtemps que je l'ai perdu de vue
b/a	y	J'y perds – je n'y perds rien
	Perfectionner **Perfection** (f) **Perfectionnement** (m)	a. Fortbildung (f) – b. perfekt – c. verbessern – a. to brush up – b. improvement – c. perfectly – d. refresher
b/c		Il sait l'anglais à la perfection
b/c		Il nous a fait ce travail à la perfection
c/a		J'aimerais perfectionner mes connaissances en matière de . . .
a/d		J'aimerais suivre un cours de perfectionnement de . . .
c/b		Nous avons apporté de nombreux perfectionnements à notre nouveau modèle
	Péricliter	zugrunde gehen – (to be in a state of) collapse
		Son affaire périclite
	Péril (m)	Gefahr (f) – peril
		L'envoi est fait aux risques et périls de l'acheteur
	Période (f)	a. Periode (f) – b. Zeit (f) a. period
a/a	comptable	La période comptable s'entend du . . . au . . .
a/a	durant	Durant la période en cours – sous revue
b/a	essai	Nous vous engageons pour une période d'essai de . . . mois
b/a	mauvaise	C'est une mauvaise période pour faire . . . – à passer
b/a	solde	En vue de la période des soldes, nous cherchons . . .
b/a	transitoire	Il faut compter avec une période transitoire de . . . mois
	Périssable	verderblich – perishable
		Une marchandise périssable – des denrées périssables
	Permanence (f) **Permanent**	a. Kontinuität (f) – b. ständig a. duty – b. permanent – c. permanently

b/b		C'est un service permanent
b/c		Il est attaché en permanence au service de . . .
a/a		Nous ne sommes pas à même d'assurer une telle permanence
	Permettre	a. erlauben
		a. to afford – b. can – c. may – d. to permit
a/d	circonstance	Si les circonstances le permettent, nous . . .
a/b	croire	Depuis quelque temps, il se croit tout permis
a/a	dépense	Je ne peux pas me permettre cette dépense
a/d	engagement	Mes engagements ne me le permettent pas
a/c	faire	Je me permets de vous faire remarquer
a/a	moyen	Mes moyens me permettent de vous . . .
a/c	offrir	Je me permets de vous offrir mes services
a/c	que	Qu'il me soit permis de vous dire . . .
a/c	rappeler	Je me permets de vous rappeler que . . .
a/c	si	S'il est permis de s'exprimer ainsi
a/d	temps	Dès que le temps le permettra, nous . . .
		Le mauvais temps ne nous a pas permis de terminer . . .
	Permis (m) **Permission** (f)	a. Bewilligung (f) – b. Erlaubnis (f) – c. Pass (m) – d. Schein (m)
		a. letter – b. license – c. permission – d. permit – e. registration
a-a-b/d		Permis d'exportation – d'importation – de douane
d-b/d		Permis d'embarquement – de déchargement
d-d-c/b-e-a		Permis de conduire – de circulation – de navigation
a/d		Permis de bâtir – de construire – de séjour
a/d		Solliciter – obtenir – refuser un permis
b/c		Avec votre permission, j'irai . . .
b/c		Je lui ai demandé la permission de . . .
	Persévérer **Persévérance** (f)	a. Ausdauer (f) – b. ausdauernd – c. nachlassen (nicht)
		a. perseverance – b. perseverant – c. to persevere
a-b/a-b		Il fait preuve de persévérance – il est persévérant
c/c		Nous devons persévérer dans cette direction
a/a		Grâce à votre persévérance, nous avons abouti à . . .
	Personnage (m) **Personnalité** (f)	a. Originalität (f) – b. Persönlichkeit (f) – c. Wicht (m)
		a. character – b. person – c. personality
b-b-c/b-b-a		Un grand – un petit – un triste personnage
a/c		Il a (montré) beaucoup de personnalité
b/c		De nombreuses personnalités étaient présentes
	Personne (f)	a. jemand – b. Mensch (m) – c. niemand – d. Person (f) – e. persönlich – f. Persönlichkeit (f)
		a. anyone – b. corporation – c. individual – d. no one – e. person
d/b-c-c		Une personne physique – morale – juridique
d-b-b/e		Une personne de confiance – digne de foi – honnête
f/e		Une personne compétente – influente – bien introduite
e/e	aller	J'irai en personne me présenter

c/d	avoir	Nous n'avons personne pour faire un tel travail
a/a	connaître	Connaissez-vous une personne qui sache l'anglais couramment?
c/a	faire tort	Nous ne voulons faire tort à personne
a/a	mieux que	Vous le savez mieux que personne
c/d	pouvoir	Personne d'autre ne peut le faire aussi bien
c/a	regarder	Cette histoire ne regarde personne
a/a	sans	Sans nommer personne, il nous a fait comprendre que . . .
	Personnel (m)	a. Personal (n) a. personnel – b. staff
a/a		L'engagement – le recrutement du personnel
a/a		Congédier – licencier du personnel
a/ab		Le personnel administratif – de bureau
a/a	chef	Veuillez prendre rendez-vous avec notre chef du personnel
a/ab	être	Notre personnel est au complet
a/b	faire	M. . . . ne fait plus partie de notre personnel
a/a	manque	Par suite du manque de personnel qualifié, nous . . .
a/a	pension	Votre cotisation à la Caisse de pension du personnel se montera à . . . % de votre salaire brut
a/a	service	Adressez-vous au service du personnel qui pourra . . .
	Personnel-le	persönlich – personal
	affaire	J'aimerais vous entretenir d'une affaire strictement personnelle
	garantie	Les garanties personnelles que je peux vous offrir sont les suivantes: . . .
	lettre	Vous voudrez bien ne pas faire état de cette lettre personnelle
	à titre	A titre personnel, j'éviterais de . . .
	Perspective (f)	a. Aussicht (f) a. outlook – b. view
a/b		Nous avons de nombreuses commandes en perspective
a/a		Les perspectives semblent favorables pour la vente de . . .
a/a		Compte tenu des perspectives économiques – politiques – actuelles, nous préférons ne pas . . .
	Persuader	a. einbilden – b. überreden – c. überzeugen a. to assure – b. to convince
b/b	avoir	Je l'ai persuadé de tenter sa chance
c/a	être	Soyez persuadés que nous ferons de notre mieux pour vous donner satisfaction
bc/b	facilement	Il se laisse facilement – aisément – persuader
c/b	foi	Je suis persuadé de sa bonne foi
a/b	se	Ils se sont persuadé qu'ils trouveraient l'argent nécessaire
	Perte (f)	a. umsonst – b. Verlust (m) a. loss

b/a		Une perte légère – considérable – irréparable
		Une petite – une moindre – une grosse perte
b/a	causer	Cette erreur nous cause une lourde perte de temps
a/a	dépenser	Nous avons dépensé en pure perte plus de Fr. . . .
b/a	estimer	Je peux d'ores et déjà estimer la perte à Fr. . . . environ
b/a	laisser	Cette opération nous laisse une perte nette de Fr. . . .
b/a	profits	L'examen du compte de Pertes et Profits montre . . .
b/a	répondre	L'assurance répond de cette perte
b/a	par suite	Par suite des grandes pertes que j'ai subies, je . . .
b/a	supporter	Il nous semblerait équitable que vous supportiez une partie de la perte
b/a	vendre	Je vends à perte un lot de . . .
	Pertinent	a. genau – b. zutreffend
	Pertinemment	a. pertinent – b. quite well
b/a		Votre observation est pertinente et nous en tiendrons compte
a/b		Vous le savez pertinemment
	Pesage (m)	Wiegung (f) – weighing
		Le bureau – le bulletin – les frais de pesage
		Le pesage fait ressortir une différence en moins de . . . kg
		Le pesage a été officiellement reconnu par l'apposition d'une griffe de pesage – d'une estampille
	Peser	a. abwägen – b. lasten – c. wiegen a. to weigh
c/a		La caisse pèse . . . kg
b/a		Les charges pèsent lourdement sur le budget
a/a		Il devrait peser ses mots – ses paroles – les termes de . . .
a/a		Après avoir pesé avantages et inconvénients, nous décidons de . . .
	Petit	klein – small
		Une petite entreprise – un petit négociant
		Les petites et moyennes entreprises (PME)
		Quelques petits problèmes restent en suspens
	Peu	a. bald – b. etwas – c. kaum – d. Kleinigkeit (f) – e. nach – f. seit – g. sofern – h. wenig a. few – b. little – c. scarcely – d. short – e. top
a/d	dans	Dans peu de temps, vous apprendrez . . .
h/a	de	Peu d'entre eux sont renseignés
h/b		Je sais peu de choses sur cette opération
a/d	d'ici	D'ici peu, vous aurez des indications plus précises
h/a	en	Voici en peu de mots de quoi il s'agit: . . .
c/c	être	Il est peu en situation de le faire
h/b		Il est peu soucieux de son intérêt
e/b	peu à peu	L'étude du projet avance peu à peu
g/f	pour	Pour peu que vous soyez intransigeant, il . . .

d/b		Il ne faut pas le déranger pour si peu (de choses)
b/b	quelque	Il est quelque peu prématuré de prendre une décision
a-a-f/d	savoir	Savoir avant peu – sous peu – depuis peu
	Peur (f)	a. Angst (f) a. afraid – b. (to be) frightened – c. to frighten
a/ab-c-b		Avoir – faire – prendre peur
a/a		J'ai bien peur qu'il ne puisse jamais payer
	Pièce (f)	a. Akkord (m) – b. Akte (f) – c. aufrichtig – d. Beleg (m) – e. Ersatzteil (n) – f. inszenieren – g. Stück (n) – h. stückweise – i. Zimmer (n) a. apiece – b. coin – c. document – d. fabrication – e. part – f. piece – g. record – h. room – i. separately
d-g/g-b		Les pièces comptables – les pièces de monnaie
d-d-g/c		Les pièces à l'appui – justificatives – légalisées
d-b/c		Les pièces nécessaires – les pièces du procès
i/h	appartement	Un appartement de ... pièces et cuisine
f/d	créer	C'est lui qui a créé cette affaire de toutes pièces
c/–	homme	C'est un homme tout d'une pièce
g/ef	livrer	Nous livrerons par cartons de ... pièces
e/e	rechange	Nous attendons impatiemment les pièces de rechange
e/e	service	Je me suis adressé à votre service de pièces de rechange
a/f	travailler	L'ouvrier travaille à la pièce – aux pièces
h-g/i-a	vendre	Je le vends à la pièce – 100 francs pièce
	Pied (m)	a. Fuss (m) – b. geradeswegs – c. gleich – d. Halm (m) – e. Halt (m) – f. Massstab (m) – g. Ort (m) – h. schaffen – i. Schlachtvieh (n) – j. Schritt (m) – k. von oben bis unten – l. weiteres a. basis – b. depth – c. foot – d. foothold – e. hoof – f. level – g. moment's notice – h. ready – i. unharvested – j. up
k-g-j/c-h-c		De pied en cap – à pied d'œuvre – pied à pied –
b-l/f-g		De plein pied – au pied levé
f/a	continuer	Il nous est impossible de continuer sur ce pied
h/j	mettre	Il a mis sur pied une affaire en or
e/b	perdre	Il a perdu pied
a/d	prendre	Il a réussi à prendre pied dans ...
d/i	récolte	Les récoltes sont encore sur pied
c/a	traiter	Veuillez bien croire que je traite tous mes clients sur le même pied
i/e	vendre	Le bétail a été vendu sur pied
	Pire	a. schlimm a. worse – b. worst
a/b	craindre	Je crains le pire
a/a	être	Ce qui est pire – cela serait pire – rien n'est pire
a/b	exposer	Etre exposé aux pires dangers

a/b	mettre	Si nous mettons les choses au pire, nous risquons tout au plus de ...
	Pis	a. ärger – b. Ärgere (n) – c. verschlechtern a. worse
c/a	aller	Aller de mal en pis
a-b/a	avoir	Ce qu'il y a de pis – il y a pis du reste
b/a	dire	Pour ne pas dire pis
	Pitié (f)	a. Mitleid (n) a. pitiful – b. pity – c. sorry
a/b	avoir	Avoir pitié de quelqu'un
a/b	être	Etre sans pitié pour quelqu'un
a/a-c	faire	Il fait pitié – il nous a fait pitié
a/b	prendre	Prendre quelqu'un en pitié
	Place (f)	a. Ort (m) – b. Platz (m) – c. Stelle (f) a. centre (GB)/center (US) – b. city – c. job – d. place – e. position – f. room – g. seat – h. spot
b/a		La place commerciale – bancaire – financière
b/b		Un commerçant – une maison de la place
c/e		Une place lucrative – honorifique – temporaire
c/ce		Une place provisoire – stable – sûre – vacante
b/h	acheter	Nous achetons tout sur place
b-c/b-e	avoir	Il a du crédit sur la place – il a une bonne place
b/f		J'ai place pour 10 caisses – j'ai de la place pour ...
c/c	chercher	Je cherche une place de secrétaire-comptable
c/c	être	Il est sans place depuis plusieurs mois
c/d		Si j'étais à sa place, je ferais ...
b/f	faire	Je dois faire de la place pour cette marchandise
c/d	se mettre	Il est difficile de se mettre à sa place
c/c	perdre	J'ai perdu ma place à la suite de ...
b/f	prendre	Ces marchandises prennent trop de place
b/g	retenir	Je vous prie de me retenir une place
c/c	rester	Je suis resté trois ans dans cette place
c/c	solliciter	Je sollicite une place de ...
a/h	sur	Nous examinerons sur place ce problème
b/b		Quelles sont les possibilités de développement sur votre place?
	Placer **Placement** (m)	a. absetzen – b. Anlage (f) – c. anlegen – d. Lage (f) – e. setzen a. to invest – b. investment – c. to place – d. position – e. to sell
c/b		Placer à court – moyen – long terme
c/b		Placer en revenus fixes – variables – à fonds perdu
c/a		Placer en actions – en obligations – en viager
b/b		Un placement en valeurs – en titres – immobilier
b/b		Un placement avantageux – de bon rapport
b/b		Un placement de père de famille – de tout repos
d/d		Nous sommes bien placés pour faire ...
a/e		Nous ne pouvons pas placer ces articles auprès de notre clientèle
e/c		Je place toute ma confiance dans M. ...

	Plafond (m)	a. höchst – b. Plafond (m) a. maximum
a-b/a		Le prix-plafond – le plafond d'un crédit
b/a		Le plafond des dépenses – des recettes
	Plaider	a. behaupten – b. bekennen – c. einsetzen – d. vertreten a. to plead – b. to tell
b/a		Plaider coupable – non coupable
c-d/a		Plaider pour quelqu'un – une cause est plaidée par . . .
a/b		Il plaide le faux pour savoir le vrai
	Plaindre	a. beklagen a. to complain – b. to pity
a/b	être	Il est plus à plaindre qu'à blâmer
a/b	mériter	Il ne mérite pas qu'on le plaigne
a/a	retard	Votre lettre du . . . par laquelle vous vous plaignez du retard de notre livraison, nous a causé une grande surprise
a/a	se	Je me plains de la qualité – du directeur Je me plaindrai au directeur Il se plaint que vous ne le receviez pas
	Plainte (f)	a. beschweren (sich) – b. Klage (f) a. action – b. complaint
b/b		Nous avons reçu des plaintes d'un client mécontent
a/b		Nous avons immédiatement déposé plainte auprès de la compagnie
b/a		Plainte pénale sera déposée si . . .
b/ab		Votre plainte est fondée – infondée – irrecevable
b/ab		Je maintiens – je retire ma plainte
	Plaire	a. gefallen – b. gern a. to like – b. popular – c. to take pleasure
a/b		Cet article plaît beaucoup – ne plaît guère – ne plaît pas
a/a		Agissez – faites – payez comme il vous plaît (plaira)
a/a		Il semble se plaire beaucoup dans son nouveau travail
b/c		Ils se sont plu à reconnaître notre parfaite honnêteté
	Plaisir (m)	a. Freude (f) – b. Vergnügen (n) a. to enjoy – b. hono(u)r – c. pleased – d. pleasure
a/c	apprendre	Nous avons appris avec grand plaisir votre nomination au poste de . . .
a/bd	avoir	Nous avons le grand plaisir de vous annoncer le prochain mariage – de vous faire part de . . .
b/d		J'aurai bientôt le plaisir de le rencontrer
a/c	exprimer	Je ne sais comment exprimer le plaisir que j'ai eu de vous rencontrer
a/b	faire	Veuillez nous faire le plaisir d'être des nôtres
a/d		Vous nous feriez plaisir en acceptant de . . .

b/c		Nous le ferons avec plaisir
b/c		Je me ferai un plaisir de vous rendre le même service
b/a	prendre	Nous avons pris grand plaisir à cette fête
b/d	recevoir	Je vous recevrai avec plaisir le . . .
a/d	savoir	Vous ne sauriez me faire un plus grand plaisir
b/c		J'ai le plaisir de vous faire savoir . . .
	Plan (m)	a. erstrangig – b. Hintergrund (m) – c. Plan (m) – d. Vordergrund (m) – e. zweitrangig
		a. background – b. blueprint – c. campaign – d. forefront – e. importance – f. plan – g. survey
c/f		Un plan financier – un plan d'études – un plan d'ensemble
c/c		Un plan de campagne publicitaire
c/bg-g-b		Un plan de terrain – un plan cadastral – des locaux
c/b-bf-b		Lever – dresser – tracer un plan
c/f	arrêter	Nous n'avons pas encore arrêté nos plans
c/f	cadrer	Votre idée cadre tout à fait avec nos plans
c/f	concevoir	Ce plan est fort bien – fort mal conçu
c/f	déranger	Nous ne voudrions pas déranger vos plans
c/b	dessiner	Ce plan sera dessiné au 1:100
d/d	être	Il est au premier plan de l'actualité
a-e/e		C'est un homme de premier plan – de second plan
c/f	modifier	Nous ne pouvons plus modifier nos plans
c/f	réaliser	Le plan a été réalisé à . . . % environ
b/a	reléguer	Ce problème est maintenant relégué au second plan
c/f	soumettre	Nous vous soumettons nos plans et vous prions de nous faire toute remarque utile
	Planifier	a. planen – b. planmässig – c. Planung (f)
	Planification (f)	a. plan – b. planning
a/a		Nous avons planifié notre fabrication pour ces . . . prochains mois
c/b		Grâce à une meilleure planification de nos achats, . . .
b/a		Les travaux de construction se poursuivent selon la planification établie
	Plaque (f)	a. Marke (f) – b. Plakette (f) – c. Schild (n)
		a. plate
a-b-b-c/a		La plaque d'identité – la plaque matricule – la plaque de police – les plaques de voiture
	Plausible	einleuchtend – plausible
		Son explication ne nous semble guère plausible
		C'est un argument plausible dont il faut tenir compte
	Plein	a. auftanken – b. freiwillig – c. hoch – d. mitten – e. unbeschränkt – f. voll
		a. completely – b. full – c. height – d. middle
f-d-d/b-d-d		Le plein-emploi – en plein travail – au plein milieu de
c-c-d/c-d-d		En pleine saison (morte) – en plein hiver – en plein jour
c/c	battre	La saison bat son plein

a/b	faire	Je ferai le plein d'essence à Grenoble
b/a	gré	Il l'a fait de son plein gré
e/b	pouvoir	Je vous donne plein pouvoir pour traiter cette affaire
f/b	tarif	Nous avons dû payer le plein tarif
	Plénière	voll – plenary
		La décision sera prise en séance plénière
	Pli (m)	a. beiliegend – b. Brief (m) – c. Umschlag (m) a. cover – b. enveloppe
b/b		Le pli ouvert – chargé – cacheté – avec valeur déclarée
a/b		Envoyer – remettre sous pli
c/a		Ces documents vous parviendront sous pli séparé
	Plomb (m) **Plomber** (m)	a. Plombe (f) – b. plombieren a. to seal – b. seal
a/b		Une marchandise portant le plomb de la maison ...
b/a		Envoyer en wagon plombé
a/b		Nous avons constaté que les plombs étaient intacts
	Pluie (f)	a. gleichgültig – b. Regen (m) a. rain – b. rainy – c. weather
b/b		Les jours de pluie – la saison des pluies – un temps de pluie
b/a	craindre	Cet article craint la pluie et l'humidité
b/a	mettre	Il faut mettre ces caisses à l'abri de la pluie
a/c	parler	Au début, nous avons parlé de la pluie et du beau temps
b/a	protéger	Ce manteau protège admirablement contre la pluie
	Plus	a. ausserdem – b. höchstens – c. je – d. mehr – e. meiste – f. schwierig – g. sicher – h. so – i. spätestens a. -est – b. extra – c. more (over) – d. most – e. soon
b/d	au	J'en recevrai dix au plus
i/a		Vous les recevrez demain, au plus tard
d/c	avenir	Dans un avenir plus ou moins proche
d/c	avoir	Nous n'en avons plus – nous n'en avons pas plus que vous
f/c	de	Cela devient de plus en plus difficile
a/c		De plus, il ne m'a pas remboursé les frais
d/c	depuis	J'attends la marchandise depuis plus de quinze jours
d/c	être	Elle est plus ou moins avariée – chère – mauvaise
d/c	expédier	Veuillez m'en expédier deux de plus
a/b	facturer	J'ai facturé l'emballage en plus
h-g/e-a	le	Le plus vite que vous pourrez – le plus sûr est de ...
c-h/e		Le plus tôt possible – le plus tôt sera le mieux
d/c	n'en	Il n'en reste plus – il n'en veut plus
d/c	ni	Voilà ce que cela coûtera, ni plus ni moins
g/b	pour	Pour plus de sécurité, vous voudrez bien ...
e/d	vendre	C'est l'article que nous vendons le plus maintenant

	Plus-value (f)	Mehrwert (m) – capital gain
		Acquérir – donner – présenter une plus-value de . . .
		La plus-value peut être estimée à . . .% en 2 ans
	Poche (f)	a. Tasche (f)
		a. back – b. pocket
a/b		L'argent de poche – le carnet de poche
a/a	connaître	Il connaît cette affaire comme sa poche
a/b	payer	S'il le faut, je le paierai de ma poche
	Poids (m)	a. Gewicht (n)
		a. load – b. weight
a/b		Le poids brut – net – réel – légal – brut pour net
a/b-b-a-b		Le bon poids – le poids mort – utile – autorisé
a/b		Le poids approximatif – contrôlé – certifié
a/b		Le poids à l'embarquement – au débarquement
a/b		Le poids maximum – minimum – moyen
a/b	dépasser	Votre envoi dépassait le poids admis et nous avons dû payer une surtaxe de Fr. . . .
a/b	erreur	Je constate une erreur de poids de l'ordre de . . . kg, lors de votre dernière livraison
a/b	perte	La perte de poids constatée durant le transport se situe dans des limites admissibles – dépasse les normes usuelles
a/b	spécifique	Notre alliage a un poids spécifique de . . .
a/b	vendre	Cette marchandise se vend au poids, Fr. . . . les 100 kg
	Point (m)	a. Begriff (m) – b. Ehrensache (f) – c. entwickeln – d. erklären – e. Hinsicht (f) – f. klären – g. Mass (n) – h. Punkt (n) – i. Richtigstellung (f) – j. Semikolon (n) – k. Zeichen (n) – l. Zeit (f)
		a. base – b. clarification – c. to clear – d. colon – e. to dot – f. far – g. mark – h. to perfect – i. point – j. semi-colon – k. standpoint – l. standstill – m. time – n. verge
j-h-k-k/j-d-g-g		Un point virgule – deux points – un point d'exclamation – un point d'interrogation
h/i	à	J'en étais arrivé à ce point que je ne pouvais plus . . .
l/m		Il est arrivé à point nommé
f/c	au	Il faut mettre cette question au point
g/i		. . . au point que nous soyons obligés de prendre des mesures
h/i	confirmer	Je confirme mon téléphone en tous points
h/a-i-i	de	Le point d'appui – de départ – de vue
a/n	être	Il est sur le point de prendre une grande décision
h/i	insister	Nous insistons particulièrement sur ce point
h/i	jusqu'à	Nous sommes d'accord jusqu'à un certain point
h/f		Jusqu'à quel point pouvons-nous aller?
d/e	mettre	Il est indispensable de mettre les points sur les i
i/b		Cette mise au point était nécessaire
c/h		Nos laboratoires ont mis au point, après de longues recherches, . . .

b/i		Il met son point d'honneur à ne pas . . .
h/i	monter	Le cours de cette valeur est monté de deux points
h/l	mort	Les affaires – les négociations sont au point mort
		Les ventes évoluent favorablement et nous avons dépassé le point mort plus tôt que prévu
h/i	sauf sur	Nous sommes d'accord, sauf sur ce point
e/k	vue	Tant au point de vue de la qualité qu'à celui du prix
e/i		Il mérite confiance à tous les points de vue
	Pointer **Pointage** (m)	a. nachprüfen – b. Nachprüfung (f) a. to check – b. checking
a/a		Pointer les arrivées – les écritures d'un compte
b/b		Le pointage auquel j'ai procédé n'a montré aucune anomalie
	Police (f)	a. Konnossement (n) – b. Police (f) – c. Polizei (f) a. bill of lading – b. police – c. policy
c/c-b		La police du commerce – un règlement de police
b-a/c-a		La police d'assurance – de chargement
b/c		Un avenant à une police
b/c		Etablir – prendre – modifier une police
b/c		Un nantissement sur une police d'assurance sur la vie
b/c		Transférer – annuler une police
	Politique (f)	a. Politik (f) – b. Taktik (f) a. policy
a/a		La politique d'achat – de vente – commerciale
a/a		La politique financière – économique – de plein-emploi
a/a		Nous devons nous en tenir strictement à la politique de prix que nous avons définie
b/a		Il serait de bonne – mauvaise politique d'agir directement sur cette personne
	Polycopier	vervielfältigen – to stencil
		Je vous en enverrai un exemplaire polycopié
		Son discours a été polycopié et peut être obtenu auprès de . . .
	Ponctualité (f) **Ponctuel**	a. pünktlich – b. Pünktlichkeit (f) a. meticulousness – b. prompt(ly)
a/b		Il a toujours été ponctuel dans ses livraisons
b/b		Ses paiements ont toujours été faits avec une rigoureuse ponctualité
b/a		Sa ponctualité au travail n'est pas en cause, mais . . .
	Pool (m)	Interessengemeinschaft (f) – pool
		Un pool d'assureurs (de banquiers) s'est chargé de cette affaire
		Comme nous travaillons en pool, . . .
	Popularité (f) **Populaire**	a. Beliebtheit (f) – b. volkstümlich a. popular

b/a		Une expression – des prix populaires – se rendre populaire
a/a		La popularité dont cet article jouit auprès de nos clients
	Population (f)	a. Bevölkerung (f) a. population – b. public
a/a		La population locale – régionale L'ensemble de la population du pays L'accroissement – la diminution de la population
a/a	densité	La densité de population dans cette région ne justifie pas l'ouverture d'une succursale
a/b	déterminée	Notre campagne de vente – de publicité doit atteindre une population bien déterminée, à savoir ...
	Port (m)	a. franko – b. Hafen (m) – c. Porto (n) a. cash on delivery (COD) – b. carriage – c. port – d. postage
b/c		Le port de chargement – de déchargement
b/c		Le port d'expédition – de destination
b/c		Le port fluvial – de mer – d'escale
b-a/c-b		Le port franc – franco de port
a-c/b-a		Port payé – port à charge du destinataire
c/d		Facturer – payer – rembourser les frais de port
	Portée (f)	a. leisten – b. Tragweite (f) a. affordable – b. effect – c. import – d. reach
a/ad	bourse	Par des prix à la portée de toutes les bourses, ...
b/c	décision	Il est difficile d'évaluer la portée de sa décision
b/b	déclaration	Cette déclaration aura une grande portée
a/d	hors	Pour l'instant, il est hors de portée de ...
b/b	parole	Vous n'avez pas calculé la portée de vos paroles
	Portefeuille (m)	a. Bestand (m) – b. Portefeuille (n) a. portfolio
a/a		Les commandes – les ventes en portefeuille
b/a		Les effets – les valeurs en portefeuille
b/a		Je vous remercie des conseils pertinents que vous m'avez donnés pour constituer mon portefeuille de titres
	Porter	a. auftreten – b. belasten – c. beziehen – d. bezüglich – e. bringen – f. einsetzen – g. entgegenbringen – h. gehen – i. gutschreiben – j. kommen – k. tragen a. to be – b. to bear – c. to bring – d. to come – e. to concern – f. to credit – g. to debit – h. enter – i. to inform – j. to mark – k. to put – l. to show
d/e	commande	Votre commande du ... portant sur la fourniture de ...
e/i	connaissance	Nous avons le plaisir (l'avantage) de porter à votre connaissance que ...
c/e	décision	La décision porte sur ...
k/b	intérêt	Il porte intérêt à ...% dès le ...

g/l		Il n'a porté aucun intérêt à notre proposition
f/h	mémoire	Les machines sont portées pour mémoire au bilan pour Fr. 1.–
k/j	mention	Ce document doit absolument porter la mention: «. . .»
k/j	prix	Cet objet ne porte aucun prix
e/c	production	Nous avons porté la production au maximum
c/e	réclamation	Ma réclamation porte sur votre dernière livraison
j/d	se	Nous nous sommes portés à son secours
h/a		Il se porte bien – mal
a/k		Nous nous sommes portés acquéreurs de . . . pour Fr. . . .
k/b	signature	Je constate que, contrairement aux règles fixées, ce . . . ne porte qu'une seule signature, au lieu de deux
b-i/g-f	somme	Cette somme a été portée au débit – au crédit – de votre compte
	Porteur (m)	a. Inhaber (m) – b. Überbringer (m) a. bearer – b. holder
a/b		Le porteur d'actions – d'obligations
a/a		Les actions – obligations – titres – effets au porteur . . . payables au porteur
b/a		Veuillez remettre au porteur de cette lettre . . .
	Poser	a. anbringen – b. kandidieren – c. stellen a. to apply – b. to ask – c. to consider – d. to install – e. to pose
b-c-c/a-e-b		Poser sa candidature – un problème – une question
c/c		La question ne se pose même pas
a/d		Cet accessoire peut être posé en quelques heures
	Positif	positiv – positive
		Nous aimerions des résultats plus positifs Votre intervention a eu un effet positif
	Position	a. Lage (f) – b. Position (f) – c. Stand (m) – d. Stellung (f) a. balance – b. position – c. situation – d. stand
d-d-b-b/b		Position acheteur – vendeur – à la hausse – à la baisse
c/a	compte	Vous voudrez bien m'indiquer la position de mon compte
a/b	en	Je ne suis pas sûr qu'il soit en position de vous aider
d/b	maintenir	L'essentiel est que nous maintenions notre position
a/c	mettre	Vous m'avez mis dans une position délicate
d/b	occuper	Il occupe une très haute position dans cette entreprise
d/d	prendre	Nous n'avons pas encore pris position dans cette affaire
a/bc	trouver	Dans la position où je me trouve
	Posséder	besitzen – to have
		Posséder un immeuble à . . . – des intérêts dans . . .

		Posséder une certaine aisance – une fortune de . . .
		Il possède toute ma confiance
	Possession (f)	a. Besitz (n)
		a. to acquire – b. to have – c. possession
a/bc	être	Nous sommes en possession de preuves irréfutables
a/a	mettre	Vous serez mis en possession de . . . dès le . . .
a/c	prendre	Nous prendrons possession de nos nouveaux locaux . . .
a/c	rentrer	Je suis enfin rentré en possession de . . .
	Possibilité (f)	a. Möglichkeit (f)
		a. to be able – b. facilities – c. means – d. opportunity – e. possibility
a/a	avoir	Nous n'en avons pas la possibilité à l'heure actuelle
a/e		Y a-t-il quelque possibilité de réussite?
a/c	dépasser	Le devis que vous me soumettez dépasse mes possibilités
a/d	donner	Je serais heureux que vous me donniez la possibilité de . . .
a/b	être	Nos possibilités de fabrication sont limitées et nous vous demandons de . . .
a/e	renseigner	Nous aimerions que vous nous renseigniez sur les possibilités de vendre ces articles dans . . .
a/e	vente	Les possibilités de vente paraissent favorables
	Possible	a. möglich – b. Mögliche (n)
		a. best – b. can (to do what one . . .) – c. possible – d. unable – e. utmost
a/c		Aussitôt que possible – autant que possible
		Le plus tôt (qu'il vous sera) possible – si possible
a/c	détails	Envoyez-moi tous les détails possibles sur . . .
a/c-d	être	C'est possible – cela ne nous est pas possible
a/b-e-a	faire	Il fait le possible – tout ce qui est possible – son possible pour que l'ordre soit . . .
b/c	mesure	Nous le ferons dans la mesure du possible
a/e		Il l'a fait dans la plus large mesure possible
	Postal	a. Post (f)
		a. post – b. postal – c. zip code (US)
a/a-ac		La boîte postale – le numéro postal
a/b		Le service postal – les services postaux
	Poste (f)	a. Post (f)
		a. general delivery (US) – b. mail – c. post – d. poste restante – e. postmark
a/c-e		Le bureau de poste – le cachet de la poste
a/ad		Adresser une lettre poste restante
a/bc		Envoyer un colis par la poste
	Poste (m)	a. Posten (m)
		a. entry – b. item – c. job – d. position – e. post
a/a-b		Tel poste d'un bilan – d'une facture
a/a		Un poste actif – passif – débiteur – créancier

a/d	appeler	Il a été appelé à un poste de confiance
a/a	bilan	Certains postes de votre bilan nous paraissent sur-évalués – sous-évalués
a/b	exploitation	J'ai examiné attentivement les divers postes de ce compte d'exploitation et je n'ai pas de remarques à formuler
a/de	nommer	Il espère être nommé à ce poste de responsable des achats
a/cd	occuper	Je le crois capable d'occuper le poste qu'il sollicite
	Pour	a. betreffen – b. damit – c. Für (n) – d. für – e. nach a. as – b. for – c. pros – d. so – e. worth
d/e	acheter	Il en a acheté pour Fr. 1000.–
a/a	être	Pour ce qui est de cette réclamation, je crois que ...
d/–		Cela n'est pas pour me surprendre
e-d/b	partir	Il part pour la Suisse – il y va pour quinze jours
c/c	peser	J'ai pesé le pour et le contre
b/d	que	Je vous écris pour que vous n'oubliiez pas de ...
	Pour acquit	Betrag (m) (erhalten) – received
		Reçu, pour acquit, la somme de Fr. ...
	Pour cent (m) **Pourcentage** (m)	a. Prozent (n) – b. prozentual a. per cent – b. percentage
a/a	affaire	Je ne suis que pour 20% dans cette affaire
a/a	diminuer	Nos ventes ont diminué de ...% durant le dernier semestre
a/a	escompte	Si vous payez dans les 10 jours, vous bénéficiez d'un escompte de 3%
b/b	fixer	Votre pourcentage est fixé à 30%
a/a	intérêt	L'intérêt est fixé à 5%
a/b	invendu	Quel pourcentage d'invendus avez-vous eu?
a/a	rapporter	Cette opération devrait nous rapporter du ...%
a/a	sûr	L'affaire est sûre à cent pour cent, dit-on
	Pourparlers (m.pl.)	a. Verhandlung (f) a. to negotiate – b. negotiation(s)
a/b	aboutir	Je vous annonce que les pourparlers n'ont pas abouti
a/b	entamer	Il faudrait entamer des pourparlers avec ...
a/b	entrer	Nous sommes entrés en pourparlers avec eux
a/a	être	Depuis longtemps, nous sommes en pourparlers avec eux
a/b	poursuivre	Croyez-vous utile de poursuivre nos pourparlers?
a/b	rompre	Leur intransigeance nous a contraints à rompre les pourparlers
		Les pourparlers ne sont pas rompus, mais suspendus
	Poursuite (f)	a. Betreibung (f) – b. Verfahren (n) – c. verfolgen a. action – b. proceedings – c. to pursue – d. suit
a/bd		Engager – entamer – intenter une poursuite
b/b		Commencer – arrêter les poursuites
c/d		Exercer des poursuites (judiciaires) contre quelqu'un
c/abd		Nous vous mettons en demeure de nous payer Fr. ...

		dans les 10 jours. Passé ce délai, nous serons contraints d'entamer des poursuites contre vous
c/d		Il est depuis dix ans à la poursuite d'une idée
	Poursuivre	a. belangen – b. fortsetzen – c. verfolgen – d. verklagen a. to carry on – b. to plague – c. to pursue – d. to sue
d/d	diffamation	Nous l'avons poursuivi en diffamation
b/c	étude	Je pense qu'il vaut la peine de poursuivre l'étude
a/d	justice	Je le poursuivrai en justice
c/b	malchance	La malchance nous poursuit
b/a	préparatif	Continuez et poursuivez les préparatifs
	Pourvoir	a. bestreiten – b. einlegen – c. sorgen – d. versehen a. to appeal – b. to defray – c. to provide – d. supply
c/c	besoins	Je pourvoirai à ses besoins
d/d	être	Le marché est bien pourvu en marchandises – je suis pourvu de ces marchandises
a/b	frais	Je pourvoirai à tous les frais
d/c	quelqu'un	Je l'ai pourvu de tout ce qui était nécessaire
b/a	se	Nous nous pourvoirons en cassation
	Pousser	a. drängen – b. fördern – c. treiben a. to drive – b. to promote – c. to urge
b/b	article	Nous devons absolument pousser cet article
c/a	nécessité	S'il a agi ainsi, c'est parce qu'il était poussé par la nécessité
a/c	quelqu'un	J'ai poussé mon ami à faire cet achat
b/b	vente	Nous ne poussons pas la vente de cet article
	Pouvoir **Pouvoir** (m)	a. Behörde (f) – b. können – c. Kraft (f) – d. Macht (f) – e. Vollmacht (f) a. to be able – b. authorities – c. power
d/c		Un pouvoir limité – illimité – arbitraire – restreint
d/c		Un abus de pouvoir – un pouvoir absolu – excessif
d-a/c-b		Les pouvoirs politiques – les pouvoirs publics
c/c		L'accroissement – la diminution du pouvoir d'achat
d/c	aider	Je vous aiderai de tout mon pouvoir
b/a	arriver	L'accident aurait pu arriver à n'importe qui Il peut arriver que nous ayons une telle occasion
e/c	avoir	Vous avez pleins pouvoirs dans cette affaire
b/a	dire	Puissiez-vous dire la vérité?
e/c	donner	Je donne pouvoir à M. . . . de me représenter
d/c	être	Je crois que c'est en dehors de mon pouvoir
e/c	limite	J'ai agi dans la limite des pouvoirs qui m'étaient concédés
b/a	n'y	Je n'y peux rien, veuillez bien le croire
e/c	recevoir	Vous recevrez pleins pouvoirs pour agir en notre nom
d/c	tout	Je ferai tout ce qui est en mon pouvoir pour vous aider
	Pratique (f)	a. Erfahrung (f) – b. Fachausdruck (m) – c. Gepflogenheit (f) – d. praktisch – e. Praxis (f)

		a. business – b. experience – c. practical – d. practice – e. procedure – f. usage
c/d		La pratique courante – usuelle – fâcheuse
d-b/c-e		Les considérations pratiques – le terme de pratique
e/f		La pratique commerciale – bancaire
e-d/a-c		Les gens de la pratique – les gens pratiques
a/b	acquérir	J'ai acquis quelque pratique de ce genre d'opérations
a/b	affaires	Il a une longue pratique des affaires
d/c	connaissance	Sa connaissance pratique du métier est parfaite
a/b	manquer	Je sais que la pratique me manque, mais ...
e/d	mettre	Je saurai mettre en pratique les excellents conseils que vous m'avez donnés
e/d	perfectionner	Il s'est perfectionné dans la pratique de ...
e/d	théorie	Il y a loin de la théorie à la pratique
	Pratiquer	a. betreiben – b. praktizieren – c. verlangen – d. vorgehen a. to operate – b. to practise – c. practise
d/a		Voici comment nous pratiquons d'ordinaire: ...
c/c		Les prix que vous pratiquez ne peuvent nous convenir
b/c		Je ne pratique plus
a/b		Avant de ..., j'ai pratiqué divers métiers
	Préalable	a. Vorankündigung (f) – b. vorher – c. Vorvertrag (m) a. beforehand – b. preliminary – c. prior
b/a		Au préalable, il nous faut établir un devis
a/c		N'agissez pas sans avis préalable de notre part
c/b		Un accord préalable peut être envisagé sur cette base
	Préavis (m)	a. Beurteilung (f) – b. Vorankündigung (f) – c. Voranmeldung (f) a. initial reaction – b. notice – c. warning
a/a		Le préavis de notre directeur est favorable – réservé
c/b		Nous lui avons demandé un préavis
b/c		Sans aucun préavis, il a brusquement changé d'opinion
	Précaution (f)	a. Vorkehrung (f) – b. Vorsicht (f) a. care – b. precaution
a/b		Les précautions utiles – inutiles – superflues
b/a	avec	Il faut manipuler les caisses avec précaution
b/b	s'entourer	Nous devons nous entourer de toutes les mesures de précaution
b/b	prendre	Nous prendrons les mesures de précaution qui s'imposent
	Précéder **Précédent** (m) **Précédemment**	a. dagewesen – b. Präzedenzfall (m) – c. vorausgehen – d. vorher a. aforementioned – b. before – c. earlier – d. precedent
b/d	constituer	Cela ne saurait constituer un précédent

d/c	convenir	Nous avions précédemment convenu que . . .
b/d	créer	Nous n'avons pas voulu créer un précédent
b/d	invoquer	Vous ne pouvez pas invoquer un précédent
c/b	jour	Il est arrivé le jour précédent
a/d	sans	C'est un fait sans précédent(s)
c/a	sur	Nous attirons votre attention sur ce qui précède
	Précieux	a. edel – b. wertvoll a. invaluable – b. precious – c. valuables
b-a/c-b		Les objets – les métaux précieux
b/a		Votre aide m'a été précieuse
	Précipiter **Précipitation** (f)	a. stürzen – b. übereilt – c. überstürzen – d. Überstürzung (f) a. haste – b. hastily – c. to rush
c/c		Nous avons le temps, ne précipitons rien
a/c		La clientèle s'est précipitée sur cette nouveauté
d/a		Toute précipitation pourrait être nuisible à nos intérêts
b/b		Vous avez agi avec beaucoup trop de précipitation
	Préciser **Précision** (f) **Précis**	a. Angabe (f) – b. bestimmt – c. genau – d. korrekt – e. präzisieren – f. Präzisierung (f) a. clearly – b. exact – c. to explain – d. information – e. prompt – f. sharp – g. specific
a/d	apporter	Vous nous avez apporté des précisions utiles
d/e	dans	Il est très précis dans ses paiements
e/c	détail	Nous vous demanderons de préciser certains détails
c/f	heure	Il sera ici à midi précis – à deux heures précises
c/a	manière	Ne pourriez-vous pas vous exprimer d'une manière plus précise
a/d	manquer	Nous manquons encore de certaines précisions et vous les communiquerons dès qu'elles seront en notre possession
b/g	raison	Il n'a donné aucune raison précise de . . .
f/g	sans	Nous ne pouvons agir sans précision de votre part
c/b	terme	On ne pouvait dire cela en termes plus précis
c/g		Un terme précis avait été fixé pour la réponse
	Préconiser	empfehlen – to recommend Préconiser une solution – l'emploi de . . .
	Prédécesseur (m)	Vorgänger (m) – predecessor Nous espérons que vous voudrez bien nous accorder la même confiance qu'à nos prédécesseurs
	Préemption (f)	Vorkaufsrecht (n) – preemption Nous renonçons à exercer notre droit de préemption
	Préfabriquer **Préfabrication** (f)	a. Vorfabrikation (f) – b. vorfabrizieren a. to prefabricate
b/a		Les . . . sont préfabriqués en usine et montés sur place par nos spécialistes
a/a		Grâce à une préfabrication poussée, nous pouvons vous proposer des prix très avantageux

	Préférable	a. besser a. better – b. preferable
a/b		Il serait préférable de ne pas en parler
a/a		Cette solution est préférable à la première
a/b		Il est préférable que nous nous mettions d'accord sur . . .
	Préférence (f)	a. bevorzugen – b. Vorzug (m) – c. vorzugsweise a. preferably – b. preference – c. preferred – d. priority
b/c-d		Les actions – les droits de préférence
b/b	accorder	Nous vous accorderons la préférence si vos prix sont plus avantageux que ceux de la concurrence
c/a	de	Nous les achetons de préférence en France
b/b	donner	Si vous nous donnez la préférence, vous pouvez être certain que vous serez bien servi
a/b	pour	Nous avons une préférence pour les marques anglaises
a/b	remercier	Nous vous remercions de la préférence que vous avez accordée à nos produits
	Préférer	vorziehen – to prefer
		Nous préférerions que vous nous indiquiez des prix nets
		Nous préférons acheter en compte ferme
		Je préfère ces articles à ceux de fabrication étrangère
		Je préfère m'abstenir de le rencontrer
	Préjudice (m)	a. Nachteil (m) – b. Schaden (m) – c. unbeschadet a. detriment(al) – b. expense – c. loss – d. prejudice
a/ab	au	Cela s'est fait au préjudice de . . .
b/a	causer	Ce retard dans la livraison me cause un grand préjudice
a/b	différence	La différence à mon préjudice est de . . . francs
b/a	porter	Votre manière de traiter les affaires me porte un grave préjudice
b/c	quant	Nous faisons dès maintenant toutes réserves quant au préjudice que nous subirons par votre faute
b/c	réparer	Il est entendu que nous réparerons tout préjudice que vous auriez pu subir par notre faute
c/d	sans	. . . sans préjudice de mes droits
	Préjudiciable	a. abträglich a. detrimental – b. harmful
a/a-b-a		Préjudiciable à mon crédit – mes intérêts – ma réputation
	Prélever **Prélèvement** (m)	a. Abhebung (f) – b. berechnen – c. entnehmen – d. Steuer (f) a. to deduct – b. deduction – c. levy – d. to take
b-c/a-d		On prélève une commission sur – un échantillon sur (de)

d/c		Le prélèvement sur la fortune – le capital
a/b		Un prélèvement de Fr. . . . sur mon compte no . . .
	Premier	a. Erste (m) – b. erste a. first
a/a	être	Il est le premier à essayer le produit – notre modèle
b/a	lieu	En premier lieu, j'amerais savoir si . . .
b/a	plan	C'est un homme de premier plan
a/a	tout	Vous en bénéficierez, vous le tout premier
a/a	venu	Il n'est pas le premier venu
	Prémunir (se)	absichern (gegen) – (to take) precautions
		Il faut vous prémunir contre une baisse probable
		Je souhaite me prémunir contre les risques de . . .
	Prendre	a. abholen – b. Anklang (m) – c. anstellen – d. belegen – e. berücksichtigen – f. entgegenbringen – g. entweder – h. erheben – i. gut – j. halten – k. machen – l. nehmen – m. patentieren – n. teilnehmen – o. verhalten – p. vormerken a. to buy – b. to catch on – c. to do – d. to get – e. to pick up – f. to take – g. to try
b-i/b-	bien	Cet article prend bien – bien lui en a pris
l/d	billet	Vous me prendrez un billet de 1ère classe
m/f	brevet	Prendre un brevet pour protéger une invention
d/d	chambre	Prenez-moi une chambre tranquille, avec bain
c/f	comme	Je vous prendrai comme secrétaire, si vous pouvez . . .
h/d	commission	Je prends une commission de . . .% sur toute vente
e/f	en compte	Je prends également en compte cet aspect du problème
l/f	exemple	Si je prends comme exemple . . ., je constate que . . .
a/e	faire	Nous avons fait prendre les marchandises en gare de . . et les avons réexpédiées par . . .
l/a	ferme	Veuillez prendre ferme pour mon compte . . . caisses de . . .
f/f	intérêt	Nous avons pris un très vif intérêt à votre démonstration
g/f	laisser	C'est à prendre ou à laisser
p/f	note	Nous avons dûment pris note de . . .
e/f	offre	J'espère que vous prendrez mon offre en considération
n/f	part	Veuillez m'excuser de ne pouvoir prendre part à la prochaine séance
a/de	passer	Ne vous dérangez pas, je passerai le prendre
j/f	pour	Je l'ai pris pour son frère – pour un honnête homme
o/c	savoir	J'espère que, grâce à ces indications, vous saurez comment vous y prendre pour . . .
l/f	sérieux	Il m'est impossible de le prendre au sérieux
l/f	sur	J'ai pris sur moi de payer la différence
l/f	temps	Prenez tout votre temps, rien ne presse
k/g	y	Nous avons dû nous y prendre à deux fois pour . . .

	Preneur (m)	a. Käufer (m) – b. Mieter (m) – c. Versicherungsnehmer (m)
		a. assuree – b. buyer – c. lessee – d. to take
c-b/a-c		Le preneur d'assurance – le preneur et le bailleur
a/b	avoir	J'ai preneur à Fr. 1000.– – au prix que vous avez fixé
b/c	bail	Les frais de bail sont à la charge du preneur
a/d	être	Je suis preneur de tout le lot
b/c	réparation	Les réparations de ce genre sont à la charge du preneur
a/b	trouver	Croyez-vous que nous trouverons preneur à ce prix?
	Préoccuper	a. beunruhigen – b. Sorge (f)
	Préoccupation (f)	a. cares – b. concern – c. to worry
a/c		Nous nous préoccupons beaucoup du résultat
a/c		Ce qui me préoccupe, c'est l'attitude de ...
b/a		Certaines préoccupations matérielles nous obligent à ...
b/b		Notre seule préoccupation est de ...
	Préparatif (m)	Vorbereitung (f) – preparation
	Préparation (f)	
		Nous avons fait les préparatifs de départ
		Nous nous sommes occupés personnellement de la préparation de l'envoi
		C'est une préparation facile à faire
	Préparer	a. vorbereiten
		a. to be (up to) – b. to draw up – c. making (to be in the) – d. to organize – e. to prepare
a/e		Préparer une commande – un envoi – une expédition
a/b-d		Préparer une facture – une liste – une réunion
a/c		De graves événements se préparent
a/c-a		Nous ne savons ce qui se prépare – ce qu'il prépare
a/e		Nous nous préparions à partir quand ...
	Près	a. abgesehen – b. genau – c. Nähe (f) – d. ungefähr
		a. about – b. apart – c. close(ly) – d. near(ly)
a/b	à	A cela près que nous ne classons pas l'affaire
d/a		Nous avions la même idée à peu de chose près
d/d		Il avait à peu près la même idée que moi
b/–	de	Je ne le connais ni de près ni de loin
d/d	être	Il était près de midi lorsque nous nous sommes quittés
b/c	examiner	Je ferai examiner cet échantillon de (plus) près
c/cd	habiter	Il habite près de mon domicile – près de chez moi
b/c	regarder	Je n'y regarde pas de si près
	Prescription (f)	a. Verjährung (f) – b. Vorschrift (f) – c. Weisung (f)
		a. instructions – b. limitation – c. regulations
c/a	agir	Nous avons agi conformément à vos prescriptions
b/c	appliquer	Les prescriptions en vigueur s'appliquent aussi à votre cas
b/c	contraire	Ce que vous avez fait est contraire aux prescriptions

a/b	délai	Le délai de prescription est passé
a/b	interrompre	C'est le seul moyen d'interrompre la prescription
a/b	invoquer	Il ne vous est pas possible d'invoquer la prescription
b/c	sécurité	Les prescriptions de sécurité sont rigoureuses
c/a	suivre	Il faut que vous suiviez nos prescriptions à la lettre
	Prescrire	a. festsetzen – b. geben a. to lay down – b. to stipulate
a/b	date	Les ... ne nous sont pas parvenus à la date prescrite
a/b	délais	Vous avez répondu hors des délais prescrits, il ne nous est donc pas possible de tenir compte de votre ...
b/a	directive	Nous vous prescrirons d'autres directives en temps voulu
	Présence (f)	a. Anwesenheit (f) – b. blicken (lassen) – c. Geistesgegenwart (f) – d. Präsenz (f) a. appearance – b. attendance – c. presence
d/b		La feuille – le livre – le registre – le jeton de présence
b/a	acte	J'ai fait acte de présence
a/c	en	Le contrat a été signé en présence de ...
c/c	esprit	Il a montré une grande présence d'esprit
a/c	exiger	Cette affaire exige la présence de tous les intéressés
	Présent	a. anwesend – b. jetzt – c. vorliegend a. now – b. present – c. there – d. this
b/a		Dès à présent – jusqu'à présent – à présent que
c/d-bd		Dans le cas présent – dans les circonstances présentes
c/d		Le présent accord – la présente convention
a/b		Il était présent dès le début des manifestations
	Présenter	a. anlassen – b. aufweisen – c. bieten – d. darlegen – e. eintreten – f. erscheinen – g. präsentieren – h. vor ... a. to come – b. to have – c. to introduce – d. to look – e. to offer – f. to present – g. to put forward – h. to show
a/d	affaire	L'affaire se présente bien – mal
g/f	article	C'est un article bien – mal présenté
e/a	cas	Si le cas se présente, je vous écrirai
h/e	choix	Nous pouvons vous présenter un choix très varié de ...
d/g	conclusions	Les conclusions que le rapporteur a présentées
h/h	création	Je vous présenterai les dernières créations de ...
h/f	document	Les documents devront nous être présentés
h/c	être	J'ai été présenté au directeur
h/f	excuse	Je lui ai présenté mes excuses
b/b	lacune	Le projet présente des lacunes graves
c/f	occasion	Si l'occasion se présente, dites-le moi
c/a	pouvoir	Il pourrait se présenter une autre solution
h/f	projet	Je vous présente un projet que j'ai longuement étudié

g/f	traite	Présenter une traite à l'acceptation – au paiement – à l'échéance
f/a	voyageur	Notre voyageur se présentera chez vous pour ...
	Préserver	bewahren – to protect
		Préserver d'un dommage – de l'humidité
	Présidence (f) **Président** (m)	a. Generaldirektor (m) – b. Präsident (m) – c. Vorsitz (m)
		a. to chair – b. chairman – c. President
c/a		La réunion se tiendra sous la présidence de M. ...
c/b		Je vous propose que nous nommions à la présidence M. ...
b/bc		Le discours du Président a mis en relief que ...
a-b/b-c		Le président directeur général – le président du conseil
	Presse (f)	a. Druck (m) – b. Hochbetrieb (m) – c. Presse (f)
		a. press – b. rush
c/a	avoir	Cette décision a bonne – mauvaise presse
c/a	campagne	Une vaste campagne de presse appuyera le lancement de notre nouveau modèle
a/a	livre	Nous avons deux livres sous presse
b/b	moments	Dans les moments de presse de fin d'année, nous ne pouvons pas ...
c/a	service	Le service de presse était bien organisé
	Pressentir	a. vermuten – b. vorfühlen
		a. to approach – b. feeling – c. to point
a/b		Nous pressentons une baisse – une hausse prochaine
a/c		Cet incident fait (laisse) pressentir un changement
b/a		Je l'ai pressenti, mais il n'a pas donné de réponse précise
	Presser	a. bedrängen – b. dringend – c. dringlich – d. eilig
		a. hurry – b. to ply – c. to press – d. urgent
b/a	avoir	Il n'y a rien qui presse
d/d	courir	Nous avons couru au plus pressé
d/a	de	Il n'est pas pressé d'expédier – de payer
a/b		Nous l'avons pressé de questions
c/d	démarche	Nous avons fait une démarche pressante auprès de lui
d/c	être	Nous sommes très pressés et désirons que ...
d/a		Vous vous êtes trop pressé d'acheter
a/c		Il est pressé par ses créanciers – par le temps
b/d	travail	Ce travail ne presse pas
	Pression (f)	a. Druck (m) – b. Interessengruppe (f)
		a. lobby – b. pressure
b-a/ab-b		Un groupe de pression – subir une pression
a/b		Il a essayé de faire pression sur nous
	Prestation (f)	a. Leistung (f)
		a. payment – b. services

a/a		Les prestations en espèces – en capitaux – en nature
a/b		Les prestations fournies par ... nous ont donné toute satisfaction
	Présumer	a. annehmen – b. überschätzen a. to assume – b. to overestimate – c. to presume
a/c		Il est à présumer que nous ne serons pas payés
a/ac		Je présume que vous aimeriez recevoir les marchandises
b/b		Il a trop présumé de lui – de ses forces
a/a		Nous présumons que vous êtes d'accord avec ...
	Prêt (m)	Darlehen (n) – loan Le prêt à court – moyen – long terme Le prêt en nature – en espèces – d'honneur Le prêt sur gage – sur (contre) nantissement Le prêt hypothécaire – sur titres
	conclure	Le prêt que nous avons pu obtenir a été conclu à des conditions très favorables
	consentir	Pouvez-vous me consentir un prêt de Fr. ... pendant ... ans, remboursable par tranches de Fr. ... chaque année et garanti par ...
	rembourser	Vous deviez nous rembourser Fr. ... à la date du ...
	Prêt (être)	bereit – ready Je suis prêt à vous aider – à vous être utile Je suis prêt à entrer en relations avec vous La marchandise sera prête pour le 10 – dans huit jours
	Prête-nom (m)	Strohmann (m) – figurehead J'ai tout lieu de croire que M. ... n'agit qu'à titre de prête-nom, c'est pourquoi j'aimerais bien savoir qui est (se cache) derrière cette affaire
	Prétention (f)	a. anmassen – b. Anspruch (m) a. to claim – b. claim
b/b		Des prétentions modérées – raisonnables – légitimes Des prétentions absurdes – ridicules – excessives
b/b	abandonner	Il a abandonné toutes ses prétentions contre nous
a/a	avoir	Il a la prétention de nous faire payer les dégâts
b/b	élever	Il a élevé des prétentions exagérées
b/b	fonder	Sur quoi peut-il bien fonder de telles prétentions?
	Prêter	a. eignen – b. leihen – c. schenken – d. teilnehmen – e. zugänglich a. to give – b. to lend – c. to listen – d. loan – e. to open – f. to pay
b/b		Prêter de l'argent – prêter sur gages – sur marchandises
b/a	appui	Je vous demande de bien vouloir me prêter votre appui
c/f	attention	Il n'a prêté aucune attention à ce que je lui ai dit

b/a	concours	Pourriez-vous, dans ces circonstances, nous prêter votre concours?
a/–	développement	Ces affaires se prêtent à un grand développement
e/e	interprétation	Ses paroles se prêtent à plusieurs interprétations
c/c	oreille	Il ne faut pas prêter l'oreille à de tels commérages
d/–	se	Je ne me prêterai pas à cette combinaison
b/d	à titre	Nous vous prêtons ce . . . à titre gracieux pendant . . . jours, afin que vous puissiez en faire l'essai
	Prêteur (m)	a. Darlehensgeber (m) – b. Pfandleiher (m) a. lender – b. pawnbroker
b-a/b-a		Un prêteur sur gages – le prêteur et l'emprunteur
	Prétexte (m)	a. Fall (m) – b. Vorwand (m) a. account – b. pretext
b/b	donner	Le prétexte qu'il a donné n'était pas valable
b/b		Cela a donné prétexte à de longues discussions
b/b	être	Méfiez-vous, ce n'est qu'un prétexte pour ne pas payer
a/a	sous	Ne le faites sous aucun prétexte
b/b	tirer	Il tire prétexte de votre silence pour . . .
b/b	trouver	Il trouvera bien un prétexte à invoquer
	Preuve (f)	a. bewähren – b. Beweis (m) – c. beweisen a. evidence – b. experienced – c. proof – d. to show – e. to test
b/ac		Une preuve écrite – évidente – convaincante
b/ac-ac-a		Une preuve directe – indirecte – matérielle
b/ac		Une preuve discutable – irréfutable
b/ac		Le défaut de preuves – les moyens de preuve
b/c		Jusqu'à preuve du contraire – sauf preuve contraire
b/c	accuser	Il nous a accusé sans preuves suffisantes
b/a	avoir	Nous avons de nombreuses preuves à l'appui
b/c	certaine	C'est une preuve certaine de la grande valeur de cet article
b/c	de	Une preuve de confiance – du désir de – de gratitude
b/c	donner	Il nous a donné tant de preuves de son dévouement
b/c		Pourriez-vous donner la preuve du contraire?
c/d	faire	Il a fait preuve de courage – de souplesse – d'habileté
c/d		Il a fait preuve de son innocence
a/b-e		Cet homme – cette machine a fait ses preuves
b/ac	fournir	Il est nécessaire que vous puissiez nous fournir des preuves de ce que vous avancez pour que nous soyons à même d'intervenir
b/a	réfuter	Il n'est pas difficile de réfuter ses preuves
	Prévaloir	a. berufen – b. durchsetzen a. to assert – b. to exercise
a/b		Il se prévaut d'un droit acquit – imaginaire
b/a		Il a su faire prévaloir son idée – ses droits
	Prévenance (f)	a. rücksichtsvoll – b. zuvorkommend a. considerate – b. gentle – c. thoughtful

b/ac		Il a eu de grandes prévenances pour moi
a/b		Faites-le lui comprendre, mais avec prévenance
	Prévenir	a. benachrichtigen – b. mitteilen – c. vermeiden – d. warnen a. to inform – b. to let someone know – c. to prevent – d. to warn
a/b	d'avance	Je vous préviendrai dix jours d'avance
a/b	dès que	Je me rendrai à . . ., dès que vous me préviendrez
a/b	devoir	Vous auriez dû me prévenir à temps
c/c	erreur	Afin de prévenir toute erreur – tout malentendu
a/a	par	Vous serez prévenu par lettre – par télégramme
b/d	que	Je vous préviens qu'il ne faut pas attendre pour . . .
a/a	temps	Vous serez prévenu en temps utile
d/d	voilà	Me voilà prévenu, je vous en remercie
	Prévision (f)	a. Erwartung (f) – b. Hinblick (m) – c. Voranschlag (m) – d. Voraussicht (f) – e. Vorhersage (f) a. anticipation – b. estimate – c. expectation – d. forecast – e. likelihood
c-e/b-d		Les prévisions budgétaires – les prévisions du temps
e/d		Des prévisions en hausse – en baisse
a/c	contrairement	Contrairement à nos prévisions, la baisse ne s'est pas produite
e/d	d'après	D'après les prévisions des spécialistes, il faut s'attendre à . . .
a/c	dépasser	Les résultats dépassent les prévisions les plus optimistes Les frais de cette installation ont dépassé nos prévisions
b/a	en	En prévision de la saison prochaine, nous avons acheté . . .
a/c	répondre	Le résultat n'a pas répondu à nos prévisions
a/d	réviser	Il y a lieu de réviser les prévisions de vente qui ne tenaient pas compte de . . .
d/e	selon	Selon toute prévision, la vente n'aura pas lieu
	Prévoir	a. erwarten – b. voraussehen – c. vorsehen a. to anticipate – b. to expect – c. to foresee – d. to plan – e. to point to – f. to provide for – g. to set aside
a/a	avoir	Nous avons prévu une perte de Fr. . . .
c/f	budget	Cette dépense n'était pas prévue au budget
b/a	difficile	Il est difficile de prévoir tous les cas
a/c	difficulté	Nous prévoyons encore quelques difficultés jusqu'à ce que . . .
c/f	être	Est-ce prévu dans le contrat?
a-c/b-d		C'était à prévoir – ce n'était pas prévu
b/a	facile	Il n'est pas facile de prévoir les suites de . . .
a/e	laisser	Sa lettre laisse prévoir un changement d'attitude
c/f	par	C'est prévu par la loi – par notre contrat
c/g	pour	La somme prévue pour cet achat est de . . .

b/b	résultat	On pouvait prévoir ce résultat
b/c	si	Si j'avais pu le prévoir, j'aurais ...
	Prévoyance (f)	a. Reserve (f) – b. Sozialversicherung (f) – c. Unterstützung (f) – d. Vorsorge (f) a. foresight – b. pension – c. social security
b-a/c		La prévoyance sociale – les fonds de prévoyance
c/b		Cotiser à une caisse de prévoyance
d/a		Sa prévoyance a été prise en défaut
	Prier	bitten – please (il est préférable de remplacer prier par demander, sauf dans les formules de salutations)
–/–	agréer	Nous vous prions d'agréer, Monsieur, l'expression de nos sentiments distingués
–/–	croire	Nous vous prions de croire à nos sentiments les meilleurs
	faire	Je vous prie de faire le nécessaire pour que ...
	note	Je vous prie de prendre bonne note de cette modification
	vouloir	Nous vous prions de bien vouloir nous dire ...
	Prime (f)	a. Agio (n) – b. gefragt sein – c. Option (f) – d. Prämie (f) – e. Terminmarkt (m) – f. zunächst a. bonus – b. first – c. option – d. premium
d/d		La prime d'assurance – la ristourne de prime
d/a		Une prime d' (à l') exportation – importation
d/d		Une hausse – une baisse de prime
a-d/d		La prime d'émission – de remboursement
d/d		Le pour cent – le taux de la prime
d-a/d		Une prime de risque – de change
e-d/c		Un marché – une opération à prime
c/c		Lever – abandonner la prime
f/b	de	De prime abord, je ne l'ai pas cru
d/a	donner	Nous donnons en prime – comme prime
b/d	faire	Cet article fait prime sur le marché
d/d	supplémentaire	Cette prime supplémentaire couvre les risques de réexpédition du port à l'intérieur, par rail, eau ou route
	Primordial	a. unerlässlich a. essential – b. prime
a/b		C'est une nécessité primordiale pour notre entreprise
a/a		Il est primordial que vous leviez d'abord cet obstacle
	Principal	a. Haupt (n) a. main – b. party – c. senior
a/c-b		L'associé principal – le principal intéressé
a/a		Le but principal – la question principale
	Principe (m)	a. grundsätzlich – b. Prinzip (n) a. principle – b. rule
b/a	accord	La discussion a abouti à un accord de principe
a/b	avoir	Nous avons pour principe de vendre au comptant

a/a	en	Nous sommes d'accord en principe avec votre manière d'envisager l'opération
b/a	être	Notre principe est de nous conformer à ...
a/a	par	Par principe, nous ne livrons que contre paiement à réception de la marchandise
b/a	question	J'en fais une question de principe
	Priorité (f)	a. Priorität (f) a. preference – b. priority
a/a-b		Une action de priorité – un droit de priorité
a/b		Avoir – réclamer la priorité – jouir de la priorité
	Prise (f)	a. Abnahme (f) – b. herausfordern – c. kämpfen – d. Mitnahme (f) – e. Übernahme a. ex – b. to expose – c. to grapple – d. pick-up – e. to take
d-a/e-d		La prise de bénéfice – la prise de marchandises
a/a	au dépôt	Le prix s'entend marchandise prise au dépôt – à l'usine
e/e	charge	Vous êtes responsable de la prise en charge
b/b	donner	Nous ne voulons pas donner prise à la critique
c/c	être	Nous sommes aux prises avec de grandes difficultés
e/e	ferme	La prise ferme de tout le lot devrait entraîner une certaine baisse du prix unitaire
	Priver	a. bringen – b. hören – c. öffentlich – d. privat – e. verzichten a. to deprive – b. to do without – c. not to (hear from) – d. home – e. not to mind – f. personnal – g. private
d/d-g		L'adresse privée – le numéro de téléphone privé
d-d-c-d/fg-f-g-g		Une affaire – une lettre – une séance – la vie privée
b/c	de	Je suis privé de ses nouvelles depuis très longtemps
e/a		Nous ne voulons pas nous priver de cet argument
a/e	en	Si je ne vous en prive pas, ...
e/b	se	J'ai été obligé de me priver de sa collaboration
	Privilège (m)	a. Gläubigerpfandrecht (n) – b. Privileg (n) – c. Vorzug (m) a. charter – b. preferential claim – c. privilege – d. privileged
b-a/a-b		Le privilège d'une banque – d'un créancier
c/c	accorder	Pourriez-vous nous accorder le privilège d'une entrevue?
c/c	avoir	Nous avons le privilège de compter parmi nos bons clients M. ...
b/c	jouir	Il jouit d'un privilège discuté – discutable – injuste
b/c	user	J'userai de mon privilège
	Privilégié	a. privilegiert – b. Vorzug (m) a. preference (GB) – b. preferential (GB) – c. preferred (US)
b-a/ac-bc		Une action privilégiée – un créancier privilégié

	Prix (m)	a. Preis (m) – b. unerschwinglich a. cost – b. price
a/b		Acheter – vendre – céder au prix de . . . Augmenter – hausser – baisser – changer le prix Elever – maintenir – diminuer le prix Demander – débattre – offrir – obtenir un prix L'achat – la vente au prix de . . . L'augmentation – la baisse – le changement de prix La majoration – la réduction – la montée des prix Le prix d'achat – de vente – de fabrique Le prix à l'exportation – à l'importation Le prix de gros – de détail – de revendeur – coûtant Le prix en vigueur – le prix de catalogue Le prix indiqué – mentionné – facturé – convenu Le prix brut – net – brut pour net Le prix au comptant – à . . . jours – à terme Le prix ancien – actuel – futur Le prix d'émission – de souscription Un prix est avantageux – acceptable – abordable – surfait – correct – exceptionnel – excessif – modéré
a/b	à	Nous ne vendons à aucun prix
a/b	acheter	Il achète à bas prix – au prix de . . . – à n'importe quel prix
a/b	aller	J'irai jusqu'à ce prix, mais pas plus loin
a/b	atteindre	Ces marchandises ont atteint des prix excessifs
a/b	baisser	Les prix baissent – je baisse mon prix
a/b	comparer	Nos prix peuvent être comparés favorablement avec ceux de la concurrence
a/b	comprendre	Les prix comprennent la commission de 3%
a/b	connaître	Nous aimerions connaître vos prix et vous demandons de nous faire une offre pour . . .
a/b	consentir	Le prix que je vous ai consenti est très avantageux
a/–	coûter	Ces marchandises coûtent des prix fous
a/b	dépasser	Les prix dépassent les limites acceptables
a/b	s'entendre	Nos prix s'entendent pour marchandises prises en fabrique
b/b	être	La marchandise est hors de prix
a/b	étudier	Nous avons étudié vos prix et regrettons de ne pouvoir donner une suite favorable à votre proposition
a/b	facturer	Quel prix me factureriez-vous pour 1000 . . .
a/b	faire	Faites-moi votre tout dernier prix
a/b	imposer	Nos prix sont imposés et nous ne pouvons pas les modifier
a/b	maintenir	Nous avons réussi à maintenir nos prix de l'année dernière
a/b	marquer	Les prix sont marqués sur chaque colis
a/b	minima	Les prix minima, au-dessous desquels vous ne devez pas descendre – pas vendre
a/b	modification	. . . toute modification de prix restant réservée
a/b	obtenir	Nous avons pu obtenir un prix intéressant

a/b	osciller	Les prix oscillent entre ... et ... suivant la ...
a/b	proposer	Il faut que vous me proposiez des prix qui me permettent de lutter contre la concurrence
a/b	en rapport	Vos prix sont peu en rapport avec ...
a/b	retrouver	Des prix que vous ne retrouverez pas avant longtemps
a/b	subir	Les prix n'ont pas subi de changement depuis ...
a/b	tomber	Les prix sont tombés si bas que nous pouvons ...
a/b	valable	Ces prix sont valables jusqu'à épuisement du stock
a/a	vendre	Je le vendrai à tout prix
	Prix courant (m)	a. Preisliste (f) a. catalogue – b. price list
a/b-b-a		Le prix courant ci-joint – détaillé – illustré
a/ab		Envoyer un prix courant – figurer sur le prix courant
a/ab		Je vous prie de m'adresser votre dernier prix courant
	Probabilité (f) **Probable**	a. wahrscheinlich – b. Wahrscheinlichkeit (f) a. likely – b. probability – c. probable
b/b		Le calcul des probabilités – les probabilités de réussite
b/b		Selon toute probabilité, nous ne pourrons pas livrer avant ...
a/c		Il n'est guère probable que nous le recevions à temps
a/c		Il est peu probable qu'il soit d'accord de ...
a/a		Il est plus que probable que les prix augmentent
b/b		C'est une probabilité qui mérite étude
	Procédé (m)	a. Höflichkeiten (f.pl.) – b. Verfahren (n) – c. Verhalten (n) a. behaviour – b. procedure – c. process – d. services
a-b/d-b		Un échange de bons procédés – des procédés familiers
c/b		Un procédé (in)correct – (dé)loyal – (mal)honnête
b/b	application	L'application d'un tel procédé est délicate – difficile
c/ab	attendre	Nous ne nous attendions pas à de tels procédés
c/a	avoir cours	De tels procédés n'ont pas cours entre honnêtes gens
b/c	fabrication	Notre procédé de fabrication élimine totalement ce risque – ce défaut – cet inconvénient
b/b	grâce	Grâce aux nouveaux procédés employés – utilisés ...
c/a	justifier	On ne saurait justifier des procédés aussi cavaliers
c/a	tolérer	Nous ne pouvons pas tolérer de tels procédés
	Procéder	a. vorgehen – b. vornehmen a. to conduct – b. to do – c. to proceed
b/c	augmentation	Cette société va procéder à une augmentation de capital
b/c	déballage	Nous avons procédé au déballage des caisses en présence de ... et avons constaté que ...
b/a	enquête	Nous avons procédé à une enquête pour savoir si ...

b/–	essai	Notre technicien procédera à un essai de mise sous tension – de mise en activité dès le . . .
a/b	façon	Votre façon de procéder n'est pas correcte – franche
b/c	révision	Nous procéderons à la révision de votre . . . durant la semaine du . . . au . . .
	Procédure (f)	a. Prozess (m) – b. Verfahren a. procedure – b. proceedings
a-a-a-b/b-b-a-a		Le dossier – les frais – le terme – le vice de procédure
	Procès (m)	a. kurzerhand – b. Prozess (m) – c. Verfahren (n) a. ado – b. case – c. court – d. lawsuit – e. proceedings – f. trial
b-c-b/e-b-f		Les frais – la révision du procès – le procès pendant
b/c	ajourner	Le procès a été ajourné
b/d	être	Nous sommes en procès avec le fabricant de . . .
b/f	gagner	Nous avons gagné – perdu notre procès
b/e	intenter	S'il le faut, je vous intenterai un procès
b/d	menacer	Je n'ai pas peur qu'il me menace d'un procès
a/a	sans	Il l'a renvoyé, sans autre forme de procès
b/bf	terminer	Comment ce procès se terminera-t-il?
b/bf	traîner	Leurs avocats font traîner le procès
	Procès-verbal (m)	a. Protokoll (n) – b. verwarnen a. minutes – b. ticket
a/a	approuver	Le procès-verbal de notre assemblée du . . . a été approuvé sans opposition
b/b	dresser	Dresser un procès-verbal à un automobiliste
a/a	inscrire	Veuillez inscrire mon intervention au procès-verbal
a/a	lire	Le procès-verbal a été lu et approuvé
a/a	rédiger	Vous voudrez bien rédiger le procès-verbal
a/a	remettre	Nous vous remettons en annexe le procès-verbal de notre séance
	Prochain	a. nächste a. next – b. soon
a/a		Vous recevrez, la semaine prochaine – le mois prochain
a/b		Les . . . vous parviendront par un prochain courrier
	Proche	a. nahe – b. näher a. at hand – b. close – c. nearby
a/c-a-a-c		La demeure – la fin – l'heure – la ville est proche
b/b		Je n'ai personne dans mon proche entourage qui puisse . . .
	Procuration (f)	a. per Prokura – b. Vollmacht (f) a. per procuration – b. power of attorney – c. proxy
b/b		La procuration en blanc – générale – collective La procuration dûment légalisée – notariée – spéciale
b/c	agir	Nous lui avons donné l'autorisation d'agir par procuration

b/b	conférer	Nous avons conféré la procuration à M. . . . qui signera
b/b	donner	J'ai donné ma procuration à . . .
b/b	révoquer	J'ai révoqué la procuration que je lui avais donnée
a/a	signer	Il signera: Par procuration . . .
	Procurer	a. verschaffen a. to find – b. to obtain
a/ab-b-a		Se procurer de l'argent – un article – un emploi
a/b		Je n'ai pas encore pu me procurer tous les documents nécessaires
a/b		Nous pouvons vous procurer cet article à un prix avantageux
	Producteur (m)	a. Herstellung (f) – b. Produktion (f) – c. Produzent (m) a. producer – b. producing – c. production
c/a		Un important producteur de blé – d'acier
a/b		Le pays producteur doit être mentionné sur les documents douaniers
b/c		Le principal centre producteur de . . . est situé à . . .
	Production (f)	a. Produktion (f) a. output – b. production
a/ab		La production annuelle – mensuelle – journalière
a/b		La production locale – nationale – mondiale
a/b		La production à la pièce – à la chaîne – en série
a/a		La production industrielle – minière – agricole
a/b		Le centre – le lieu de production
a/b		Les frais – les coûts de production
a/ab	augmenter	Grâce à notre nouvelle usine de . . ., nous allons augmenter notre production de . . .%, ce qui nous permettra de satisfaire plus rapidement nos clients
a/b	capacité	Notre capacité de production étant entièrement utilisée en ce moment, il ne nous est pas possible d'honorer votre commande avant . . . mois
a/b	cesser	Nous avons cessé la production de cet article
a/b	diminuer	Nous n'envisageons pas de diminuer notre production pour l'instant
a/b	maintenir	Nous maintiendrons la production de ce modèle jusqu'à fin 19 . . .
	Productivité (f)	Produktivität (f) – productivity
		La baisse – l'accroissement de la productivité
		Grâce à une amélioration sensible de la productivité, nous sommes en mesure de maintenir nos prix l'année prochaine
	Produire	a. beibringen – b. bringen – c. ereignen – d. machen – e. produzieren a. to furnish – b. to happen – c. to make – d. to occur – e. to yield
a-b/a-e		Produire des comptes – un intérêt de . . .

a/a		Produire des preuves – des témoins – des titres
e/c	article	Nous ne produisons pas – plus cet article
d/c	impression	J'ai vu M. ... qui m'a produit une excellente impression
c/d	incident	S'il se produit de nouveaux incidents, ...
c/b	se	Nous ne savons pas comment cela s'est produit
	Produit (m)	a. Erlös (m) – b. Erzeugnis (n) – c. Produkt (n) a. chemical – b. craft – c. foodstuff – d. good – e. proceeds – f. product – g. profit
b-b-c-c/c-f-f-a		Un produit alimentaire – agricole – industriel – chimique
b-b-c/b-d-d		Un produit artisanal – manufacturé – en (de) série
c/f		Un produit du pays – étranger
a/g		Le produit brut – le produit net
c/f		Le produit national brut ou net
a/e	couvrir	Le produit de la vente ne couvre pas nos frais
c/d	fabrication	La fabrication de ces produits a débuté en Autriche
c/d	inonder	Notre pays est inondé de produits bon marché
c/f	procurer	Comment pourrions-nous nous procurer ce produit?
b/f	réputer	C'est un produit réputé de la maison ...
	Profession (f)	a. Beruf (m) a. occupation – b. profession
a/a		Veuillez indiquer votre adresse et votre profession sur la fiche ci-jointe
a/ab		Cette profession offre d'intéressants débouchés
	Professionnel	a. Beruf (m) – b. beruflich a. occupational – b. trade – c. vocational
a/a-b		Les connaissances professionnelles – le registre professionnel
a/c		L'enseignement professionnel – la formation professionnelle
b/a		En dehors de ses activités professionnelles, il s'intéresse beaucoup à ...
	Profit (m)	a. Gewinn (m) – b. Nutzen (m) – c. zugunsten a. advantage – b. behalf – c. to gain – d. most – e. to profit – f. profit
a/f		Le compte de Pertes et Profits
a/f		Les profits divers – éventuels – exceptionnels
c/b	donner	La fête a été donnée au profit des invalides
b/e	faire	J'ai fait mon profit de cette mésaventure
b/d	mettre	Il a su mettre à profit les connaissances qu'il avait acquises
a/f	passer	Nous passerons cette somme par pertes et profits
b/af	rapporter	Cela ne lui a rapporté aucun profit
b/c	retirer	Quel profit retirez-vous d'une telle attitude?
b/a	tirer	Il a su tirer profit des circonstances
a/f		Il y a de substantiels profits à tirer de la vente de ...
	Profiter	a. nützlich – b. profitieren
	Profitable	a. to benefit – b. to take advantage of

b/b		Profiter de l'autorisation – de la permission Profiter des conseils – de l'expérience d'autrui
b/b	conseiller	Nous vous conseillons de profiter du grand choix que nous vous offrons en ce moment
a/a	être	Cette . . . sera profitable à tous deux
b/b	offre	Nous avons tenu à vous faire profiter de cette offre
b/b	prix	Nous voulons vous faire profiter de prix vraiment exceptionnels
	Progrès (m)	a. Fortschritt (m) a. to improve – b. improvement – c. progress
a/c	d'après	Nous le jugeons d'après les progrès qu'il a faits
a/a	être	Il est en progrès depuis quelques semaines
a/a	faire	Les ventes font des progrès réjouissants
a/b	réaliser	Nous sommes satisfaits des grands progrès qui ont été réalisés ces derniers temps
a/c	technique	Ce nouveau modèle est à la pointe du progrès technique
	Projet (m)	a. Entwurf (m) – b. Plan (m) a. draft – b. plan – c. planning – d. project
b/d		Un projet bien – mal conçu – réalisable – irréalisable
b/d	avoir	Nous avons de nombreux projets en vue
a/a	budget	Avez-vous des remarques à formuler au sujet du projet de budget ci-joint
a/a	contrat	Le projet de contrat que vous m'avez soumis est conforme à mes souhaits
b/b	donner suite	Je ne peux pas donner suite à mon projet
b/b	entrer	Cela n'entre pas dans nos projets immédiats
a/c	être	Cette affaire est à l'état de projet
b/b	exécuter	Nous exécuterons ce projet maintenant qu'il a été bien étudié
b/d	réaliser	Je vais enfin pouvoir réaliser ce vieux projet
b/d	renoncer	Ne feriez-vous pas mieux de renoncer à ce projet?
b/d	soumettre	Je soumettrai le projet au comité avec un préavis favorable
	Prolonger **Prolongation** (f)	a. erstrecken – b. Erstreckung (f) – c. Länge (f) a. to continue – b. to extend – c. extension
a/b		Le délai a été prolongé jusqu'au . . .
b/c		Etant donné ces circonstances, je me vois obligé de solliciter une prolongation du délai fixé
c/a		Les discussions se prolongent sans qu'une solution soit en vue
	Promesse (f)	a. Versprechen (n) – b. Versprechung (f) a. commitment – b. promise – c. word
a/ab		Une promesse formelle – vague
a/a		Une promesse d'achat – de vente
a/c	compter	Vous pouvez compter sur ma promesse
a/bc	manquer	Il est inconcevable qu'il ait manqué à sa promesse
b/b	prendre	Je ne me laisserai plus prendre à ses promesses
a/b	rappeler	Nous lui avons rappelé sa promesse

a/b	retirer	Il ne me reste plus qu'à retirer ma promesse
a/bc	tenir	Ne craignez rien, il tiendra sa promesse
	Promettre	versprechen – to promise
	article	Je ne peux pas vous promettre cet article pour le ...
	comme	Comme je vous l'avais promis, j'ai ...
	rien	N'ayant rien promis, je ne me sens pas engagé
	Promotion (f)	a. Aufstieg (m) – b. Förderung (f) a. promotion
b/a		La promotion des ventes – une campagne de promotion
a/a		Cette nomination représente une brillante promotion
	Promptitude (f)	a. rasch
	Prompt	a. prompt – b. quickly
a/a		Nous comptons sur une livraison prompte et soignée
a/a		Une prompte réponse me serait nécessaire
a/b		Nous l'avons expédié avec toute la promptitude possible
	Prononcer	a. äussern – b. entscheiden a. to speak out
a/a		Il ne s'est pas encore prononcé sur cette question
b/a		Je me prononcerai en faveur de la solution la plus simple
	Propagande (f)	Propaganda (f) – publicity
		Ils font une propagande intense en faveur de ...
	Propager	verbreiten – to spread
		Il est dangereux de propager de telles idées – rumeurs
	Propice	a. günstig a. favourable – b. opportune
a/a-b		Les circonstances sont propices – le temps est peu propice
	Proportion (f)	a. Verhältnis (n) a. allowance – b. proportion
a/b	équitable	La proportion nous semble équitable
a/b	hors	La somme que vous réclamez est hors de proportion avec les dommages subis
a/b	répartir	Les frais seront répartis en proportion des apports
a/a	toute	Toutes proportions gardées, cela me rappelle ...
	Proportionnel	proportional – proportional
	directement	Des frais directement proportionnels à la valeur
/–	inversement	Un éloge inversement proportionnel au mérite
	Propos (m)	a. angebracht – b. Äusserung (f) – c. betreffend – d. darüber – e. gelegen – f. Gelegenheit (f) – g. grundlos – h. unangebracht – i. wegen – j. weswegen

		a. about – b. advisable – c. connection – d. inopportune – e. moment – f. reason – g. remarks – h. subject
d-j-f/h-a-f		A ce propos – à quel propos – à tout propos
g-h-i/d-e-f		Hors de propos – mal à propos – à propos de rien
e/e	arriver	Ces indications arrivent fort à propos
c/a	dire	Il a dit quelque chose à propos de . . . que je n'ai pas compris
a/b	juger	Il a jugé à propos de s'absenter – de s'abstenir
b/g	tenir	Il a tenu sur son compte des propos malveillants
	Proposer	a. anbieten – b. beabsichtigen – c. beantragen – d. vorschlagen a. to intend – b. to offer – c. to propose
d/c	concordat	Cette entreprise va devoir proposer un concordat
d/b	condition	Les conditions que je vous propose sont intéressantes
c/b	dividende	Le dividende proposé est de Fr. . . .
a/c	marchandise	Les marchandises proposées sont d'origine italienne
d/c	que	Nous proposons que vous vous rendiez sur place
b/a	se	Je me propose de passer prochainement vous voir
	Proposition (f)	a. Angebot (n) – b. Antrag (m) – c. Vorschlag (m) a. offer – b. private bill – c. proposal
c/c		Accepter – approuver – refuser – rejeter une proposition
b/ac		Adresser – recevoir – modifier une proposition
c/c	agréer	Si ma proposition vous agrée, je . . .
c/c	convenir	Votre proposition me convient parfaitement
c/c	donner	Je donnerai suite à votre proposition raisonnable
c/c	examiner	J'examinerai votre proposition tout à loisir
c/c	faire	Je vous fais une nouvelle proposition
c/c	prendre	Nous avons pris sa proposition en considération
b/b	refuser	La proposition, mise aux voix, a été refusée à une faible – forte majorité
a/ac	retirer	Nous retirons notre proposition puisque vous la déclarez inacceptable
a/ac	soumettre	J'ai le plaisir de vous soumettre une nouvelle proposition
	Propre	a. eigen – b. eigentlich – c. geeignet – d. persönlich a. capital – b. exact – c. own – d. person – e. sole – f. suitable – g. very
a/e	appartenir	Le commerce lui appartient maintenant en propre
a/c	compte	Je vendrai pour mon propre compte
c/f	être	Ce . . . est propre à tel usage
a/a	fonds	La proportion des fonds propres et étrangers
d/d	mettre	Voulez-vous remettre ce . . . en main propre?
a/g	parole	Ce sont là ses propres paroles
b/b	sens	Quel est le sens propre de ce terme?
	Propriétaire (m)	a. Eigentümer (m) – b. Inhaber (m) a. to acquire – b. hands – c. owner

b/b	changer	Ce magasin a changé récemment de propriétaire
a/c	être	Qui est (le) propriétaire de cet immeuble?
b/a	se rendre	Je me suis rendu propriétaire de ...
	Propriété (f)	a. Eigentum (m) – b. Vermögen (n) a. deed – b. estate – c. ownership – d. possession – e. property – f. rights
a-b-a/be-e-e		Une propriété foncière – immobilière – industrielle
a/c		Un appartement en propriété par étage
a/e		Une propriété privée – publique – collective
a/d		La nue propriété – la pleine propriété
a/a-e-a		Le certificat – le droit – le titre de propriété
a/d	céder	Je suis prêt à vous céder la propriété de ce brevet
a/e	exclusif	Cette affaire est devenue ma propriété exclusive après la dissolution de la société
a/f	transférer	Les droits de propriété ont été dûment transférés à ...
	Prorata (m)	anteilmässig – proportion Partager au prorata des ...
	Proroger **Prorogation** (f)	a. Erstreckung (f) – b. hinausschieben – c. prolongieren – d. Prolongierung (f) – e. Verlängerung (f) a. extension – b. to postpone – c. to prolong
e-a-d/a		La prorogation d'un bail – d'un délai – d'une échéance
c-b/c-b		Proroger un effet – la date d'un paiement
e/a		Solliciter – accorder – refuser une prorogation
a/a		Je vous saurai gré de m'accorder une prorogation d'un mois
	Prospectus (m)	Prospekt (m) – brochure Les prospectus ci-joints renseigneront votre clientèle sur les caractéristiques du ...
	Protester **Protestation** (f)	a. beteuern – b. Protest (m) – c. protestieren a. to protest
c/a	contre	Nous élèverons des protestations énergiques contre ... Je proteste contre cette concurrence déloyale
a/a	de	Il proteste de son innocence
b/a	effet	L'effet a été retourné protesté faute d'acceptation Nous vous demandons de faire protester la traite
	Protêt (m)	a. Protest (m) a. protest – b. protested
a/b		Un effet à protêt – sans protêt ou sans frais
a/a		Protêt pour non-acceptation – pour non-paiement
a/a		Frais de protêt – paiement sous protêt
a/a		J'ai été obligé de faire dresser protêt faute de paiement et vous demande de payer d'ici au ... Fr. ...
a/a		Le tiré ayant refusé de payer, j'ai fait dresser protêt et vous remets en annexe le compte de retour y relatif, se montant à Fr. ..., somme que vous voudrez bien me rembourser prochainement

	Prouver	a. beweisen a. to prove – b. to show
a/a	accusation	Cette accusation n'a pas été prouvée
a/a	bien-fondé	Je prouverai le bien-fondé de ma réclamation
a/a	bonne foi	Il nous sera aisé de prouver notre bonne foi
a/a	capacité	Je désire prouver mes capacités
a/a	fait	Je le prouve par les faits suivants: ...
a/b	gratitude	J'espère pouvoir un jour vous prouver ma gratitude
a/a	que	Je vous prouverai que je n'y suis pour rien
a/a	rien	Rien ne prouve que ce soit exact
	Provenance (f)	a. aus – b. Herkunft (f) a. from – b. origin – c. source
b/a	de	Ces articles sont de provenance allemande
b/c	douteuse	Je me méfie de ces bruits de provenance douteuse
a/a	en	Le train en provenance de ... arrive à ...
b/b	lieu	Quel est le lieu de provenance de ...
	Provision (f)	a. Deckung (f) – b. Einkauf (m) – c. Rückstellung (f) – d. Vorrat (m) – e. Vorschuss (m) a. allowance – b. bad – c. deposit – d. reserve – e. supplies
a/b		Emettre – tirer un chèque sans provision
c/d-d-a		La provision pour débiteurs douteux – pour créances irrécouvrables – pour travaux de réparations
b-d/e		Faire des provisions – épuiser ses provisions
e/a	allouer	La provision que vous m'avez allouée n'est pas suffisante pour ...
e/c	fournir	Afin de couvrir nos premiers frais, vous voudrez bien fournir une provision de Fr. ...
e/c	verser	Nous vous demandons de verser une provision de ...
	Provisoire	a. vorläufig – b. vorübergehend – c. zwischen a. interim – b. provisional – c. temporary
c-a/a-b		Un dividende – un reçu provisoire
b/c		Il a été nommé à titre provisoire
a/c		Cette solution ne peut être que provisoire
	Prudence (f) **Prudent**	a. Vorsicht (f) – b. vorsichtig a. advisable – b. careful – c. caution – d. precaution
a/c	agir	Il n'a pas agi avec toute la prudence nécessaire
a/c	conseiller	Nous vous conseillons la plus grande prudence
b/a	croire	Je crois prudent de ne pas signer – m'engager
b/b	être	Il est si prudent qu'il ne s'engagera pas dans cette affaire
a/c	manque	Ce manque de prudence pourrait lui coûter cher
a/d	mesure	Il a pris toutes les mesures de prudence qui s'imposent
b/bc	recommander	Nous vous recommandons la prudence
b/b	rendre	L'expérience m'a rendu prudent

	Public (m)	a. allgemein – b. öffentlich – c. Öffentlichkeit (f) – d. Polizei (f) – e. Staatsanwaltschaft (f) – f. veröffentlichen – g. Wohl (n) a. commonwealth – b. good – c. police – d. public
g-a-b/b-a-d		Le bien – la chose – l'intérêt public(que)
d-e/c-d		La force publique – le ministère public
b/d		Un établissement public – les travaux publics
c/d	dire	Cela a été dit en public
c/d	grand	Le grand public n'y est pas intéressé
f/d	rendre	La décision sera rendue publique sous peu
	Publication (f)	a. Bekanntgabe (f) – b. Veröffentlichung (f) a. notice – b. periodical – c. publication
b-a/c-a		La publication d'un jugement – d'une vente aux enchères
b-a-a/b-c-c		Une publication périodique – officielle – confidentielle
a/a		Les publications obligatoires ont paru dans ...
	Publicitaire	Werbe ... – promotional
		Un article – un cadeau publicitaire Un film – un sketch – un dessin publicitaire
	Publicité (f)	a. Werbung (f) a. advertisement – b. advertising
a/b		Une agence – un organe de publicité – un chef de publicité
a/b		Le budget – les frais de publicité
a/b	budget	Nous avons confié notre budget de publicité à ... dont nous sommes très satisfaits
a/b	campagne	Une vaste campagne de publicité par la presse, l'affiche, la radio et la télévision fera connaître nos nouveaux produits
a/b	dynamique	Grâce à une publicité dynamique, nous avons pu augmenter nos ventes de ...%
a/b	faire	Nous devrions faire un peu plus de publicité afin de stimuler nos ventes
a/b	lancement	Le lancement de notre campagne de publicité est prévu pour le ...
a/b	page	Vous réserverez ... pages de publicité dans les journaux habituels pour annoncer ...
a/a	rappel	Il y aura lieu de prévoir une publicité de rappel
	Publier	veröffentlichen – to publish
		Les résultats de l'exercice ont été publiés Nous allons publier une mise en garde contre l'utilisation abusive qui est faite de notre marque Les résultats de l'essai de ... ont été publiés dans les journaux spécialisés. Ils vous démontrent que ...
	Pur	a. rein a. pure – b. sheer
a/a		Un liquide pur – de l'or pur – du vin pur – en pure laine
a/b		Par pure bêtise – c'est une pure calomnie

Q

	Quai (m)	a. Bahnsteig (m) – b. Kai (m) a. platform – b. wharf
a/a		Le quai d'arrivée – de départ – de déchargement
b/b		Marchandises livrées franco sur quai – prises à quai – rendues sur quai
	Qualifier	a. qualifizieren a. to describe – b. to qualify – c. skilled
a/a	conduite	Comment qualifier une telle conduite?
a/b	être	Cette personne est tout à fait qualifiée pour cette fonction
a/b	majorité	La décision a été prise à la majorité qualifiée
a/c	ouvrier	Le travail a pourtant été confié à des ouvriers qualifiés
	Qualité (f)	a. Befähigung (f) – b. berechtigen – c. Eigenschaft (f) – d. Qualität (f) a. as – b. authority – c. choice – d. feature – e. grade – f. quality
d/f		La qualité inférieure – courante – supérieure
d/f		La qualité mitigée – moyenne – exceptionnelle
d/ce		La (de) première – deuxième qualité
d/f		De même qualité – de qualité identique
c/d	apprécier	Nous sommes certains que vous apprécierez les qualités de cet article
d/f	article	Nous ne vendons que des articles de bonne qualité
b/b	avoir	Avez-vous qualité pour agir en son nom? M. . . . a, seul, qualité pour engager notre société
d/f	à désirer	La qualité de votre dernier envoi laisse à désirer
d/f	détriment	Nous pourrions fabriquer meilleur marché, mais ce serait au détriment de la qualité
c/a	en	En sa qualité de directeur, il peut . . .
d/f	équivalent	Nous vous proposons un article de qualité équivalente
d/f	exiger	Nos clients exigent cette qualité et n'en veulent pas d'autres
d/f	garantir	Nous pouvons vous (en) garantir la qualité
d/f	juger	Il est difficile de juger la qualité de . . .
d/f	livrer	Il faut que vous nous livriez une qualité irréprochable
c/f	perdre	Il n'a perdu aucune de ses qualités
d/f	plaindre	Notre client s'est plaint de la qualité de . . .
a/f	réunir	Il réunit toutes les qualités pour cette place
d/f	satisfaire	Nous n'avons pas été satisfaits de la qualité de . . .
d/f	selon	Le prix varie selon la qualité entre Fr. . . . et Fr. . . .
d/f	sembler	La qualité semble inférieure à celle de l'échantillon
d/f	tradition	Notre tradition de qualité est solidement établie
d/f	valoir	Je ne sais pas ce que vaut cette qualité
d/f	varier	La qualité de nos produits n'a pas varié

	Quand	a. wann a. long – b. time – c. when
a/c		A quand la vente? – De quand est cette lettre?
a/a		Depuis quand est-il ici? – Jusqu'à quand reste-t-il?
a/b		Il peut venir n'importe quand
	Quantité (f)	Menge (f) – quantity
		Acheter, vendre par petites – grandes quantités
		La quantité demandée – désirée – nécessaire
	disponible	Quelle est la quantité disponible immédiatement?
	à disposition	Quelle quantité de . . . mettrez-vous à notre disposition?
	limitée	Nous disposons encore de . . ., mais en quantité limitée
	rabais	Nos rabais de quantité sont les suivants: . . .
	suffire	Une petite quantité suffira pour l'instant
	Quartier (m)	a. Stadtviertel (n) a. district – b. neighbourhood
a/b		Un quartier central – excentrique – bien situé
a/a		Les quartiers commerciaux – d'habitation
a/b		Un quartier populaire – ouvrier – bourgeois – chic
a/b		Nous ouvrons dans votre quartier une succursale où vous pourrez trouver la gamme complète de nos articles
	Querelle (f)	a. Streit (m) a. odds – b. quarrel
a/a	être	Nous sommes en querelle avec lui au sujet de . . .
a/b	vaine	C'est une vaine querelle, à laquelle nous n'attachons nulle importance
	Question (f)	a. betreffend – b. Frage (f) – c. Problem (n) – d. Rede (f) – e. Sache (f) a. issue – b. matter – c. point – d. question
b-b-e/b		Une question d'argent – de temps – de goût
b-b-e/a-a-b		Une question de droit – de fait – d'opinion
b/bc	avoir	Cette question a une grande importance
b/b	discuter	Nous ne voulons pas discuter la question
a/d	en	Nous vous saurions gré de nous donner des renseignements sur la maison en question
d/d	être	Il est question d'un grand changement dans la direction
b/d		Il n'est plus question d'entrer en pourparlers avec lui
b/d		La question est de savoir s'il pourra payer
b/b	étudier	Je serais disposé à étudier la question si vous pouviez . . .
b/a	examiner	Il faut examiner cette question de très près
b/bc	mettre au point	Nous voulons mettre au point cette question
b/b	pendante	La question est toujours pendante
b/d	poser	Permettez-moi de vous poser une question indiscrète?

b/a	préoccuper	Cette question me préoccupe beaucoup
b/d	presser	Je l'ai pressé de questions, mais il n'a pas répondu
c/b	reconsidérer	Vous voudrez bien reconsidérer la question et me faire des propositions plus acceptables
b/bc	réfléchir	Avez-vous bien réfléchi à cette question?
b/b	remettre	Nous remettrons bientôt cette questions sur le tapis
b/b-d	rester	La question reste entière – sans réponse
c/b	sociale	Des questions sociales ont perturbé l'activité de notre fournisseur
c/b	soulever	Je soulèverai la question à notre prochaine rencontre
c/b	suspens	Il faudra liquider les questions encore en suspens
c/b	traiter	Vous traiterez de cette question directement avec M. . . .
	Questionnaire (m)	Fragebogen (m) – questionnaire
		Répondre aux questions d'un questionnaire Le questionnaire ci-joint devrait nous permettre de mieux répondre aux goûts de nos clients
	Quittance (f)	Quittung (f) – receipt
		Une quittance en double – une quittance timbrée
	donner	Veuillez m'en donner quittance
	payer contre	Nous avons payé immédiatement contre quittance
	Quitte	a. Auge (n) – b. erlassen – c. quitt – d. Schrecken (m) – e. wenn a. even – b. to get off – c. to release
e/a	à	Je l'achète, quitte à le revendre plus tard
c/a	être	Nous sommes quittes maintenant
a-d/b		Nous en sommes quittes à bon compte – pour la peur
b/c	tenir	Je vous tiens quitte de cette dette – du solde
	Quitter	a. auseinandergehen – b. verlassen a. to leave – b. to part
b/a		Le bateau quitte le port – l'employé quitte son emploi
a/b		Ils se sont quittés bons amis
b/a		Il nous quitte de sa propre volonté – de son plein gré
	Quote-part (f)	Anteil (m) – share
		Encaisser – payer – toucher – verser sa quote-part La quote-part de chacune des parties a été fixée en proportion des ventes du dernier semestre Nous ne sommes pas satisfaits de la quote-part qui nous a été allouée car elle ne tient pas compte de . . .
	Quorum (m)	Quorum (m) – quorum
		Le quorum n'ayant pas été atteint, l'assemblée n'a pu valablement délibérer Le quorum requis par les statuts est de . . . % des personnes présentes ou représentées
	Quotité (f)	Quote (f) – quota
		Nous avons épuisé notre quotité disponible

R

	Rabais (m)	a. herabsetzen – b. Rabatt (m) a. discount – b. reduced prices
a-b/b-a		La vente au rabais – vendre au rabais
b/a	accorder	Nous ne pouvons malheureusement accorder aucun rabais sur ces articles à prix imposé
b/a	bénéficier	Vous pouvez bénéficier d'un rabais de . . .% si vous nous passez commande avant le . . .
b/a	consentir	Nous pouvons vous consentir un rabais de . . .%
b/a	qualité	La marchandise reçue présentant quelques défauts, nous sommes disposés à la garder pour autant que vous nous accordiez un rabais de . . %
b/a	revendeur	Le rabais de revendeur est de . . .
	Rabattre	a. begnügen – b. heruntergehen a. to make do – b. to take off
b/b		Rabattre 5% – quelques francs
b/b		Je ne peux rien rabattre du prix
a/a		Il s'est rabattu sur des marchandises de seconde qualité
	Rachat (m)	a. Ablösung (f) – b. Rückkauf (m) a. redemption – b. repurchase – c. surrender
b/b-b-c		Le droit de – la faculté de – la valeur de rachat
b-a/ab		Le rachat d'actions – d'un droit
a/a		Le rachat d'une retraite
	Raffermir	a. festigen – b. kräftigen – c. stabilisieren a. to firm up – b. to improve – c. to recover
a-b/c-b		Son crédit – sa santé se raffermit
c/a		Les cours se raffermissent
	Raison (f)	a. Berechtigung (f) – b. Firmenname (m) – c. Grund (m) – d. Recht (n) – e. überwinden – f. wegen a. because – b. to call – c. reason – d. right(ly) – e. to win over
d-c-d/d-c-c		Avec – sans aucune – à plus forte raison
c/c		La raison principale – la seule raison
c/c		De justes raisons – sans raison(s) valable(s)
d/d	admettre	J'admets que vous avez raison
c/c	âge	Notre directeur s'est retiré des affaires pour des raisons d'âge et de santé
c/c	alléguer	Les raisons que vous alléguez ne sont pas convaincantes
c/c	avoir	A-t-il des raisons valables pour agir ainsi?
e/e		J'ai eu finalement raison de son intransigeance
c/c	comprendre	Je comprends les raisons que vous invoquez
c/c	décider	Ses raisons m'ont décidé
c/c	demander	Je lui ai demandé la raison de son attitude

f/a	en	En raison de son âge – de sa santé, il quitte notre . . .
		En raison des difficultés que nous éprouvons à nous procurer les matières premières, nous . . .
c/c	engager	Ces raisons nous engagent à ne pas . . .
c/c	être	Quelles en sont les raisons?
c/c		Quelles que soient les raisons de son silence, . . .
a/c		C'est là sa seule raison d'être
c/c	personnelle	Pour des raisons personnelles, je ne veux pas . . .
c/c	pour	Pour quelle raison agit-il ainsi – a-t-il quitté votre maison?
c/c	se rendre	Je me rends à vos raisons
c/c	sembler	Vos raisons nous semblent justes
b/b	sociale	Nous avons créé, sous la raison sociale . . . X.S.A., une entreprise de . . .
c/c	voir	Je n'en vois pas la raison, étant donné que . . .
	Raisonnable	vernünftig – reasonable
		Nos prix sont très raisonnables
		Il est raisonnable que nous lui accordions le droit de . . .
		Il s'est montré très raisonnable dans ses exigences
	Rajustement (m)	Anpassung (f) – adjustment
		Un rajustement des prix – des salaires
	Ralentissement (m)	a. Abnahme (f) – b. Rückgang (m)
		a. lull – b. reduction
b-a/a-b		Le ralentissement des affaires – de nos activités
	Rancune (f)	a. nachtragen – b. ungut
		a. grudge – b. hard feelings
a/a	garder	Nous ne vous gardons pas rancune de cet oubli
b/b	sans	Sans rancune, bien entendu!
	Rang (m)	a. bewerben – b. Dienstalter (n) – c. Rang (m) – d. Stelle (f) – e. Stellung (f)
		a. best – b. class – c. first – d. list – e. order – f. rank – g. rate/rating – h. second
c/bg		Un hôtel – un magasin de premier rang
c/c-h		Une hypothèque en premier – second rang
b/e	ancienneté	Par rang d'ancienneté, vous êtes le . . ème en liste
a/d	se mettre	Plus de cent candidats sont sur les rangs
d/a	occuper	Notre maison occupe le premier rang parmi les . . .
e/f	tenir	Nous avons à cœur de tenir notre rang
	Ranger	beipflichten – to accept
		Il s'est rangé à notre avis – à notre opinion – à notre proposition
	Rappel (m)	a. Fälligkeitsavis (m) – b. Mahnung (f) – c. Zahlungsaufforderung (f)
		a. reminder
c-a-b/a		Un rappel de compte – d'échéance – de facture
b/a		Notre 3ème rappel étant resté sans réponse, nous

		vous mettons en demeure de nous verser dans les 10 jours la somme de Fr. . . ., faute de quoi nous serons obligés de vous adresser un commandement de payer
	Rappeler	a. angeben – b. erinnern – c. Erinnerung (f) a. to quote – b. to remember – c. to remind
a/a	à	Référence – numéro à rappeler dans votre réponse
b/c	chose	Il faudra lui rappeler la chose – le paiement en retard
b/b	se	Je me rappelle fort bien ce personnage – l'avoir dit
c/b	souvenir	Voulez-vous me rappeler au bon souvenir de votre . . .
	Rapport (m)	a. aufgeschüttet – b. Bericht (m) – c. Beziehung (f) – d. einträglich – e. Mietshaus (n) – f. Verbindung (f) – g. Zusammenhang (m) a. apartment – b. made – c. profitable – d. to relate – e. relationship – f. report – g. respect – h. terms – i. touch
b/f		Un rapport annuel – de gestion – d'activité
b/f		Un rapport d'expert – d'expertise
b/f		Un rapport succinct – sommaire – complet – détaillé
d-e-a/c-a-b		Un commerce – une maison – une terre de rapport
c/eh	avoir	Nous avons d'excellents rapports avec M. . . .
d/c	être	Cette affaire est d'un bon rapport – d'un mauvais rapport – d'un meilleur rapport – de peu de rapport
g/d		Cette affaire est en rapport étroit avec la précédente
g/d		L'affaire est peu en rapport avec notre activité
b/f	faire	Vous nous ferez un bref rapport de vos activités
f/i	se mettre	Nous vous demandons de vous mettre en rapport avec . . .
f/i	rester	Nous sommes restés en rapport avec cette maison
c/g	sous	Ce jeune homme est bien sous tous les rapports
	Rapporter	a. beziehen – b. einbringen – c. verlassen a. to bring – b. to pertain – c. profitable – d. to relate – e. to take
b/a		Cette affaire rapporte un bénéfice – un gain – un intérêt de . . .
b/c		Elle rapporte beaucoup – bien – mieux
b/c		Elle ne rapporte pas – elle rapporte peu – plus que
c/e	en	Je m'en rapporte à votre avis – opinion
b/a	que	Cette affaire ne m'a rapporté que des soucis
a/bd	se	Les renseignements qui se rapportent à cette affaire vous parviendront sous peu
	Rareté (f) **Rare**	a. häufig – b. Knappheit (f) – c. selten a. rare – b. scarce – c. shortage – d. uncommun
c/d	devenir	Il devient rare – de plus en plus rare que (de) . . .
a/b	être	Cet article est de moins en moins rare sur le marché
c/a	se faire	Les occasions, telles que celles-ci, se font rares
b/c		La rareté d'un article – des capitaux – de la main-d'œuvre

Rationaliser a. rationalisieren – b. Rationalisierung (f)
Rationalisation (f) a. rationalization – b. to rationalize

a/b en vue de — Cette décision a été prise en vue de rationaliser les ...
b/a mesure — Veuillez nous indiquer quelles mesures de rationalisations pourraient être prises pour améliorer ...
b/a travail — Grâce à une rationalisation du travail, notre productivité a été accrue

Ravitaillement (m) Versorgung (f) – provisioning

Le ravitaillement en ... est devenu plus difficile

Rayon (m) a. Abteilung (f) – b. Bereich (m) – c. Umkreis (m)
a. department – b. radius – c. range

a/a Le rayon de confection – le chef de rayon
b/c Le rayon d'action – de distribution
a/a Pour répondre à la demande de nos clients, nous avons ouvert un nouveau rayon de ...
c/b Nous livrons franco domicile dans un rayon de ... km

Réaction (f) Reaktion (f) – reaction

Notre réaction a été immédiate et nous ...
Nous ne savons pas quelle sera leur réaction

Réaliser a. erfüllen – b. realisieren – c. verkaufen – d. Verwertung (f) – e. Verwirklichung (f)
Réalisation (f)
Réalisable a. implementation – b. to make – c. to realize – d. sale – e. to sell

b-b-a-b/c-b-b-c Réaliser un actif – un bénéfice – une promesse – des valeurs
b/b Quel est le bénéfice réalisable?
e/a La réalisation de ce projet est utopique – lointaine
c/e Il sera difficile de réaliser ces marchandises
b/c Vous ne réalisez donc pas que cette affaire est ...
d/d La réalisation forcée d'une affaire

Réapprovisionner a. wieder versorgen – b. Wiederversorgung (f)
Réapprovisionnement (m) a. to replenish

a/a Un délai de 15 jours nous est nécessaire pour nous réapprovisionner
b/a Notre réapprovisionnement en ... se fait avec les plus grandes difficultés

Réassortir wieder auffüllen – to replenish

Réassortir un rayon – un stock

Rebuter (se) entmutigen – to discourage

Un premier échec ne doit pas vous rebuter
Les difficultés ne l'ont pas rebuté

Récalcitrant widerspenstig – delinquent

Nous devrions prendre les mesures nécessaires pour faire payer ce débiteur récalcitrant

	Récapituler **Récapitulation** (f)	a. zusammenfassen – b. Zusammenfassung (f) a. to recapitulate – b. recapitulation
a/a		Si nous récapitulons, nous arrivons à une dépense globale de Fr. . . .
b/b		Je vous adresserai une brève récapitulation de mes diverses démarches
	Récépissé (m)	a. Quittung (f) – b. Schein (m) a. note – b. receipt – c. slip
a-a-b/a-c-b		Le récépissé du chemin de fer – de dépôt – d'entrepôt
b/b		Le récépissé d'expédition – postal
a/b		Livrer contre récépissé – délivrer un récépissé pour . . .
b/b		Nous vous ferons parvenir le récépissé dès que nous aurons reçu les titres
a/b		Gardez soigneusement le récépissé, en cas de contestation
	Réception (f)	a. Empfang (m) a. home – b. receipt – c. reception
a/b-b-a		Un accusé – un avis – un jour de réception
a/b	à	Je paierai à réception de la marchandise
a/b	accuser	Vous voudrez bien m'en accuser réception Nous accusons réception de votre commande – de votre envoi du . . . – de votre lettre du . . . Nous sommes surpris de ne pas avoir encore reçu votre accusé de réception de notre lettre du . . .
a/b	après	Je paierai après réception et vérification du colis
a/c	assister	J'espère que vous me ferez le plaisir d'assister à la réception qui suivra la séance de . . .
	Recette (f)	Einnahme (f) – receipts
		La recette brute – nette – tous frais déduits La recette du jour – hebdomadaire – annuelle Les recettes et les dépenses
	couvrir	La recette n'a pas couvert les frais
	porter	Vous voudrez bien porter cette somme en recette
	Recevable	annehmbar – acceptable
		Votre demande – votre réclamation n'est pas recevable
	Receveur (m)	Einnehmer (m) – collector
		Le receveur des contributions – des douanes
	Recevoir	a. empfangen – b. erhalten a. receipt – b. to receive – c. to see – d. sincerely yours
b/b		Valeur reçue en espèces – en marchandises
b/ab	bien	Nous avons bien reçu votre envoi – vos marchandises
a/d	prier	Je vous prie de recevoir, Monsieur, mes salutations les plus distinguées

a/c	quelqu'un	Je peux vous recevoir tous les . . ., de . . . h. à . . . h.
b/a	reconnaître	Je reconnais avoir reçu Fr. . . . de M. . . ., pour solde de tout compte
b/b	sous peu	Nous devrions recevoir sous peu une nouvelle livraison
b/b	visite	Nous avons reçu la visite de M. . . .
	Rechange (m)	a. Ersatz (m) a. alternative – b. spare
a/b		Nous avons un stock complet de pièces de rechange
a/a		Je n'ai pas de solution de rechange à vous proposer
	Recherche (f)	a. Forschung (f) – b. Nachforschung (f) – c. Suche (f) – d. suchen a. inquiry – b. research – c. to seek
c/c		La recherche de la clientèle – de nouveaux débouchés
c/c		La recherche d'un gain complémentaire – de marchandises
a/b		La recherche scientifique – le service de recherche
a/b	année	Ces produits sont le résultat d'années de recherche(s)
a/a	continuer	Nous continuerons nos recherches
d/c	être	Nous sommes à la recherche d'un homme de confiance
a/ab	faire	Nous avons fait des recherches approfondies dans . . .
a/a	se livrer	Il se livre à des recherches minutieuses
b/a	procéder	Il a procédé à des recherches, mais sans succès
	Réciproque	gegenseitig – mutual
	intérêt	Nos intérêts réciproques devraient nous amener à une solution favorable – bénéfique à tous deux
	satisfaction	A notre satisfaction réciproque, une entente a pu être conclue
	Réclamation (f)	a. Beanstandung (f) a. claim – b. complaint
a/b		La réclamation est fondée – non fondée – tardive
a/b		Le délai – la lettre de réclamation
a/b	accepter	Nous ne pouvons accepter aucune réclamation, si elle n'est pas faite dans le délai prévu par . . .
a/b	adresser	Nous adresserons une réclamation à qui de droit
a/b	donner lieu	Jamais cet emballage n'avait donné lieu à une réclamation
a/b	en cas de	En cas de réclamation, veuillez conserver ce numéro de contrôle de production
a/a	faire	Il sera fait droit à votre réclamation
a/b	fondé	Nous reconnaissons le bien-fondé de votre réclamation
a/b	formuler	Pour être valable, toute réclamation doit être formulée dans les . . . jours après réception de la marchandise

a/b	justifier	Les réclamations de ce client étaient justifiées
a/b	objet	Nous ne connaissons pas l'objet exact de sa réclamation
a/b	prétexte	Il ne faut pas lui donner prétexte à réclamation
a/a	rejeter	Ma réclamation a été rejetée par ...
a/b	retirer	Je n'ai plus qu'à retirer ma réclamation
a/b	sur	Sur quoi fonde-t-il sa réclamation?
	Réclame (f)	a. Reklame (f) a. advertising – b. offer
a/b		Articles – objets de réclame
a/b		A titre de réclame, nous vous offrons ...
a/a		Cette maison fait beaucoup de réclame (mieux: publicité)
	Réclamer	a. beschweren (sich) – b. fordern – c. verlangen a. to claim – b. to demand – c. to protest
c-c-b/b-b-ab		Réclamer une livraison – un paiement – une somme
c/a-b		Réclamer des dommages-intérêts – une indemnité
a/c	contre	Je réclamerai contre cette manière cavalière de procéder
b/b	droit	En vertu de nos conventions, j'ai le droit de vous réclamer Fr. ... par jour de retard
c/b	rien	Je ne réclame rien pour le tort subi mais j'espère que de tels incidents ne se reproduiront plus
	Récolter **Récolte** (f)	a. bringen – b. Ernte (f) – c. ernten – d. Sammlung (f) a. crops – b. to gather – c. harvest – d. to reap
b/ac	s'annoncer	Les récoltes s'annoncent très belles – abondantes
a/d	avantage	Nous ne récolterons aucun avantage à nous mêler de cette affaire, bien au contraire
b/c	commencer	Les récoltes commenceront au début du mois prochain
a/d	déboire	Dans cette regrettable aventure, nous n'avons récolté que des déboires
b/c	évaluer	Il est difficile d'évaluer l'importance de la récolte
b/a	faire	Les récoltes se feront tard – tôt – plus tard
c/d	fruit	Nous commençons à récolter le fruit de notre travail de pénétration sur ce marché
d/b	signature	La récolte des signatures pour notre pétition demandant que ... a rencontré un chaleureux succès
	Recommandable	a. empfehlenswert – b. verdächtig a. recommend – b. undesirable
a/a		Indiquez-moi un hôtel recommandable
b/b		C'est un personnage peu recommandable
	Recommandation (f)	a. Empfehlung (f) – b. Ermahnung (f) – c. Rat (m) a. introduction – b. to recommend – c. recommendation
a/c	carte de recommandation	«... vous présente ses compliments et vous saurai gré d'accueillir avec bienveillance la demande de M. ...»

a/b		«Pourriez-vous accorder une entrevue au porteur de cette carte? Il m'a été vivement recommandé par . . .»
a/-	autoriser	Je m'autorise de la recommandation de M. . . . et vous soumets . . .
b/c	observer	Vous voudrez bien observer nos recommandations
a/ac	obtenir	Si je pouvais obtenir une lettre de recommandation
c/c	suivre	J'ai suivi vos recommandations à la lettre
c/c	sur	Sur la recommandation de M. . . ., je me permets de m'adresser directement à vous pour . . .
	Recommander	a. einschreiben – b. empfehlen – c. hinweisen a. to call – b. to recommend – c. to register
a/c		Un envoi – une lettre – un pli recommandé
c/a	à l'attention	Je recommande à votre attention le prix courant
b/b	de	Nous vous recommandons de bien soigner l'emballage
b/b	économie	Nous vous recommandons la plus stricte économie
b/b	emploi	Pour le bon usage de nos machines, nous recommandons l'emploi de l'huile . . . – de la lessive . . .
b/b	être	Cette maison nous est recommandée par . . .
b/b	expressément	Je vous recommande expressément de faire en sorte que . . .
b/b	porteur	Je me permets de vous recommander chaleureusement le porteur de cette lettre
b/b	prudence	Nous vous recommandons la plus grande prudence
	Récompenser **Récompense** (f)	a. belohnen – b. Belohnung (f) a. to reward – b. reward
a/a		Il a été récompensé de la peine qu'il s'est donnée – des efforts accomplis
b/b		Demander – recevoir une récompense
b/b		En récompense de ses services, nous lui . . .
b/b		Perdu un . . ., à rapporter contre récompense à . . .
	Reconnaissance (f) **Reconnaissant**	a. Anerkennung (f) – b. dankbar – c. Dankbarkeit (f) a. acknowledgement – b. appreciation – c. grateful – d. gratitude
a/a	dette	Vous voudrez bien signer et nous retourner la reconnaissance de dette en annexe
c/bd	dire	Je tiens à vous dire ma vive reconnaissance pour la sympathie que vous m'avez témoignée lors de . . .
a/b	droit	Vous avez droit à toute notre reconnaissance
b/c	être	Je vous suis très reconnaissant de votre intervention
c/b	témoigner	Afin de vous témoigner ma reconnaissance, je suis heureux de vous offrir . . .
	Reconnaître	a. anerkennen – b. untersuchen – c. zugeben a. to acknowledge – b. to admit – c. grateful
a-c-c/a-a-a		Reconnaître une dette – une erreur – un tort
a/a	avoir	Je reconnais avoir reçu en prêt la somme de Fr. . . .
a/a	bien-fondé	Nous reconnaissons le bien-fondé de votre réclamation

b/a	marchandise	Vous voudrez bien reconnaître la marchandise au moment de sa réception
a/a	qualité	Vous reconnaîtrez la qualité supérieure de ...
c/b	que	Je reconnais que je me suis trompé
a/c	service	Je reconnais les services que vous avez rendus
	Recourir	a. ergreifen – b. rekurrieren a. to appeal – b. to resort
a/b		Je serai contraint de recourir à toutes les voies de droit
b/a		Vous pouvez recourir contre notre décision dans les ... jours
	Recours (m)	a. Anspruch (m) – b. anwenden – c. Ausweg (m) – d. Beschwerde (f) – e. unternehmen (gegen) – f. wenden (sich) a. appeal – b. recourse – c. to resort – d. resort
d/ab-a		Le droit de recours – le recours en cassation
b/c	avoir	Il a eu recours à des moyens peu élégants
a/-		J'ai recours à votre obligeance pour vous demander ...
f/b		Je préfère avoir recours à un spécialiste
e/b		Je n'ai aucun recours contre lui
c/d	en	Je m'adresserai à lui en dernier recours
d/a	perdre	Il a perdu tout droit de recours
	Recouvrer **Recouvrement** (m)	a. Einziehung (f) a. to collect – b. collection – c. outstanding – d. recovery
a/b-c-b		Le bordereau – le compte – les frais de recouvrement
a/a	créance	Nous avons de la peine à recouvrer nos créances
a/b		Nous nous chargeons du recouvrement des créances
a/a	effectuer	Nous avons bien effectué le recouvrement dont vous nous aviez chargés
a/d	procéder	Si nous ne recevons pas satisfaction, nous procéderons au recouvrement de notre créance par voie judiciaire
	Rectifier **Rectification** (f)	a. berichtigen – b. Berichtigung (f) – c. Richtigstellung (f) a. adjustment – b. correction – c. to rectify – d. rectification
a/c		Nous vous demandons de rectifier cette erreur – la facture
b/a		Nous avons noté les rectifications de prix intervenues
b/c		Nous procéderons à une rectification du compte
c/b		Nous avons fait paraître une rectification dans le journal
	Reçu (m)	a. empfangen – b. Empfangsbestätigung (f) a. receipt

b/a		Un reçu provisoire – définitif – pour solde de tout compte
b/a		Livrer – remettre contre reçu – donner un reçu
a/a		Je soussigné, . . ., domicilié . . ., certifie par la présente avoir reçu à titre de prêt, le 20 avril . . ., de M. . . ., à . . ., la somme de Fr. . . . Cette somme est remboursable le . . .
	Reculer **Recul** (m)	a. hinausschieben – b. Rückgang (m) – c. zurückschrecken – d. zurücktreten a. to back out – b. to decline – c. to drop – d. to postpone – e. to shrink from
a/d		Reculer une échéance – un paiement
b/b-c		Les affaires – les prix sont en recul
d/a		Il n'y a plus moyen de reculer
c/e		Nous ne reculerons pas devant ces frais
	Récupérer **Récupération** (f)	a. wieder einbringen – b. Wiedereinbringung (f) – c. wiedererlangen a. to recover – b. recovery
c-a/a		Récupérer une marchandise disparue – une perte
b/b		La récupération des frais engagés
	Récuser	a. ablehnen a. to challenge – b. to object to
a/a-a-b		Récuser un arbitre – un juge – un témoin
	Rédaction (f)	a. Abfassung (f) a. to draw up – b. writing
a/b		Il faut modifier la rédaction de ce texte
a/a		Nous allons procéder à la rédaction des statuts
	Redevance (f)	a. Abgabe (f) a. rent(al) – b. royalty
a/ab		La redevance mensuelle – trimestrielle – annuelle
a/ab		La redevance doit être versée en espèces
a/ab		La redevance est fixée à Fr. . . . par . . .
	Rédiger	a. abfassen a. to draw up – b. to make – c. to write
a/ab-c-c-a		Rédiger un contrat – une lettre – un texte – des statuts
	Redoubler	verdoppeln – to redouble
		Nous vous recommandons de redoubler d'attention – de prudence – de soin – de zèle
	Réduction (f)	a. Abbau (m) – b. Ermässigung (f) – c. Herabsetzung (f) a. discount – b. reduction
c-c-a/b		Une réduction de capital – de prix – d'effectif
b/a	accorder	Si vous nous preniez tout le lot, nous pourrions vous accorder une réduction de prix de . . . %
b/b	bénéficier	Nous sommes heureux de vous faire bénéficier d'une réduction de prix

b/a	demander	Il nous a demandé une petite réduction que nous n'avons pas pu lui refuser
b/a	faire	L'affaire ne m'intéresse que si vous pouvez me faire une réduction intéressante – sensible
b/a	moyennant	J'accepte cette livraison moyennant une réduction de . . . %
b/a	obtenir	Quelle réduction de prix pensez-vous obtenir?
a/b	personnel	Nous n'envisageons pas de procéder à une réduction de personnel pour l'instant
b/b	vendre	Il a été obligé de vendre avec une réduction de . . .
	Réduire	a. herabsetzen – b. verringern a. to reduce
b-a-a-a/a		Réduire les dépenses – les frais – le prix – le taux
a/a		Nous vendons à prix très réduits
	Réévaluer	a. werten a. to reconsider – b. to revalue
a/b		La monnaie de ce pays a été réévaluée de 5%
a/a		Nous avons réévalué notre position (la situation) et pensons que . . .
a/b		Il y aura lieu de réévaluer les postes suivants de l'actif: . . .
	Référence (f)	Referenz (f) – reference
	avoir	Le candidat a d'excellentes références
	citer	M. . . . vous a cité comme référence
	demander	Pour une affaire d'une telle importance, nous sommes obligés de vous demander des références
	donner	Si vous le désirez, je puis vous donner des références bancaires sur votre place
	indiquer	Comme références, j'ai indiqué ci-dessous les noms de quelques maisons pour lesquelles j'ai exécuté des travaux du même genre
	rappeler	Vous voudrez bien rappeler notre référence no . . .
	Référer à (se)	a. beziehen a. further – b. to refer – c. reference
a/b		Je me réfère à votre lettre du . . . ct.
a/ac		Me référant à l'annonce parue dans . . . du . . . ct, je me permets de vous offrir mes services
	Réfléchir **Réflexion** (f)	a. denken – b. erwägen – c. überlegen a. to consider – b. consideration – c. to think – d. thought
b/c	à	Réfléchir à une idée – proposition – suggestion – question
b/c		Nous réfléchirons à ce que nous devons faire
a/d	donner à	Un tel problème donne à réfléchir
c/bd	mériter	Cela mérite réflexion
c/c	sans	Il a agi sans réflexion
c/a	tout	Tout réfléchi, je préfère refuser

	Refus (m)	a. Ablehnung (f) – b. Verweigerung (f) a. refusal
a/a		Un refus formel – motivé – sans aucune explication
b/a		Un refus d'acceptation – de paiement
a/a		Je ne comprends pas les motifs de votre refus
a/a		Il nous a répondu par un refus pur et simple
	Refuser	a. ablehnen – b. verschliessen – c. verweigern – d. zurückweisen a. to refuse
a/a		Refuser d'accepter – de payer – de discuter
a/a	croire	Je crois prudent de refuser cette offre
c/a	faveur	Vous ne pouvez pas me refuser cette faveur
d/a	marchandise	Nous refusons la marchandise parce qu'elle n'est pas conforme à l'échantillon soumis
d/a	obliger	Nous sommes obligés de refuser des commandes tant nous sommes surchargés de travail
a/a	se	Je ne me serais pas refusé à . . ., s'il avait . . .
b/a		Il se refuse à l'évidence
	Regagner	a. aufholen – b. zurückgewinnen – c. zurückkehren a. to make up – b. to regain – c. to return
c/c	bureau	Je pars en vacances et ne regagnerai mon bureau que le . . .
b/b	confiance	Si vous voulez regagner notre confiance, il faudra nous donner des preuves concrètes (tangibles) de votre bonne volonté
a/a	temps	Il ne sera pas facile (aisé) de regagner le temps perdu
b/b	terrain	Il y a un grand effort à donner pour regagner le terrain perdu
	Regarder	a. achten (auf) – b. angehen – c. betrachten a. to concern – b. to consider – c. to mind
c/b	affaire	Je regarde cette affaire comme certaine – conclue – réglée – liquidée – perdue
b/a	cela	Cela ne me regarde pas, adressez-vous à . . .
c/b	comme	Je regarderai comme une faveur personnelle tout ce que vous ferez pour . . .
a/c	dépense	Nous ne regarderons pas à la dépense
b/a	en	En ce qui me regarde, je ferai tout pour . . .
b/a	se mêler	Je ne veux pas me mêler de ce qui ne me regarde pas
	Régie (f)	a. Regie (f) – b. Verwaltung (f) a. agency – b. contract – c. state/monopoly
a/c		La régie des tabacs – des alcools
a/b		Donner des travaux à faire en régie
b/a		Cet immeuble est géré par la régie immobilière . . .
	Régional	a. regional a. local – b. regional
a/a-ab		Le représentant régional – les journaux régionaux
	Registre (m)	a. Grundbuch (n) – b. Register (n) – c. Verzeichnis (n) a. register

b-c/a		Le registre du commerce – des actionnaires
b/a		Le registre des réserves de propriété
a-b/a		Le registre foncier – de l'état-civil
b/a		Un extrait de registre – faire inscrire au registre
	Règle (f)	a. allgemein – b. Ordnung (f) – c. Regel (f) – d. vorschriftsmässig a. order – b. record – c. rule – d. standard
d/c	agir	Il n'y a rien à dire, il a agi dans les règles
c/c	avoir	Nous avons pour règle de ne vendre qu'au comptant
c/c	donner	Nous nous sommes donné comme règle de ne jamais ...
c/c	être	C'est la règle, je le regrette pour vous
c/d		Il est de règle que les menus frais soient remboursés
c/c	exception	Je ne peux et ne veux pas faire d'exception à la règle
a/c	générale	En règle générale, il est d'usage que ...
b/a	se mettre	Il faudra que vous vous mettiez en règle sans tarder
b/b	pour	Pour la bonne règle, vous voudrez bien accuser réception ...
c/c	suivant	Suivant la règle établie, nous ...
	Règlement (m)	a. Ausgleichung (f) – b. Begleichung (f) – c. Bereinigung (f) – d. Bezahlung (f) – e. Regelung (f) – f. Reglement (n) a. to pay – b. payment – c. regulation – d. rule – e. to settle – f. settlement
a-b-c/f-f-f		Le règlement des comptes – de la facture – des écritures
e/b		Le règlement du dommage – de l'indemnité
f/d-c		Le règlement de service – de travail
a-b/f-f	attendre	Je ne peux pas attendre plus longtemps le règlement de votre compte – de votre arriéré
f/d	conformément	Conformément à l'art. 2 du règlement des ...
f/d	conformer	Vous êtes obligé de vous conformer au règlement
d/a	effectuer	Le règlement de cette somme a été effectué par virement, au crédit de votre compte
b/b	en	En règlement de votre facture du ...
f/d	être	Le règlement est toujours en vigueur – est abrogé
b/b	faciliter	Pour faciliter le règlement de cette facture, nous ...
b/b	obliger	Un prompt règlement de notre créance nous obligerait
c/ae	occuper	Je suis occupé au règlement de mes écritures
f/d	prescrire	Pouvez-vous me renseigner sur ce que prescrit le règlement dans ce cas?
e/d	selon	Selon le règlement en usage, nous devons ...
f/d	soumettre	Nous avons été obligés de nous soumettre au règlement
	Régler	a. ausgleichen – b. begleichen – c. beilegen – d. bezahlen – e. erledigen – f. regulieren a. to adjust – b. to pay – c. to settle
b-d-d/c-b-b		Régler un compte – un créancier – une facture

e-c-c/c		Régler une affaire – un litige – un différend
f/a		Régler une machine
e/c	accord	Je vous propose de régler ce problème d'un commun accord
e/c	amiable	Nous avons pu régler cette affaire à l'amiable
a/c	compte	Comme votre compte n'est pas encore réglé, . . .
	Regret (m)	a. Bedauern (n) – b. Pflicht (f) – c. ungern a. to regret – b. regret – c. reluctantly
a/b	à	A mon grand regret, je ne pourrai assister à la cérémonie Je suis obligé, bien à regret, de renoncer à . . .
a/a	au	Je suis au regret de vous informer que . . .
b/a	avoir	Nous avons le vif regret de vous annoncer le décès – de vous faire savoir que . . .
a/a		Nous avons du regret à le voir nous quitter
a/–	expression	Avec l'expression de nos regrets, nous vous prions de croire à . . .
a/b	exprimer	Nous vous exprimons tous nos regrets pour ce retard
c/c	faire	Je ne l'ai fait qu'à regret
a/b	voir	Nous voyons avec regret que vous ne tenez aucun compte de nos avertissements
	Regrettable	bedauerlich – regrettable
		Une affaire – un incident regrettable Il est regrettable que vous n'ayez pu nous renseigner préalablement Votre absence serait d'autant plus regrettable que je me proposais de . . .
	Regretter	bedauern – to regret
	d'autant	Je le regrette d'autant plus que je croyais . . .
	croire	Croyez que je regrette vivement cet incident
	donner	Je regrette de vous avoir donné tant de peine
	donner suite	Je regrette vivement de ne pouvoir donner suite à votre réclamation – à votre proposition
	être	Je regrette d'être privé de vos services
	lieu	Il aura lieu de le regretter
	négligence	Nous regrettons vivement cette négligence
	pouvoir	Je regrette de ne pouvoir vous être utile
	que	Je regrette vivement que vous ne m'ayez pas prévenu – que nous ne puissions nous mettre d'accord
	rappeler	Nous regrettons de vous rappeler que vous n'avez pas . . .
	Régulier	a. ordnungsgemäss – b. regelmässig a. due form – b. regular
a/a-a-b		Un document – un endossement – un envoi régulier
b/b		Il y a un service régulier de transport entre . . . et . . .
	Régulièrement	regelmässig – regularly
		Je vous tiendrai régulièrement au courant des progrès

		J'ai toujours payé régulièrement vos factures et m'étonne de votre rappel
	Réintégrer	a. wieder einsetzen – b. wieder einstellen – c. zurückkehren
		a. to reinstate – b. to retire – c. to return
a/a		Il a été réintégré dans ses fonctions
b/b		Nous avons réintégré quelques ouvriers dans notre usine
c/c		Il a réintégré son domicile
	Réitérer	wiederholen – time
		A réitérées reprises, je vous ai demandé de ...
	Rejeter	a. ablehnen – b. zurückweisen
		a. to refuse – b. to reject
b/a		Rejeter une demande – une offre – une requête
a/b		La proposition a été rejetée à une faible majorité
	Relâcher	a. anlaufen – b. unausgesetzt
	Relâche (m. ou f.)	a. to call – b. respite
a/a		Le bateau relâche – fait relâche (f) à Marseille
b/b		Je travaille sans relâche (m) à ce nouveau plan
	Relancer	a. bearbeiten – b. Wiederbelebung (f)
	Relance (f)	a. to follow up – b. to pick up
a/a		Croyez-vous que ce soit le moment de relancer ce client?
b/b		On prévoit une relance des affaires au cours du prochain semestre
	Relatif	a. bezüglich – b. relativ
		a. about – b. relative
a/a		J'aimerais vous poser quelques questions relatives à ce sujet
b/b		Tout dépend du point de vue, c'est très relatif
	Relation (f)	a. Beziehung (f) – b. Verbindung (f) – c. Zusammenhang (m)
		a. connection – b. contact – c. to deal – d. dealings – e. relation – f. touch
a/e		De bonnes – excellentes – vieilles relations
a/e		Des relations directe – étendues – fréquentes
a/e	ancienneté	L'ancienneté de nos relations m'autorise à vous demander ...
a/e	cesser	Nous avons cessé toutes relations avec cette maison
a/e	conserver	Nous avons conservé de bonnes relations dans ce pays
a/e	créer	Grâce aux excellentes relations que je me suis créées
a/d	devenir	Les relations que nous avions avec eux sont devenues plus fréquentes
c/a	entre	Il y a une étroite relation entre ces deux incidents
b/c	entrer	Nous ne vous conseillons pas d'entrer en relation avec ...

		Nous espérons qu'une occasion (plus) favorable d'entrer en relation avec vous se présentera prochainement
a/e	entretenir	Nous sommes très satisfaits des relations d'affaires que nous entretenons avec ...
a/e	établir	Nous souhaitons que des relations suivies s'établissent entre nos deux maisons
b/b	être	Nous sommes en relation très étroite avec ...
a/a	grâce	Grâce aux relations que nous avons dans cette ville, nous avons pu nous procurer ...
b/bf	mettre	Dès que je le pourrai, je me mettrai en relation avec ...
a/e	nouer	Nous essayons de nouer des relations avec ...
		Je serais heureux de nouer des relations suivies avec ...
a/e	permettre	Nos relations nous permettent un contact étroit avec ...
a/a	procurer	Ces relations ne m'ont pas procuré les avantages que j'en attendais
a/e	rendre	Nous aimerions rendre les relations plus étroites
a/e	tenir compte	Tenant compte de nos anciennes et bonnes relations, ...
	Relever	a. aufdecken – b. Ausweis (m) – c. Auszug (m) –
	Relevé (m)	d. Bericht (m) – e. entheben – f. Verzeichnis (m)
		a. balance – b. list – c. to point out – d. to relieve – e. statement
c-b-c/e		Relevé de compte – de caisse – de facture
f-d/b-a		Relevé des titres déposés – de situation
c/e		Le relevé de votre compte se solde par Fr. ... en ma faveur
c/e		Le relevé de votre compte correspond à mes écritures
c/e		Vous voudrez bien examiner ce relevé et nous dire si vous l'approuvez
e/d		Il a été relevé de ses fonctions
a/c		Les irrégularités que nous avons relevées présentent un caractère d'une certaine gravité
	Relèvement (m)	a. Ansteigen (n) – b. Erhöhung (f)
		a. increase
a/a	prix	Vous devriez vous attendre à un prochain relèvement du prix des matières premières
b/a	salaire	Malgré le relèvement des salaires intervenu récemment, notre offre du ... ne subira aucune majoration
b/a	tarif	Un relèvement des tarifs de ... est entré en vigueur le ...
	Reliquat (m)	Restguthaben (n) – balance
		Payer – abandonner le reliquat d'un compte
	Remarque (f)	a. Bemerkung (f)
		a. comment – b. remark

a/a		Je n'ai aucune remarque particulière à formuler
a/b		Je lui ai fait une remarque qui ne lui a pas plu
a/b		Je tiendrai compte de votre pertinente remarque dont je vous remercie sincèrement
	Remarquer	a. auffallen – b. beachten – c. bemerken – d. hinweisen a. to draw – b. to note – c. to notice – d. to point out
c/b		Remarquer un changement – une erreur – une faute
d/d	faire	Je vous ferai remarquer que j'ai toujours tenu mes engagements
c/d		Permettez-moi de vous faire remarquer que de telles erreurs sont peu fréquentes
d/ad		Il n'a pu s'empêcher de faire remarquer cet oubli
a/a	se faire	Il désire surtout se faire remarquer
c/c	que	Je remarque que, depuis quelque temps, la qualité de vos fournitures n'est plus la même
b/b	vouloir	Veuillez remarquer combien nous avons amélioré la présentation de nos articles
	Remboursement (m)	a. ablösbar – b. Nachnahme (f) – c. Rückerstattung (f) – d. Rückzahlung (f)
	Remboursable	a. callable – b. reimbursement – c. repayment
a/a		Obligations remboursables au pair – par tirage au sort
d/c		Remboursement partiel – à l'échéance – anticipé
d-c/c-b		Remboursement d'une dette – des frais avancés
c/c	demander	Nous nous réservons la faculté de demander en tout temps le remboursement des sommes avancées
c/b	droit	Vous avez droit au remboursement de vos frais de voyage en 1ère classe
d/c	effectuer	Le remboursement s'effectuera par mensualités de Fr. . . .
d/c	exiger	J'exige le remboursement immédiat de . . .
b/c	expédier	Nous expédions (livrons) contre remboursement
	Rembourser	a. ersetzen – b. tilgen – c. zurückzahlen a. to pay – b. to redeem – c. to reimburse
c-b/a-b		Rembourser un emprunt – une hypothèque
b-c-c/b-a-a		Rembourser des obligations – une somme – une prime
c/a		Comme convenu, je vous rembourserai capital et intérêt le . . .
a/a		Je vous rembourserai de toutes les pertes subies
a/c		Nous remboursons les frais de voiture – la valeur de . . .
	Remédier **Remède** (m)	a. abhelfen a. to remedy – b. to straithen out
a/b		Comment pourrions-nous remédier à ce désordre – à cette situation intolérable?
a/a		Nous remédierons aux imperfections que vous nous avez signalées
a/b		Il faut absolument porter remède à ce désordre

	Remerciement (m)	a. Dank (m) a. to thank – b. tanks
a/b	accepter	Veuillez accepter nos remerciements pour . . .
a/a	anticipés	Veuillez agréer mes remerciements anticipés
a/–	croire	Nous vous prions de croire à nos très vifs remerciements
a/a	exprimer	Je vous exprime mes plus vifs remerciements pour . . .
a/–	recevoir	Recevez nos plus sincères remerciements
	Remercier	danken – to thank
	accueil	Je vous remercie du bon accueil que vous avez fait à . . .
	d'avance	Nous vous remercions d'avance de tout ce que vous pourrez faire pour ce jeune homme
	bienveillance	Je vous remercie de la bienveillance que vous m'avez témoignée
	cadeau	«Nous ne savons comment vous remercier de votre si gentille attention. Vous nous avez vraiment trop gâtés. Veuillez trouver ici l'expression de notre très vive reconnaissance»
	commande	Nous avons bien reçu votre commande du . . . et vous en remercions
	confiance	Nous vous remercions très sincèrement de la confiance que vous nous avez accordée
	dont	Grâce à votre diligence, dont nous vous remercions, . . .
	intention	Je vous remercie de votre excellente intention
	invitation	«J'accepte avec grand plaisir votre aimable invitation» «Je suis très heureux de pouvoir assister à la cérémonie de . . ., et vous remercie de votre aimable invitation» « . . . présente ses respectueux hommages à Madame . . . et la remercie de son aimable invitation à laquelle il se rendra avec un grand plaisir» «A mon grand regret, je ne puis accepter votre sympathique invitation du . . .» «Mes obligations professionnelles m'empêchent, malheureusement, d'assister à la cérémonie du . . . Je le regrette vivement et vous prie de m'excuser»
	nomination	«Je vous remercie d'avoir bien voulu me confier le poste de . . . dans votre établissement. Vous pouvez être assuré que je saurai me montrer digne de la confiance que vous me témoignez»
	service	«Je vous remercie très vivement du service que vous avez eu l'amabilité de me rendre. Grâce à votre appui, j'ai obtenu . . . Veuillez agréer, . . .»
	tenir	Nous tenons à vous remercier de l'amabilité avec laquelle . . .

	Remettre	a. aufschieben – b. erholen – c. geben – d. instandsetzen – e. verlassen – f. Weg (m) – g. zustellen a. to adjourn – b. to deliver – c. enclosed – d. to put off – e. to recover – f. to remit – g. to repair – h. to send – i. to trust – j. way (to be on one's . . .)
c/f		Remettre à l'escompte – à l'encaissement
a/d	affaire	Je ne peux remettre cette affaire à demain – à plus tard
c/h	argent	Il m'a remis de l'argent (une somme, un montant) en compensation des frais que j'avais eus
g/h	ci-joint	Nous avons l'avantage de vous remettre ci-joint . . .
d/g	état	Quand est-ce que notre véhicule sera remis en état?
g/b	lettre	Il remettra cette lettre en main propre
b/e	maladie	Il se remet lentement d'une grave maladie
a/d	partie	Ce n'est que partie remise
g/c	pli	Nous vous remettons, sous ce pli, . . .
f/j	route	Nous allons nous remettre en route dès le . . .
a/a	séance	La séance a été remise à la semaine prochaine
e/i	s'en	Je m'en remettrai au jugement de cet homme d'expérience
	Remise (f)	a. Rabatt (m) – b. Rimesse (f) – c. Übergabe (f) – d. Vorlegung (f) – e. Wiederinstandsetzung (f) a. discount – b. negotiable instruments – c. presentation – d. repairing
b-c/b-c		Le compte de Traites et Remises – une remise d'effets
a/a	accorder	Nous pouvons vous accorder une remise exceptionnelle de . . .% sur cet article
b/a	contenter	Si vous vous contentez de cette remise, nous pourrions . . .
d/c	contre	Les marchandises vous seront délivrées contre remise du connaissement – du warrant
e/d	état	La remise en état de nos ateliers durera six semaines
a/a	faire	Je peux vous faire une remise de . . .% sur les articles en solde
a/a	revendeur	La remise de revendeur est de . . .%
	Remonter	a. Gang (m) – b. zurückgreifen – c. zurückreichen a. back
b/a		Pour en trouver la cause, il faut remonter plus haut
c/a		L'affaire remonte à l'année dernière
a/a		Il essaie de remonter cette affaire
	Remorquage (m) **Remorque** (f)	a. Anhänger (m) – b. Schlepp. . . a. trailer – b. towage
b/b		Les frais de remorquage – la prise en remorque
a/a		Un camion de . . . t, avec remorque, devrait suffire
	Remplacer **Remplacement** (m)	a. Ersatz (m) – b. ersetzen – c. vertreten a. instead – b. to replace – c. substitute
a/a		Je vous propose, en remplacement, l'article . . .

c-b/b		Je me ferai remplacer par ... – Cet employé est difficile à remplacer
b/b		Si les articles ne vous plaisent pas, nous les remplaçons immédiatement par d'autres, du même prix
b/c		Cet article remplace avantageusement ...
	Remplir	a. ausstellen – b. bekleiden – c. füllen a. to carry out – b. to fill – c. to fulfill – d. to meet – e. to observe
c/b-b-a		Remplir une caisse – des bouteilles – une tâche
c-a-c/b-b-c		Remplir un formulaire – un chèque – une obligation
c/d	conditions	Je pense que je remplis les conditions prévues pour ...
b/b	emploi	Vous n'avez pas les connaissances nécessaires en matière de ... pour pouvoir remplir un tel emploi
c/e	formalités	Toutes les formalités étant remplies par ...,
	Rémunérer **Rémunérateur**	a. entlohnen – b. lohnend a. to pay – b. profitable
b/a		Un emploi – un travail très rémunérateur
b/b-a		Une affaire – une occupation rémunératrice
a/a		Vous serez rémunéré au tarif officiel, soit ...
b/b		Il s'agit là d'un placement très rémunérateur que je puis vous conseiller sans hésitation
	Renchérir	a. überbieten – b. verteuern (sich) a. to go up – b. to outbid
b/a		Ces articles ont beaucoup renchéri
a/b		Je ne renchérirai pas sur son offre
	Rendement (m)	a. Ertrag (m) – b. Leistung (f) – c. Verlust (m) a. capacity – b. output – c. return – d. yield
a/d		Le rendement brut – net des titres
a/c		Le rendement d'un capital – d'un placement
a-a-c/cd		Un rendement favorable – intéressant – déficitaire
b/b		La machine a un (bon) rendement de ... pièces à l'heure
b/a		Nous travaillons à plein rendement pour tenir les délais
	Rendez-vous (m)	a. Zusammenkunft (f) a. appointment – b. to meet
a/a		Prendre – demander – solliciter un rendez-vous
a/a		Avoir – donner – fixer – manquer un rendez-vous
a/a		Etre exact – se trouver – venir au rendez-vous
a/b		Veuillez indiquer, sur la carte ci-jointe, quand vous pourriez accorder un rendez-vous à notre ...
	Rendre	a. begeben – b. besuchen – c. einbringen – d. erweisen – e. fällen – f. klar – g. Rechnung (f) – h. zurückgeben – i. zustellen a. to be aware – b. to bear – c. to deliver – d. to give – e. to go – f. to pay – g. to render – h. to return

a/e	à	Je pense me rendre d'ici peu à Paris
h/d	argent	Si vous n'êtes pas satisfait, vous nous retournez l'appareil et nous vous rendons l'argent
f/–	compte	Je tiens à me rendre compte sur place de la situation
g/g		Vous voudrez bien nous rendre vos comptes prochainement
f/a		Je me rends parfaitement compte de vos difficultés
h/h	emballage	L'emballage est facturé mais il peut nous être rendu
d/g	hommage	Une cérémonie pour rendre hommage à la mémoire du défunt se déroulera le . . .
e/c	jugement	Le jugement de faillite a été rendu hier
i/c	marchandise	La marchandise est rendue franco domicile – gare de . . .
c/b	obligation	Ces obligations rendent net . . .% – du . . .%
d/h	service	Je serais heureux de vous rendre pareil service à l'occasion
b/f	visite	Notre représentant se fera un plaisir de vous rendre visite au jour qui vous convient
	Renom (m) **Renommée** (f)	a. Ruf (m) a. reputation – b. well known
a/b-a		Une maison en renom – nous voulons maintenir le bon renom de notre maison
a/a		Cette maison s'est fait un mauvais renom en vendant . . .
a/a		La renommée de ce produit est incontestable
	Renoncer	a. aufgeben – b. verzichten a. to give up – b. to waive
b/a-a-b		Renoncer à une affaire – une succession – une prétention
b-b-a/a-b-a		Renoncer à un bail – un droit – la lutte
a/a		Je renonce à lui faire comprendre ce que je veux
b/a		Nous regrettons que vous soyez obligés de renoncer à . . .
	Renouer	erneuern – to renew
		Nous avons le vif désir de renouer avec vous nos anciennes et aimables relations commerciales
	Renouveler **Renouvellement** (m)	a. erneuern – b. Erneuerung (f) – c. wieder auffüllen – d. wieder aufnehmen – e. wiederholen a. again – b. to renew – c. renewal – d. to repeat
a/b-bd-bd		Renouveler une commande – une offre – une demande
a/b		Renouveler un bail – un contrat
b/c		Le renouvellement d'un bail – d'un contrat
d/a	achat	J'ai l'intention de renouveler mes achats auprès de . . .
e/d	erreur	Nous espérons que cette erreur ne se renouvellera pas
a/b	parc	En vue de renouveler notre parc de machines . . ., nous vous prions de nous adresser une offre pour . . .

c/b	stock	Dans le but de renouveler nos stocks, nous vous demandons une offre pour . . .
	Renseignement (m)	a. Auskunft (f) a. information – b. inquiry
a/a		De bons – de mauvais renseignements Des renseignements sûrs – de source sûre – confidentiels Des renseignements précis – exacts – détaillés Des renseignements contradictoires – douteux
a/b	aller	Nous sommes allés aux renseignements, mais n'avons rien pu apprendre
a/a	ample	Pour de plus amples renseignements, vous auriez avantage à vous adresser directement à . . .
a/a	avoir	Nous avons des renseignements de première main que nous nous empressons de vous communiquer
a/a	communiquer	Nous vous communiquons ces renseignements sous les réserves d'usage Vous nous obligeriez en nous communiquant des renseignements sur . . .
a/a	considérer	Nous vous demandons de considérer ces renseignements comme tout à fait – comme strictement confidentiels
a/a	demander	Vous nous avez demandé des renseignements sur la solvabilité de cette maison Nous sommes à votre disposition pour tous renseignements complémentaires qu'il vous plaira de nous demander
a/a	désirer	Ils vous donneront sur nous tous les renseignements que vous pourriez désirer
a/a	donner	Je regrette de ne pouvoir vous donner des renseignements plus précis Ces renseignements vous sont donnés sans engagement et sans garantie
a/a	faire usage	Nous vous demandons de faire un usage discret de ces renseignements
a/a	fournir	Nous nous tenons à votre disposition pour vous fournir tous les renseignements dont vous pourriez avoir besoin
a/a	obtenir	Des renseignements que nous avons obtenus, il résulte que la maison X est très honorablement connue
a/ab	prendre	Vous voudrez bien prendre des renseignements sur la maison X, car elle ne nous inspire pas grande confiance
a/a	recevoir	Voici les renseignements de source sûre que nous avons reçus aujourd'hui
a/a	recueillir	Les renseignements recueillis auprès de trois grandes banques sont favorables
a/a	relatif à	Voici le renseignement relatif à ce qui s'est passé
a/a	source	Nous ignorons la source de ses renseignements

a/a	trouver	J'ai enfin trouvé quelques renseignements sur l'activité de . . .
a/a	usage	Nous prendrons les renseignements d'usage et . . .
	Renseigner	a. informieren a. to inform – b. to inquire
a/a		Je suis bien – mal renseigné sur cette affaire
a/b	aller	Je vais aller me renseigner au plus vite
a/b	auprès	Il faut vous renseigner auprès d'une agence
a/a	sur	Auriez-vous l'obligeance de nous renseigner sur les aptitudes et le caractère de M. . . . – sur la situation financière et la solvabilité de . . .
	Rentabilité (f) **Rentable**	a. rentabel – b. Rentabilität (f) a. profitable – b. profitability
a/a	affaire	C'est une affaire rentable, à première vue Je mets en doute la rentabilité de cette affaire
b/b	calcul	Un simple calcul de rentabilité nous prouve que l'affaire est bonne – viable – vouée à l'échec
b/a	calculer	Avez-vous calculé la rentabilité de cette solution?
b/b	entreprise	La rentabilité de cette entreprise est prometteuse
	Rente (f)	a. Rente (f) a. annuity – b. benefits (US) – c. funds – d. pension – e. rent
a/a-a-ab		Une rente à vie – annuelle – mensuelle
a/e-a-c		Une rente foncière – viagère – consolidée
a/bd		Il ne touche pas encore sa rente A. V. S.
	Rentrée (f)	a. Eingang (m) a. collection – b. income – c. money
a/a		La rentrée d'une créance – d'une somme
a/a		Les rentrées de fonds sont difficiles – lentes
a/c		J'attends de fortes rentrées à la fin du mois
a/b		Il ne peut compter sur des rentrées régulières
	Rentrer	a. zurückverlangen – b. zurückkehren a. to recover – b. to return
a/a		Je rentre dans mon argent – dans mes avances
a/a		Je rentre dans mes droits – mes fonds – mes frais
b/b		Il rentre de voyage la semaine prochaine
	Renvoyer	a. entlassen – b. verweisen – c. zurückschicken a. to dismiss – b. to send
c-c-a/b-b-a		Renvoyer une lettre – un document – un employé
b/b		Nous renverrons le projet à la commission
	Réorganisation (f)	a. Reorganisation (f) – b. Sanierung (f) – c. Umgestaltung (f) a. reorganisation
a/a		La réorganisation d'un atelier – d'un service – d'un bureau
a-b/a		La réorganisation comptable – financière
c/a		Nous vous prions de patienter quelques jours car nous sommes en pleine réorganisation de nos locaux

	Répandre	a. verbreiten a. to spread – b. widely held
a/a		La nouvelle s'est répandue qu'il allait cesser ses paiements
a/b		C'est une opinion très répandue, mais je ne la partage pas
	Réparation (f)	a. Ersatz (m) – b. Reparatur (f) a. compensation – b. repair
b/b		Une réparation urgente – imprévisible
b/b		Une petite – importante réparation
a-b/a-b		La réparation d'un dommage – d'une machine
b/b		Un service – un atelier de réparation
b/b		Cette machine a besoin d'une sérieuse réparation
b/b		Elle est en réparation depuis quelques jours
b/b		Nous ferons les réparations les plus urgentes
b/b		La réparation sera effectuée sur place durant la semaine du . . . au . . .
b/b		La réparation doit être faite en usine
	Réparer	a. beheben – b. ersetzen – c. reparieren – d. wiedergutmachen a. to compensate – b. to correct – c. to make up for – d. to repair
a-d-d/d-b-c		Réparer des dégâts – une erreur – une faute
b-c-c/a-d-d		Réparer des dommages – une machine – un véhicule
	Répartir **Répartition** (f)	a. verteilen – b. Verteilung (f) a. to distribute – b. distribution – c. to divide – d. to share – e. to spread
a/a-a-d		Répartir un dividende – un bénéfice – une perte
a/d		Répartir des frais – des charges – des paiements
a/c		Répartir des attributions – des tâches – du travail
b/e-b		La répartition des risques – la clé de répartition
a/d		La charge sera répartie au prorata de . . . – en fonction de . . .
	Répliquer **Réplique** (f)	a. erwidern – b. unwiderlegbar a. to answer back – b. irrefutable – c. to reply – d. to retort
b/b		C'est un argument sans réplique
a/c		Vous auriez pu – dû lui répliquer que . . .
a/ad		Je lui ai répliqué très sèchement que . . .
	Répondre	a. antworten – b. beantworten – c. eingehen – d. entsprechen – e. Verantwortung (f) a. to accept – b. to answer – c. answerable – d. answer – e. to meet – f. to reply – g. reply – h. to respond – i. to satisfy
d/e	attente	Votre dernier envoi ne répond pas à mon attente
c/h	avances	Je n'ai pas voulu répondre à ses avances
d/e	besoin	Une telle commande ne répondrait pas à mes besoins

e/ac-ac-a-ac-a	de	Je réponds des dommages – de cette dette – de mon employé – de la perte – je ne réponds de rien
a/f	délai	Veuillez nous répondre dans le plus bref délai
d/e	demande	Cet article ne répond pas à la demande de notre clientèle
a/g	être heureux	Je suis heureux de pouvoir vous répondre affirmativement
d/d	favorablement	Nous espérons que vous pourrez répondre favorablement à notre demande
a/b	lettre	Je réponds enfin à votre lettre du 5 ct.
b/d	négativement	A mon vif regret, je me vois obligé de répondre négativement à votre demande du . . .
b/f	objection	Nous pouvons répondre à vos objections en vous faisant remarquer que . . .
a/f	par	Je répondrai par lettre – par télégramme
a/b	peine	Je ne me suis pas donné la peine de répondre à . . .
a/f	que	Il nous a répondu qu'il ne voyait aucun inconvénient à . . .
a/b	question	Il m'est difficile de répondre à cette question
a/f	regretter	Je regrette que vous n'ayez pas répondu plus tôt
a/f	tarder	Pourquoi tardez-vous tant à répondre?

Réponse (f)

a. Antwort (f) – b. Beantwortung (f) – c. unwiderlegbar

a. answer – b. to hear – c. reply – d. response – e. unanswerable

a/a		Une réponse affirmative – évasive – négative
a/ac		Une réponse favorable – satisfaisante – défavorable
a/ac		Une réponse ferme – prompte – par retour du courrier
a/a		Une réponse polie – impolie – impertinente
c/e	argument	C'est un argument sans réponse
a/c	attendre	Nous attendons votre réponse avec impatience – avec intérêt, avant de . . .
		Nous avons attendu vainement votre réponse
a/a	avoir	J'aurai la réponse demain – sous peu – prochainement
a/a	concernant	Je ne peux pas vous donner une réponse définitive concernant le . . .
a/a	donner	Pour quelle date devez-vous donner votre réponse?
b/c	en	En réponse à votre lettre du . . ., je vous informe que . . .
a/c	exiger	Nous exigeons une prompte réponse, sinon . . .
a/d	faire	Tous nos fournisseurs nous ont fait la même réponse
a/c	favorable	Nous espérons vivement que votre réponse sera favorable
a/c	obtenir	N'ayant obtenu aucune réponse, je vous informe que . . .
a/d	pour	Pour toute réponse, il a . . .
a/c	pouvoir	Cette réponse ne peut pas nous satisfaire

a/c	recevoir	Nous serions heureux de recevoir votre réponse par un tout prochain courrier
a/c	rendre	Je lui rendrai réponse demain
a/b	sans	Sans réponse de vous dans un délai de . . ., nous . . .
a/c	satisfaire	Votre réponse dilatoire ne me satisfait pas du tout
a/c	satisfaisante	Si je ne reçois pas une réponse satisfaisante avant . . .
a/c	tardivement	Votre réponse nous est parvenue si tardivement que . . .
a/a	trouver	Il trouve réponse à tout
	Reporter **Report** (m)	a. beziehen (auf) – b. Report (m) – c. Übertrag (m) – d. übertragen – e. verschieben – f. vortragen a. to carry – b. contango – c. to postpone – d. to refer
b-c-c/b-a-a		Le report de bourse – sur facture – sur les livres
bd-bd-f/ab-ab-a		Une prime – un taux de report – à reporter
a/d		Vous n'avez qu'à vous reporter aux indications de notre lettre du . . .
e/c		La décision est reportée à quinzaine
	Reposer **Repos** (m)	a. mündelsicher – b. ruhig – c. sicher – d. unbegründet – e. verlassen a. easy – b. founded – c. gilt-edged – d. to rely – e. rest
c-a/a-c		Une place – une valeur de tout repos
d/b		Ce bruit ne repose sur rien
e/d		Je puis me reposer entièrement sur lui
b/e		Je vais prendre quelques jours de repos
	Reprendre	a. durchgehen – b. erholen – c. hereinfallen – d. neu beginnen – e. übernehmen – f. wieder aufnehmen – g. zunehmen – h. zurücknehmen a. to fall for – b. to go back/over – c. to pick up – d. to resume – e. to start over – f. to take back/over
d/b-e	affaire	Il faut reprendre l'affaire à son origine – à zéro
b/c		Les affaires reprennent – commencent à reprendre
e/f	compte	J'ai repris pour mon propre compte les affaires de . . .
g/c	demande	La demande pour ces articles est en train de reprendre
h/f	emballage	Nous ne reprenons pas les emballages
a/b	fait	Reprenons les faits dès le début
h/f	marchandises	Nous reprenons les marchandises qui ne conviendraient pas et en remboursons la valeur
f/d	paiement	La maison X a repris ses paiements
f/d	relations	Nous avons repris nos relations avec M. . . .
f/d	travaux	Les travaux ont repis
c/a	y	On ne m'y reprendra plus
	Représenter	vertreten – to represent
	article	Les articles que nous représentons proviennent de maisons d'ancienne réputation

	assemblée	Je vous remercie de bien vouloir me représenter lors de l'assemblée de ...
	désirer	Si vous désirez nous représenter, faites-nous connaître vos conditions, la commission que vous demandez ainsi que vos références
	soin	Nous avons confié le soin de nous représenter à M. ...
	Représentant (m) **Représentation** (f)	a. Vertreter (m) – b. Vertretung (f) a. agent – b. to represent – c. representation – d. representative
b/b	assumer	Je suis bien placé pour assumer la représentation de produits tels que les vôtres
b/c	confier	Je serais heureux que vous me confiiez la représentation de ...
		Nous pourrions vous confier cette représentation aux conditions suivantes: ...
a/ad	exclusif	Notre représentant exclusif pour la France est M. ...
a/d	offre	Je vous offre mes services comme représentant de votre maison dans le rayon ...
a/d	qualifié	Nous engagerions un représentant qualifié en ...
b/c	retirer	J'ai été obligé de lui retirer la représentation de ...
	Reprise (f)	a. mehrmals – b. Wiederaufnahme (f) – c. Wiederbelebung (f) – d. Zurücknahme (f) a. occasion – b. pick up – c. resumption – d. to take back
b-c/c-b		La reprise des affaires – des travaux
a/a		Nous vous avons fait savoir à plusieurs reprises que ...
c/b		Peut-être pourrions-nous envisager une reprise des négociations si ...
d/d		Nous acceptons la reprise des invendus dans les trois mois après la livraison
	Reprocher **Reproche** (m)	a. vorwerfen – b. Vorwurf (m) a. to reproach – b. reproach
a/a		Reprocher une erreur – une faute – un oubli
b/b		Un reproche justifié – fondé – injustifié – infondé
b/b	attirer	Je ne voudrais pas m'attirer les reproches de la clientèle
b/b	avoir	Nous n'avons aucun reproche à nous – vous faire
b/b	s'étonner	Il s'est étonné des reproches que nous lui avons adressés
b/b	exposer	En agissant ainsi, vous vous exposez aux reproches de ...
b/b	faire	Je ne lui fais qu'un reproche, c'est de ...
b/b	mériter	Nous ne méritons en aucune façon les reproches que vous nous avez faits
b/b	recevoir	Il faut nous attendre à recevoir des reproches
a/a	rien	Nous n'avons rien à nous reprocher

	Reproduire	a. Kopie (f) – b. Nachahmung (f) – c. vervielfältigen –
	Reproduction (f)	d. wiederholen
		a. copy – b. to happen again – c. reproduction
c/a	à	Cet ... a été reproduit à des milliers d'exemplaires
d/b	erreur	Nous pouvons vous assurer qu'une telle erreur ne se reproduira plus
a/c	fidèle	Ce dessin est une reproduction fidèle d'un tableau ...
b/c	interdit	Nos modèles étant déposés, la reproduction en est interdite
		Toute reproduction est formellement interdite
d/b	oubli	Nous vous demandons de faire en sorte que ces oublis ne se reproduisent plus
	Réputation (f)	a. bekannt – b. Hörensagen (n) – c. Ruf (m)
		a. reputation
c/a		Une bonne – grande – excellente réputation
		Une mauvaise – triste – fâcheuse – réputation
		Une réputation locale – régionale – mondiale
c/a	acquérir	Il a acquis une grande réputation comme spécialiste en ...
c/a	avoir	Il a une excellente réputation sur notre place
b/a	connaître	Je le connais de réputation seulement
c/a	faire	De tels agissements font du tort à votre réputation
c/a		La parfaite qualité de nos produits a fait notre réputation
c/a		Il s'est fait une réputation d'expert en ...
a/a		La réputation de ces articles n'est plus à faire
c/a	jouir	Cette maison jouit d'une réputation mondiale
c/a	maintenir	Tous nos efforts visent à maintenir notre ancienne et bonne réputation
c/a	souffrir	Sa réputation a beaucoup souffert des erreurs que son associé avait faites
	Réputé	a. angesehen – b. geschätzt
		a. reputable – b. well-known
a-b/ab-b		Une personne réputée – un article réputé
	Requête (f)	a. Ersuchen (n) – b. Gesuch (n)
		a. request
a/a	à	Je vous écris à la requête de mon ami, M. ...
b/a	admettre	Après examen, votre requête a été admise
b/a	adresser	Essayez d'adresser votre requête à ...
b/a	donner	Nous espérons qu'il vous sera possible de donner une suite favorable à notre requête
a/a	faire droit	Nous aurions fait droit à votre requête si ...
b/a	prendre	Je ne peux pas prendre votre requête en considération
b/a	rejeter	Sa requête a été rejetée
	Requis	erforderlich – required
		Les documents requis pour ... doivent nous parvenir au plus tôt
		Nous avons effectué toutes les formalités requises

	Réserve (f)	a. Reserve (f) – b. Vorbehalt (m) – c. vorrätig – d. zurückhalten a. (not) to guarantee – b. guard – c. reservation – d. reserve – e. stock
a/d		La réserve légale – statutaire – le fonds de réserve Les réserves visibles – cachées – latentes La réserve pour créances douteuses – pour risques en cours Constituer une réserve – affecter à une réserve
b/c	confirmer	Je confirme les réserves que j'ai faites au moment de ...
b/a	donner	Je vous donne ces renseignements sous toutes réserves
c/d	en	Nous en avons encore en réserve
b/d	faire	Nous faisons toutes réserves sur ce point – les plus expresses réserves – les réserves d'usage
b/c	formuler	Nous vous conseillons de formuler dès maintenant – sans tarder vos réserves
a/d	puiser	Il serait logique de puiser dans la réserve que nous avions constituée à cet effet
b/c	stipuler	Pourquoi n'avez-vous pas stipulé cette réserve dans le contrat?
d/b	se tenir	Il est préférable que nous nous tenions sur la réserve
	Réserver	a. bereiten – b. reservieren – c. vorbehalten a. to book – b. to reserve
b/ab-ab-b		Réserver une chambre – une place – un local
b/b		Réserver un article – des marchandises
a/–	accueil	Nous vous remercions du bon accueil que vous avez réservé à notre représentant, M. ...
c/b	décision	Je réserve ma décision jusqu'à plus ample informé
c/b	droit	«Tous droits de reproduction réservés, par quelque moyen que ce soit»
b/b	pendant	Nous pouvons vous réserver cet article pendant ... jours sans aucun engagement de votre part
c/b	se	Nous nous réservons le droit de refuser ...
	Résilier **Résiliation** (f)	a. kündigen – b. Kündigung (f) a. to terminate – b. termination
a/a		Je vous prie de prendre note que je résilie mon bail pour le ...
b/b		Votre résiliation ne nous étant pas parvenue dans les délais contractuellement fixés à l'art. ..., nous regrettons de devoir la refuser
b/b		Toute résiliation du contrat doit être formulée ... jours (mois) à l'avance et pour la fin d'un mois
	Résolution (f)	Resolution (f) – resolution
		L'assemblée a adopté la résolution suivante: ... Un projet de résolution sera discuté lors de notre prochaine séance

	Respecter **Respect** (m) **Respectueux**	a. Achtung (f) – b. einhalten a. to enforce – b. to respect – c. respect
a/c	avoir	Il a toujours eu un grand respect pour . . .
b/b	délai	J'espère que vous serez en mesure de respecter les délais fixés
a/a	faire	Nous saurons faire respecter cette décision
a/c	manquer	Il est vrai qu'il lui a manqué de respect
a/–	salutations	Veuillez agréer, Monsieur le Directeur, mes salutations très (les plus) respectueuses
a/c	témoigner	Il m'a toujours témoigné beaucoup de respect
	Responsabilité (f) **Responsable**	a. Haftung (f) – b. verantwortlich – c. Verantwortlichkeit (f) – d. Verantwortung (f) a. liable – b. liability – c. responsible – d. responsibility
a-c-a/b		La responsabilité civile – pénale – personnelle
a/b		La responsabilité solidaire des associés
a/b		La Société à responsabilité limitée
b/a		Etre responsable d'un acte – des dommages
b/c		Etre responsable d'une erreur – des suites de . . .
d/d	accepter	Il a cru bien faire en acceptant cette responsabilité
d/b	admettre	Nous pouvons difficilement admettre notre responsabilité
d/d	assumer	J'assumerai dès . . . la responsabilité de cette charge Nous n'assumons aucune responsabilité quant aux . . .
d/c	avoir	Il a la responsabilité des expéditions
d/b	décliner	Nous déclinons toute responsabilité au sujet des renseignements que nous vous donnons – en ce qui concerne . . .
a/b	déterminer	Une enquête est en cours pour déterminer les responsabilités
d/b	engager	Nous avons engagé notre responsabilité, c'est pourquoi . . .
d/c	faire	Je le ferai sous ma propre responsabilité
d/d	fuir	Je n'ai nullement l'intention de fuir mes responsabilités mais je vous demande de m'apporter des preuves valables
d/d	prendre	Vous prendrez vos responsabilités
b/c	rendre	Nous ne comprenons pas pourquoi vous voulez nous rendre responsable de . . .
b/c	tenir	Nous vous tenons pour seul responsable de . . .
	Ressort (m)	a. Bereich (m) – b. Instanz (f) a. appeal – b. responsability
b/a		Le jugement en premier – en dernier ressort
a/b		Ce cas n'est pas de mon ressort
	Ressource (f)	a. Mittel (n) – b. Möglichkeit (f) a. means – b. possibility – c. resource
a/c		Les ressources financières – personnelles

a/a		Ses dépenses ne sont pas en rapport avec ses ressources
a/c		Nous ignorons quelles sont ses ressources
b/b		Je ne vois pas d'autre ressource que cette solution
	Reste (m)	a. Rest (m) a. balance – b. remainder
a/b		Le reste du stock sera vendu aux enchères
a/a-ab		Reste dû: Fr. . . . – je paierai le reste le . . .
	Rester	a. bewenden – b. bleiben – c. stehenbleiben a. further – b. to leave – c. to remain – d. still
a-c/b-a	en	Restons-en là – l'affaire en est restée là
b/c	entre	Il est entendu que cette affaire doit rester entre nous
b/b	espoir	Le seul espoir qui nous reste est l'aide . . .
b/c	incertitude	Nous n'aimons pas rester dans l'incertitude
b/c	ferme	Les prix sont restés fermes
b/c	il	Il ne nous reste plus qu'à vous souhaiter . . .
b/c	savoir	Reste à savoir si vous serez payé
b/d	vigueur	Ce règlement reste en vigueur
	Restreindre **Restriction** (f)	a. beschränken – b. Beschränkung (f) a. to limit – b. restriction
a/a		Les possibilités de ventes sont très restreintes
a/a		Il a dû restreindre ses prétentions
b/b		Les restrictions monétaires – de crédit qui nous sont imposées ne facilitent pas les transactions
	Résultat (m)	a. Erfolg (m) – b. Ergebnis (n) a. outcome – b. profit and loss – c. result
b/c		Un résultat positif – négatif – favorable – défavorable
a-b/b-c		Un compte de résultat – un résultat financier
b/c	aboutir	Nous espérions aboutir à un meilleur résultat
b/a	annoncer	Il nous a annoncé l'heureux résultat de vos recherches
b/c	compter	Sur quel résultat comptez-vous?
b/c	contraire	Le résultat est contraire à celui que j'espérais
b/c	décourager	Je ne m'attendais pas à des résultats aussi décourageants
b/c	dépasser	Ces résultats dépassent nos prévisions les plus optimistes
b/c	donner	Une telle politique ne peut pas donner de bons résultats
b/c	escompter	Nous sommes loin du résultat escompté
b/–	espérer	Nous espérons un heureux résultat de vos démarches
b/c	laisser	Si les résultats laissent à désirer, nous interromprons l'expérience
b/c	obtenir	Il a obtenu de brillants résultats avec cette méthode
b/c	prévoir	Comment pouvait-on prévoir un tel résultat?
b/c	répondre	Le résultat n'a pas répondu à son attente
b/ac	satisfait	Malgré tout, nous sommes assez satisfaits du résultat

	Résulter	a. ergeben a. to arise – b. to result
a/b		Qu'en résultera-t-il? – qu'en est-il résulté?
a/a		On pouvait prévoir les difficultés qui pouvaient en résulter
a/a		Il pourrait en résulter des conséquences fâcheuses
	Retard (m)	a. unverzüglich – b. verspäten – c. Verspätung (f) – d. Verzug (m) a. behind – b. deferred – c. delay – d. delinquent – e. late
c/c-e		Un retard dans la livraison – dans le paiement
c/e-c		Avec un retard de 2 jours – pour cause de retard
d/b-d		Les intérêts de retard – un débiteur en retard
a/c	agir	Il faut absolument agir sans retard
c/c	attribuer	A qui ou à quoi faut-il attribuer ce retard?
c/a	avoir	Le bateau – l'envoi – le train a du retard
c/c		Nos espérons que ce retard n'aura pas de conséquences fâcheuses pour vous
c/c	contrarier	Ce retard contrarie nos projets
c/c	dû	Nous ne savons pas à quoi le retard est dû
a/c	envoyer	Veuillez nous envoyer – expédier sans retard ...
c/c	excuser	Nous vous prions d'excuser ce retard dont nous ne sommes pas responsables – que nous ne pouvions pas prévoir
c/c	inquiet	Nous sommes inquiets de ce retard
b/a	mettre en	Ces événements – incidents nous ont mis en retard
c/c	par	Par suite de ce retard imprévisible, nous ne pouvons pas ...
c/c	préjudiciable	Nous espérons que ce léger retard ne vous sera pas trop préjudiciable
c/c	produire	Nous espérons qu'un tel retard ne se produira plus
c/c	subir	Nous avons donné des ordres pour que votre commande ne subisse pas un plus long retard
	Retarder	a. aufhalten – b. hinausschieben a. to defer – b. to delay – c. to extend – d. to postpone
b/c-c-a		Retarder le délai – l'échéance – le paiement
b/d		Retarder l'envoi – l'expédition – la vente
a/b		Nous avons été retardés par les mauvaises conditions atmosphériques
	Retenir	a. behalten – b. belegen – c. enthalten – d. erregen – e. verhindern a. to deduct – b. to detain – c. to draw – d. to keep from – e. (to make a mental) note – f. to reserve
d/c	attention	Cette nouvelle forme de vente a retenu notre attention
a/e	idée	Je retiens votre idée pour une autre fois
e/b	par	Il a été retenu par un accident de la route

b/f	place	Nous avons retenu deux places sur le bateau – à l'hôtel
c/d	pouvoir	Il n'a pas pu se retenir de me parler de ...
a/a	sur	Je retiendrai Fr. ... sur sa paie
	Retenue (f)	Rückbehalt (m) – deduction
		Faire une retenue de ...% sur le salaire
	Retirer	a. herausschlagen – b. nehmen – c. ziehen a. to gain – b. to lose – c. to make – d. retire – e. to take – f. to withdraw
c/d	affaires	Mon associé se retire des affaires – de notre société
a/c	bénéfice	Nous n'avons retiré aucun bénéfice de cette affaire
c/f	candidature	Il a retiré sa candidature au poste de ...
c/f	capitaux	Nous avons retiré nos capitaux de cette affaire
c/b	confiance	J'ai été obligé de lui retirer ma confiance
b/e	marchandise	Vous pourrez retirer les marchandises de la douane quand vous aurez payé ...
a/a	profit	Quel profit peut-on retirer de cette opération?
b/e	promesse	Je retirerai ma promesse si vous ne faites pas ...
	Retour (m)	a. postwendend – b. Rück... – c. zurück a. back – b. redraft – c. return – d. round trip
b/c-c-b		Le compte – la facture – les frais de retour
b-a/c		Un retour de marchandises – par retour du courrier
b/c-d		Un billet de retour – aller et retour
b/c		A mon retour – dès mon retour
c/a		Nous serons de retour avant la fin de la semaine
	Retourner	a. abziehen – b. wenden – c. Zeit (f) – d. zurücksenden a. claim (to make a) – b. to return – c. to turn – d. to use
d/b	à	Retourner une marchandise à l'expéditeur – Emballage à retourner
b/d	argument	Cet argument se retourne contre lui
d/b	article	Cet article doit nous être retourné dans les cinq jours s'il ne vous convient pas
b/a	contre	Je vous conseille de vous retourner contre le transporteur
d/b	effet	Vous voudrez bien nous retourner cet effet muni de votre acceptation
d/b	emballage	Les emballages doivent nous être retournés en bon état
b/c	se	Il pourrait se retourner contre vous
c/c		Je n'ai pas encore eu le temps de me retourner
a/b		Il s'en est retourné les mains vides
d/b	vouloir	Veuillez nous retourner les pièces ci-jointes après les avoir consultées
	Rétracter **Rétractation** (f)	a. Widerrufung (f) – b. zurücknehmen a. to retract – b. retraction
b/a		Je vous somme de rétracter vos paroles
a/b		J'exige une lettre de rétractation de sa part

	Retrait (m)	a. Abhebung (f) – b. Widerruf (m) – c. Zurückziehung (f) a. withdrawal
b-b-c-a/a		Le retrait d'autorisation – de permis – de plainte – d'argent
	Retraite (f) **Retraité** (m)	a. Ausscheiden (n) – b. Pension (f) – c. pensionieren a. pension – b. pensioner – c. retirement
b/a		La caisse – la pension de retraite
b/c		L'âge de la retraite – la mise à la retraite
b/a		Les cotisations en faveur de la caisse de retraite
a/c		La retraite d'un associé – d'un employé
c/c-b		Mettre un employé à la retraite – être un retraité
c/c	anticipée	Je souhaiterais prendre une retraite anticipée dès le ... et vous prie de m'indiquer le montant du rachat de pension que j'aurais à payer
c/c	droit	Au ..., j'aurai 35 ans de service et désire faire valoir mes droits à la retraite
	Rétribuer **Rétribution** (f)	a. entschädigen – b. Entschädigung (f) a. to pay – b. reward
a/a		Vous serez rétribué sur la base du tarif en vigueur, soit ...
b/b		Il reçoit une modeste rétribution pour ...
	Réunir **Réunion** (f)	a. versammeln – b. Versammlung (f) a. to meet – b. meeting
b/b		Le jour – l'heure – la salle de la réunion
b/b		La réunion des actionnaires – du conseil d'administration
b/b		La réunion a lieu demain – est renvoyée à samedi
b/b		Etre présent – être convoqué – assister à la réunion
a/a		Le comité se réunira la semaine prochaine
b/b		Lors d'une réunion préalable, nous avons jeté les bases d'un accord de principe
	Réussir	a. bestehen – b. Erfolg (m) a. to pass – b. to pull off – c. to succeed – d. successful – e. to turn out
b/c		Réussir à vendre – placer – liquider une marchandise
b/b-c-b		Réussir une affaire – une entreprise – un plan
b/d-d-e	avoir	L'affaire a bien – mal réussi – cela lui a bien réussi
b/c	craindre	Je crains que cela ne réussisse pas
b/d	dans	Il a réussi dans cette affaire – cette négociation
b/d	doute	Je doute fort que l'affaire réussisse
b/c	façon	Vous pourrez peut-être réussir de cette façon
a/a	heureux	Je suis heureux que vous ayez réussi vos examens
b/c	manière	Il réussira, d'une manière ou d'une autre
b/d	mieux	Vous réussirez mieux que moi à le convaincre
b/c	pouvoir	Il se peut qu'il réussisse – il peut ne pas réussir
b/c	probable	Il est peu probable qu'il réussisse

	Réussite (f)	Erfolg (m) – success
		C'est là une belle réussite et je vous en félicite
		Souhaiter la réussite de ... – contribuer à la réussite de ...
		Etre sûr – douter de la réussite
		La réussite de notre projet dépend de ...
	Revalorisation (f)	Aufwertung (f) – revaluation
		La revalorisation de cette monnaie nous oblige à modifier nos prix
	Révéler **Révélation** (f)	a. enthüllen – b. Enthüllung (f) a. to reveal – b. revelation
a/a		Je vous prie instamment de ne pas révéler ce secret
b/b		Nous devons nous attendre encore à quelques révélations
	Revendiquer **Revendication** (f)	a. beanspruchen – b. Forderung (f) – c. übernehmen a. to claim – b. claim
a-c/a		Revendiquer un droit – une responsabilité
b/b		Les revendications de salaire (salariales)
	Revenir	a. davonkommen – b. einsehen – c. erholen – d. hinauslaufen – e. kosten – f. widerrufen – g. zufallen – h. zurückkommen – i. zustehen
		a. to amount – b. (to have a close) call – c. to come – d. to get over – e. to go – f. to realize – g. to take back
g/e	à	Cette maison reviendra à son fils
e/c		A combien revient le kg de ...?
d/a	au	Tout cela revient au même, en définitive
c-b-a/d-f-b	de	Il est revenu de ses craintes – de son erreur – de loin
h/c	dès	Dès que je serai revenu, je vous le ferai savoir
h/e	lieu	Il n'y a pas lieu de revenir sur ce point
i/c	montant	Le montant vous revenant s'élève à Fr. ...
h/c	pour	Pour en revenir à cette question, nous pouvons ...
h/e	sur	Nous reviendrons sur ce point – cette question
f/e-g		Il n'est pas revenu sur sa décision – sa promesse
	Revenu (m)	a. Einkommen (n) – b. Ertrag (m) a. income – b. revenue
a/a		Le revenu annuel – mensuel – journalier
a/a		Le revenu fixe – principal – accessoire – variable
a-b/b-a		Le revenu foncier – des capitaux
a/a		L'impôt sur le revenu – le revenu net imposable
a/a		Une source de revenus – un nouveau revenu
	Revêtir	a. versehen a. to accept – b. to sign
a/b-a		Revêtir un document – une traite de sa signature
	Revient	Selbstkostenpreis (m) – cost
		Calculer – abaisser – augmenter le prix de revient
	Revision (f)	a. Prüfung (f) a. to audit – b. auditing

a/b		La revision des comptes
a/a		Occupés à la revision de nos livres, nous pensons bien faire de vous adresser le relevé de votre compte
	Révoquer	a. widerrufen
	Révocable	a. to cancel – b. revocable
a/a-b		Révoquer une commande – un crédit révocable
	Rien	a. Kleinigkeit (f) – b. nicht – c. nichts a. any – b. anything – c. no – d. not – e. nothing – f. nowhere
c/b	connaître	Il ne connaît rien à cette affaire
c/e	craindre	Allez-y, il n'y a rien à craindre
c/b	devoir	. . . dès lors je ne vous devrai plus rien
c/b	dire	Je ne peux rien en dire de plus pour l'instant
c/a	engager	Cela ne vous engage en rien
c/b	entendre	Il n'entend rien aux affaires – il n'y entend rien
a-c/b-d	être	Ce n'est pas rien – je n'y suis pour rien
c/e	facile	Il n'y a rien de plus facile – de moins simple
b-c/b-e	faire	N'en faites rien – il n'y a rien à faire
b/b	mêler	Je ne me suis mêlé de rien et cela valait mieux ainsi
c/f	mener	Il peut le faire, mais cela ne mène à rien
c/d	pouvoir	Que voulez-vous, nous n'y pouvons rien
b/c	presser	Ne vous hâtez pas, il n'y a rien qui presse
c/b	répondre	Je ne réponds de rien si vous . . .
c/b	savoir	Nous ne savions rien de ces discussions
	Rigueur (f)	a. notfalls – b. streng – c. Strenge (f) – d. übelnehmen – e. vorschreiben a. compulsory – b. harsh – c. to hold – d. to insist – e. rigour – f. severe
a/d	à	A la rigueur, vous pourriez tenter encore une démarche
c/e	comprendre	Il ne comprend pas la rigueur de ma décision
e/a	être	La tenue de soirée est de rigueur
b/b	prendre	Je suis obligé de prendre des mesures de rigueur
d/c	tenir	Il ne nous a pas tenu rigueur de notre attitude passée
c/f	user	Puisqu'il le faut, nous userons de rigueur
	Risque (m)	a. Gefahr (f) – b. Risiko (n) a. to risk – b. risk
a/b	à	L'expédition est faite pour mon compte et à mes risques
a/b	aux	Elle est expédiée aux risques et périls de l'acheteur
b/b	charge	Les risques sont à votre charge
a/b	courir	Nous ne voulons courir aucun risque
a/a	s'exposer	Nous nous exposons au risque de perdre notre client
a/b	faire	Vous pouvez le faire à vos risques
a/b	prendre	Si vous prenez les risques sur vous, nous . . .
b/b	présenter	Cette affaire ne présente qu'un risque limité
b/b	rapport	Les bénéfices ne sont pas en rapport avec les risques
b/b	tenir compte	Dans votre offre, vous avez tenu compte des risques les plus grands

a/b	voyager	La marchandise voyage pour compte et aux risques de ...
	Risquer	a. riskant – b. riskieren a. to risk – b. risky
b/a		Il est dangereux de risquer de l'argent dans cette affaire
a/b		Une entreprise – une opération risquée
	Ristourner **Ristourne** (f)	a. Rückvergütung (f) a. drawback – b. refund – c. return
a/c-a		Une ristourne de primes – de droits de douane
a/b		Nous pouvons vous échanger l'article et vous ristourner la différence
a/b		Vos achats totaux durant l'année étant de Fr. ..., vous avez droit à une ristourne de ... %, soit Fr. ...
	Rôle (m)	a. Rolle (f) – b. turnusgemäss a. part – b. role – c. turn
a/b		Il n'a pas su tenir le rôle que nous lui avions assigné
a/b		Il a joué un rôle important dans cette affaire
b/c		Nous nous y rendrons à tour de rôle
a/a		Cela ne doit jouer aucun rôle dans notre décision
	Rompre	a. absagen – b. brechen a. to break – b. to call off
b-a-b-b/a-b-a-a		Rompre un contrat – un marché – une promesse – le silence
b/a		Nous avons rompu nos relations avec cette maison
	Rond **Rondement**	a. rund – b. zügig a. businesslike – b. round
a/b		Un chiffre rond – un compte rond – une somme ronde
b/a		L'affaire a été menée rondement
	Rouler **Roulement** (m)	a. Betrieb (m) – b. hereinlegen – c. rollen – d. Umlauf (m) – e. umlaufen – f. Umsatz (m) a. to cheat – b. circulation – c. rolling – d. rotation – e. working
a-d/e-b		Le fonds de roulement – le roulement de fonds
e-c/e-c		Le capital roulant – le matériel roulant
b/a		Il s'est fait rouler dans cette affaire
f/d		Nous devons accélérer le roulement de notre stock
	Route (f)	a. Gang (m) – b. irren – c. reisen – d. Strasse (f) – e. unterwegs – f. Weg (m) a. road – b. to start – c. to travel – d. way
d/a	être	Les routes sont en bon – en mauvais état
e/d		La marchandise est en route depuis hier
c/c	faire	Nous ferons route ensemble
b/d		Il me semble que vous faites fausse route
f/b	se mettre	Nous nous mettrons en route après la fermeture

a/b		Nous mettrons les travaux – le chantier en route dès que nous aurons recruté la main-d'œuvre nécessaire
e/d	rencontrer	Nous nous rencontrerons peut-être en cours de route
	Rubrique (f)	a. Rubrik (f) a. column – b. heading
a/a-b		Voir rubrique . . . – mentionné sous la rubrique: «. . .»
	Rue (f)	Strasse (f) – street
		Une rue commerçante – passante – fréquentée Une rue principale – secondaire – latérale Dans quelle rue se trouve ce magasin?
	Ruiner **Ruine** (f)	a. Ruin (m) – b. ruinieren a. to go bankrupt – b. to ruin – c. ruin
b/b-a		Leur crédit est ruiné – ils sont en train de se ruiner
a/c		Une ruine complète – totale – partielle
a/c		Il court – va à sa ruine – il est à la veille de la ruine
	Rupture (f)	a. Bruch (m) a. breach – b. break (off)
a/a-b		Une rupture de contrat – des négociations
a/b		Nous avons atteint le point de rupture

S

	Sac (m)	a. Sack (m) – b. Tasche (f) a. bag – b. sack
b-b-a/a-a-b		Un sac à main – de voyage – de montagne
a/b		Un sac de blé – de riz – un sac à blé
a/a-ab-ab-ab		Un sac de toile, plein – vide – déchiré – plombé
a/ab-ab-a		Remplir – vider un sac – mettre en sacs
	Sacrifier **Sacrifice** (m)	a. Opfer (n) – b. opfern – c. Spottpreis (m) a. to give away – b. sacrifice
a/b		Faire des sacrifices pécuniaires – financiers
b/a		Sacrifier une somme d'argent – un lot d'articles
c/a		Nous sacrifions ces marchandises à vil prix
c/a		Nous avons le plaisir de vous annoncer une grande vente de . . . à prix sacrifiés
	Saisie (f)	a. Arrest (m) – b. Beschlagnahme (f) – c. Pfändung (f) a. attachment – b. embargo – c. seizure

c/b		Faire – faire pratiquer – lever une saisie
c/a		L'avis de saisie – la saisie sans poursuites préalables
a-b/c		La saisie conservatoire – la saisie de marchandises
	Saisir	a. beschlagnahmen – b. erfassen – c. ergreifen – d. greifen (zu) – e. pfänden a. to attach – b. to grasp – c. to seize
e-a-e-e/ac-c-a-a		Saisir des biens – des marchandises – des meubles – un salaire
b/b		Je ne saisis pas très bien le sens de . . .
d/c		Il a saisi ce prétexte pour ne pas payer sa part
c/c		Nous sommes heureux de saisir cette occasion pour entrer en contact avec . . .
	Saisissable	a. beschlagnahmen – b. pfändbar a. attachable
a/a		Ces marchandises ne sont pas saisissables parce que . . .
b/a		La part saisissable du salaire est de Fr. . . .
	Saison (f)	a. Saison (f) a. season – b. seasonal
a/a		Avant – pendant – durant – après la saison
a/a		En pleine – en haute – en basse saison
a/a		La saison commence – finit – touche à sa fin
a/b		Des articles de saison – la saison bat son plein
	Saisonnier	a. Saison (f) – b. saisonbedingt a. seasonal
a-b/a		Des articles – des besoins saisonniers
a/a		Des travailleurs saisonniers ou des saisonniers
b/a		Pour une appréciation correcte, vous devez faire abstraction des variations (fluctuations) saisonnières
	Salaire (m)	a. Gehalt (n) a. salary – b. wage
a/a-b-a-a		Le salaire de base – hebdomadaire – mensuel – annuel
a/b-ab-ab		Le salaire minimum – moyen – maximum
a/b-ab		Une réduction de (sur le) salaire – une retenue de salaire
a/ab	augmentation	Je me permets de vous demander une augmentation de salaire car . . .
a/a	échelle	La classe 12 de l'échelle des salaires
a/a	prétention	Veuillez nous indiquer vos prétentions de salaire
	Salir	a. beschmutzen – b. schmutzend – c. schmutzig a. to soil – b. to tarnish
c-b/a		C'est un article qui se salit facilement – un article très salissant
a/b		Salir la réputation de quelqu'un

Saluer a. grüssen
a. to greet – b. regards

a/b Voulez-vous le saluer de ma part
a/a Nous avons eu le plaisir de saluer parmi nous M. . . .

Salutation (f) Gruss (m) – closing

On dit: «Veuillez agréer . . .» ou «Nous vous prions d'agréer . . .»

1. **Aux autorités civiles**
Veuillez agréer, Monsieur le . . ., mes salutations (très, les plus) distinguées
– . . ., l'assurance de notre considération la plus distinguée
– . . ., l'assurance de notre très (plus) haute considération

2. **Commerciales**
Veuillez agréer, Monsieur, mes salutations les meilleures
– . . ., mes salutations très (les plus) distinguées
– . . ., l'expression de mes sentiments distingués
Veuillez croire, Monsieur, à nos sentiments dévoués
Formule moderne, suivant les cas: «Vos dévoués»

3. **Commerciales respectueuses**
Veuillez agréer, Monsieur le Directeur, l'expression de mes sentiments dévoués
– . . ., mes salutations très respectueuses
– . . ., l'assurance de ma considération très distinguée
– . . ., l'assurance de ma haute considération

4. **Privées**
a) *amis*
Cordialement – amicalement vôtre
Croyez-moi toujours votre fidèlement dévoué
Avec mes meilleures amitiés
Veuillez agréer l'expression de ma bien cordiale et fidèle sympathie
De tout cœur avec vous – avec vous deux
Pour vous et pour les vôtres, nos plus affectueuses pensées

b) *à une femme*
Je vous prie d'agréer l'expression de mes sentiments respectueusement dévoués – de mes sentiments les plus distingués – l'hommage de mes respectueux sentiments
Veuillez croire à l'expression de ma fidèle amitié – à mes souvenirs les meilleurs

Sang-froid (m) a. kaltblütig – b. Kaltblütigkeit (f)
a. calmly – b. sang-froid

b/b		Nous tenons à vous féliciter pour le sang-froid dont vous avez su faire preuve à cette occasion
a/a		Si nous examinons la situation avec sang-froid, . . .
	Sans	a. ohne a. otherwise – b. unless – c. without
a/b		Sans (autre) avis contraire de votre part, nous . . .
a/c		Sans engagement – sans faute – sans retard
a/c		Nous l'avons fait, non sans difficulté, et sans qu'il le sache
a/c		Nous le ferons sans hésiter
a/a		Sans cela – sans quoi, nous irions nous-mêmes
	Santé (f)	a. Gesundheit (f) a. health – b. well
a/a		Il se retire des affaires pour raison de santé – à cause du mauvais état de sa santé
a/b		Ma santé étant rétablie, je reprendrai le travail dès le . . .
a/b		Nous vous adressons nos vœux les plus sincères pour le rétablissement de votre santé
	Satisfaction (f)	a. befriedigen – b. zufrieden – c. Zufriedenheit (f) a. satisfaction
c/a	à	Vos ordres seront exécutés à votre entière satisfaction
b/a	donner	Ce jeune employé nous donne beaucoup de satisfaction
a/a		Ce système est loin de nous donner satisfaction
b/a		La machine nous donne entière satisfaction
c/a	exprimer	Nos clients nous ont souvent exprimé leur satisfaction
c/a	témoigner	Je désire vous témoigner ma satisfaction en vous accordant une augmentation de salaire
	Satisfaire	befriedigen – to satisfy
	article	Nous croyons que vous serez satisfait du beau choix des articles qui vous sont adressés
	avoir lieu	Nous n'avons pas lieu d'être satisfaits de la façon dont vous avez exécuté nos ordres
	de	Je suis très satisfait – loin d'être satisfait de son activité – de votre envoi – de votre réponse
	explication	Votre explication – votre méthode ne me satisfait pas – pas entièrement – nullement
	Sauf	a. ausser – b. sofern – c. vorbehalten a. except(ed) – b. if – c. or – d. unless
b/d		Sauf avis – indication contraire de votre part
c/d		Sauf accident – sauf cas de force majeure
c/d		Sauf contre-ordre – sauf disposition contraire
c/a		Sauf erreur ou omission
b/c	mieux	Veuillez m'acheter dix actions Z à Fr. . . ., sauf mieux
a/a	que	Nous pourrions nous déclarer satisfaits, sauf que la

		couleur n'est pas tout à fait celle que nous avions commandée
c/b	vente	Nous vous offrons, sauf vente, ...
	Sauvegarder	wahren – to safeguard
		Afin de sauvegarder vos intérêts – les droits respectifs des deux parties
	Sauver	a. bergen – b. wahren
		a. to keep up – b. to rescue
b-a-a/a-b-b		Sauver les apparences – la cargaison – la marchandise d'un incendie
	Savoir	a. können – b. mitteilen – c. wissen
		a. (to be) able – b. to know – c. to see – d. to understand
a/b		Savoir une langue – un métier – par cœur
c/b	à	Je le savais à New York
c/b	ce	J'aimerais bien savoir ce qui s'est passé
c/b	comment	Nous aimerions savoir comment prendre livraison de ...
c/d	croire	Nous croyons savoir que vous êtes ...
a/a	dire	Je ne saurais dire pourquoi cela ne m'a pas plu
b/b	faire	Comment pourrait-on le lui faire savoir?
c/b	falloir	Il faut que vous sachiez ce qui est arrivé
c/b	où	J'aimerais savoir où le trouver
c/b	que	Que sais-je?
		Sachez que vous n'en avez pas le droit
		Je ne sache pas que vous ayez l'autorisation de ...
c/b	question	La question est de savoir qui paiera les frais
c/c	reste	Reste à savoir s'il est impossible d'en acheter
c/b	rien	Je ne veux rien savoir de cet arrangement
c/b	vouloir	Je voudrais bien savoir pourquoi ...
	Sceau (m)	Siegel (n) – seal
	Scellé (m)	
		Apposer – mettre un sceau – sous le sceau du secret
		Apposer – mettre les scellés sur les biens du failli
		Briser – lever les scellés – mettre un meuble sous scellés
	Schéma (m)	Schema (n) – diagram
		Si vous suivez attentivement le schéma de montage, vous ne devriez pas avoir de difficultés
	Scrupule (m)	a. Bedenken (n) – b. gewissenhaft – c. skrupellos
	Scrupuleusement	a. scruple – b. scrupulously
a/a	avoir	J'ai des scrupules à le dénoncer
a/a	faire	Je ne me fais aucun scrupule de le dire
c/a	sans	C'est un homme sans scrupule
b/b	travailler	Il travaille très scrupuleusement
	Séance (f)	Sitzung (f) – meeting
		Une séance officielle – publique – privée

		Une séance du Conseil – des directeurs Ouvrir – lever – suspendre – clôturer la séance L'ordre du jour de la séance Avoir – tenir une séance – être en séance
	assister	Je n'aurai pas la possibilité d'assister à votre prochaine séance, ce dont vous voudrez bien m'excuser
	intervenir	Vous aurez l'occasion d'intervenir en (durant la) séance pour donner – défendre votre point de vue
	Sec	a. trocken – b. vollständig a. dead – b. dry
b/a	perte	C'est pour nous une perte sèche
a/b	répondre	Il nous a répondu d'un ton sec fort déplaisant
a/b	temps	Les récoltes ont été faites par temps sec
a/b	tenir	Cette marchandise doit être tenue au sec
	Secondaire	a. Neben – b. untergeordnet a. minor – b. side
b/a		Cette question est tout à fait secondaire
a/b		Il n'y a pas à craindre d'effets secondaires
	Seconder	a. unterstützen a. to assist – b. assistance
a/a		Je compte sur vous pour me seconder dans mes efforts
a/b		Il a toujours été bien secondé par . . .
	Secours (m)	a. helfen – b. Hilfe (f) – c. Notausgang (m) – d. Unterstützung (f) a. assistance – b. benefit – c. emergency – d. friendly – e. help – f. rescue – g. spare – h. stand-by
b-b-c/h-g-c		Une machine – une roue – une porte de secours
b/bd		Une société de secours mutuels
a/f	aller	Nous n'allons pas aller à son secours sans garanties
d/a	attendre	Quel secours pouvez-vous attendre d'un tel personnage?
d/a	demander	S'il demande du secours, nous lui répondrons favorablement
a/e	être	Cette mesure ne sera d'aucun secours
a/e-f	porter	Nous lui porterons secours – nous nous porterons à son secours
	Secret (m)	a. geheim – b. Geheimnis (n) – c. Verschwiegenheit (f) a. secrecy – b. secret
b/a		Le secret professionnel – de fonction – bancaire
a/b		Un comité secret – une réunion – une séance secrète
b-a/b		Un secret de fabrication – des fonds secrets
b-b-b-c/b		Confier – divulguer – garder – promettre un secret
c/b	dire	Je vous le dis sous le sceau du secret
b/b	mettre	Je vous mettrai sous peu dans le secret

	Secrétaire (m/f)	a. Sekretär(in) (m/f) – b. Sekretariat (n)
	Secrétariat (m)	a. secretariat – b. secretary
a/b		Ma (mon) secrétaire vous remettra les documents
a/b		J'ai précisé à votre secrétaire que ...
b/a		Notre secrétariat va s'en occuper
a/b		Le secrétaire général de cette association est M. ...
	Sécurité (f)	a. Ruhe (f) – b. Sicherheit (f) – c. Sozialversicherung (f)
		a. confidence – b. reliability – c. safe – d. safety – e. security
b/b		La sécurité de fonctionnement – de marche
b-c/d-e		Un dispositif de sécurité – la Sécurité sociale
a/a		Vous pouvez traiter en toute sécurité avec cette maison
b/c		Les marchandises – les fonds sont en sécurité
	Seing (m)	a. Blankounterschrift (f) – b. Privaturkunde (f)
	Blanc-seing (m)	a. blank – b. unnotarized
b/b		Un acte sous seing privé
a/a		Accorder un blanc-seing à quelqu'un
	Séjourner	a. Aufenthalt (n) – b. aufhalten
	Séjour (m)	a. residence – b. to stay – c. stay – d. subsistence
a/a-d		Le permis de séjour – les frais de séjour
a/b-c-c		Faire – abréger – prolonger un séjour
b/b		Nous ne séjournerons pas longtemps dans votre ville
a/c		J'ai dû faire un long séjour à l'hôpital
	Selon	a. Erachten (n) – b. je – c. nach
		a. according – b. depending – c. in
a-c/c-a		Selon moi – selon les conditions du contrat
b/b		Selon que vous êtes de nationalité ... ou ...
	Semaine (f)	Woche (f) – week
		La semaine de 5 jours – la semaine anglaise
		La semaine de travail de ... heures
		Dans le courant de – durant – pendant la semaine
		Dès la semaine prochaine
	Semblable	a. ähnlich – b. als ob – c. dergleichen
	Semblant	a. kind – b. to pretend – c. similar
c/a		Je n'ai rien dit – écrit de semblable
a/c		Dans un cas semblable – en semblable occasion
b/b		Méfiez-vous, il fait semblant de rien – de ne rien voir
	Sembler	a. scheinen
		a. as you please – b. to seem – c. to think
a/b	à	Ce n'est pas à moi à le faire, à ce qu'il me semble
a/b	aller	Les affaires semblent aller mieux depuis quelque temps
a/b	cher	Cette marchandise me semble cher – bon marché
a/b	faire	Il semble faire de grandes affaires

a/a-a-c		Faites comme bon vous semble(ra) – ce que bon vous semble – ce qui vous semble le mieux
a/b	il	Il semble qu'il n'a pas reçu notre lettre
		Il ne me semble pas que vous ayez bien compris
	Sens (m)	a. doppelsinnig – b. Einbahnstrasse (f) – c. Hinsicht (f) – d. offensichtlich – e. Sinn (m) – f. unsorgfältig – g. verkehrt – h. vernünftig a. according – b. back(to front) – c. backwards – d. lines – e. to mean – f. meaning – g. obvious – h. over and over – i. sense – j. way
e/a	agir	Nous agirons dans le sens de vos indications
h/i	bon	C'est un homme de bon sens
e/i	dans	Dans le sens exact – littéral – véritable du mot
e/e	donner	Quel sens donnez-vous à ce terme?
a/f	double	C'est un mot – une parole à double sens
f/i	en	Cela a été fait en dépit du bon sens
e/c		Il aurait fallu le faire en sens inverse
e/f	expliquer	Voudriez-vous m'expliquer le sens exact des paroles que vous avez prononcées hier?
e/d	s'exprimer	Nous nous sommes tous exprimés dans le même sens
e/i	figuré	Je l'entends bien entendu au sens figuré du terme
e/a	loi	Au sens de la loi, il faut comprendre que ...
g/b	placer	Il les a placés sens devant derrière
e/e	prendre	On pourrait le prendre dans un autre sens
e/i	propre	Cela doit s'entendre au sens propre du mot
c/h	retourner	J'ai retourné la question dans tous les sens
d/g	tomber	Il tombe sous le sens que vous avez raison
b/j	unique	Prenez garde que la rue est à sens unique
	Sensation (f)	a. Gefühl (n) – b. Sensation (f) a. feeling – b. sensation – c. stir
b/c	causer	Cet événement a causé une grande sensation
a/a	donner	Cela donne une sensation d'incertitude
b/b	faire	Cette nouveauté fait sensation sur le marché
	Sensible **Sensiblement**	a. empfänglich – b. empfindlich – c. merklich a. to appreciate – b. considerably – c. sensitive
a-a-b/a-a-c		Etre sensible aux éloges – aux attentions – aux critiques de ...
b/c		Produit sensible au froid – au chaud – à l'humidité
c/b		Nos ventes ont augmenté d'une manière sensible
c/b		Nos prix augmenteront sensiblement d'ici peu
	Sentiment (m)	a. Ansicht (f) – b. Freundlichkeit (f) – c. Gefühl (n) a. feeling
c/a	à	Je ne connais pas les sentiments qu'il a à mon égard
b/a	faire appel	Je fais appel à vos bons sentiments
a/a	partager	Je partage entièrement vos sentiments sur ...
	Sentir	a. merken – b. riechen – c. spüren a. to feel – b. to see – c. to smell

b/c		Cette marchandise sent bon – mauvais – fort
		Elle sent une odeur de moisi – une odeur de renfermé
c/b	crise	Il a senti la crise venir et pris ses précautions
c/a	faire	Les effets se feront sentir encore longtemps
		Le froid – le manque d'argent se fait sentir
a/a	que	Je sens bien que vous avez raison
	Séparation (f)	Trennung (f) – separat(ion)
		La séparation de biens – de corps
	Séparer **Séparément**	a. auseinanderhalten – b. besondere – c. einzeln – d. trennen
		a. to dismiss – b. to distinguish – c. to separate – d. separate(ly)
c/d	colis	Veuillez envoyer ces colis séparément
a/b	falloir	Il faut séparer les deux questions
d/b		Il faut séparer les nouvelles . . . des anciennes
b/d	pli	Vous recevrez sous pli séparé . . .
d/a-c	se	Il s'est séparé de son employé – de sa femme
d/d	vivre	La femme et le mari vivent séparés
	Séquestre (m)	a. beschlagnahmen – b. Zwangsverwaltung (f)
		a. embargo – b. to sequester – c. sequestration
b/b		Les biens ont été mis sous séquestre
a/c		Les marchandises sont sous séquestre
b/a		Le séquestre a été levé
	Série (f)	a. Reihe (f) – b. Restposten (m) – c. Satz (m) – d. Serie (f)
		a. mass – b. remnant – c. series – d. set – e. standard
d/e-a		Un article de série – une fabrication en série
b/b		Une fin de série – une vente de fin de série
c/d		Vous adresserez directement à notre transitaire, M. . . ., la série complète des documents
a/c		Pendant quelques mois, notre nouveau modèle a certes connu une série d'ennuis, mineurs à vrai dire, mais nous pouvons vous garantir que tout est au point maintenant
	Sérieux	a. ernst – b. seriös
		a. genuine – b. reliable – c. serious(ly) – d. straight
a-b-a/a-b-c		Un acheteur sérieux – une maison – une offre sérieuse
a/c	effort	Un sérieux effort doit être entrepris pour . . .
b/c	être	Cette proposition n'est pas sérieuse
a/d	garder	Il est difficile de garder son sérieux dans de telles circonstances
a/c	prendre	Croyez-vous que nous puissions prendre au sérieux ce qu'il nous raconte – la proposition qu'il a faite
	Serment (m)	a. Eid (m)
		a. oath – b. to swear
a/b		Une attestation – une déclaration sous serment

a/a		Sous la foi du serment – une formule de serment
a/a	affirmer	Les témoins l'ont affirmé sous serment
a/a	certifier	Il l'a certifié sous serment
a/a	déposition	Il a fait une déposition sous serment
a/a	manquer	Il a manqué à son serment
a/ab	prêter	Il a prêté serment
	Service (m)	a. Abteilung (f) – b. Betrieb (m) – c. Dienst (m) a. department – b. duty – c. favour – d. order – e. payment – f. to run – g. service – h. to work
c/b		Le service de jour – de nuit – 24 heures sur 24
c/g		Le service postal – public – régulier
c/g		Un service express – accéléré
a/a		Les services administratifs – techniques – de fabrication
a/a		Le service de la comptabilité – de la publicité – de l'économat
c/g		Un service de transport – de livraison à domicile
c/g	assurer	Je me suis assuré les services d'un bon représentant
c/g	client	Nous sommes au service de nos clients, il est donc normal que ...
c/g	entrer	Il y a deux ans que je suis entré à son service
c/b-g	être	Il est de service demain – il est à mon service
b/d		La machine n'est pas en service – est hors service
c/h		Il est au service de cette marque depuis ...
a/a		Les services sont parfaitement aménagés et organisés
c/f	faire	Le bateau fait le service entre Londres et Hambourg
c/e	intérêt	Nous croyons savoir que cette entreprise a interrompu le service de ses intérêts envers ses prêteurs
c/g	offre	J'ai fait une offre de service(s) à ...
c/g	prendre	Il ne m'est pas possible de vous prendre à mon service
c/g	priver	Je suis obligé de me priver de vos services
c/g	proposer	Je vous propose mes services pour la représentation de votre maison à ...
c/g	reconnaître	Nous reconnaissons volontiers les services que vous nous avez rendus
c/g	recours à	Nous avons déjà eu recours à vos services
c/c	rendre	Je suis prêt, le cas échéant, à vous rendre le même service
		Vous nous rendriez un grand service en vous occupant de ...
c/g	renoncer	Nous avons été obligés de renoncer à ses services
c/g	satisfait	Nous avons été très satisfaits de ses services
	Servir	a. auszahlen – b. dienen a. to act – b. good (to be ... for) – c. to pay – d. to serve – e. to use
b/d	à	Personne ne pourrait vous servir à de meilleures conditions
b/b		A quoi cela peut-il bien servir?

b/a	au mieux	Nous ferons tout notre possible pour vous servir au mieux de vos intérêts
b/d	intérêt	Vous avez intérêt à bien servir ce client
b/d	manière	La manière dont vous m'avez servi ne me satisfait qu'à moitié
b/a	prêt	Nous sommes prêts à vous servir d'intermédiaire
b/d	prétexte	Cet accident ne doit pas leur servir de prétexte
a/c	rente	Nous lui servons une rente de Fr. . . . par mois
b/e	se	Vous ne pouvez pas vous servir de ce moyen-là pour obtenir satisfaction
	Servitude (f)	Dienstbarkeit (f) – servitude
		Pouvez-vous vérifier si ce terrain est libre de servitude?
	Seul	a. allein – b. einzige – c. von selbst a. alone – b. itself – c. one
a/a		Je suis seul en cause – seul responsable
b/c		Pas un seul n'a répondu
c/b		Maintenant que cela va tout seul
	Siège (m)	a. Sitz (m) a. office – b. place
a/a		Le siège social – administratif
a/a-a-b		Le siège principal – auxiliaire – d'exploitation
a/a		Seul notre siège social a compétence pour règler ce problème
	Signaler **Signal** (m) **Signalement** (m)	a. Beschreibung (f) – b. hinweisen – c. Zeichen (n) a. attention – b. description – c. to point out – d. to report – e. sign
a/b		Le signalement d'un homme – d'une caisse
c/e		J'interprète ce retard comme un signal inquiétant
b/a		Je vous remercie de m'avoir signalé ce point – ce fait qui avait échappé à mon attention
b/c		Nous croyons devoir vous signaler que . . .
b/d		Vous nous rendriez service en nous signalant tout . . .
	Signature (f)	a. Unterschrift (f) – b. zeichnungsberechtigt a. to sign – b. signature
a/b		Une signature authentique – contrefaite – falsifiée
a/b		Une signature en blanc – légalisée – une fausse signature
a/ab-b-a		Apposer – honorer – mettre sa signature
a/b		Présenter – soumettre à la signature
b/a	avoir	Depuis le . . ., M. X a la signature et engage valablement notre maison
a/b	certifier	Je certifie que la signature ci-dessus est celle de M. . . .
a/b	valable	Pour être valable, ce document doit obligatoirement porter deux signatures

	Signe (m)	a. Zeichen (n)
		a. character – b. sign – c. symbol
a/c-a		Le signe d'abréviation – typographique
a/b		Nous n'attendons qu'un signe de vous pour agir
a/b		Il n'a donné aucun signe de vie depuis fort longtemps
	Signer	unterzeichnen – to sign
		Signer un certificat – une déclaration – un engagement
		Signer par procuration
		Nous l'autorisons à signer en notre nom
		Vous voudrez bien signer ce document à l'endroit marqué d'une croix au crayon et nous le retourner
	Signifier	a. bedeuten – b. bekanntgeben
		a. to give (notice) – b. to make known – c. to mean
b/b-a		Signifier une décision – un congé à quelqu'un
a/c		Qu'est-ce que cela signifie? – Cela ne signifie rien
	Silence (m)	a. Stillschweigen (n)
		a. to say nothing – b. secrecy – c. silence
a/c	comprendre	Nous ne comprenons pas les raisons de votre silence
a/a	garder	Nous vous prions de garder le silence sur cette affaire
a/b	imposer	On nous a imposé le silence le plus absolu
a/c	inexplicable	Son silence est inexplicable, que se passe-t-il?
a/c	inquiet	Nous sommes fort inquiets de ce silence mystérieux
a/b	observer	Nous observons le silence le plus parfait sur cette affaire
a/a	passer	Il est curieux qu'il ait passé ces détails sous silence
a/c	penser	Nous ne savons que penser de votre silence
	Similaire	a. ähnlich – b. unecht
	Simili	a. imitation – b. similar
a/b		Nous n'avons aucun article similaire à ce prix
b/a		C'est du simili-cuir – des bijoux en simili
	Simplicité (f)	a. einfach – b. glatt – c. Umstand (m)
	Simple	a. ordinary – b. simple – c. simply
c/c		Nous vous recevrons en toute simplicité
a/b		C'est une simple question de chance – de temps
b-a/b-a		La vérité pure et simple – la simple prudence veut . . .
	Simplifier	vereinfachen – to simplify
	Simplification (f)	
		Pour simplifier – par mesure de simplification
	Sincère	aufrichtig – sincere
		La sincère amitié – affection – mes sincères condoléances
	Singulier	merkwürdig – strange
		Il est – il me semble singulier que vous n'ayez pas reçu mon envoi du . . .
		Une conduite – une attitude vraiment singulière

	Sinistre (m)	Schaden (m) – accident
		La déclaration de sinistre concernant ...
		En cas de sinistre, ...
	Situation (f)	a. Lage (f) – b. Stellung (f)
		a. position – b. situation
b/a		Une belle – une mauvaise situation
a/a		Une situation aisée – difficile – critique
a/b	affecter	Ma situation financière en a été sérieusement affectée
a/b	améliorer	La situation s'améliore de jour en jour
		Si ma situation s'améliorait, je ne manquerais pas de ...
b/a	avoir	Il a une très belle situation
a/b	cacher	Il a eu tort de nous cacher sa situation
a/b	comprendre	J'espère que vous comprendrez ma situation et que ...
a/b	compromettre	Sa situation financière a été compromise par ...
a/b	économique	Compte tenu de la situation économique actuelle, je crois prudent de ...
a/b	être	Nous sommes dans une situation qui est loin d'être aussi mauvaise qu'on le dit
a/b	examen	Après un examen approfondi de la situation, nous ...
a/b	exposer	Après nous avoir exposé la situation, ...
a/b	financière	La situation financière de cette entreprise est en passe de s'améliorer
a/b	juger	Je n'ai pas pu juger de la situation
a/a	mettre	Vous me mettez dans une situation délicate
a/b	modifier	Si la situation se modifie, nous pourrons ...
a/b	penser	Je ne sais ce que vous pensez de la situation
b/a	rapport	Mon salaire n'est pas en rapport avec la situation que j'occupe
a/b	renseigner	Auriez-vous l'amabilité de vous renseigner sur la situation financière de ...
a/b	sauver	C'est le seul moyen de sauver la situation
a/a	trouver	Je me trouve dans une situation pénible
	Social	a. Firma (f) – b. Gesellschaft (f) – c. sozial – d. Sozialversicherung (f)
		a. call – b. name – c. share – d. social
b-a/c-b		Le capital social – la raison sociale
c/d		La politique sociale – les préoccupations sociales
d/d		La sécurité sociale
a/a		En 19..., nous avons créé sous la raison sociale «X ...» une entreprise de ...
	Société (f)	a. Genossenschaft (f) – b. Gesellschaft (f)
		a. company – b. corporation (US) – c. partnership – d. society
b/c-c-ab		La société simple – en nom collectif – anonyme
a-b/d-a		La société coopérative – à responsabilité limitée
b/c-a		La société en commandite simple ou par actions

b/a		Une société commerciale – industrielle – financière
b/a		Une société fiduciaire – immobilière
b/a		La société mère – fille – sœur
b/a	constituer	Nous avons constitué une société au capital de ...
b/a	créer	Nous avons créé une société dont le but est de ...
b/a	dissoudre	D'un commun accord, mes commanditaires et moi avons dissous notre société
b/a	entrer	Il désire entrer dans cette société
b/a	fonder	La société que nous avons fondée exercera son activité dans le domaine de ...
b/a	former	Nous avons formé une nouvelle société et avons pris comme associé M. ..., jusqu'ici ...
b/a	retirer	Notre associé M. ..., s'est retiré de notre société
	Soigner	sorgfältig – to attend
		Nous vous demandons de soigner l'emballage – l'exécution de notre commande
	Soin (m)	a. kümmern – b. Sorge (f) – c. Sorgfalt (f) a. attention – b. care – c. careful(ly) – d. to leave to
c/b	apporter	Vous pouvez être assurés que nous apporterons le plus grand soin à l'exécution de votre commande
b/c	avoir	Ayez bien soin de ... – le plus grand soin de ...
a/–	charger	Nous nous chargerons du soin de l'expédition – de l'organisation de ...
c/b	demander	La manutention de ces articles demande beaucoup de soin
b/d	laisser	Je vous laisse le soin de conclure cette affaire
c/b	manque	Les dégâts sont dus à un manque de soin évident
c/c	mettre	Je mettrai le plus grand soin à l'exécution de ...
c/a	objet	... sera l'objet de nos soins les plus attentifs
c/a	recevoir	Votre commande recevra des soins tout particuliers
c/b	recommander	Nous le recommandons à vos bons soins
c/c	redoubler	Nous en avons pris note et redoublerons de soin
	Solde (m)	a. Ausverkauf (m) – b. Saldo (m) a. balance – b. sale – c. settlement
b/a		Le solde ancien – pour balance – à nouveau
b/a		Le solde reporté – disponible – à disposition
b/a		Le solde en (de) caisse – le solde de (du) compte
b/a-c		Le solde en compte nouveau – pour solde de tout compte
b/a		Le solde débiteur – créditeur – à votre débit (crédit)
b/a		Montant du solde – quittance pour solde
a/b		Les articles en solde – vendus en solde
	Solder	a. abschliessen – b. billig a. to balance – b. balance – c. to clear
b/c		Les articles sont soldés avec un rabais de ...%
a/a-b		Ce compte n'est pas encore soldé – il se solde par Fr. ... en notre – votre faveur
	Solidaire	a. Solidar... – b. solidarisch – c. zusammenhängen
	Solidairement	a. binding – b. bound up – c. severally

a/a Une caution – une obligation – une responsabilité solidaire
c/b Vos intérêts sont solidaires des nôtres
b/c Conjointement et solidairement responsables

Solidité (f)
Solide
a. Haltbarkeit (f) – b. Solidität (f) – c. zuverlässig – d. Zuverlässigkeit (f)
a. firm – b. sound(ness) – c. sturdiness – d. sturdy

a-b/c-b La solidité d'un article – d'une entreprise
d/d Une solidité à toute épreuve
c/a Nous avons besoin de solides garanties pour ...

Solliciter
Sollicitation (f)
a. bewerben – b. Bitte (f) – c. bitten
a. request – b. to seek

c/b Je sollicite votre appui – votre aide – votre indulgence
a/b Je sollicite l'emploi vacant de ...
b/a Il a cédé à nos pressantes sollicitations et a accepté de ...

Solution (f) Lösung (f) – solution

C'est la solution la plus raisonnable que nous puissions vous suggérer
Nous sommes prêts à examiner toute solution qui pourrait vous faciliter

Solvabilité (f) Zahlungsfähigkeit (f) – solveny

Vous nous obligeriez en nous donnant quelques renseignements sur la solvabilité de la maison dont vous trouverez le nom sur la fiche ci-jointe
Nous aimerions avoir des précisions sur l'honorabilité et la solvabilité de cette maison
Si vous désirez des renseignements sur ma solvabilité, vous pouvez vous adresser à ...
Les renseignements que nous avons obtenus sur la solvabilité de la maison X ne sont pas encourageants et nous vous conseillons la prudence
La maison sur laquelle vous nous avez demandé des renseignements présente toutes les garanties nécessaires de solvabilité
Vous pouvez avoir confiance dans la solvabilitié de ...

Solvable zahlungsfähig – solvent

Cette maison est solvable – est reconnue comme solvable – passe pour être solvable

Somme (f)
a. Betrag (m) – b. ganz
a. amount – b. short – c. sum

a/a Une somme approximative – évaluée à Fr. ...
a/ac La somme entière – totale – partielle
a/c arrondir La somme totale a été arrondie à Fr. ...
a/ac concurrence Vous pouvez lui verser des avances jusqu'à concurrence de la somme de Fr. ...

a/a	compléter	Pour compléter cette somme, je verserai Fr. ...
a/c	confier	Il est préférable de ne pas lui confier des sommes trop importantes
a/c	devoir	Il me doit encore une somme de Fr. ...
a/a	disposer	Vous pouvez disposer de cette somme immédiatement
b/b	en	En somme, l'affaire n'était pas si mauvaise
a/a	envoyer	La somme vous sera envoyée par un prochain courrier
a/a	payer	Il reste à payer la somme de Fr. ...
a/a	porter	Veuillez porter cette somme au crédit de mon compte
a/a	reporter	Je reporte cette somme à compte nouveau
	Sommer	a. auffordern – b. Mahnung (f)
	Sommation (f)	a. call – b. to order
b/a		Je vous adresse une dernière sommation
a/b		Nous vous sommons de nous livrer dans les ... jours les ...
a/b		Je vous somme une dernière fois de ...
	Sonder	a. erforschen – b. sondieren
	Sondage (m)	a. to sound – b. survey – c. to test
a/a		Nous n'avons pas encore sondé ses intentions
b/c		Avant de vous décider, il vaudrait mieux sonder le terrain
a/b		Nous avons fait quelques sondages du marché
	Songer	a. denken
		a. intentions – b. to think of
a/b	à	Nous songeons aux suites possibles d'un tel incident
a/b	falloir	Il ne faut pas y songer pour l'instant
a/b	guère	Vous n'avez guère songé aux difficultés
a/a	sans	Il l'a fait sans songer à mal
	Sort (m)	a. Los (n) – b. Schicksal (n)
		a. fate – b. lot
b/a	abandonner	Nous sommes obligés de l'abandonner à son sort
b/a	avoir	Nos deux tentatives ont eu le même sort
a/b	content	Je ne peux pas me plaindre, je suis content de mon sort
b/a	coup	C'est un terrible coup du sort
b/b	inquiet	Je commence à être inquiet du sort de ...
a/b	tirage	Le choix sera fait par tirage au sort
	Sorte (f)	a. gewissermassen – b. so – c. sorgen – d. Sorte (f)
		a. to see – b. so that – c. sort – d. way
d/c	avoir	Nous en avons de cette sorte – de même sorte – de toutes (les) sortes – des trois sortes
d/c	classer	Pour vous faciliter, nous les avons classés par sortes
b/b	de	Nous n'avons rien dit, de sorte qu'il ne saura rien
a/d	en	Il est en quelque sorte le directeur de cette affaire
c/a	faire	Faites en sorte qu'il n'en sache rien
b/d	parler	Nous ne vous permettons pas de parler de la sorte

	Sortir	a. abweichen – b. Ausfuhr (f) – c. herausbringen –
	Sortie (f)	d. herauskommen – e. Zahlungsausgang (m)
		a. to bring – b. expenses – c. export – d. to get – e. to stray
b/c		Une déclaration – un droit – des frais de sortie
d-a-a/d-e-d		Sortir des difficultés – de la question – du sujet
e/b		J'ai eu d'importantes sorties de caisse ces derniers temps
c/a		Nous allons sortir sous peu un nouveau modèle convenant exactement à vos besoins
	Sou (m)	a. Rappen (m)
		a. cent – b. dime – c. penny
a/a	mettre	Je ne mettrai pas un sou de plus dans cette affaire
a/c	offrir	Je ne vous en offrirai pas un sou de plus
a/b	valoir	Cela ne vaut malheureusement pas un sou
	Souche (f)	a. Abreiss...
		a. counterfoil – b. stub
a/ab		Un carnet – un livret – un registre à souche
	Souci (m)	a. bedacht – b. Sorge (f)
		a. stickler – b. to worry – c. worry
a-b/a-c	avoir	J'ai le souci de la vérité – des soucis d'argent
b/c	donner	Cette affaire nous donne bien des soucis
b/c	être	C'est le moindre de mes soucis
b/b		Je n'ai pas de nouvelles, je suis en souci
	Souffrance (f)	a. unerledigt – b. unzustellbar
		a. to forget – b. undeliverable
b/b		Un colis – une marchandise en souffrance
a/a		Ne croyez pas que votre commande soit restée en souffrance, mais nous avons eu des problèmes avec ...
	Souffrir	a. dulden – b. gestatten – c. leiden
		a. to allow – b. to suffer – c. to tolerate
c/b	avoir	Mon crédit – la marchandise a souffert de ... Les cultures – mes intérêts en ont souffert
a/c	pouvoir	Je ne peux pas souffrir un tel manque d'objectivité
b/a	que	Souffrez que je vous dise ce que je pense de ...
a/a	règle	La règle ne souffre aucune exception
a/c	savoir	Je ne saurais souffrir une telle négligence
	Souhaiter	a. hoffen – b. Wunsch (m) – c. wünschen
	Souhait (m)	a. to hope – b. to wish – c. wish
c/b		Je vous souhaite une bonne et heureuse année
a/a		Je souhaite de pouvoir vous rendre service à l'occasion
b/c		Avec mes meilleurs souhaits pour le succès de ...
b/c		Nous tiendrons compte de vos souhaits
	Soulever	a. hervorrufen – b. Sprache (f)
		a. to bring up – b. to raise

a-a-b/b-b-ab		Soulever des doutes – des objections – une question
b/a		Nous allons essayer de résoudre la difficulté technique que vous avez soulevée
	Souligner	a. unterstreichen a. to emphasize – b. to underline
a/b		Souligner un mot – une ligne – un passage – une phrase
a/a		J'ai tenu à souligner auprès de M . . . votre dévouement
	Soumettre	a. fügen – b. pflichtig – c. unterbreiten – d. unterliegen a. to comply – b. to subject – c. to submit
c/c	conflit	Nous vous proposons de soumettre le conflit à l'arbitrage
a/a	devoir	Vous devez vous soumettre à la loi – au règlement
d-b-d/b	être	La marchandise est soumise au contrôle – aux droits – à l'examen
c/c	proposition	Votre proposition sera soumise à . . .
	Soumissionner **Soumission** (f) **Soumissionnaire** (m)	a. Auftrag (f) – b. bewerben – c. Bewerber (m) – d. Bewerbung (f) a. to tender – b. tender – c. tenderer
b/a		Il a soumissionné pour ce travail
d/b		Il a fait une soumission pour les travaux de . . .
a/b		Je serais heureux de recevoir une soumission
d/b		La soumission a été agréée, il a obtenu l'adjudication des travaux
c/c		L'adjudicataire a fait son choix entre les soumissionnaires
	Soupçon (m)	Verdacht (m) – suspicion
	avoir	J'avais des soupçons sur lui
	changer	Mes soupçons se sont changés en certitude
	dissiper	Il n'est pas parvenu à dissiper mes soupçons
	endormir	Il avait réussi à endormir tout soupçon
	être	Pour l'instant, ce n'est qu'un soupçon
	éveiller	C'est cette erreur qui a éveillé mes soupçons
	fâcheux	Une franche discussion permettra de dissiper ces fâcheux soupçons
	faire naître	C'est son attitude qui a fait naître les soupçons
	Soupçonner	a. misstrauen – b. vermuten a. to doubt – b. to suspect
a/b-a-a		Je n'ai aucune raison de le soupçonner – de soupçonner son honnêteté – sa parole
b/b		Je soupçonne qu'il vous aura dit que . . .
	Source (f)	a. Quelle (f) a. factory – b. source
a/a	acheter	Nous avons acheté directement aux sources de production

a/b	être	C'est une source de bénéfices – de revenus – de richesse
a/b	impôt	L'impôt est retenu à la source
a/b	tenir	Je le tiens de source autorisée – de bonne source – de source sûre – de source certaine
	Sous	a. bei – b. in – c. unter – d. vor a. before – b. in – c. under
a-c-b/c-c-b		Sous peine d'amende – sous clef – sous enveloppe
b/b		Je vois maintenant le problème sous un autre jour
d/a		Tant que je n'aurai pas la preuve sous les yeux, . . .
	Souscrire **Souscription** (f)	a. nehmen – b. zeichnen – c. Zeichnung (f) a. allotment – b. contribution – c. fund – d. to subscribe – e. subscription
a-b/e-d		Souscrire un abonnement – à une émission – pour Fr. . . .
b/d		Le capital partiellement – entièrement souscrit
c/e-ae		Souscription à un emprunt – bulletin de souscription
c/c-be		Lancer une souscription – recevoir les souscriptions
	Sous-estimer **Sous-évaluer**	unterschätzen – to underestimate
		Il ne faut pas sous-estimer la valeur de cette maison Nous avons sous-évalué les difficultés
	Soussigné (m)	Unterzeichnete (m) – undersigned
		Les personnes soussignées – les témoins soussignés Je, soussigné, reconnais devoir – déclare avoir . . . Entre les soussignés, il a été convenu et arrêté ce qui suit: . . .
	Soustraire	a. entwenden – b. entziehen – c. unterschlagen a. to elude – b. to embezzle – c. to get out of – d. to remove – e. to shirk
c-a/b-d		Soustraire des fonds – des pièces d'un dossier
b/a-e		Se soustraire à la loi – à une obligation
b/c		Je ne vois aucun moyen de m'y soustraire
	Soutenir	a. aushalten – b. behaupten – c. stützen a. to bear – b. to maintain – c. to support
a/a	comparaison	Nos prix soutiennent la comparaison avec ceux d'autres . . .
b/b	contraire	Il soutient le contraire
c/c	prix	Les prix n'ont pas faibli, ils sont soutenus
	Souvenir (se) **Souvenir** (m)	a. empfehlen – b. erinnern – c. Erinnerung (f) a. memories – b. recollection – c. to remember – d. to remind
b/c	autant	Autant qu'il m'en souvient (souvienne), il n'a pas payé
b/b	avoir	Je n'ai qu'un vague souvenir de cette discussion
b/c	de	Je me souviens fort bien de cette rencontre
c/a	emporter	J'emporte un excellent souvenir de cette journée

b/d	il	Il me souvient que l'affaire n'avait pas marché
b/b	perdre	J'ai perdu tout souvenir de cette affaire
a/c	rappeler	Veuillez me rappeler à son bon souvenir
	Spécialiser	a. spezialisieren – b. Spezialität (f)
	Spécialité (f)	a. patent medecine – b. to specialize – c. speciality
b/a-c		Des spécialités pharmaceutiques – gastronomiques
a/b		Nous (nous) sommes spécialisés dans la fabrication des ...
b/c		Notre spécialité est ... – Nous vendons comme spécialité
	Spécifier	a. angeben – b. erwähnen
		a. to list – b. to specify
b/b		Nous spécifions que les marchandises doivent être livrées avant le ...
a/a		Veuillez m'envoyer les articles spécifiés ci-dessous:
	Spéculer	a. Spekulation (f) – b. spekulieren
	Spéculation (f)	a. conjecture – b. operations – c. speculation
b-a-a/b		Spéculer, spéculation à la hausse – à la baisse
a/a		C'est une mauvaise spéculation
a/c		Il s'est lancé dans des spéculations dangereuses
	Stabiliser	a. fest – b. festigen
	Stable	a. to stabilize – b. stable – c. steady
b/a-ab		Les prix se stabilisent – sont stabilisés
a/b-c		Les prix sont stables – j'aimerais une place stable
	Stage (m)	a. Ausbildungszeit (f) – b. Praktikant (m) –
	Stagiaire (m)	c. Praktikum (n)
		a. trainee – b. training course
c/b		J'ai fait un stage d'un an dans une banque
a/b		J'ai perfectionné mes connaissances professionnelles par de longs stages dans ...
b/a		Nous pourrions vous engager comme stagiaire
	Stagnation (f)	a. Stockung (f)
		a. sluggish – b. slump – c. stagnation
a/b-c-a		La stagnation des affaires – du marché – de l'économie
	Standardiser	a. Baugruppenaustausch (m) – b. Standard (m) –
	Standardisation (f)	c. standardisieren – d. Standardisierung (f) – e. Zentrale (f)
	Standard (m)	a. standard – b. to standardize – c. switchboard
b-e/a-c		Le standard de vie – le standard téléphonique
c/b		Nous avons standardisé la présentation de nos produits
d/b		Grâce à la standardisation de notre fabrication, ...
a/a		Les réparations sont facilitées par l'échange standard de nombreuses pièces
	Station (f)	a. Bahnhof (m) – b. Kurort (m) – c. Park...
	Stationnement (m)	a. to park – b. resort – c. station

b/b		La station balnéaire – estivale – hivernale – thermale
a-c/c-a		La station de chemin de fer – le parc de stationnement
c/a		Une auto en stationnement – le stationnement interdit
	Statistique (f)	a. Statistik (f) a. figure – b. statistic
a/ab-ab-a-a		Les statistiques de production – de consommation – de vente – d'achat
a/b		Etablir – fournir des statistiques
	Statut (m)	Statut (n) – articles of incorporation
		Rédiger – publier – modifier des statuts Les statuts d'une société – conforme aux statuts
	Stipuler	festlegen – to stipulate
		Stipulé dans le bail – le contrat – les conditions
	Stock (m) **Stockage** (m)	a. Bestand (m) – b. Lager (n) – c. Vorrat (m) a. stock
c/a		Le stock de marchandises augmente – baisse – diminue – est épuisé – a été reconstitué
a/a		Je fais – j'augmente – je renouvelle le stock
b/a		Le stock est évalué à Fr. . . .
c/a		Nous avons constitué nos stocks en temps opportun
c/a		Ces articles sont disponibles jusqu'à épuisement du stock
b/a		La (cadence de) rotation du stock s'améliore
	Style (m)	a. Stil (m) a. period – b. style
a/a		Des meubles – des robes de style
a/b		Il n'a pas le style qu'il faut dans de telles circonstances
	Subir	a. erfahren – b. erleiden – c. unterziehen a. to suffer – b. to take
a/–		Les prix ont subi une forte baisse – de grands changements
b/a		Nous avons subi de lourdes pertes
c/b		Nous vous ferons subir un examen
	Subsister	bestehen – to remain
		Il subsiste encore quelques difficultés Aucun doute ne subsiste
	Substance (f) **Substantiel**	a. beträchtlich – b. wesentlich a. essence – b. substancial
b/a		Il nous a dit, en substance, que . . .
a/b		J'ai reçu une indemnité substantielle
	Substituer	ersetzen – to take the place of
		Vous ne pouvez pas vous substituer à lui

	Subtilité (f)	a. ausgeklügelt – b. Spitzfindigkeit (f)
	Subtil	a. subtle – b. subtlety
b/b		Je n'aime pas ces subtilités juridiques
a/a		Votre argumentation est trop subtile
	Subvenir	a. aufkommen – b. Zuschuss (m)
	Subvention (f)	a. to cover – b. subsidy
b/b		Accorder – demander – recevoir une subvention
a/a		Nous devrons subvenir aux frais de . . .
	Succéder	nachfolgen – to succeed
		Succéder à . . . – M. . . . lui a succédé
	Succès (m)	a. Erfolg (m)
		a. success – b. (un)successful(ly)
a/a		Un succès assuré – complet – d'estime
a/a-a-ab		Un succès partiel – incertain – sans succès
a/a		Assurer le – contribuer au – douter du succès
a/a	avoir	Nous avons quelque chance – peu de chances de succès
a/a	couronner	Nos efforts ont été couronnés de succès
a/a	dépendre	Votre succès dépendra des circonstances
a/a	être	Nous sommes certains – sûrs du succès
a/a	féliciter	Je vous félicite du grand succès que vous avez remporté
a/a	garantir	Je puis vous garantir le succès de cette méthode
a/b	obtenir	Ce nouveau modèle a obtenu un très grand succès
a/b	répondre	Le succès n'a pas répondu à notre attente
a/a	souhaiter	Je vous souhaite le plus grand succès
	Successeur (m)	a. Erbschaft (f) – b. Nachfolger (m)
	Succession (f)	a. estate – b. inheritance – c. successor
a/b-a-a-b		Accepter – partager – prendre – répudier une succession
a/a		Les droits de succession – le partage d'une succession
b/c	être	Le successeur est digne à tous égards de votre confiance
b/c	reporter sur	Nous vous prions de reporter sur nos successeurs la confiance dont vous nous avez toujours honorés
a/a	vacant	La succession est vacante
	Succursale (f)	Filiale (f) – branch (office)
		Etablir – ouvrir une succursale de . . . à . . .
		Annoncer l'ouverture d'une succursale
	Suffire	a. genügen
	Suffisance (f)	a. enough – b. to meet – c. to need – d. plenty –
	Suffisant	e. to suffice – f. sufficient
a/f-a		Une (en) quantité suffisante – c'est plus que suffisant
a/d		Nous en avons en stock en suffisance
a/b		Nous en avons assez pour suffire à nos besoins
a/e		Qu'il me suffise de vous dire que . . .
a/c		Il nous suffit que vous soyez présent

Suggestion (f) — Vorschlag (m) – suggestion

Accepter – étudier – faire une suggestion
Nous apprécierons toute suggestion ou critique que vous pourriez nous faire en vue de . . .

Suite (f) — a. Anschluss (m) – b. Folge (f) – c. infolge – d. nacheinander – e. Nachfolge (f) – f. sofort – g. später – h. stattgeben – i. weiter
a. at once – b. consequences – c. to follow – d. in a row – e. in the course – f. later – g. owing to – h. so forth – i. to take

d/d		De suite = l'un après l'autre
f/a		Tout de suite = immédiatement
a-b-i/c-e-h		A la suite – dans la suite – ainsi de suite
b/b	avoir	J'espère que cet incident n'aura pas de suites fâcheuses
b/b	des	Cet accident pourrait avoir des suites graves
b/c	donner	Nous donnerons suite à cette affaire en temps voulu Il n'a pas cru à propos de donner une suite à cette affaire
b/b	entraîner	Cela pourrait entraîner des suites que vous regretterez
h/i	favorable	Nous ne croyons pas pouvoir donner une suite favorable à . . .
c/g	par	Par suite de l'absence de notre directeur, nous ne pouvons pas prendre de décision
g/f	par la	Par la suite, nous reviendrons peut-être sur ce point
e/i	prendre	Le fils a pris la suite des affaires paternelles
h/i	regretter	Nous regrettons de ne pouvoir donner suite (donner une suite favorable) à votre demande – réclamation

Suivant — a. folgende – b. gemäss – c. Massgabe (f)
a. as per – b. depending – c. following

b/a		Suivant avis – suivant vos instructions
a/c		Veuillez m'envoyer les articles suivants: . . .
a/c		Nos prix pour ces articles sont les suivants: . . .
c/b		Nous vous passerons commande en temps voulu, suivant nos besoins

Suivre — a. einschlagen – b. folgen – c. Gang (m) – d. nachsenden
a. consecutive – b. (to be) consistent – c. to follow – d. to forward – e. to occur

b/c		Suivre un conseil – l'exemple – les instructions
b/c	affaire	Nous suivrons cette affaire de près
c/c		L'affaire suit son cours
d/d	faire	Prière de faire suivre
b/c	marchandise	Le solde de la marchandise suivra par un prochain envoi
a/c	marche	Vous trouverez, ci-jointe, la marche à suivre
b/b-a-e	se	Les faits – les numéros – les événements se suivent

	Sujet (m)	a. bezüglich – b. Grund (m) – c. Thema (n) – d. unterwerfen a. concerning – b. matter – c. reason – d. subject
c/bd-d-b		Aborder – s'écarter – liquider le sujet
c/bd	à	Il nous a parlé à ce sujet
d/d		Les prix sont sujets à variation – à fluctuations
a/a	au	Nous avons des craintes sérieuses au sujet de ce projet
c/d	connaître	Il connaît son sujet à fond
b/c	donner	Il ne nous a donné aucun sujet de mécontentement – de satisfaction
c/bd	s'étendre	Je crois qu'il est inutile de s'étendre sur ce sujet
	Supériorité (f) **Supérieur**	a. besser – b. gewachsen – c. grösser – d. Überlegenheit (f) – e. übertreffen a. above – b. better – c. greater – d. superior – e. superiority – f. to surpass
d/e		La supériorité d'un article sur les autres
a/d	être	Elle est de qualité supérieure – d'une qualité supérieure à celle des ...
e/d		Elle est supérieure à tout ce qui s'est fait dans ce domaine
e/b		Il leur est supérieur à plusieurs points de vue
b/a	montrer	Il s'est montré supérieur aux événements
c/cf	offre	L'offre est supérieure à la demande
c/a	production	La production de cette année est supérieure de 20% à celle de l'an dernier
	Suppléer **Supplément** (m) **Supplémentaire**	a. ersetzen – b. Überstunde (f) – c. zusätzlich – d. Zuschlag (m) a. additional(al) – b. extra charge – c. to make up for – d. overtime – e. second – f. supplement
a/c		Nous suppléons au manque de ... en vous envoyant des ...
d-c-c/bf-ab-a		Un supplément de prix – de frais – d'information
d/bf		Un supplément à payer – à acquitter
c/ab		En supplément, nous vous livrons des ...
b-c/d-e		Faire des heures supplémentaires – un travail supplémentaire
	Supporter	a. dulden – b. tragen a. to bear
a/a	abus	Je ne peux supporter plus longtemps de tels abus
b/a	conséquence	Il en a supporté les conséquences
b/a	frais	Vous aurez à supporter les frais de ...
b/a	prix	Nous sommes obligés de vous faire supporter une partie de l'augmentation de prix
	Supposer **Supposition** (f)	a. Annahme (f) – b. annehmen a. presume – b. supposition
b/a		Je suppose que vous avez reçu ma lettre du ...
b/a		Puis-je supposer que vous acceptez de ...
a/b		Ce sont là des suppositions gratuites
a/b		Ce n'est bien sûr qu'une supposition, mais ...

	Supprimer **Suppression** (f)	a. abschaffen – b. Abschaffung (f) – c. beseitigen a. to eliminate – b. elimination
c-a-a/a		Supprimer un abus – un droit – un privilège
b/b		La suppression d'une taxe
	Sûr	a. sicher – b. zuverlässig a. safe – b. sound – c. sure
a-b-b/b-c-b		Une affaire sûre – un homme sûr – une maison sûre
a/c	ce	Ce qu'il y a de sûr, c'est que . . .
a/c	coup	Je ne veux agir qu'à coup sûr
a/c	être	Je suis sûr du résultat – de ce que je dis
a/a	le plus	Le plus sûr serait de demander à . . .
a/c	que	Je suis sûr que cela réussira
	Surcharger **Surcharge** (f)	a. Überbelastung (f) – b. überlasten a. to overload – b. overload
b/a		Nous sommes surchargés de travail et ne pouvons pas exécuter votre commande avant . . . mois
a/b		La surcharge a entraîné la rupture de la pièce
	Surcroît (m)	a. besondere – b. Mehr a. excess
b-b-a/a		Le surcroît de besogne – de travail – de malheur
	Surenchérir **Surenchère** (f)	a. Mehrgebot (n) – b. überbieten a. to bid higher
b/a		Ce serait une erreur de surenchérir sur son offre
a/a		Nous ne sommes pas disposés à faire de la surenchère
	Surestimer	überschätzen – to overestimate
		J'avais surestimé les possibilités de vente de . . .
	Sûreté (f)	a. Sicherheit (f) a. safety – b. security
a/a-ab		Etre – mettre en sûreté – pour plus de sûreté
a/b		Nous avons pris toutes les mesures de sûreté qui s'imposaient
	Surfaire	übersetzen – to overprice
		Ses prix sont nettement surfaits
	Surgir	auftauchen – to crop up
		De nouvelles difficultés ont surgi
	Surmonter	überwinden – to overcome
		Il est capable de surmonter ces difficultés passagères
	Surpasser	übertreffen – to surpass
		Surpasser en qualité – en brillant Il le surpasse par l'intelligence
	Surplus (m)	a. im übrigen – b. Mehrbetrag (m) – c. Überschuss (m) a. moreover – b. surplus

b/b		Nous rendons – payerons le surplus
a/a		Au surplus, je ne crois pas que . . .
c/b		Nous n'avons pas l'emploi du surplus
	Surprendre	a. ausnützen – b. erstaunlich – c. überraschen a. to betray – b. to surprise
c/b	avoir	Cette nouvelle l'a beaucoup surpris
a/a	bonne foi	Il a surpris ma bonne foi
c/b	cela	Cela ne me surprend pas du tout
b/b	être	Il est surprenant que vous ne vous en soyez pas rendu compte plus tôt
c/b		J'espère que vous ne serez pas surpris par les frais
c/b		Vous serez probablement surpris que nous n'ayons pas envoyé . . .
c/b		Nous en sommes très surpris, d'autant plus que, jusqu'à ce jour, nos relations ont toujours été des meilleures
c/b		Nous sommes surpris d'apprendre que notre envoi du . . . ct ne vous est pas encore parvenu
b/b	rien	Il n'y a rien de surprenant à cela
	Surprise (f)	Überraschung (f) – surprise
		C'est avec quelque surprise que nous apprenons que . . .
	Surproduction (f)	Überproduktion (f) – overproduction
		Une surproduction passagère – momentanée
	Sursis (m)	Aufschub (m) – reprieve
		Accorder – refuser le sursis – bénéficier du sursis
	Surtaxe (f)	Gebührenzuschlag (m) – surtax
		Une surtaxe introduite – abrogée
	Surveiller **Surveillance** (f)	a. Beaufsichtigung (f) – b. überwachen a. surveillance – b. to watch
b/b		Il faut surveiller cette affaire de près
a/a		Une surveillance accrue devrait permettre d'éviter . . .
	Survenir	ereignen – to occur
		Cet incident est survenu au plus mauvais moment
	Susciter	verursachen – to cause
		Chaque fois, il nous suscite des ennuis
	Suspecter **Suspect**	a. bezweifeln – b. verdächtig a. (to be) suspicious – b. suspicious
a/a		Nous ne suspections pas vos bonnes intentions
b/b		Une affaire suspecte – des moyens suspects
	Suspendre **Suspens**	a. einstellen – b. offen – c. Schwebe (f) a. to suspend – b. suspense
a/a		Les paiements – travaux – poursuites sont suspendu(e)s
c-b/b		Laissons cette affaire – question en suspens

c/b — Nous vous conseillons de laisser en suspens l'exécution de votre ordre

Sympathie (f) — a. angenehm – b. Anteilnahme (f)
Sympathique — a. pleased – b. sympathy

b/b — Je vous exprime toute ma sympathie
a/a — Il m'est très sympathique de constater que ...

Syndicat (m) — a. Gewerkschaft (f) – b. gewerkschaftlich –
Syndical — c. Konsortium (n) – d. Verband (m) – e. Verein (m)
a. office – b. organisation – c. syndicate – d. union

a-d-d/d-b-b — Le syndicat ouvrier – professionnel – patronal
e/a — Le syndicat d'initiative de la ville de ...
c/c — L'emprunt sera pris en charge par un syndicat de banques
b/d — Des revendications syndicales ont perturbé notre activité

Système (m) — System (n) – system
Un système pratique – simple – compliqué – breveté
Le système métrique – décimal – monétaire – douanier
Adopter – modifier – suivre un système

T

Tabler — rechnen – to count on
Nous tablons sur un délai de ... jours au maximum

Tableau (m) — Aufstellung (f) – table
Un tableau récapitulatif des dépenses vous sera présenté sous peu
Si vous consultez le tableau en annexe, vous constaterez ...

Tache (f) — a. Flecken (m) – b. makellos
a. blemish – b. spot

a/b — Effacer – enlever – faire disparaître une tache
b/a — Une réputation sans tache

Tâche (f) — a. Akkord (m) – b. Aufgabe (f)
a. task – b. work

a/b — Un ouvrier – un travail à la tâche
b/a — S'acquitter de sa tâche – imposer une tâche
b/a — Etre à la hauteur de sa tâche – prendre à tâche de faire

	Tâcher	a. versuchen – b. zusehen a. to try
a/a	arranger	Je tâcherai d'arranger les affaires – les choses
a/a	conformer	Il tâche de se conformer aux instructions
a/a	faire	Je tâcherai de faire en sorte qu'il ne s'en aperçoive pas
a/a		Je tâcherai de le faire parler
a/a	mériter	Je tâcherai de mériter votre confiance
b/a	savoir	Tâchez qu'on n'en sache rien
a/a	trouver	Je tâcherai de trouver une meilleure solution
	Tacite	stillschweigend – tacit
		Conclure un accord tacite – une entente tacite
	Talent (m)	a. Talent (n) a. ability – b. talent
a/ab		C'est un homme de grand talent
a/a		Il a le talent de convaincre son auditoire
a/a		Nous avons fait appel au talent de M. ...
a/b		Il a un talent particulier pour ce genre de ...
	Talon (m)	Abschnitt (m) – stub
		Le talon d'un chèque – d'un récépissé
	Tant	a. alle – b. als – c. fehlen – d. so – e. wenig a. as – b. as much – c. certain – d. every single one – e. far – f. provided that – g. slightest bit – h. to succeed
b/a	en	En tant que directeur de ..., je peux vous recommander
e/g	être	Il est tant soit peu avare – bavard – entêté
d/f		Si tant est qu'il le fasse
a/d		Tous, tant que nous sommes, nous devrions ...,
d/h	faire	Il a fait tant et si bien que l'affaire est conclue
c/e	falloir	Il ne l'ignore pas, tant s'en faut
d/c	pour	Je vous allouerai un tant pour-cent sur les ventes
d/b	vouloir	Vous pouvez en acheter tant que vous voudrez
	Tard	a. erst – b. später a. late(r) – b. latest
b/a		Plus tard – trop tard – tôt ou tard
b/b		Au plus tard (pour) le 10 octobre
b/a		Si vous préférez remettre cette discussion à plus tard
a/a		Pas plus tard qu'hier, j'ai appris que ...
	Tarder	a. bald – b. unverzüglich a. to delay – b. delay – c. long (to be) – d. to wait (cannot)
a/c	arriver	Les marchandises ne tarderont pas à arriver
a/d	il	Il me tarde de le connaître – de le voir
a/a	répondre	Ne tardez pas à répondre
b/b		Je lui répondrai sans plus tarder

	Tare (f)	Tara (f) – tare
		La tare réelle – moyenne – légale Sous déduction de la tare Si vous déduisez du poids brut la tare de ... kg et la surtare de 2%, vous arrivez au poids net de ... kg
	Tarif (m)	a. Tarif (m) a. rate – b. tariff
a/a-a-b		Le tarif officiel – postal – douanier
a/a		Le tarif normal – préférentiel – de faveur
a/a		Le plein tarif – le tarif maximum – minimum
a/a		Le tarif réduit – spécial – le demi-tarif
a/a		L'application du tarif – la hausse des tarifs
a/a		Appliquer un tarif – payer d'après le tarif
	Taux (m)	a. Kurs (m) – b. Satz (m) – c. Wucherzins (m) a. price – b. rate
b-b-b-c/b		Le taux fixe – légal – normal – usuraire
a-a-b/b-a-b		Le taux du change – d'émission – de l'impôt
b/b		Le taux de l'intérêt – de l'escompte
b/b		Le taux de l'intérêt hypothécaire en 1er ou 2ème rang
b/b		L'élévation – le maintien – la réduction du taux
b-a/b		Etre au taux de ...% – se maintenir au même taux
b/b		Porter le taux à ...% – réduire le taux de ...%
	Taxe (f)	a. Gebühr (f) – b. Mehrwertsteuer (f) a. tax
a/a		La taxe ordinaire – supplémentaire. La taxe sur ...
b/a		La taxe sur la valeur ajoutée (T.V.A.)
	Tel	a. derartig – b. die – c. nichts – d. so – e. unverändert – f. wie a. as – b. like – c. such
e/a	acheter	Je l'ai acheté tel quel
a-d/c	de	Je n'ai jamais rien vu de tel – vu de telles choses
c/b	il	Il n'y a rien de tel qu'une entrevue pour ...
d/c	point	A tel point que je ne le reconnaissais pas
b/c	prendre	Prenez telles mesures qui vous paraîtront utiles
f/b	que	Un homme tel que vous devrait être capable de ...
d/c	sorte	Il a agi de telle sorte que nous ne pouvions pas l'aider
f/a	voir	Voyez donc les choses telles qu'elles sont
	Télégraphier **Télégramme** (m)	a. telegrafieren – b. telegrafisch – c. Telegramm (n) a. telegram – b. to wire – c. wire
c/a		Le télégramme en clair – en code – chiffré
c/ac		Envoyer un télégramme – échanger des télégrammes
b/a	aviser	Je vous aviserai par télégramme dès que ...
c/a	confirmer	Nous vous confirmons notre télégramme de ce jour par lequel nous vous prions d'annuler notre commande du ...
b/a	prévenir	Vous voudrez bien nous prévenir par télégramme

a/b		Nous vous télégraphierons pour vous prévenir en temps utile de . . .
	Téléphoner	a. Telefon (f) – b. telefonieren – c. telefonisch
	Téléphone (m)	a. to (tele)phone – b. (tele)phone(call)
a/b		Appeler – demander quelqu'un au téléphone
c/b		Accuser réception d'un téléphone – confirmer un téléphone
b/a		M. X doit me téléphoner prochainement
c/b		Veuillez me donner votre réponse par téléphone afin de gagner du temps
	Téléscripteur (m)	a. Telex (m)
	Télex (m)	a. teleprinter – b. telex
a/b		A la suite de votre télex du . . ., nous avons acheté pour votre compte . . .
a/a		Nos ordres étant envoyés par téléscripteur, vous avez bénéficié du premier cours
	Témoignage (m)	a. bezeugen – b. Zeichen (n) – c. Zeuge (m) a. symbol – b. testimony – c. witness
c/c	appeler	Nous l'appellerons en témoignage s'il le faut
c/b	concorder	Cela ne concorde pas du tout avec votre témoignage
c/b	condamner	Il a été condamné pour faux témoignage
b/a	en	Nous nous permettons de vous adresser ce . . . en témoignage d'estime – de reconnaissance pour l'activité que vous avez déployée en faveur de . . .
a/–	rendre	Je lui rends témoignage qu'il a toujours agi correctement
	Témoigner	a. ausdrücken – b. aussagen a. to show – b. to tell – c. to testify
b/c	contre	Lors du procès, il témoigna contre nous
a/a	estime	Nous voulons vous témoigner la grande estime que nous avons pour vous
b/c	en faveur	Je témoignerai en votre faveur
a/b	reconnaissance	Je ne sais comment (j'aimerais) vous témoigner ma reconnaissance
	Témoin (m)	Zeuge (m) – witness
		Un témoin à charge – à décharge Un témoin oculaire – un faux témoin La déposition – l'interrogation des témoins
	appeler	Mon employé a été appelé comme témoin
	avoir	Nous avons des témoins qui pourront prouver que . . .
	confronter	Les témoins ont été confrontés – après la confrontation des témoins
	dire	C'est grave, car il l'a dit devant de nombreux témoins
	être	J'ai été témoin de cet accident
	faire assigner	Nous ferons assigner les nombreux témoins de . . .
	prendre	Vous étiez présent, je vous prends comme témoin
	produire	Il lui sera difficile de produire des témoins
	servir	Je suis prêt à vous servir de témoin

	Tempérament (m)	a. Rate (f) a. deferred payment – b. hire purchase (GB) – c. instalment plan (US)
a/bc-a		L'achat – la vente à tempérament
a/bc-a		Acheter – vendre à tempérament
	Température (f)	Temperatur (f) – temperature
		La température baisse – monte – se radoucit – se refroidit
		Les brusques changements de température ont été néfastes aux cultures
	Temps (m) (atmosphérique)	Wetter (n) – weather
		Le temps est chaud – doux – clément – froid – sec
		Le temps est pluvieux – orageux – humide – variable
	améliorer	Le temps s'étant amélioré, les travaux ont repris
	continuer	Si le beau temps continue, nous pourrons prendre de l'avance sur le planning de construction
	imputable	Ce retard est imputable au mauvais temps que nous subissons
	maintenir	Si le temps se maintient, nous tiendrons nos délais
	Temps (m)	a. ausgedient – b. inzwischen – c. rechtzeitig – d. seinerzeit – e. Unterbrechung (f) – f. Zeit (f) a. day(s) – b. meantime – c. pause – d. time
f/d		De temps en temps – de temps à autre – de tout temps
		A temps – à contretemps – à temps perdu
		En temps voulu – en temps utile – en temps et lieu
f/d	abuser	Je ne voudrais pas abuser de votre temps
e/c	arrêt	La vente a – les négociations ont subi un temps d'arrêt
f/d	avoir	Vous aurez tout le temps nécessaire pour ...
		Il y a un certain temps que je ne l'ai vu
f/–	dans	Dans les premiers – derniers temps, il semblait que ...
f/d	demander	Un tel travail demande beaucoup de temps
f/d	dépendre	Tout dépend du temps que vous m'accorderez
f/d	donner	Nous vous donnons le temps nécessaire pour ...
f/d	économiser	Afin d'économiser votre temps, je vous propose ...
b/b	entre	Entre-temps, nous avons reçu une offre avantageuse de ...
f/d	être	Je pense qu'il serait grand temps de ...
a/a	faire	Je vous déconseille ce système qui a fait son temps
f/d	limiter	Nous sommes limités par le temps imparti
f/d	perdre	Je ne voudrais pas vous faire perdre du temps
c/d	prévenir	Veuillez me prévenir à temps pour que je m'organise
d/d	recevoir	Nous avions reçu en son temps ...
f/d	réfléchir	Donnez-moi le temps de réfléchir
	Ténacité (f) **Tenace**	a. Ausdauer (f) a. tenacious – b. tenacity
a/a		Il montre une ténacité peu ordinaire
a/b		Soyez tenace, ils finiront par accepter

	Tendance (f)	a. Tendenz (f)
		a. tendency – b. trend
a/b		Tendance à la hausse – à la baisse
a/b		Tendance ferme – faible du marché, de la bourse
a/a		Il a un peu trop tendance à se laisser aller
a/b		Nous devons suivre la tendance de la mode
	Tendancieux	tendenziös – biased
		Ces nouvelles sont tendancieuses
	Teneur (f)	a. Gehalt (m) – b. Inhalt (m)
		a. content – b. contents
a/a		La teneur en eau – en alcool – en or
b/b		La teneur d'une lettre – d'un contrat
	Tenir	a. abhalten – b. abhängen – c. führen – d. halten – e. liegen – f. tragen – g. Wert (m)
		a. to consider – b. due – c. to have – d. to hold – e. to insist – f. to keep – g. to oblige – h. to respect – i. to run – j. to take – k. to value
d/c		Tenir un article en magasin – tenir en magasin
d/f-h-h		Tenir parole -- un contrat – un engagement
d/d-d-f		Tenir bon – ferme – à jour
g/k	à	Je tiens à ce titre – à cet employé
d/f		Vous voudrez bien vous en tenir aux termes du contrat
c/c	article	Nous ne tenons plus cet article et l'avons remplacé par . . .
f/j	compte	J'en tiendrai compte dans la mesure du possible
f/aj		Tenant compte de l'importance de votre commande, nous . . .
d/f	courant	Tenez-moi au courant de ce qui se passe
d/g	être	Je suis tenu à quelques égards envers M. . . .
		Je suis tenu de payer la différence
b/b	il	Il ne tient qu'à vous que cela réussisse
c/i	maison	C'est une maison bien tenue
d/a	pour	Je le tiens pour un honnête homme
e/b	savoir	J'aimerais savoir à quoi cela tient
d/a	se	Il se le tient pour dit après cette mise au point
a/d	séance	Nous tiendrons notre prochaine séance le . . .
e/e	y	Allez-y, si vous y tenez
	Tenter	a. verführen – b. versuchen
		a. to make an attempt – b. to tempt – c. to try
b/c		Tenter la chance – la fortune – le tout pour le tout
b/a-c		Tenter d'inutiles efforts pour . . . – tenter de faire quelque chose
a/b		Il s'est laissé tenter
	Tenue (f)	a. Festigkeit (f) – b. Führung (f) – c. Mannieren (f)
		a. keeping – b. manners – c. performance
b/a		La tenue de la comptabilité – d'un procès-verbal
a/c		La bonne tenue de la bourse – d'une valeur

c/b		C'est un jeune homme qui a de la tenue – qui a bonne tenue
	Terme (m)	a. Ausdruck (m) – b. Ende (n) – c. Frist (f) – d. fristig – e. Fuss (m) – f. Rate (f) – g. Termin (m) – h. Vergleichsmassstab (m) – i. Wort (n) – j. Ziel (n) a. conclusion – b. end – c. forward – d. instal(l)ment – e. term – f. word
i/e-e-e-f		En termes clairs – polis – précis – en d'autres termes
h-i/e		Comme terme de comparaison – aux termes du contrat
a/e		Des termes techniques – scientifiques
d/e		A court – moyen – long terme
g/c		Un achat – un marché – une opération à terme
j-g-c/e		A terme fixe – à terme échu – à l'échéance du terme
f/d	s'acquitter	Vous avez la faculté de vous acquitter en plusieurs termes
e/e	être	Nous sommes en excellents termes avec nos concurrents
b/a	mener	Je mènerai cette affaire à bon terme
i/f	mesurer	Vous n'avez pas assez mesuré vos termes
b/b	mettre	Il faut mettre un terme à cette incertitude
i/e	parler	Il a parlé en termes précis de . . .
b/b	toucher	Mon bail touche à son terme
	Terminer	a. ausgehen – b. beenden a. to complete – b. to end – c. to finish
b-a/a-b		Terminer une affaire – la séance s'est bien terminée
b/c		Pour en terminer avec ce litige, il faudrait . . .
	Terrain (m)	a. Boden (m) – b. Grundstück (n) a. ground – b. groundwork – c. property
b/c		Terrain à bâtir – à louer – à vendre par lots, par parcelles
a/a		La concurrence gagne – perd – regagne du terrain
a/b		Notre représentant avait fort bien préparé le terrain
	Terre (f)	Landweg (m) – land
		Expédier – transporter par (la voie de) terre
	Testament (m)	a. Testament (n) – b. testamentarisch
	Testamentaire	a. will
a/a		Un testament olographe – authentique
a/a		Attaquer – contester la validité d'un testament
a/a		Mettre quelqu'un sur son testament
b/a		Les dispositions – les héritiers testamentaires
	Tête (f)	a. Anfang (m) – b. Kopf (m) – c. Rebell (m) – d. Ruhe (f) – e. Spitze (f) – f. Stirn (f) a. brains – b. head – c. mind – d. neck – e. person – f. up – g. way
b-c-d/b-c–.		Un calcul de tête – une forte tête – à tête reposée
b/d	avoir	J'ai du travail par-dessus la tête en ce moment

b/a	creuser	Je me creuse la tête pour trouver une meilleure solution
b/g	donner	Il ne sait où donner de la tête
a/b	en	En tête de la 3ème page, vous dites que . . .
e/b	être	Il est à la tête d'une grande entreprise
b/g	faire	Il n'en fait jamais qu'à sa tête
b/e	par	Quelle sera la dépense – le prix par tête?
b/b	perdre	Voyons les choses en face, ne perdons pas la tête
f/f	tenir	A nous deux, nous pouvons lui tenir tête
	Théorie (f)	Theorie (f) – theory
		Il faut qu'il passe de la théorie à la pratique
		Cette théorie repose sur une erreur
		Je ne peux admettre cette théorie – je combats cette théorie
		J'ai toujours soutenu la même théorie que vous
	Thèse (f)	a. These (f)
		a. thesis – b. viewpoint
a/a-b-b		Soutenir – adopter – combattre une thèse
	Tiers (m) **Tierce**	a. Dritte (m) – b. Drittel (m) – c. Obmann (m) a. third
b/a		Le tiers de la somme – la remise d'un tiers du montant
a/a		Entre les mains d'un tiers – d'une tierce personne
a/a		De compte à tiers – pour le compte d'un tiers
c/a		Nous espérons qu'il ne sera pas nécessaire de désigner un tiers arbitre
	Timbrer **Timbre** (m)	a. Briefmarke (f) – b. frankieren – c. Stempel (m) – d. stempeln a. mark – b. to stamp – c. stamp
c-a/c		Le timbre de la poste – les timbres-poste
c/c		Le timbre dateur – le timbre à quittance
c/a		La date du timbre postal faisant foi
d-b-d/b		Timbrer un effet – une lettre – une quittance
c/b-c		Le papier timbré – le droit de timbre
a/b		Toute demande doit être accompagnée d'un timbre pour la réponse
	Tirage (m)	a. Auflage (f) – b. Ausgabe (f) – c. auslosen – d. Ziehung (f) a. circulation – b. drawing – c. publication
a-d-c/a-b-b		Le tirage d'un journal – d'une loterie – d'obligations
b-d/c-b		Le tirage à part d'un ouvrage – le tirage au sort
c/b		Billets – obligations sorti(e)s au tirage
d/b		Le tirage aura lieu le . . .
	Tirer **Tireur** (m) **Tiré** (m)	a. ausnützen – b. Aussteller (m) – c. Bezogene (m) – d. drucken – e. Druckerlaubnis (f) – f. Imprimatur (f) – g. ziehen a. to draw – b. drawee – c. drawer – d. to get – e. press – f. to print – g. to take

d-d-ef/f-f-e		Tirer un catalogue – un journal – le bon à tirer
b-c/c-b		Le tireur – le tiré d'une lettre de change
g/a	aviser	Nous vous avions avisé que nous tirerions sur vous à soixante jours, pour le solde de notre facture du ...
a/g	de	Il est presque impossible de tirer parti de cette situation
g/d		Que pouvons-nous tirer de cette marchandise?
g/d	se	Comment pourra-t-il se tirer d'affaire?
g/a	sur	Vous pouvez tirer sur moi à ... jours, en couverture de votre facture du ...
	Titre (m)	a. als – b. endgültig – c. Entgelt (n) – d. interessehalber – e. Probe (f) – f. rechtmässig – g. Titel (m) – h. unentgeltlich – i. vorläufig – j. Zahlungsanweisung (f)
		a. as – b. consideration – c. document – d. instrument – e. -ly – f. out of – g. security – h. title
g/g-g-d		Un titre nominatif – au porteur – à ordre
g/g		Un titre remboursable – sorti au tirage
g-g-j/h-d-c		Un titre de propriété – de créance – de paiement
g/g		Une avance – un prêt sur titres
g/g-h		Le service des titres – le transfert de titre
a-d-a-e/af-f-a–.		A titre d'ami – de curiosité – d'échantillon – d'essai
h-h-c/b		A titre gracieux – gratuit – onéreux
i-f-b/e		A titre provisoire – définitif – à juste titre
g/g	achat	Nous tenons à votre disposition les titres provenant de notre achat du ..., pour votre compte, et dont nous rappelons le détail ci-dessous
g/g	négocier	Nous tâcherons de négocier ces titres au mieux
g/g	récépissé	Veuillez m'adresser le récépissé de dépôt des titres, accompagné du décompte d'usage
g/g	vendre	Veuillez vendre, pour mon compte, à Fr. ... sauf mieux, les titres ci-après que je vous adresse sous pli séparé assuré et recommandé
	Tolérer	dulden – to tolerate
		Nous ne pouvons (voulons) pas tolérer cet abus – ce désordre – cette manière de faire – ces retards
	Tomber	a. fallen – b. stossen – c. werden
		a. to drop – b. to fall (on) – c. to find – d. to reach
c/d	d'accord	J'espère que nous tomberons rapidement d'accord
a/b	échéance	L'échéance tombe le samedi 24, elle sera donc reportée au lundi 26
a/ab	prix	Les prix sont tombés à la suite de ...
b/c	sur	Je suis tombé sur une bonne occasion
	Ton (m)	a. Ton (m)
		a. tone – b. way
a/a	lettre	Le ton de votre dernière lettre me surprend
a/a	parler	Je lui parlerai sur le ton qui convient
a/b	prendre	Si vous le prenez sur ce ton, nous ne pourrons pas nous entendre

	Tonnage (m)	a. Tonnage (f) – b. Tonne (f) a. tonnage
a-b-a-a-b/a		Le tonnage brut – légal – en lourd – net – de registre
	Tonneau (m)	a. Frachtraum (m) – b. Registertonne (f) a. ton
a-b-b/a		Le tonneau d'affrètement – de jauge – de registre
	Tort (m)	a. Fehler (m) – b. Schaden (m) – c. Unrecht (n) – d. unrecht a. blame – b. harm – c. mistake – d. wrong – e. wrongly
c/e	accuser	Vous l'avez accusé à tort
d/d	avoir	J'ai tort – tous les torts – tort d'agir ainsi
b/b	causer	Votre négligence nous a causé du tort – un grand tort
d/a	donner	Je vous donne tort sur toute la ligne Vous ne pouvez me donner tort
a/c	être	Votre tort a été de le croire sur parole
c/d		Il est dans son tort
b/b	faire	Ces faux bruits m'ont fait du tort
c/d	mettre	Il est regrettable qu'il se soit mis ainsi dans son tort
	Tôt	früh – soon
		Assez tôt – plus tôt – trop tôt – le plus tôt possible Le plus tôt sera le mieux – il est encore trop tôt Nous saurons tôt ou tard les dessous de cet accord
	Total (m)	Total (n) – total
		Cela fait un total de Fr. . . . Le gain – la perte – la somme – la valeur total(e)
	Toucher	a. anlaufen – b. berühren – c. betreffen – d. erhalten – e. rühren – f. stehen a. to concern – b. over – c. to reach – d. to receive – e. to touch
d/d		Toucher un acompte – un chèque – de l'argent Toucher des appointements – des intérêts – un dividende
a/c	à	Le bateau a touché au port
b/e		Ne touchez pas à . . .
b/a	de près	Cette affaire me touche de près
c/a	en	En ce qui touche à cette question, nous . . .
b/a		Cela ne me touche en rien
e/e	être	J'ai été profondément touché par la sympathie dont vous m'avez entouré lors du décès de . . .
f/b	fin	La liquidation touche à sa fin
	Tour (m)	a. Glanzleistung (f) – b. Reihe (f) – c. Streich (m) a. feat – b. tour – c. turn
c/b		Faire – jouer un bon ou un mauvais tour à quelqu'un
a/a		Vous avez réussi là un tour de force
b/c		La parole sera donnée à chacun, à tour de rôle

	Tourner	a. kehren – b. mürrisch – c. verdrehen – d. wenden – e. werden a. to turn – b. turn
d/a	avantage	J'espère que cette affaire tournera à notre avantage
d/a	côté	Je ne sais pas de quel côté me tourner
a/a	dos	Sans explication, il nous a tourné le dos
b/b	esprit	C'est un esprit mal tourné
e/a	mal	Cette personne a mal (bien) tourné
c/a	tête	Ses succès trop rapides lui ont tourné la tête
	Tournure (f)	a. Geisteshaltung (f) – b. Wendung (f) a. light – b. turn
b/a	donner	Il faut donner une autre tournure à . . .
a/b	esprit	Il a une tournure d'esprit fort plaisante
b/b	prendre	Les affaires prennent une vilaine tournure
	Tout	a. alle – b. beständig – c. ganz – d. genau – e. gesamthaft – f. Hauptsache (f) – g. höchstens – h. keineswegs – i. Konfektion (f) – j. vollständig a. all (together) – b. any – c. entirely – d. every – e. everything – f. exactly – g. very – h. whole
c/c	autre	C'est une tout autre personne – tout autre affaire
c/h	avoir	Nous avons toute une semaine pour faire . . .
j/c	du	Cela change du tout au tout la situation
a/e	être	Tout est cher, difficile à vendre
c/a		Elle est toute neuve – tout abîmée
a/a		C'est tout dire – c'est tout ce que j'ai appris
a-f/a		Le tout était en bon état – le tout est de savoir si . . .
d/f	fait	C'est tout à fait ce que je recherche
a/d	jour	Tous les jours – tous les deux jours
b/a	moment	A tout moment, nous recevons des réclamations au sujet de votre appareil
e/h	partie	A vendre, en tout ou en partie, mille pièces de . . .
h/a	pas	Je ne suis pas du tout d'accord
a/a	perdre	Nous avons perdu tout espoir de . . .
g/g	plus	Tout au plus pourrais-je vous accorder un rabais de . . .
a/ad	point	Il est en tous points semblable à celui que vous aviez . . .
a/h	prendre	Je prends le tout si vous m'accordez une réduction
a/ab	reprendre	Nous reprenons tout article qui ne convient pas
a/e	risquer	Je suis prêt à risquer le tout pour le tout
i/–	vêtement	Un vêtement tout fait
c/–	vous	Tout à vous
	Trace (f)	a. Fussstapfe (f) – b. Spur (f) a. footsteps – b. trace
b/b		Son passage n'a laissé aucune trace
b/b		Je n'en trouve aucune trace dans ma correspondance
a/a		Il marche sur les traces de son père

	Traduire	a. äussern – b. übersetzen – c. Übersetzung (f)
	Traduction (f)	a. to translate – b. translation
b-c/a-b		(faire) Traduire en anglais – faire une traduction
c/b		Une traduction littérale – mot à mot – fidèle
a/a		Cela se traduirait par une hausse des prix
	Trafic (m)	a. Verkehr (n)
		a. trade – b. traffic
a/a		Le trafic local – régional – intérieur – extérieur
a/b		Le trafic frontalier – international – maritime
a/b		Le trafic routier – ferroviaire – aérien – postal
a/b		Le trafic commercial – des marchandises – des voyageurs
a/b		Le trafic des paiements
	Train (m)	a. Begriff (m) – b. nehmen – c. weitergehen – d. Zug (m)
		a. operation – b. process – c. rate – d. train
d/d		Un train de voyageurs – de marchandises
		Un train omnibus – direct – express
c/c	au	Au train où vont les choses, il vaudrait mieux . . .
a/b	être	Il est en train de préparer la prochaine exposition
b/a	mettre	Nous mettons en train une importante affaire
d/d	prendre	Je prendrai le train de 8 h. 12 qui m'amènera à 11 h. 26 à . . .
	Traîner	ziehen – to drag on
		L'affaire – le procès traîne en longueur
	Trait (m)	a. Bemerkung (f) – b. beziehen – c. Geniestreich (m) – d. Strich (m)
		a. to concern – b. flash – c. stroke
a-c-d/b-bc-c		Un trait d'esprit – de génie – de plume
b/a		Cette facture a trait à notre dernier envoi
	Traite (f)	Wechsel (m) – bill (of exchange)
		Une traite acceptée – avalisée – endossée
		Une traite domiciliée – payable sur place
		Une traite à vue – à 60 jours – à 3 mois
		Etablir – accepter – endosser une traite
		Payer – honorer – faire protester une traite
	Traitement (m)	Gehalt (n) – salary
		Un traitement brut – net – de base
		Un traitement fixe de Fr. . . ., plus commission de . . .% sur . . .
		Une retenue sur un traitement
	Traiter	a. behandeln – b. verhandeln
		a. to deal – b. to handle
a/b	affaire	Nous sommes prêts à traiter l'affaire si . . .
b/b		Le marché était calme, aucune affaire importante n'a été traitée
b/a	avec	Nous vous conseillons de traiter directement avec M. . . .

b/a	être	Nous sommes sur le point de traiter avec cette maison
a/b	manière	Nous ne comprenons – n'admettons – n'aimons pas votre manière (façon) de traiter cette affaire
a/b	pouvoir	Nous serions heureux de pouvoir traiter cette affaire
b/a		Vous pouvez traiter en toute confiance avec lui
b/a	recommander	On ne nous recommande pas de traiter avec cette maison
a/b	satisfaire	Votre façon de traiter les affaires ne nous satisfait pas du tout – nous satisfait entièrement – pleinement
	Trajet (m)	a. Fahrt (f) – b. Strecke (f) a. trip
b-a/a		Le trajet de . . . à . . . – pendant le trajet
a/a		Le trajet se fait en deux jours
	Tranquilliser **Tranquille**	beruhigen – (to not) worry
		Vous pouvez être tranquille à ce sujet
		Soyez tranquille, nous nous en occupons
		Tranquillisez-vous, l'affaire est en bonnes mains
		Pour vous tranquilliser, nous avons fait expertiser . . .
	Transaction (f) **Transactionnel**	a. Transaktion (f) – b. Vergleich (m) – c. Verkehr (m) a. settlement – b. transaction
c/b		Faciliter les transactions commerciales
a/b		Toutes nos transactions financières sont faites par l'intermédiaire de la Banque . . .
b/a		Nous sommes arrivés à une solution transactionnelle
b/a		Le litige a été réglé par une transaction honorable
	Transbordement (m)	a. Umladen (n) – b. Umschiffen (n) a. transport(ation)
b-a/a		Le transbordement de voyageurs – de marchandises
a/a		Les frais de transbordement sont à votre charge
	Transférer **Transfert** (m)	a. übertragen – b. Übertragung (f) – c. verlegen a. to convey – b. conveyance – c. to transfer – d. transfer
a/a		Transférer des actions – des biens – une propriété
b/b-b-d		Le transfert d'actions – des droits – de fonds
c/c		Nous avons transféré notre bureau à . . ., rue . . .
b/d		Faire opérer un transfert de fonds
	Transformer **Transformation** (f)	a. Umbau (n) – b. umwandeln a. change – b. to convert – c. remodelling
b/b		J'ai transformé mon entreprise en société anonyme
a/c		Par suite de transformations, nos bureaux seront fermés du . . . au . . .
a/a		Je peux faire faire les transformations que vous souhaitez
	Transiger	vergleichen – to compromise
		Nous ne voulons pas transiger sur ce point

	Transiter	a. Transit (m)
	Transit (m)	a. forwarding agent – b. to pass in transit –
	Transitaire (m)	c. transit
a/c		L'acquit – le droit – le commerce de transit
a/c		La gare – le port – la maison de transit
a/c		Expédier – passer des marchandises en transit
a/c		Nous les avons déclarées comme marchandises en transit
a/a		Vous voudrez bien remettre directement à notre transitaire à ... les documents nécessaires à l'acheminement des marchandises
a/b		Les marchandises ne feront que transiter dans ce pays
	Transitoire	a. Übergang (m)
		a. temporary – b. transition
a/b		Durant cette période transitoire, M. ... s'occupera de ...
a/a		Ce n'est qu'une solution transitoire
	Transmettre	a. übermitteln – b. übertragen
		a. to convey – b. to send (on)
a/ab		Transmettre un ordre – un message – des documents
b/a		Ces titres vous seront transmis par endossement
	Transporter	a. befördern – b. Hauslieferdienst (m) –
	Transport (m)	c. Transport (m)
	Transporteur (m)	a. carrier – b. delivery – c. to transport – d. transport(ation)
c/d		Transport par chemin de fer ou ferroviaire – par route – par mer – par air ou par voie aérienne – par camion – par charter – par container
a/c		Transporter par chemin de fer, etc.
c/d		Une agence – un agent – une compagnie de transport
c/d		Le mode – les moyens – les risques de transport
b/b		Le service de transports à domicile
c/d		Le transport coûte – s'effectue – est payé
c/d		Cette marchandise ne supporte pas un tel transport
c/d		L'avarie est due à une manipulation trop brutale pendant le transport
c/d		Nous pouvons nous charger du transport aux conditions suivantes: ...
c/d		Nous vous soumettons ci-après nos conditions pour le transport de ...
c/a		Le transporteur est responsable du chargement et du déchargement
c/a		Le transporteur est, dans ce cas, responsable des dégâts
	Travail (m)	a. Arbeit (f)
		a. job – b. labo(u)r – c. to make – d. work

a/d Le travail à l'heure – à la journée – au mois
a/d Le travail à domicile – au bureau – à l'atelier
a/d Le travail à plein temps – à temps partiel
a/c Le travail manuel (fait à la main) – à la machine
a/d Le travail à la pièce – à la chaîne – en série
a/b Le contrat (collectif) de travail
a/ad Chercher – solliciter – trouver – offrir du travail
a/d Abandonner – arrêter – cesser le travail
a/d Nous sommes surchargés de travail
a/ad Nous avons confié ce travail à un sous-traitant
a/ad Je pense que nous aurons achevé le gros du travail dans une dizaine de jours
a/a Je souhaiterais vous confier ce travail délicat car . . .

Travailler arbeiten – to work
Travailler pour son propre compte – pour le compte de . . .
Travailler à l'heure – à plein temps – au pair
Nous ne pouvons pas nous permettre de travailler à perte
Nous travaillons sans relâche pour tenir les délais

Travers a. durchkreuzen – b. quer – c. überwinden – d. verkehrt
a. across – b. through – c. way
a/c Prenez garde à M. . . . qui a déjà cherché à se mettre en travers de nos projets
c/b J'ai passé au travers de multiples difficultés avant de . . .
b/a Cette pièce doit être placée en travers de . . .
d/c Je constate qu'il a compris tout de travers ce que je lui avais dit

Traversée (f) Überfahrt (f) – crossing
La traversée dure . . . jours
La marchandise a été volée – subtilisée – endommagée durant la traversée

Trésor (m) a. Barmittel (n) – b. Rechnungsführer (m) –
Trésorerie (f) c. Schatzschein (m) – d. Staatskasse (f)
Trésorier (m) a. finances – b. financial – c. treasurer – d. treasury
d-c/d Le Trésor public – les bons du Trésor
a/b-a Les besoins de trésorerie – l'amélioration de la trésorerie
b/c M. . . . a été nommé trésorier de notre association

Tri (m) a. sortieren – b. Sortierung (f)
a. to sort – b. sorting
a-b/a-b Faire le tri des lettres – un centre de tri

Tribunal (m) Gericht (n) – court
Le tribunal civil – pénal – commercial
Comparaître devant le tribunal
Porter une affaire devant les tribunaux – recourir au

		jugement d'un tribunal
		Le tribunal est – s'est déclaré compétent – incompétent
	Tromper	a. enttäuschen – b. irren – c. täuschen – d. verrechnen
		a. to belie – b. to deceive – c. (to be) wrong
b/c	adresse	Vous vous êtes trompé d'adresse
c/b	apparence	Il a été trompé par les apparences
c/b	confiance	Il a trompé notre confiance
b/c	croire	Je ne crois pas me tromper en disant que . . .
c/b	dans	J'ai été trompé dans mon attente
d/c		Je me suis trompé dans mon calcul de Fr. . . .
c/c	difficile	Il est vraiment difficile de se tromper
a/a	espérance	Le résultat a trompé mes espérances
c/b	essayer	Il a essayé de me tromper sur la qualité de . . .
c/c	intention	Vous vous êtes trompé sur mes intentions
c/c	lourdement	On ne pouvait plus lourdement se tromper
c/c	possible	Il est possible qu'il se trompe
c/c	pourvu	Pourvu qu'il se trompe dans ses prédictions!
c/b	s'y	Il n'y a pas à s'y tromper
	Trompeur	trügen – deceiving
		Les apparences sont trompeuses, méfiez-vous
	Troubler	a. stören – b. verwirren – c. Verwirrung (f)
	Trouble (m)	a. to disturb – b. to upset
c/b		Jeter le trouble dans l'esprit des gens
a/a		Troubler le repos – l'ordre public
b/b		Je ne voudrais pas vous troubler par mes remarques
	Trouver	a. aufsuchen – b. bekommen – c. einfinden – d. finden – e. fügen
		a. to be – b. to find – c. to happen – d. to look up
d/b		Trouver bon – bien – mieux – à propos
b/b	ailleurs	On ne le trouve pas meilleur marché ailleurs
a/d	aller	J'irai le trouver à mon prochain passage
d/b	ce	Je crois que j'ai trouvé ce qu'il vous faut
d/b	emploi	Il n'a pas encore réussi à trouver un emploi stable
d/b	erreur	Cette erreur n'était pas facile à trouver
b/b	où	Où trouve-t-on cet article?
b/b	partout	Cet article se trouve partout
b/b	place	Pourriez-vous trouver sur votre place des . . .?
d/b		Je n'ai pas trouvé de place pour loger ces fûts
c/a		Nous pourrions nous trouver sur place le . . .
d/b	pouvoir	C'est tout ce que l'on peut trouver de mieux
d/b	propos	Si vous le trouvez à propos, je lui écrirai
d/b	qualité	Je lui trouve de sérieuses qualités
e/c	que	Il se trouve que je suis justement libre ce jour
a/d	venir	Venez donc me trouver, nous en discuterons
	Tutelle (f)	Vormundschaft – guardianship
		Mettre – tenir sous tutelle
		Etre chargé d'une tutelle – faire lever la tutelle

U

	Ultérieur	später – to follow
		Un avis ultérieur vous donnera de plus amples détails
	Un	a. durchschnittlich – b. eins – c. manche
		a. one – b. some
b/a		Je les ai livrés – reçus un à un (un par un)
a/a		L'un dans l'autre, ils me coûtent Fr. ... pièce
c/b		Les uns disent qu'il va faire faillite
b/a		Pour une raison ou une autre, ...
	Unanimité (f)	a. einstimmig
	Unanime	a. unanimous – b. unanimously
a/b		Il a été élu à l'unanimité des voix
a/b		Le rapport a été accepté – admis – adopté à l'unanimité
a/a		Ils sont unanimes à vouloir la dissolution de la société
a/a		C'est une décision unanime et qui montre bien que ...
	Union (f)	a. Union (f) – b. Verband (m) – c. Vereinigung (f)
		a. to join – b. union
a-a-a-b/b		L'union européenne des paiements – l'union douanière – économique – une union professionnelle
c/a		L'union de nos forces nous permettrait de ...
	Unir (f)	gemeinsam – to combine
		Nous vous proposons d'unir nos efforts en vue de ...
	Unité (f)	a. Einheit (f)
		a. consistency – b. unit
a/b		Le prix de l'unité est de ...
a/a		Il n'y a pas d'unité dans leur politique
a/b		Nous avons installé une nouvelle unité de production
	Urbain	a. Stadt (f) – b. städtisch
		a. urban
a-a-b/a		Le rayon – le réseau urbain – les transports urbains
	Urgence (f)	a. dringend – b. Dringlichkeit (f) – c. sofort
	Urgent	a. emergency – b. immediately – c. urgency – d. urgent
a-b/d-c		Un cas urgent – vu l'urgence du cas
c-a/b-a		A adresser d'urgence à – en cas d'urgence, s'adresser à ...
a/b		Il faut convoquer d'urgence les membres du comité
b/d		Nous avions souligné le caractère d'urgence de notre ordre
c/b		Nous vous prions de nous adresser d'urgence ce ...

a/d		Il est urgent que nous prenions une décision
a/d		J'ai un besoin très urgent de ces articles
	Usage (m)	a. Brauch (m) – b. Gebrauch (m) – c. üblich
		a. common practice – b. obsolete – c. practice – d. use
a/a		L'usage courant – local – de la maison
b/c		Pour mon propre usage – pour un usage particulier
a/c	adopter	C'est l'usage généralement adopté ici
a/c	avoir	Cet usage a force de loi
a/a	conformer	Vous voudrez bien vous conformer à l'usage
		Conformément à l'usage, je vous demande de ...
a/a	contraire	Votre façon d'agir est contraire à l'usage
b/d	discret	Vous voudrez bien faire un usage très discret de ces renseignements
b/d	être	Ce système est encore en usage
c/a		Il est d'usage que le premier envoi soit payé ...
b/d	faire	Je souhaite que vous en fassiez bon usage
		Je ferai usage du droit que vous m'avez accordé
b/b	hors	Cette machine est hors d'usage
b/d	plaire	Faites-en l'usage qu'il vous plaira
	User	a. abnutzen – b. Gebrauch (m) – c. üben
		a. to exercice – b. to make use – c. to wear out
a/c		Ces articles sont usés – s'usent très vite
b/b		Nous userons de notre droit et leur interdirons de ...
c/a		Je vous conseille d'user de patience avec ...
	Usuel	üblich – usual
		Les moyens – les termes usuels
		Les connaissances usuelles lui font défaut
	Usufruit (m)	a. Nutzniesser (m) – b. Nutzniessung (f)
	Usufruitier (m)	a. usufruct – b. usufructuary
b/a		Jouir – bénéficier d'un usufruit
a/b		Etre usufruitier
	Usure (f)	a. Abnutzung (f) – b. Wucher (m)
		a. usurious – b. wearing-out
a/b		L'usure d'une machine – d'une pièce
b/a		Pratiquer un taux d'usure (de l'intérêt)
	Utile	a. geben – b. Nutzen (m) – c. nützlich – d. zweckmässig
		a. due – b. helpful – c. service – d. useful
d/d	croire	Je crois utile de vous signaler que ...
c/d	être	Il est utile de connaître les ...
b/c		Si je puis vous être utile, écrivez-moi
b/b		Je regrette de ne pouvoir vous être plus utile
c/d		Votre aide me sera très utile
a/a	temps	Prévenez-moi en temps utile
	Utiliser	a. verwenden – b. Verwendung (f)
	Utilisation (f)	a. to use – b. use – c. utilization
a/a		Utiliser un article – une machine – les services de ...

b/bc		Une utilisation rationnelle des . . . devrait nous permettre d'économiser une somme importante
a/a		Seule l'huile . . . doit être utilisé avec cette machine
	Utilité (f)	a. Nutzen (m) – b. Nützlichkeit (f) a. useful – b. usefulness
a/a		Cela vous sera d'une grande utilité – de quelque utilité
b/b		J'en admets – j'en reconnais – j'en vois l'utilité

V

	Vacance (f)	a. Ferien (pl.) – b. Stelle (f) a. holiday(s) – b. vacancy
a/a		Les vacances de Noël – de Pâques – d'été – d'hiver
a/a		Avoir – prendre – passer des vacances
a/a		Dès mon retour de vacances, je m'occuperai de ce problème
b/b		S'il se produit une vacance dans nos bureaux, nous . . .
	Vacant	frei – vacant
		Un emploi – un logement – un poste vacant Une place – une situation vacante
	Vague	unbestimmt – vague
		Je n'ai obtenu que de vagues renseignements Il est resté dans le vague au sujet de . . .
	Vaincre	überwinden – to overcome
		Il sera difficile de vaincre ces difficultés – la résistance de . . .
	Valable	a. annehmbar – b. gültig – c. triftig a. valid
b/a		Un billet – un contrat valable un an – pendant un an
b/a		Valable pour la saison – pour un an – jusqu'à révocation
a-c-c/a		Donner une excuse – un motif – une raison valable
	Valeur (f)	a. Bankvaluta (f) – b. Geltung (f) – c. Kassenbestand (m) – d. nichtig – e. stichhaltig – f. Verbindlichkeit (f) – g. Wert (m) a. amount – b. quality – c. security – d. validity – e. value

g-g-f/e		La valeur comptable – active – passive
c-a/c		Les valeurs en caisse – en banque
g/e		La valeur en compte – la valeur au pair
g/a		Valeur reçue comptant – en espèces – en marchandises
g/e		Valeur nominale – effective – intrinsèque
g/c		Valeur échue – à l'échéance – à l'encaissement
g/e		Valeur assurée – assurable
g/c		Valeur industrielle – mobilière – immobilière
g/e		L'augmentation – la diminution de (la) valeur
g/e		Augmenter – diminuer de valeur
g/e	assurer	Nous l'avons assuré au double de sa valeur au bilan
g/e	augmenter	La valeur de cet article a augmenté de plus de 30%
g/e	avoir	Cet article a plus de valeur que . . . – n'a pas grande valeur – a toujours sa valeur
d/d	déclarer	L'acte a été déclaré nul et sans valeur
g/e	estimer	Vous l'avez estimé à sa juste valeur
g/e	être	L'objet est de grande – de peu de – de petite – sans valeur Sa valeur est en hausse – en baisse
b/b	mettre	Il ne sait pas se mettre en valeur Il faudrait mettre ces articles mieux en valeur
g/e	payer	Nous l'avons payé au-dessous de . . . – au-dessus de . . . – à sa juste valeur
g/e	perdre	Cette marchandise a perdu plus de la moitié de sa valeur
g/c	placement	Vous trouverez ci-jointe une liste de valeurs de placement que nous recommandons à votre attention
g/c	réaliser	C'est le moment de réaliser ces valeurs
e-g/d	sans	Ces arguments – ces renseignements sont sans valeur
g/e	vendre	Je l'ai vendu au-dessous de sa valeur réelle
	Validité (f)	Gültigkeit (f) – validity
		La validité d'un billet – d'un contrat – d'un testament La durée de validité d'un billet – proroger la validité d'un billet – d'un contrat Reconnaître la validité d'un acte – d'une décision
	Valoir	a. anrechnen – b. besser – c. geltend – d. Geltung (f) – e. gültig – f. gut – g. hervorheben – h. kosten – i. lohnen – j. wert sein a. to assert – b. to be – c. to cost – d. to deduct – e. to emphasize – f. valid – g. worth
a/d	à	Je vous paierai Fr. . . . à valoir sur mon compte
f/g	en	C'est une solution qui en vaut une autre
g/e	faire	J'ai fait valoir les avantages que l'on pourrait retirer de . . .
c/a		Je ferai valoir mes droits – mon opinion
c/e		J'ai fait valoir qu'il ne suffisait pas de . . .
d/a		Il sait se faire valoir
j/g	loin	Cette marchandise est loin de valoir celle que j'avais reçue

h-j-j/c-g-g	marchandise	Cette marchandise vaut Fr. . . . le kilo – ne vaut pas grand-chose – ne vaut pas un sou
b/b	mieux	Mieux vaut ne pas en parler pour le moment Il vaut mieux accepter cette solution Il vaut finalement mieux qu'il en soit ainsi Mieux vaut tard que jamais – le plus tôt vaudra le mieux
i/g	peine	Il vaut la peine d'essayer encore une fois de . . .
e/f	quittance	Quittance en double ne valant que pour simple
a/d	somme	Une somme à valoir sur . . .
	Vanter	a. brüsten – b. herausstreichen a. to brag – b. to extol – c. to vaunt
b/c-b		Il sait vanter sa marchandise – ses qualités
a/a		Je peux le dire sans me vanter
	Variation (f) **Variable**	a. Änderung (f) – b. veränderlich a. variable – b. variation
b/a		La qualité – le temps est variable
a/b		Les variations saisonnières des prix de . . .
a/b		Les prix sont sujets à des variations considérables
a/b		Ce tarif n'a pas subi de variations depuis deux ans
	Varier **Variété** (f)	a. abwechslungsreich – b. Auswahl (f) – c. variieren a. variety – b. to vary
c/b		Les prix varient continuellement – depuis six mois – entre 1000 et 2000 francs – d'un jour à l'autre – suivant les régions, les saisons, le temps
a/b		Nous avons un assortiment varié de . . .
b/a		Nous avons une grande variété d'articles – de couleurs – de qualités
	Veiller	a. sorgen – b. wahrnehmen a. to look after – b. to supervise
a/b	à	Nous vous demandons de veiller personnellement à la bonne exécution de notre ordre
b/a	intérêt	Nous avons veillé à vos intérêts, comme s'ils étaient les nôtres
	Vénal	a. käuflich – b. Verkaufswert (m) a. mercenary – b. monetary – c. venal
b-a/b-ac		La valeur vénale d'un immeuble – un homme vénal
	Vendeur (m) **Vendable**	a. Verkäufer (m) – b. verkäuflich a. able to be sold – b. salesman (-woman)
b/a		Ces marchandises ne sont pas vendables à ce prix
a/b		Nous recherchons quelques vendeurs et vendeuses
	Vendre	a. verkaufen – b. versteigern a. to sell
a/a		Vendre au comptant – à crédit – à terme Vendre en compte ferme – à tempérament Vendre à l'amiable – de gré à gré Vendre au mieux – à Fr. . . . sauf mieux – à découvert

		Vendre en gros – au détail – à la pièce
		Vendre au rabais – à vil prix – à bas prix
		Vendre au prix coûtant – au plus juste prix
a/a	condition	Nous pouvons vendre aux meilleures conditions grâce à ...
a/a	consentir	Nous ne savons s'il consentira à nous vendre sa maison
a/a	décider	Nous avons décidé de le vendre
		Nous sommes décidés à vendre le tout
a/a	disposer	Seriez-vous disposé à me vendre ...
b/a	faire	Il faudra faire vendre ces marchandises aux enchères
a/a	occasion	Nous avions l'occasion de vendre une ...
		... est à vendre d'occasion, en excellent état de marche
a/a	placer	Nous sommes bien placés pour vendre ces articles
a/a	se	Ces articles se vendent couramment Fr. ... pièce
	Venir	a. besuchen – b. kommen – c. soeben – d. überwinden – e. unangebracht a. to come – b. to deliver – c. to get – d. just (has)
d/c	à bout	Nous viendrons à bout de ces difficultés
b/a	cela	Cela vient de ce que vous n'avez pas précisé ...
b/c	en	Nous en sommes venus à ne plus croire à ...
a/a	être	Il est venu me voir hier
e/–		Je serais mal venu d'en parler
b/b	faire	Nous ferons venir cet article d'Italie
b/a		Nous le ferons venir pour qu'il nous explique ...
b/c	idée	L'idée m'est venue de supprimer ...
b/c	il	Il m'est venu à l'esprit une idée que je vous soumets
b/a	d'où	D'où vient cet article?
c/d	paraître	Ce livre vient de paraître
	Vente (f)	a. Kauf (m) – b. Verkauf (m) – c. verkaufen – d. Versteigerung a. demand – b. sale(s) – c. to sell
a/b		L'acte – le contrat – le prix de vente
a-d/b		La vente sur échantillons – la vente aux enchères
b/b		La vente publicitaire – la vente réclame
b/b		Une campagne de vente – une vente promotionnelle
b/b	activer	Nous vous recommandons d'activer la vente de ...
c/a	avoir	Nous avons certainement la vente de ces articles
b/b	charger	Seriez-vous disposé à vous charger de la vente de ...
c/b	être	Ces articles sont en vente dans tous les magasins
b/b	forcer	Il faut forcer la vente
b/b	mettre	Nous l'avons mis en vente au prix de ...
b/b	offrir	Je l'ai offert en vente à ...
b/b	perdre	Par votre faute, nous en avons perdu la vente
b/b	pousser	Afin de vous engager à pousser la vente de ...
b/b	ralentir	Le mauvais temps a ralenti la vente de nos articles
b/b	réaliser	Nous avons réalisé des ventes importantes
b/c	sauf	Cette offre vous est faite sauf vente
b/b	volume	Le volume des ventes a augmenté de ...% en ...

	Vérifier	a. prüfen – b. Prüfung (f)
	Vérification (f)	a. to audit – b. to check – c. verification – d. to verify
a/a-b-b		Vérifier des comptes – des calculs – des références
b/c		La vérification de la marchandise – de la caisse
b/c		Procéder à une vérification sommaire – minutieuse
a/d	colis	Nous vous demandons de vérifier le nombre et l'état des colis à l'arrivée avant d'en prendre possession
a/d	compte	Nous vous prions de vérifier votre compte et de nous confirmer votre accord en nous retournant, le plus tôt possible, la feuille incluse munie de votre signature
a/a		Les soussignés ont examiné et vérifié les comptes de l'année ... et les ont trouvés parfaitement en ordre
a/b	machine	La machine n'a pas été vérifiée avant l'expédition
	Véritable	a. echt – b. wahr a. genuine – b. real
a-b/a-b		Le cuir véritable – le véritable prix de ...
	Verser	a. Einzahlungsschein (m) – b. zahlen – c. Zahlung (f)
	Versement (m)	a. to deposit – b. to pay – c. payment
a/a-c		Un bordereau – un bulletin de versement
c/c		Un versement en espèces – mensuel – trimestriel
c/c		Le jour du versement – un versement anticipé
c/d		Espacer les versements – faire des versements
c/c		Se libérer en un ou plusieurs versements
b/b		J'ai versé Fr. ... à votre ... – veuillez me verser le solde
b/b		Si vous ne pouvez verser la totalité de la somme, ...
	Vertu (f)	gemäss – virtue
		En vertu de l'article 2 du règlement, vous devrez ...
	Viager	Leibrente (f) – life annuity
		Une rente viagère – placer son argent en viager
	Vice (m)	Mangel (m) – defect
		La machine est garantie deux ans contre tout vice de fabrication et défaut de matière
		Annuler un jugement pour vice de forme
	Vie (f)	a. Leben (n) a. life – b. living
a/a		La vie privée – la vie publique
a/b		La vie chère – l'indice du coût de la vie
	Vif	a. gewaltsam – b. Kern (m) – c. lebhaft – d. mündlich – e. zutiefst a. great – b. heart – c. personally – d. quick – e. sheer
d-a-c/c-e-a		De vive voix – de vive force – le vif plaisir
c-e-e/a-d-d		Ma vive satisfaction – Blessé – piqué au vif
b/b		Entrer dans le vif du sujet

	Vigueur (f)	a. Festigkeit (f) – b. Kraft (f) a. firmness – b. force
b/b		Ce règlement entre en vigueur dès le ... – immédiatement
b/b		Ce règlement cesse d'être en vigueur dès le ...
b/b		Ce règlement reste – n'est plus en vigueur
a/a		Vous devriez faire preuve de plus de vigueur envers M. ..
	Vil	Schleuderpreis (m) – very low
		Vendre à vil prix un lot de marchandises dépareillées
	Vin (m)	a. bestechen – b. Ehrentrunk (m) – c. Wein (m) a. bribe – b. reception – c. wine
c/c		Un marchand de vin – un négociant en vin
b/b		Un vin d'honneur sera servi à l'issue de la séance
a/a		C'est contraire à mes principes de lui verser un pot-de-vin
	Violer **Violation** (f)	a. verletzen – b. Verletzung (f) a. to violate – b. violation
b/b		Il a agi en violation de la règle
b/b		C'est une violation patente de nos conventions
a/a		Il a violé le contrat en agissant ainsi
	Virer **Virement** (m)	a. überweisen – b. Überweisung (f) a. to transfer – b. transfer
a-b/a-b		Virer une somme – un virement de fonds
b/b		Un virement postal – bancaire – télégraphique
a/a		En règlement de votre facture du ..., nous faisons virer, ce jour, sur votre compte auprès de la banque ..., la somme de Fr. ...
	Viser **Visa** (m)	a. Bezug (m) – b. Sichtvermerk (m) – c. Visum (n) a. to implicate – b. stamp – c. visa ...
b/b		Toute note doit être revêtue du visa de ...
b/b		Faire – apposer son visa sur un document
c/c		Votre passeport doit être muni d'un visa touristique
a/a		Quelles sont les personnes visées par son accusation?
	Visite (f)	a. Besuch (m) – b. Kontrolle (f) – c. Lokaltermin (f) – d. Sprechstunde (f) – e. Untersuchung (f) – f. Visitenkarte (f) a. call – b. inspection – c. visit – d. visiting
a-a-e/c		La visite amicale – intéressée – médicale
a-b-c/b		La visite du représentant – de la douane – des lieux
f-d/d		La carte de visite – les heures de visite
a/c	déranger	Si ma visite ne vous dérange pas, je viendrai le ...
a/c	faire	Quand donc nous ferez-vous visite?
a/c	honorer	Nous serions heureux si vous nous honoriez de votre visite
a/c	recevoir	Vous recevrez bientôt la visite de notre voyageur
a/a	rendre	Je vous rendrai visite sous peu

	Visiter	a. besuchen – b. durchsuchen – c. zeigen a. to visit
a-b-b-a/a		Visiter les clients – une maison – les bagages – une ville
c/a		Nous vous ferons visiter nos nouvelles installations
a/a		Nous vous invitons cordialement à visiter nos nouveaux locaux – magasins
	Vitesse (f) **Vite**	a. Eilgut (n) – b. Geschwindigkeit (f) – c. schnell – d. Schnelligkeit (f) – e. zuvorkommen a. fast – b. speed
c/a		Faire vite – au plus vite – avoir vite fait
d/b		La vitesse de rotation du stock
b/b	aller	La voiture allait (roulait) à toute vitesse
a/a	envoyer	Envoyer ou expédier en grand vitesse
e/a	gagner	Je suis arrivé trop tard, il m'avait gagné de vitesse
	Vitrine (f)	Schaufenster (n) – display window
		Notre service de décoration de vitrine se mettra à votre disposition à la date qui vous convient
		Nos vitrines d'exposition vous présentent actuellement une remarquable (intéressante) collection de . . .
	Vivacité (f) **Vivement**	a. lebhaft – b. rege a. extremely – b. quick-witted
b/b		Il a une grande vivacité d'esprit
a/a		Je vous remercie vivement de la peine que vous vous êtes donnée
	Vivre	a. leben – b. Lebzeiten (pl.) – c. -Mannieren (f) – d. unterhalten a. alive – b. to live – c. savoir-vivre – d. to support
a/b	apprendre	Il a encore besoin d'apprendre à vivre
a/b	avoir	A-t-il de quoi vivre?
b/a	de	De son vivant, il était déjà bien connu
a/b		Il vit de son travail – de ses économies
d/d	faire	Il fait vivre toute une famille
a-c/b-c	savoir	Il sait vivre – il a du savoir-vivre
	Vivres (m.pl.)	a. Kost (f) – b. Lebensmittel (n) – c. Lebensunterhalt (m) a. board – b. means of subsistence – c. supplies
b/c		Le bon marché – la cherté – la fourniture des vivres
a/a		Je lui donne le vivre et le couvert
c/b		Son père lui a coupé les vivres
	Vœu (m)	Wunsch (m) – wish
	année	. . . vous présente ses meilleurs vœux pour l'année 19. . .
		. . . vous souhaite une bonne et heureuse année
		. . . vous présente ses meilleurs vœux à l'occasion de la nouvelle année
		. . . vous adresse ses meilleurs vœux de santé, de bonheur et de prospérité pour la nouvelle année

	anniversaire	Nous vous prions de croire à nos vœux les plus affectueux Je vous exprime mes vœux les meilleurs et les plus affectueux Je pense affectueusement à vous, en ce jour de fête, et vous envoie mes vœux les plus cordiaux
	Vogue (f)	a. Mode (f) – b. Zugkraft (f) a. fashion(able) – b. popular
b-a-b/ab		Cet article a une grande vogue – est en vogue – jouit d'une vogue momentanée
	Voie (f)	a. Begriff (m) (im) – b. begriffen – c. Eisenbahn (f) – d. Hauptstrasse (f) – e. Weg (m) a. by – b. channels – c. detour – d. process – e. way
e/a		La voie de terre – d'eau – aérienne
c-d-e-e/a		La voie ferrée – routière – fluviale – maritime
e/e-e-c		La voie directe – indirecte – détournée
e/b		Adresser une plainte par la voie de service
a/d	être	L'affaire est en voie d'arrangement – de s'arranger
b/d		La maison est en voie de construction
b/d		La société est en voie de formation
a/e		L'affaire est en bonne voie d'aboutir
e/e	expédier	Il vaut mieux expédier les marchandises par la voie habituelle
	Voir	a. besuchen – b. durchschauen – c. erleben – d. sehen – e. Standpunkt (m) – f. tun – g. werden a. to do – b. to find oneself – c. to look – d. to see
d/d	à	Je ne vois pas à quoi cela peut être utile – peut servir
a/d	aller	Ne manquez pas d'aller le voir
c/d	autre	Il en a vu bien d'autres
f/a	avoir	Je n'ai rien à voir dans cette affaire
d-b/d	clair	Enfin, j'y vois clair – je vois clair dans son jeu
d/d	espérer	J'espère avoir bientôt le plaisir de vous voir
d/c	être	Il est bien vu de ses chefs
c/d		Cela ne s'était jamais vu
d/d	honneur	J'espère avoir l'honneur de vous voir
e/c	manière	Je ne comprends pas sa manière de voir
d/d	œil	Je vois cette affaire d'un autre œil
d/d	que	Voyez que rien ne manque
d/b	se	Je me vois obligé de réclamer
g/b		Il se voit réclamer une marchandise qu'il n'a pas reçue
a/d	venir	Venez donc me voir quand vous passerez à ...
	Voiture (f)	a. Frachtbrief (m) – b. Wagen (m) a. car – b. waybill
b-a/a-b		Une voiture de livraison – une lettre de voiture
b/a		Aller en – avoir une – prendre une voiture
	Voix (f)	a. Abstimmung (f) – b. mitreden – c. mündlich – d. Stimme (f) a. to say – b. voice – c. vote

d-d-c/b-b–.		A voix haute – à voix basse – de vive voix
b/a	avoir	Il n'a pas voix au chapitre
d/c		Il a voix consultative – délibératrice – une voix prépondérante
a/c	mettre	Sa proposition a été mise aux voix
d/c	majorité	A la majorité des voix – à une majorité de 10 contre 9
	Voler **Vol** (m)	a. Diebstahl (m) – b. Flug (m) – c. stehlen a. flight – b. to rob – c. shoplifting – d. theft
a-a-a-c/c-d-d-b		Un vol à l'étalage – un vol qualifié – un vol avec ou sans effraction – se faire voler des . . .
a/d		Une assurance contre le vol
b/a	avion	Arriver – partir avec le vol 516
	Volontaire (m)	Volontär (m) – volunteer
		J'ai travaillé comme volontaire dans une banque
	Volonté (f)	a. Wille (f) a. control – b. initiative – c. will
a/c	bonne	C'est un homme de bonne volonté, que je puis vous recommander
		C'est là une preuve de bonne volonté dont je lui tiens compte
a/a	circonstances	Par suite de circonstances indépendantes de ma volonté, je ne pourrai assister à la séance du comité
a/b	manque	Il a fait preuve d'un manque total de volonté
a/b	propre	Il l'a fait de sa propre volonté
	Voter **Vote** (m)	a. Abstimmung (f) – b. stimmen – c. Verabschiedung (f) – d. Votum (n) a. to vote – b. vote
b/a		Je voterai dans le même sens que vous
b/b		Le bulletin – le droit de vote
d-c/b		Le vote de confiance – le vote d'une loi
a/b		Prendre part au vote – un vote à main levée
	Vouer	widmen – to devote
		Je vouerai tous mes soins à . . .
	Vouloir	a. böse – b. freundlicherweise – c. Vorwurf (m) – d. Wille (m) – e. wollen a. to be angry – b. please – c. to want – d. will – e. to wish
e/c	accepter	Je ne veux pas accepter cette proposition
b/e	bien	Il a bien voulu me confier ce . . .
d/d	bon	Il a fait preuve de bon – de mauvais vouloir
a/a	en	Je ne vous en veux pas. A qui en voulez-vous?
e/c	être	Je ne voudrais pas être à sa place
e/e	faire	Faites comme vous voulez
e/c	force	Il veut à toute force atteindre son but
e/c	que	Que voulez-vous? Je veux que vous le sachiez
e/c		Qu'il le veuille ou non, nous . . .
e/c	rien	Je ne veux rien avoir à lui payer

e/c	sans	Il l'a fait sans le vouloir
e/c	savoir	Sait-il ce qu'il veut faire? – ce qu'il se veut?
e/b		Veuillez me faire savoir par retour du courrier . . .
c/a	s'en	Je m'en veux de ne pas lui avoir répondu
	Voyager **Voyage** (m)	a. befördern – b. Reise (f) – c. reisen – d. Transport (m) a. (to be) transported – b. to travel – c. trip
c/b		Voyager à la commission – pour une maison de . . .
b/c		Entreprendre – interrompre – abréger un voyage
b/c		Remettre un voyage à plus tard
b/c		La durée – les frais – l'itinéraire du voyage
b/c		Un voyage d'affaires – professionnel – d'agrément
b/c		Un voyage d'aller et retour – circulaire
a/a		La marchandise voyage pour compte et aux risques de . . .
b/c		J'ai été en voyage d'affaires durant la dernière semaine
b/c		Je viens de rentrer de voyage et de prendre connaissance de . . .
d/c		Nous craignons que ces marchandises délicates supportent mal le voyage
	Voyageur (m)	Reisender (m) – traveller (commercial)/business representative (GB) – travelling salesman (US)
		Le voyageur de commerce – à la commission
		Engager un voyageur pour visiter la clientèle
		Notre voyageur vous présentera notre nouvelle collection de . . . – quelques nouveautés
		Notre voyageur se rendra à . . . au début du mois prochain
	Vrac (m)	a. aufschütten – b. Schüttgut (n) a. bulk (in . . .) – b. loose
b-a/a-b		Marchandise en vrac – charger en vrac
	Vrai (m) **Vraiment**	a. allerdings – b. eigentlich – c. recht – d. wahr – e. wirklich a. really – b. right – c. true – d. truth
d/d	avoir	Il y a du vrai dans ce qu'on vous a dit
b-b-d/d-d-b	dire	A dire vrai – à vrai dire – vous dites vrai
c/b	être	Il n'y a pas de doute, il est dans le vrai
a/c		Il est vrai qu'on ne le voit jamais
e/a		Vous êtes vraiment très (trop) aimable
	Vraisemblance (f) **Vraisemblable**	a. wahrscheinlich – b. Wahrscheinlichkeit (f) a. likelihood – b. likely
a/b		Son explication est peu vraisemblable
b/a		Selon toute vraisemblance, . . .
	Vu	a. angesichts – b. Auge (n) – c. da – d. Einsicht (f) a. openly – b. presentation – c. view

b/a		Au vu de tous – au vu et au su de tous
d/b		Sur le vu de la facture
a/c		Vu les circonstances, je vous autorise à . . .
c/c		Vu que vous ne pouvez pas acheter en ce moment, je . . .
	Vue (f)	a. Ansicht (f) – b. Auge (f) – c. Aussicht (f) – d. bekannt – e. Blick (m) – f. Gesichtspunkt (m) – g. Hinblick (m) – h. merklich – i. Sehen (n) – j. Sicht (f) – k. Standpunkt (m) a. demand – b. eye – c. glance – d. sight – e. view
j/a	à	Le change à vue – une traite à vue, payable à vue
b/de		Il l'a fait à la vue de tous
e/c		A première vue, cela ne me plaît pas
h/b		Le volume augmente à vue d'œil
a/e	avoir	Il a des vues trop étroites – trop larges sur cette affaire
c/d		J'ai une affaire en vue
i/d	connaître	Je connais cette personne de vue
g/e	en	En vue de son prochain départ
a/e	entrer	Il est entré dans mes vues tout de suite
b/d	perdre	Je l'avais perdu de vue depuis dix ans
d/b	personne	Il est devenu une personne en vue
k/e	point	Je vous donne mon point de vue
f/e		Il faut l'examiner à tous les points de vue – au point de vue de la qualité comme à celui du prix
a/e	saine	Il a des vues saines dans ce domaine
j/a	tirer	Nous tirerons sur vous à vue – à trois mois de vue

W–Y

	Wagon (m)	a. Wagen (m) a. car – b. van – c. wagon
a/a-ac-ab		Le wagon-plateforme – -citerne – -frigorifique
a/c		Prix par wagon complet – franco sur wagon
a/c		La marchandise sera acheminée par wagon plombé
	Warrant (m)	Warrant (m) – warrant
		Vous pourriez obtenir une avance sur warrant de Fr. . . . environ

	Week-end (m) (hôtel)	Wochenende (n) – weekend
		Veuillez me faire un prix tout compris pour le week-end du . . . au . . ., pour 2 personnes, chambre à deux lits, avec salle de bain
	Y	a. dabei – b. daran – c. dort – d. dorthin – e. es a. about – b. to do (with) it – c. there – d. to understand
d-d-c-c/c b-a/b-d e-b/b-a		J'y allais – j'y irai – j'y étais – j'y serai Il n'y est pour rien – vous n'y êtes pas du tout Je n'y manquerai pas – j'y penserai

Z

	Zèle (m)	a. Eifer (m) a. to overdo – b. zealously
a/b a/a		Il a travaillé avec beaucoup de zèle à ce projet C'est dommage qu'il veuille toujours faire du zèle
	Zone (f)	a. Anwendungsgebiet (n) – b. Zollbezirk (m) – c. Zone (f) a. zone
c-b-a/a c/a		La zone franche – douanière – d'application du tarif La zone européenne de libre échange

Achevé d'imprimer
en février mil neuf cent quatre-vingt-sept
sur les presses de l'imprimerie
OTT VERLAG + DRUCK AG THOUNE